VOIR QUÉBEC ET MOURIR

Jean-Michel David

VOIR QUÉBEC ET MOURIR

Thriller

Hurtubise

Catalogage avant publication de Bibliothèque et Archives nationales du Québec et Bibliothèque et Archives Canada

David, Jean-Michel, 1978-

Voir Québec et mourir

ISBN 978-2-89647-875-0

I. Titre.

PS8607.A768V64 2012 C843'.6 C2012-940259-1
PS9607.A768V64 2012

Les Éditions Hurtubise bénéficient du soutien financier des institutions suivantes pour leurs activités d'édition :

- Conseil des Arts du Canada ;
- Gouvernement du Canada par l'entremise du Fonds du livre du Canada (FLC) ;
- Société de développement des entreprises culturelles du Québec (SODEC) ;
- Gouvernement du Québec par l'entremise du programme de crédit d'impôt pour l'édition de livres.

Conception graphique de la couverture : René St-Amand
Illustration de la couverture : Éric Robillard, Kinos
Maquette intérieure et mise en pages : Folio infographie

ISBN 978-2-89647-875-0
ISBN version numérique (PDF) : 978-2-89647-876-7
ISBN version numérique (ePub) : 978-2-89647-888-0

Dépôt légal : 1er trimestre 2012
Bibliothèque et Archives nationales du Québec
Bibliothèque et Archives du Canada

Diffusion-distribution au Canada :
Distribution HMH
1815, avenue De Lorimier
Montréal (Québec) H2K 3W6
www.distributionhmh.com

Diffusion-distribution en Europe :
Librairie du Québec/DNM
30, rue Gay-Lussac
75005 Paris FRANCE
www.librairieduquebec.fr

Imprimé au Canada
www.editionshurtubise.com

Note de l'auteur

J'ai pris dans ce roman de nombreuses libertés, tant au niveau du fonctionnement interne du gouvernement qu'à celui des services policiers du pays. Quant à une éventuelle ressemblance entre un de mes personnages et un politicien vivant ou ayant vécu, toutes mes excuses.

Ils se ressemblent tous…

Liste des personnages

Andersen, William : policier
Converse, Elizabeth : journaliste au *Provincial*
Fiersen, Paul : médecin, membre du Conseil de Westmount
Finetti, Joseph : petit-fils de Lotto, également son bras droit
Finetti, Lotto : homme d'affaires
Fontaine, Marcus : sympathisant à la cause souverainiste
Gagnon, Raoul : rédacteur en chef du *Provincial*
Galipeau, Julie : militante, fille de Mathieu Sinclair
Jordan, Bethleem : chef des Forces armées canadiennes
Laverdure, Émilie : assistante de Mathieu Sinclair et colocataire d'Elizabeth
Laverdure, Lucien : père d'Émilie, fonctionnaire fédéral
Martel, Erik : SG4, âme damnée de Taylor
Martial, Roland : directeur de la Sûreté du Québec
Maynard, Phillibert : chef des Desperados
Morin, Réjean : directeur du Service de police de Montréal
Murphy, Mark : directeur de la GRC
Normandeau, Georges : premier ministre du Québec
Roof, Jonathan : premier ministre du Canada
Santori, Domenico : agent du SG4
Sinclair, Mathieu : présentateur vedette de *L'Information*
Sullivan, Mike : capitaine anglophone basé à Valcartier

Taylor, Curtis : directeur du SG4
Trudeau, Benny : militant de la première heure
Wilson, Gregory : ancien combattant du Vietnam

À Marc, un ami loyal,
qui me connaît bien et qui m'aime quand même.

À Anne-Marie, parce que parfois, une seule voix suffit…

Prologue

La salle de conférence du 24, rue Sussex, était plongée dans la pénombre, brisée çà et là par les lampes de travail allumées devant les participants. Ces derniers étaient arrivés dans des voitures banalisées au cours de la journée, selon un horaire établi, afin qu'aucun ministre n'arrive au même moment qu'un confrère, pour ne pas attirer l'attention. Tous affichaient une mine grave et résolue lorsqu'ils levèrent la tête vers le premier ministre du Canada, qui entrait par la porte donnant sur ses appartements privés.

Le premier ministre de l'Alberta commanda discrètement à un serveur un second scotch, double, sous le regard réprobateur de certains de ses collègues. Les premiers ministres de chaque province avaient furtivement délaissé leur territoire pour répondre à l'appel du *Prime Minister*. Ce genre de réunion impromptue était une rareté, et parmi les hommes de pouvoir réunis dans cette pièce, deux seulement en avaient vécu de semblables, en 1980 et 1995, pour la même raison. L'homme qui leur faisait face était l'un d'eux.

Le premier ministre du Québec brillait par son absence. Il n'avait pas été invité pour une bonne raison. Il était l'objet de la réunion.

Une armoire à glace en costume vint offrir des rafraîchissements. Il prit les commandes en anglais, puisque de tous les hommes réunis, le premier ministre était le seul de l'assemblée à s'exprimer dans les deux langues.

Jonathan Roof, le résident de la rue Sussex, se tourna vers ses homologues et tous virent à la lueur des lampes qu'il était fortement contrarié. Ceux d'entre eux qui ne se sentaient guère concernés par les récents événements eurent l'intelligence de le cacher. Celui qui s'était bâti une réputation sur son calme olympien se maîtrisait à peine. Lorsqu'il parla, son discours était teinté de rage et d'indignation :

— Ce gros con dépasse les bornes ! Un référendum en juillet ! Au moment où, naturellement, notre taux de satisfaction est au plus bas ! En juillet, sans climatiseur, le premier imbécile venu est prêt à crucifier son prochain, alors nous avoir comme cible, vous pensez… Non, mais vous l'avez vu ? Vous l'avez vu prendre ses poses ? Y a des coups de pied au cul qui se perdent ! *Fuck* !

Ils l'avaient vu, mais tous avaient compris depuis un moment qu'avec Jonathan Roof, les questions étaient le plus souvent rhétoriques. Il inspira profondément et baissa un peu le ton :

— C'est le premier homme à diriger une campagne séparatiste qui comprend que le temps ne joue aucunement en leur faveur, pour un combat de ce genre. Lévesque et Parizeau ne l'avaient pas compris. Le premier par excès de bonnes intentions, et le second parce qu'il aimait le son de sa propre voix. Il va frapper fort, les matraquer à coups de publicité et surtout ne pas leur laisser trop de temps pour réfléchir. Merde ! Les spots passent déjà à la télé, à la radio, sur YouTube et c'est presque viral sur Facebook !

La rage du *Prime Minister* pouvait se comprendre. Bien que chef du Parti québécois, Georges Normandeau n'avait jamais laissé entendre qu'il souhaitait l'indépendance, depuis trente ans qu'il était politicien. Il en avait bien parlé du bout des lèvres, ici et là, mais le climat ne s'y prêtant pas tellement, il avait le plus souvent adroitement esquivé les questions. Il serait juste de mentionner que durant vingt-cinq de ces trente années, l'idée ne serait venue à personne, même au journaliste le plus désœuvré, de demander son avis à Georges Normandeau sur la question.

L'annonce du prochain référendum, faite à la population quatre jours auparavant, avait été une surprise totale dans un monde où un secret a une durée de vie de quinze minutes, ce qui ajoutait à la bonne humeur du premier ministre. Il reprit, tentant de contrôler l'indignation qui perçait dans sa voix :

— Ça va on ne peut plus mal ! Johnson est venu me porter les derniers sondages il y a une dizaine de minutes. Il y a de fortes chances, messieurs, que les Québécois obtiennent leur indépendance dans un peu moins de trois semaines… Vous imaginez le bordel administratif dans lequel ils vont nous jeter ? Vous rendez-vous compte que si on entre là-dedans, on ne fera plus rien d'autre de tout notre mandat, sans parler du prochain ? Les hosties d'habitants ! Maudite province de marde !

Nul n'eut l'impertinence de faire remarquer au premier ministre qu'il était lui-même originaire de cette province.

— Partons du principe qu'ils y parviennent. Pourrons-nous simplement les laisser faire ? Dire adieu aux sept millions d'habitants du Québec et à leurs revenus, tout bonnement ? Sincèrement, messieurs, je ne crois pas…

Le silence se fit autour de la table de conférence, alors que Jonathan Roof répétait à voix basse :

— Non. Vraiment pas…

PREMIÈRE PARTIE

Un supplicié, par définition, se doit d’être égoïste…

1

Lorsque Marcus Fontaine se leva ce matin-là, il sut que le vent avait tourné. Il envoya valser son réveil à l'autre bout de la chambre. À moitié habillé, il s'affaira à rassembler ses effets, puis se rendit au travail. Pour la première fois en presque quatre années, il y allait de bon cœur. Ne possédant pas de voiture, il devait marcher une quinzaine de minutes jusqu'à l'arrêt d'autobus, exécrable moyen de transport s'il en est un, quoi qu'en disent les écologistes. Ces écologistes qui roulent en Smart pour épargner la couche d'ozone et pas en autobus, vous le noterez… Le bus arriva en retard et Fontaine y monta pour constater que la seule place disponible se trouvait près de l'éboueur qui empuantissait le bus matin et soir. Il préféra rester debout.

Marcus trouvait décourageant de regarder ceux qui l'entouraient. Depuis quatre ans, il prenait le même autobus, avec les mêmes gens, et rien ou presque ne les différenciait les uns des autres. Le plus pénible à supporter était cet air collectif de profonde résignation, celui qu'affichent ceux et celles qui savent que leur routine ne changera pas d'un iota jusqu'à ce qu'on les installe dans leur boîte en sapin. Un air de camp de concentration, comme si ce travail qu'ils détestaient tous, ce salaire juste assez élevé pour les garder enchaînés étaient tout ce qu'ils pensaient retirer de la vie.

« Que le diable m'emporte si je me laisse aller à ce point ! pensa Fontaine en jetant un regard circulaire à ses compagnons d'infortune. Le problème, avec cette bande de perdus, c'est qu'ils sont persuadés que leur emploi les définit. Ils croient dur comme fer que s'ils ont le malheur de déroger à leur sacro-sainte routine, comme de laisser tomber leur boulot pour en trouver un meilleur, le monde s'effondrera. Très peu pour moi, merci… »

L'autobus le déposa au bout de l'immense stationnement de l'entrepôt immense dans lequel il travaillait. Pour la énième fois, Marcus murmura : « Une job d'entrepôt… Calice ! Comment je me suis ramassé ici ? »

Il se faisait violence depuis quatre ans, chaque matin, pour arpenter le bitume du stationnement sans vomir, à se dire que c'était passager et qu'il y avait pire, de toute façon. Fontaine était bien prêt à reconnaître qu'il y avait pire, mais il ne voyait vraiment pas ce que cela aurait pu être. Et il ne voulait absolument pas le savoir ! Un supplicié, par définition, se doit d'être égoïste.

En poussant les portes, Marcus se mit au diapason. Le lettré en lui, sensible à la beauté et à l'harmonie, le visiteur de musée, le musicien, se mit en retrait pour céder la place au type dont les bras, et les bras uniquement, rapportaient un salaire à la maison. C'était par mesure de protection qu'il agissait ainsi. Il avait perdu quatre des meilleures années de sa vie dans cet endroit, et il ne souhaitait pas en laisser davantage. Ce qu'il était réellement, il le ramènerait avec lui.

Quatre ans auparavant, il était revenu des Indes fauché comme les blés et un concours de circonstances déplorable l'avait mené jusqu'à cet entrepôt du quartier industriel de Boucherville, où le travail était pénible, les gens braves mais ignorants et où l'espérance de vie était nettement moins élevée que la moyenne nationale. Bien sûr, on s'use plus vite à charrier des caisses qu'à demeurer le cul vissé derrière un bureau… Comme Fontaine avait tout vendu pour partir un an en voyage, il avait dû contracter quelques dettes pour se remettre sur les rails à son retour. Mais les dettes ont une fâcheuse tendance à faire des petits, et le temps avait filé. Il avait réglé sa dernière la veille. Il était parvenu à couper sa carte de crédit en soixante-sept morceaux, qu'il avait lancés par la fenêtre avec un réel sentiment de soulagement. Libre, enfin !

Alors qu'il pénétrait dans la cafétéria, il croisa son patron, candidat sérieux au titre de crétin de l'année, et déjà récipiendaire de celui des trois années précédentes. Fontaine le méprisait du plus profond de son être. Cet imbécile se pavanait comme un seigneur au milieu de ses vassaux. Il passait sans cesse la main dans ses cheveux bouclés et semblait se trouver tout à fait exceptionnel. Selon la rumeur populaire, ses cheveux bouclaient car leurs racines trempaient dans l'eau.

Marcus, en prenant son café, écoutait le résultat des derniers sondages sur le référendum. Les enquêtes des trois principales firmes du Québec donnaient un léger avantage aux séparatistes, et Georges Normandeau, le premier ministre, faisait la une de tous les quotidiens. Fontaine ne s'était jamais particulièrement soucié de politique, mais la façon dont les anglophones du reste du Canada parlaient d'eux dans les journaux commençait à lui peser sur les pieds, ces temps-ci…

Ceux du Québec étaient pires ! Les pessimistes parlaient d'un exode des anglophones vers les autres provinces, en cas d'une victoire du Oui. De l'avis de Fontaine, c'était une idée qui ne manquait pas de charme. Aujourd'hui, toutefois, il avait l'esprit ailleurs et ne les écoutait que d'une oreille.

En contemplant l'air blasé de ses collègues, la plupart plus âgés que lui, il prit sa décision finale. Il allait franchir tout à l'heure ces maudites portes pour la dernière fois.

Démission, quel mot exquis…

Pendant quatre ans, il avait effectué un travail d'une imbécillité presque phénoménale, en détestant cela et en se détestant lui-même de demeurer uniquement pour le salaire. Les agences de crédit ne s'arrêtant pas à ce genre de considérations, il avait rejoint la galère. « Terminé », murmura Marcus, en se levant de sa chaise. Il interrogea un collègue sur le montant des expéditions de la journée et fut enchanté de le trouver si élevé. Partir alors qu'il laissait son contremaître dans le jus n'était pas sans lui plaire.

Une file considérable d'employés attendait devant cet imbécile, en ce jour de paie, et Fontaine en salua quelques-uns. Il échangea quelques mots avec une connaissance en attendant son tour. Lorsqu'il parvint devant son patron, il lui dit simplement, d'une voix qui porta :

— T'as une belle chemise, mon Claude… Est-ce qu'ils en font pour homme ?

Il lui arracha son chèque des mains et sortit sans se retourner.

Autant pour les références…

2

Elizabeth Converse s'étira langoureusement dans son lit, regrettant de ne pouvoir y passer la journée. Elle ouvrit les yeux au moment où Surprise, son chat, fut pris d'une crise de diarrhée sur sa couette, annonçant la couleur pour la journée qui débutait. Surprise eut le temps de lui adresser un regard honteux avant de recevoir un oreiller sur la tête, qui retomba tout naturellement dans l'expression de son malaise. Elizabeth exprima sa fureur d'une voix contenue, pour ne pas réveiller sa colocataire. Surprise comprit que le moment de s'éclipser était venu et disparut sous un meuble.

— Maudit chat… marmonna encore Beth en sortant de sa chambre.

Une fille qu'elle ne connaissait pas ronflait sur le divan, situation qui n'avait rien d'exceptionnel puisque sa coloc Émilie collectionnait les amitiés comme d'autres les monnaies étrangères. Elizabeth n'aurait pas été jusqu'à dire qu'elle avait l'impression de vivre dans une commune, mais l'idée s'insinuait parfois en elle. Elle n'avait qu'un désir, maintenant que son salaire était devenu à peu près décent : un endroit à elle, et à elle seule, où elle ne risquait pas, en entrant dans la salle de bain, de trouver un inconnu dans la baignoire comme c'était arrivé le mois dernier.

Elizabeth avait obtenu son diplôme en journalisme huit semaines auparavant. Émilie et elle se connaissaient depuis quatre ans, et partageaient le même appartement depuis leur seconde année d'université. Plutôt introvertie, elle avait passé ces quatre années à étudier, ne s'accordant qu'ici et là une sortie entre amies, et rarement avec des garçons, au grand dam de ceux-ci. Elizabeth, qui ne semblait guère s'en soucier, était une femme magnifique. Son mètre soixante-quinze lui donnait une silhouette élancée, dotée d'attraits dont peu d'hommes parvenaient à détourner les yeux.

D'aussi loin qu'elle se souvenait, ces regards avaient toujours fait partie de sa vie et elle s'en accommodait comme elle le pouvait, se demandant pourtant souvent, intérieurement, ce qu'elle pouvait bien avoir qui les fascine à ce point. À l'Université de Montréal, dont elle était sortie major, une nuée de garçons se formaient dès qu'elle ralentissait le pas, ce qu'elle avait naïvement attribué à la surpopulation de l'université. Quand elle en avait parlé à Émilie, un soir, celle-ci avait éclaté d'un rire bruyant, sans autre commentaire.

Elizabeth avait beaucoup de chance et elle en était pleinement consciente. À peine sortie de l'université, elle avait été engagée par le *Provincial*, le journal le plus vendu de Montréal à Gaspé. Elle n'en avait pas parlé, mais Beth savait bien que sa mère lui avait arrangé le coup. Le directeur du seul journal proindépendantiste du Québec, Raoul Gagnon, et sa mère avaient grandi dans le même quartier, et se connaissaient depuis toujours. Quant à elle, après avoir bûché comme une forcenée pendant quatre ans, elle ne voyait aucun problème à sauter l'étape des « chiens écrasés », au journal, par laquelle tous les aspirants journalistes doivent passer. Cela ne lui avait pas valu que des amis, mais Hearst, pour bâtir son empire, avait probablement distribué plus de coups de pied au cul que de poignées de main, n'est-ce pas ?

Ce matin-là, toutefois, ses pensées allaient à sa famille plutôt qu'à son boulot. L'annonce du premier ministre n'augurait rien de bon pour la famille Converse. Les référendums lui créaient beaucoup de tension, et ce n'est pas sans une certaine crainte que Beth se souvenait de l'épisode de 1995 et de ce qu'un oncle lui avait raconté de 1980.

Le problème résidait dans le fait que sa mère, Félicia, avait gardé, malgré l'amour qu'elle vouait à son mari, des idées bien arrêtées sur l'avenir du Québec. Idées que son Ontarien de mari, malgré toute la bonne volonté du monde, ne pourrait jamais comprendre. Grande amoureuse de la langue française, elle avait transmis sa passion à sa fille, qui parlait aussi l'anglais sans le moindre accent.

Ce n'est pas tant qu'elle tienne à l'indépendance, pensa Elizabeth en buvant un café, mais elle refuse qu'on puisse traiter le français comme une langue de moindre importance. D'ailleurs, jamais je ne laisserais cela se produire sans réagir moi-même...

Elle alla ramasser le journal qu'on lui volait un matin sur deux sur son palier et ne fut pas étonnée de voir Georges Normandeau en première page. Gagnon, son rédacteur en chef, soutenait le premier ministre envers et contre tous, pensant sans doute, comme la plupart de activistes des années 1970, qu'il n'aurait plus l'occasion de participer à un autre référendum, qu'il vive ou non jusqu'à cent ans. Disons qu'un troisième refus en vingt-cinq ans, sur un point aussi capital, refroidirait les excités pour un bon moment.

Si timide dans sa vie privée, Elizabeth faisait montre dans son travail d'un culot qui forçait l'admiration de ses collègues. Elle attendait toujours sa première une, mais ne désespérait pas d'y parvenir dans l'année. Elle avait réussi plusieurs « secondes bases », terme que Gagnon avait introduit à propos des nouvelles allant de la seconde à la quatrième page. Un enfant tombe dans un puits. Une vieille dame envoie son agresseur à l'hôpital. Un orignal retrouvé errant dans le quartier industriel. Les nouvelles qui tiennent compagnie aux clients de La Belle Province en dégustant leur fine gastronomie, disons... Beth avait appris par l'associé de son père que ce dernier faisait encadrer chacun de ses articles, ce qui l'avait beaucoup touchée. Elle espérait que les trois prochaines semaines ne seraient pas trop pénibles pour ses parents.

Les yeux rivés sur la photo en première page, en imitant l'élocution canaille d'Émilie, elle grogna :

— Y a pas à dire… On va vraiment se faire chier…

La grosse sur le divan la regarda d'un air endormi.

3

Mike Sullivan était parfaitement satisfait de son sort. Sa place dans l'existence lui semblait bien définie et il s'en trouvait chanceux. Le capitaine Sullivan était en poste à la base militaire de Valcartier depuis six mois, après avoir passé une dizaine d'années sur une base de l'Alberta.

L'armée lui allait comme un gant. N'ayant jamais rien eu d'un intellectuel, il aimait vivre dans un cadre strict, discipliné, et se plaisait depuis sa promotion à contribuer à la formation des recrues. Il aimait Valcartier, malgré la barrière des langues qu'il trouvait parfois éprouvante. La majorité des soldats de la base ne parlaient pas anglais et il prenait ses leçons de français à reculons. Comme il le dit un jour à l'un des rares anglophones de la base :

— Pourquoi s'embêter à apprendre une langue qu'on va faire disparaître *anyway* ?

Dire que le capitaine Sullivan était détesté par ses subordonnés serait une injustice, mais disons qu'une bonne moitié d'entre eux le toléraient à peine, et que l'autre moitié l'aurait avec plaisir lynché au premier lampadaire, ne serait-ce que pour le principe. Six anglophones étaient basés à Valcartier, parmi neuf mille autres hommes. Aucun ne jouissait d'une popularité étincelante, mais Sullivan était le seul d'entre eux qui continuait à cracher contre le vent, protégé par son grade. À moins d'aller emmerder un général francophone (et il fallait les chercher, l'armée canadienne n'en comptant que deux), il pouvait impunément clamer la supériorité de son état, comme un con de missionnaire qui croit que les indigènes assimilent sa propagande, alors qu'ils n'attendent que la première occasion de le plonger dans une marmite.

À trente ans, Sullivan n'avait jamais connu que l'armée. Il ne s'était jamais marié et n'avait pas de conjointe, malgré un physique plus qu'avantageux. Bel homme, Sullivan se satisfaisait parmi le personnel féminin de la base, lui qui passait pourtant ses journées à dire à qui voulait l'entendre que les femmes n'avaient pas leur place dans l'armée.

Il s'était engagé, au départ, parce qu'il croyait qu'être soldat ne devait guère être épuisant, une fois l'entraînement terminé, ce qui s'avéra être parfaitement exact. Toutefois, il réalisa que la routine ne lui déplaisait pas, et qu'elle le réconfortait, lui qui n'avait pas eu une enfance très stable. Sullivan n'était pas non plus un lèche-botte. Il avait acquis ses galons à force de discipline et d'efforts continus. Même ceux qui ne l'aimaient guère devaient admettre que c'était un excellent officier. Rien à redire de ce côté.

Le capitaine avait d'ailleurs été très apprécié dans son ancienne affectation. Son seul tort, une fois à Valcartier, fut d'afficher trop ouvertement son mépris envers les francophones. Dans le climat politique qui régnait, ce fut amplement suffisant.

4

Georges Normandeau était un homme heureux. Il regardait la première page du *Sun* d'Ottawa pour la dixième fois et elle lui semblait toujours aussi drôle. La photo était criante de vérité, et il avait fallu qu'elle le soit pour que le journal fasse son *front* avec une image qui flattait aussi peu le grand manitou. Le *Prime Minister* traversait le parlement à toute allure, une meute de collaborateurs aux fesses, avec l'air d'un homme qui attend que son adversaire se présente sur le ring pour lui donner la volée de sa vie. En sous-titre, un rédacteur facétieux avait inscrit: « La course commence aujourd'hui ! » Normandeau étouffa un petit rire avant que sa femme Louise ne le croie gâteux.

— Dirige ton pays, crétin; je dirigerai le mien…

Louise Normandeau n'entendait pas cette phrase pour la première fois, mais elle prenait l'allure d'une prophétie, ces temps-ci. Ils s'adressèrent un sourire par-dessus leur déjeuner. Au moment où l'homme le plus puissant de la province (du moins aimait-il à le croire…) mordit dans son premier toast, les ministres commençaient à arriver, rue Sussex.

Normandeau était considéré par les spécialistes comme un accident de parcours. Lui-même avait avoué candidement, en entrevue, qu'il n'aurait jamais cru atteindre le dernier barreau de l'échelle. Selon certains, qu'il ait seulement trouvé l'échelle relevait du miracle. Dix ans auparavant, Georges Normandeau était un député d'arrière-banc dont les confrères connaissaient tout juste le nom. Sa seule intervention mémorable à la Chambre des communes s'était résumée à un retentissant « tabarnac ! », quand les libéraux avaient mis la hache dans un programme de subvention touchant son propre district. Et encore… peu de gens s'en souviendraient s'il n'avait du même coup renversé sans le vouloir son verre d'eau sur le député assis devant lui.

Si plusieurs lui reprochaient son manque de manières et son absence de tact, personne n'aurait mis en doute son honnêteté. Normandeau se démenait corps et âme pour ses électeurs d'Anjou, qui le lui avaient bien rendu puisqu'il entamait son septième mandat. Paradoxalement, les gens s'identifiaient à lui à travers ses défauts. Il comptait demeurer député aussi longtemps qu'on le lui permettrait et ne s'était jamais laissé prendre au rêve d'une charge ministérielle. C'est alors que Philippe Martin prit la tête du parti.

Martin et lui avaient étudié ensemble à l'Université de Montréal. Les deux politiciens étaient aussi différents qu'il est possible à deux hommes de l'être. Ils n'étaient jamais devenus amis durant leurs études, mais se respectaient mutuellement. Martin était devenu un politicien de premier plan, chargé des finances, puis de l'éducation dans l'opposition. Normandeau et lui échangeaient parfois quelques mots, durant les séances, mais seul un observateur averti aurait pu remarquer qu'ils se connaissaient depuis trente ans. Quand Martin remplaça Jacques Parizeau à la tête du PQ, Normandeau en fut heureux pour lui, et il ne ressentit pas la moindre jalousie pour son ancien compagnon de classe. Il n'était que trop conscient de jouer dans les petites ligues, tout en étant très fier de ses petites réalisations.

Personne n'aurait donné la moindre chance au Parti québécois de l'emporter en 1997. Martin lui-même se faisait à l'idée de passer de nouveau quatre ans dans l'opposition. Normandeau envoya un mot à son chef le soir des élections pour le féliciter de sa campagne, quels qu'en soient les résultats, parce qu'il pensait réellement que Martin avait fait un travail du tonnerre. Quand Mathieu Sinclair annonça ce soir-là que si la tendance se maintenait, le Parti québécois allait être reconduit au pouvoir, Martin en fut sincèrement étonné.

Normandeau ne le sut jamais, mais le premier ministre relut souvent les encouragements que le député d'arrière-banc lui avait envoyés. Comme il le dit à sa femme, le soir des élections :

— C'est sans doute les premières félicitations sincères et sans arrière-pensée que je reçois d'un collègue en vingt-cinq ans de vie publique ! Sans doute aussi les dernières…

Lorsque, douze jours plus tard, le premier ministre Martin annonça la composition de son cabinet, les journalistes et les députés en vue en restèrent totalement éberlués. Plusieurs se demandèrent s'il avait toute sa tête.

Georges Normandeau était assis dans sa cuisine d'Anjou, la bouche grande ouverte, fixant la télévision d'un air hébété, sa fourchette encore suspendue en l'air sous le coup de la surprise. Louise entra dans la pièce à ce moment précis, et prit peur devant la pâleur de son mari. Elle allait lui demander s'il se sentait bien lorsque le présentateur repassa la portion de l'entrevue qui avait tant surpris le pauvre homme. À l'écran, un Philippe Martin souriant déclarait :

— … et bien que je n'aie pas encore pu lui en parler de vive voix, j'aimerais que Georges Normandeau, député d'Anjou, se joigne à mon équipe en tant que ministre de l'Agriculture, et vice-premier ministre.

Louise s'évanouit.

Par la suite, Normandeau se fit la réputation d'un homme au franc-parler. La province tout entière raffolait de ses écarts de langage. Martin n'était pas un imbécile. Il savait que son image un brin aristocratique lui coûtait les voix des gens simples. Il savait aussi que son nouveau ministre de l'Agriculture avait grandi dans une ferme des Cantons-de-l'Est et qu'il était assez au fait des questions agricoles, domaine auquel Martin, petit gars de Westmount, n'entendait rien. L'image que renvoyait Normandeau, avec son gros visage jovial et ses manières de bouseux, attirait la sympathie de gens blasés de la politique. Martin ne se faisait pas de bile quant à son nouveau bras droit ; il savait que derrière ses airs bon enfant, Georges avait une intelligence redoutable, comparable à la sienne. C'était toutefois un secret bien gardé, et Normandeau ne faisait rien pour changer l'opinion qu'on se faisait de lui.

Surtout, les gens aimaient Normandeau pour sa façon de simplifier les choses. S'il pouvait aider une entreprise ou un particulier, il ne passait pas par quatre chemins. Les commissions, sous-commissions et sous-sous-commissions lui puaient au nez. Il n'avait peur de personne, pas plus des journalistes que de l'establishment. Durant un séjour de Jonathan Roof aux États-Unis à propos du bois d'œuvre, où il devait rencontrer le sous-secrétaire d'État au commerce, un journaliste qui croisa Normandeau au parlement lui demanda son avis sur la question. Sa réponse fit la première page des journaux du lendemain :

— Le premier ministre Martin est plus qualifié que moi pour répondre à propos du bois, mais je peux te dire une chose, garçon… Quand on invite quelqu'un chez soi, on ne le laisse pas dans l'entrée à discuter avec le domestique qui a ouvert la porte. Qu'est-ce qu'il faisait, le président ? Une partie de squash ?

À la Maison-Blanche, le lendemain, le président éclata de rire en apprenant l'anecdote par CNN. Il se tourna vers son assistant en souriant :

— C'était qui ça ? Le président de la France ?

Normandeau fit taire les méchantes langues avant longtemps. Un an après sa nomination, il était respecté par la Chambre entière, qui avait fini par comprendre que sa façade d'idiot lui permettait d'en dire beaucoup plus qu'un politicien respectueux du protocole. Lors du miniremaniement ministériel d'octobre 1997, deux nouvelles têtes apparurent, à l'Éducation et à la Santé. Sur les conseils de Normandeau, Martin s'était enfin débarrassé d'une imbécile qui avait saccagé chaque ministère qui lui avait été confié. Depuis dix ans que cette dinde emmerdait tout un chacun, elle n'avait jamais été inquiétée, protégée par de puissants amis.

Curieusement, lesdits amis avaient été remplacés un à un, dans leur domaine respectif, depuis que Normandeau était entré en fonction. Les deux compères remodelaient le parti à leur nouvelle image. Normandeau déteignait même sur le premier ministre par moments. Quand un journaliste lui demanda si la ministre en question était vraiment une grosse perte pour le parti, alors qu'elle venait en ondes de le descendre en flammes, Martin répondit :

— Environ cent dix kilos…

Les choses allèrent ainsi durant quelques années. En 2004, le Parti québécois gagna les élections avec une écrasante majorité, au point où le chef du Parti libéral, un homme compétent mais mal entouré, remit sa démission le lendemain. Normandeau fut lui aussi reconduit dans ses fonctions de vice-premier ministre.

Un an plus tard, alors qu'il allait se mettre au lit, quelqu'un frappa avec insistance à la porte de la maison que le couple Normandeau avait achetée à Québec, pour faire pendant à leur petit appartement d'Anjou. Au même moment, le téléphone retentit dans la cuisine et le cellulaire sonna sur la table de nuit. Pendant que sa femme décrochait, Georges Normandeau alla ouvrir. Sur le seuil se tenait l'un des gardes du corps de Philippe Martin. Il dit simplement, d'une voix pleine de déférence :

— Monsieur Martin est mort d'un arrêt cardiaque, il y a douze minutes. On m'a chargé de votre protection.

Georges Normandeau réalisa alors, à travers la douleur, qu'il était désormais premier ministre du Québec.

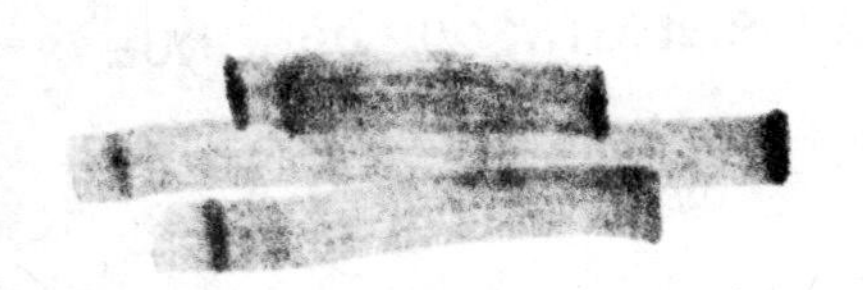

5

La première manifestation eut lieu au square Berri, le 26 juin. Les journalistes qui s'y rendirent, quelle que fût l'orientation de leur journal, la décrivirent comme pacifique. Un journal bimensuel de Longueuil, plus couru pour ses coupons-rabais que pour ses articles, en parla même comme d'une gigantesque fête de famille, pancartes en plus.

Les organisateurs, devant les caméras, spécifièrent que le rassemblement n'avait d'autre but que de crier leur joie devant la décision du Parti québécois. Ils n'avouèrent à personne qu'ils s'attendaient à attirer deux cents personnes, puisqu'il en était venu près de dix mille. La rue Sainte-Catherine fut bloquée à la circulation, et l'escouade anti-émeute demeurait dans l'ombre, au cas où…

La manifestation se déroula jusqu'à tard dans la soirée. Au moment où la police décida de disperser les manifestants, ceux-ci partirent d'eux-mêmes dans le plus grand calme. Exception faite de quelques noms d'oiseau lancés par deux ou trois anglophones téméraires, aucun incident ne se produisit, à la grande surprise du chef du Service de police de Montréal, Réjean Morin. Comme il le prédit à son adjoint, en regardant la foule s'éloigner dans les rues et s'engouffrer dans le métro :

— Laisse-leur le temps de s'organiser, d'un côté comme de l'autre, et tu regretteras de ne pas être devenu comptable...

Contrairement à ce que rapportèrent les médias anglophones le lendemain, la majorité de l'assemblée n'était pas composée que d'adolescents et d'étudiants révoltés. Beaucoup des manifestants avaient dépassé la quarantaine. Nombre d'entre eux avaient frais en mémoire les affronts du gouvernement fédéral qu'ils enduraient, ou croyaient endurer, depuis trop longtemps.

Comme le fit remarquer l'éditorialiste du *Provincial* à son confrère du *Sun*, qui criait à tort et à travers dans ses articles que les Québécois se plaignaient le ventre plein, l'idée même de l'indépendance du Québec n'aurait aucun sens si les Canadiens avaient eu le moindre respect pour cette province au fil des ans. Tout aurait pu être différent, continua-t-il, si les Canadiens s'étaient glorifiés d'habiter un pays à la culture si diversifiée, au lieu de tenter d'anéantir l'une de ses deux langues officielles. En réponse à cet article, le ministre de l'Immigration, au fédéral, crut bon d'ajouter, pour faire l'éducation de ce journaliste francophone si mal informé, que plus de deux langues étaient parlées au Canada. John Roof l'appela d'Ottawa le soir même pour lui intimer de fermer sa gueule et de ne pas compliquer inutilement les choses, spécialement s'il ne voulait pas que sa femme apprenne qu'il entretenait une jeune maitresse de dix-neuf ans.

La manifestation de Montréal sembla faire prendre conscience à la province entière, qui revenait à peine de l'annonce de Normandeau, que le mouvement était réellement en marche. Dans plusieurs grandes villes, dès le lendemain, les gens se rassemblèrent pour crier leur fierté d'être Québécois. De Longueuil à Gaspé, en passant par

Drummondville, Saint-Hyacinthe et Rivière-du-Loup, les foules firent connaître au reste du pays leur sentiment quant à leur avenir. Une adolescente, à Magog, se blessa bien à la tête en agitant frénétiquement sa pancarte, mais ce fut la seule blessée des soixante-quatorze manifestations enregistrées en ce 27 juin. Celle de Québec fut si calme que les policiers ne se déplacèrent même pas. Le 1er juillet, le spectacle sur la colline parlementaire, à Ottawa, parut bien pâle en comparaison de certains regroupements souverainistes, et nombre d'anglophones, du Québec et d'ailleurs, en prirent bonne note. Un seul des dix-neuf artistes invités à Ottawa chantait dans la langue de Molière. Les francophones pro-Canada en prirent bonne note eux aussi.

Ce n'était pas tant la bombe qu'avait lancée le premier ministre, que la façon dont il l'avait lancée. Les journaux du monde entier en parlèrent, du *Times* à la *Pravda*, tout comme *Sixty minutes*, qui consacra un quart de son émission à tenter de prévoir si une montée de violence pouvait suivre une telle annonce, probabilité qui fut qualifiée de nulle par les trois experts invités, qui n'avaient de leur vie jamais mis les pieds au Canada et à plus forte raison au Québec. Au vu des événements qui se produisirent au Québec durant les trois jours qui suivirent le référendum, aucun des trois experts ne fut revu à la télévision.

Le comité des fêtes de la Saint-Jean-Baptiste, cette année-là, avait mis le paquet. Le spectacle du parc Maisonneuve était splendide, et des écrans géants qui valaient facilement cinquante mille dollars pièce furent disposés non seulement à l'avant, comme les années précédentes, mais un peu partout en lisière du parc, résultat d'une aide gouvernementale ayant enfin trouvé le chemin de Montréal après des années d'attente. Bien qu'il fût ficelé de main de maître et qu'il attirât plus de trois cent mille personnes, qui débordèrent jusque dans les rues, le spectacle du parc Maisonneuve parut un parent pauvre de celui des plaines d'Abraham.

Retransmis par les mêmes écrans géants situés tout le tour des plaines, jusque derrière la scène, le spectacle fut magistral. Une incroyable brochette d'artistes, dont certains se faisaient fort rares depuis des années, souleva la foule toute la soirée. Contrairement à certaines années, les artistes y allèrent de leur discours patriote sans détourner les yeux. Ils clamèrent leur amour de la patrie, de leur langue, de la culture qui en découlait et les yeux de quatre cent mille personnes sur le site et de millions d'autres, qui regardaient la retransmission, se voilèrent de larmes tant ils furent éloquents.

Quand le spectacle de Montréal se termina, les écrans continuèrent à diffuser celui de Québec. La foule, déjà étonnée que les deux spectacles se soient tenus le même soir, resta sur place, intriguée. Quand il sembla bien que celui-ci tirait à sa fin également, l'émotion était à son comble. Un chanteur bien connu pour ses inclinaisons souverainistes s'empara d'un micro et annonça simplement :

— Mesdames et Messieurs, le premier ministre du Québec, M. Georges Normandeau !

La foule réagit immédiatement, dans les deux villes. Une incroyable ovation s'éleva, tonitruante, qui déferla jusqu'à la scène, alors que Normandeau s'avançait, un micro à la main. Depuis la mort de Philippe Martin, l'année précédente, sa cote de popularité n'avait fait que grimper, à en crever le plafond. Aucun politicien n'avait soulevé une telle passion chez les Québécois depuis René Lévesque.

L'ovation dura dix bonnes minutes, au point où le premier ministre lui-même en parut surpris. Il jeta un coup d'œil derrière lui, comme pour s'assurer qu'il était bien l'objet d'un tel enthousiasme. Il avança vers le devant de la scène, ému jusqu'aux larmes et balança d'entrée de jeu :

— Mes amis, bonne fête NATIONALE !

La foule rugit son contentement et s'agita encore plus, devant l'emphase qu'il avait donnée au dernier mot.

— Vous ne le saviez peut-être pas en venant ici ce soir, mais vous n'oublierez jamais cette soirée... Dans vingt ans, vos enfants vous demanderont avec admiration de leur raconter la Saint-Jean-Baptiste de 2014 !

La foule l'acclama si fort qu'il dut s'interrompre une fois de plus. Quand les clameurs se calmèrent un peu, il continua d'un air plus grave :

— Ici même s'est joué le drame de notre patrie, je ne vous l'apprendrai pas. Vous rendez-vous compte de tout ce qu'on a perdu, sur ce maudit kilomètre de gazon ? Quelle langue parlerait l'Amérique entière si Montcalm s'était tenu debout, hein ? Quelle langue parlerions-nous si les Anglais avaient joué franc jeu, hein ?

— Le FRANÇAIS ! hurlèrent plus de deux millions de personnes à travers la province.

— Moi, Georges Normandeau, je dis que si ce combat avait eu lieu ce soir, on leur aurait botté le cul ! fit le premier ministre en donnant énergiquement des coups de pied de sa jambe droite.

On entendit la réaction de la foule jusqu'à Sainte-Foy.

— Le Québec a produit des artistes de premier plan, depuis des années. Il a enfanté des génies, qui ont créé des empires. Des ingénieurs, des designers et des sportifs appréciés partout sur la planète. Des intellectuels qui ont révolutionné notre culture et l'ont exportée à travers le monde ! Vous en avez des exemples probants derrière moi, sur cette scène. Des emblèmes de notre fierté nationale.

Personne sur cette scène n'a senti le besoin d'aller chanter en anglais pour faire plus d'argent. Tout comme ces chefs d'entreprise qui demeurent ici plutôt que d'aller courir la main-d'œuvre bon marché ailleurs dans le monde. Des gens conscients de notre valeur. Des gens conscients de notre talent. Des gens conscients de notre AVENIR !

Alors que la foule approuvait bruyamment, les journalistes et politicologues de tout poil réalisaient subitement que Normandeau n'avait jamais flirté d'aussi près avec l'indépendance. Cela n'échappa pas non plus au public, qui sentit l'imminence d'une annonce spectaculaire.

— Qu'on le veuille ou non, la province de Québec n'est pas à mettre dans le même sac que le reste du Canada. Nous n'avons pas les mêmes lois et pas du tout le même système éducationnel. Nos intérêts divergent en matière d'économie et de politique étrangère. On ne parle même pas la même langue, calvaire !

Un tonnerre d'applaudissements salua cette remarque, clairement improvisée.

— Il soutient les États-Unis alors que notre gouvernement désapprouve la plupart des partenariats qu'il signe avec eux. Nous ne sommes consultés sur aucun problème important. Autant le dire franchement : à ses yeux, nous sommes des parias, à peine dignes de fouler le sol pour lequel nos ancêtres sont morts écrasés sous le nombre. Ça fait un moment que nous ruminons tous les affronts endurés depuis des années. Pour beaucoup d'entre nous, ça fait même un sacré bout de temps…

Il fit une pose durant quelques secondes, puis offrit à la foule un visage décidé.

— Tout le monde se souviendra de la Saint-Jean-Baptiste de cette année comme du moment où les Québécois ont dit : ASSEZ !

La foule était gonflée à bloc, de même que tous ceux qui regardaient le premier ministre à la télévision. Le moment était venu d'asséner le coup de grâce :

— Le 14 juillet, dans exactement trois semaines, se tiendra un référendum sur la souveraineté du Québec ! Vous vous lèverez ce matin-là en vous rappelant tout ce dont nous avons parlé ce soir. Vous vous rappellerez dans quel genre d'environnement vous souhaitiez vivre avant d'abandonner vos ambitions. Vous déciderez, ce jour-là, de ce que vous souhaitez léguer comme héritage à vos enfants. Vous réfléchirez, si vous êtes de ma génération, à la façon dont vous voulez vivre le reste de votre vie ! Vous irez aux urnes et vous vous coucherez ce soir-là en sachant que vous avez fait la différence, que vous avez contribué à la naissance d'un PAYS !

La foule demeura muette de stupeur durant un instant, puis ce fut le délire.

Le délire total.

6

Mathieu Sinclair n'était pas d'un naturel joyeux. Il avait l'obligation de sourire à un million et demi de personnes chaque soir durant une demi-heure, et cela lui suffisait amplement. Tout n'était qu'image en ces lieux. Même son nom, Sinclair, avait été inventé par le directeur des nouvelles qui l'avait engagé, parce qu'il sonnait mieux que Galipeau. En regardant la salle des nouvelles, où pratiquement personne n'avait atteint la quarantaine, il se sentit tout à coup très vieux. Toutefois, il travaillait avec ces jeunes cons chaque jour, et il était davantage porté à mettre son cafard au crédit de son premier ministre.

À cinquante-huit ans, Sinclair ne se leurrait pas ; quand on s'apprête à voter pour la troisième fois à un référendum, c'est qu'on n'est plus de la première fraîcheur… Quand il vit passer son assistante Émilie Laverdure, vingt-trois ans et appétissante au possible, il se sentit encore vieillir de quelques années.

Depuis plus de trente ans, Mathieu Sinclair présentait l'*Information* au principal canal faisant concurrence à la télévision d'État, pour un salaire inférieur à celui de son homologue. Dire qu'il était blasé serait un euphémisme, même si en surface il semblait déborder d'énergie et de passion pour son métier. En vérité, il en était à un point où il s'en fichait éperdument. Si son patron était venu lui annoncer qu'il lui confiait dorénavant une émission horticole ou un truc sur les animaux de compagnie, Sinclair s'en serait presque réjoui.

Quand vous venez d'annoncer votre dix millième homicide ou votre sept cent cinquantième drame familial, caresser la tête d'un labrador durant une demi-heure pour qu'il ne ronge pas le fil de la caméra ne semble pas si mal que ça, tout compte fait. Ça semble même plutôt bien…

Sinclair avait décidé d'annoncer son départ pour le mois suivant, quitte à perdre ses indemnités s'il le fallait, puisqu'il avait accumulé bien assez d'argent pour le restant de ses jours, et que sa fille était presque en mesure de subvenir à ses propres besoins. Et voilà maintenant que ce clown de Normandeau venait de reporter sa retraite aux calendes grecques ! Ses patrons ne voudraient assurément pas d'un nouveau visage aux nouvelles en pleine période de crise. Alors qu'ils l'auraient sans doute laissé partir en temps normal, ils brandiraient maintenant la menace de poursuites pour bris de contrat. Il ne voulait pas partir de cette façon ; pas après trente ans.

Étrangement, Mathieu ne s'était jamais fait une opinion précise à l'égard de l'indépendance d'une province dont il présentait les hauts et les bas depuis si longtemps. Il avait voté en faveur, en 1980, et contre, en 1995. Il était bien prêt à suivre Lévesque jusqu'en enfer, mais Parizeau, il ne fallait tout de même pas charrier… Cette fois, il ne savait trop qu'en penser, sinon que la situation le faisait sérieusement chier.

Depuis trois jours, Mathieu avait l'impression de ne parler que de cela et il tentait de masquer son ennui aux multiples spécialistes qui s'étaient assis en face de lui.

S'il avait eu la moindre idée des annonces qu'il aurait à faire au cours des semaines suivantes, il aurait simplement tourné les talons et ne serait plus jamais revenu.

7

John Roof était outré. Il contenait tout juste son indignation, et uniquement parce que sa femme ne supportait plus que l'on parle de politique devant elle. Le *Prime Minister* avait à la main un exemplaire du *Sun*, et fixait la photo peu flatteuse qui avait tant fait rire Normandeau. Il repoussa son assiette d'œufs brouillés avec une mimique dégoûtée :

— Edwards a toujours été une *bitch* ! Plus capable des journalistes !

— Surveille ton langage, Jonathan, lui intima sa femme sans même lever les yeux de son pamplemousse.

— Imagine ce que le *Provincial* va publier, si nos propres journaux me tombent dessus ainsi !

— Jonathan, tu as environ soixante-quinze conseillers pour en parler. Pourquoi est-ce que j'ai l'impression d'être ton organisatrice de campagne plutôt que ta femme ?

Sans un mot (plusieurs lui étant venus à l'esprit), Roof quitta la pièce et alla s'habiller. Lorsque ce crétin de Normandeau avait lancé sa bombe, Roof et sa femme venaient de boucler leurs valises pour Hawaï, voyage qui avait bien sûr dû être reporté, ce qui n'avait pas amélioré l'ambiance de la maison de la rue Sussex.

Sa principale inquiétude, exception faite de la tempête qui frappait le pays dont il avait la charge, était de savoir si son mariage allait tenir jusqu'aux prochaines élections. Un candidat divorcé avait presque autant de chance qu'un nazi d'être élu. Les élections se tiendraient un an plus tard, et comme son couple était sur une voie de garage depuis déjà quelque temps, il était plus que douteux que Maggie Roof se prête au jeu une nouvelle fois. « Finalement, pensa le premier ministre, mettre au pas ces cochons d'indépendantistes sera ma contribution à l'Histoire… »

Roof détestait profondément Normandeau, mais il devait admettre que ce salopard avait le sens du théâtre. Ses poses avaient plus contribué à son succès que ses discours, si l'on excluait celui de la Saint-Jean, manœuvre que Roof lui-même avait été obligé d'admirer. Il ne put s'empêcher de sourire en songeant à l'épisode du budget, quatre mois plus tôt. L'exposé était plutôt bien conçu, sauf que ni son ministre des Finances, ni ses assistants ne semblaient avoir remarqué qu'il avait utilisé trois fois en une heure et demie l'expression « se serrer la ceinture ». Pendant tout le mois qui suivit, Normandeau s'était présenté à chacune de ses apparitions publiques avec une éclatante paire de bretelles allant du vert forêt au rouge le plus criard. Tout le monde comprit l'allusion. Alors qu'ils se rencontraient pour discuter de l'aide du fédéral en matière de soins hospitaliers, Normandeau avait glissé à son homologue, à mi-voix, et avec un sourire malicieux :

— Sont-y pas jolies, mes bretelles ?

Roof avait passé sa vie à tenter d'oublier qu'il était né à Montréal et à le faire oublier aux autres. Cette province de gagne-petit nuisait à la réputation de son pays et il ne mettait les pieds dans sa circonscription de Magog que lorsqu'il y était obligé, et le moins longtemps possible, s'il vous plaît. D'autant plus qu'il s'attendait à recevoir des pierres chaque fois qu'il sortait de la maison que le couple y avait conservée.

S'il avait dû parier sur ses chances d'être réélu dans sa circonscription, il se serait donné une chance sur cent. « La dernière fois non plus, je n'aurais pas dû gagner, mais tout s'arrange, dans la vie », pensa le politicien.

Personne n'avait su expliquer sa réélection dans un comté où les gens le détestaient maintenant ouvertement depuis qu'il avait accédé à la fonction suprême et cessé de masquer le mépris qu'il vouait à ses compatriotes. Certains avaient crié à la fraude électorale, mais autant pisser dans un violon quand il s'agit du comté du PM. C'était la star de la politique nationale, et il avait fait un malheur lors de sa tournée en Europe, l'année précédente, allez savoir pourquoi... Avec les amis et la fortune qu'il possédait, bien malin celui qui aurait pu lui voler son fauteuil.

En début d'après-midi, trois hommes étaient réunis dans la salle de conférence qu'il avait fait aménager au sous-sol. Mark Murphy, que Roof avait placé à la tête de la GRC, buvait un whisky-soda en regardant distraitement les livres de droit qui couvraient deux murs de la salle. Il était calme, même s'il pressentait que le PM allait l'embarquer dans une sale histoire, au vu des autres invités assis à ses côtés.

Avec une raideur toute militaire, le général Bethleem Jordan, le numéro un de l'armée canadienne, arpentait le bureau en attendant la venue du chef de l'État. Les deux hommes jetaient de temps à autre un coup d'œil vers Curtis Taylor, un peu angoissés à l'idée que ce petit homme à l'allure si insignifiante pouvait les mettre au chômage demain matin s'il le désirait.

Taylor dirigeait le SG4, les services secrets canadiens. Nul n'ignorait, en haut lieu, qu'il avait un dossier sur chacun. Il n'avait pas survécu à trois premiers ministres successifs sans les avoir menacés de temps à autre. Seul Roof ne le craignait pas, et uniquement parce qu'il n'avait pas encore eu connaissance des résultats de l'enquête que Taylor avait menée à Magog sitôt la victoire du grand manitou confirmée.

Lorsque Roof pénétra dans son bureau, ses trois invités avaient déjà une idée sur la raison de leur présence. Taylor, qui était d'une intelligence plus vive que ses deux confrères, en avait même plusieurs, qui ne lui plaisaient pas particulièrement. Roof n'avait que peu d'options, si le Oui passait le 14 juillet, et Taylor les avait revues en détail la veille au soir. Il se doutait bien que le PM ne s'embarrasserait pas des questions d'éthique, après avoir enquêté sur lui, mais il ne savait pas jusqu'où celui-ci était prêt à aller.

— Messieurs, commença Roof, je n'ai pas besoin de vous dire à quel point cette réunion doit être tenue secrète. Pour être tout à fait franc, je n'hésiterais pas une seconde à vous jeter en prison si la moindre information devait filtrer avant le référendum. Je n'hésiterais pas non plus à avaler la clé si nous devions en arriver là, pour que plus jamais vous n'en sortiez.

Taylor eut un mince sourire qui n'échappa pas à John Roof

— Oui, M. Taylor, même vous ! Que vous ayez amassé assez de saloperies pour me couler n'y changerait absolument rien, soyez-en certain. Aussi long que puisse être votre bras, Curtis, le mien l'est encore plus, et il se termine par un poing que je vous balancerai avec plaisir en pleine figure si vous affichez encore ne serait-ce qu'une seule fois le petit sourire fendant qui vient à l'instant de s'effacer de votre gueule. Moi aussi, j'ai des dossiers, Curtis. Le vôtre n'est peut-être pas énorme, mais chaque membre de mon cabinet, qui bien sûr m'aime et m'appuie, sait néanmoins que je le tiens par les couilles.

Un peu interloqués, Bethleem Jordan et Mark Murphy se regardèrent d'un air inquiet. Ce n'était pas dans les habitudes de Roof d'user de l'intimidation, mais même Curtis Taylor savait maintenant qu'il parlait sérieusement :

— Les premiers ministres de chaque province et moi-même en sommes venus à la conclusion, lors de notre réunion d'hier, que le Québec obtiendrait probablement l'indépendance. Partons au moins du principe qu'ils y arrivent. Nous convenons tous qu'il est impensable de les laisser faire, pour diverses raisons économiques dont je me fous éperdument. Personnellement, je ne les laisserai pas faire pour le principe. *Damn !* Si on le permettait, qui nous dit que dans dix ans, le Nunavut ne nous fera pas le même coup ?

— Le Nunavut, monsieur, glissa Murphy.

— *Who gives a fuck, Murphy ? Its just ice, whales and a bunch of bastards !* éclata le PM. Si je ne vous demande rien, fermez votre clapet ! Si tous ceux qui souhaitent se tirer d'ici le font, je risque de devenir le premier ministre fédéral de l'Ontario, et de l'Ontario seulement ! Mon prédécesseur, reprit-il après s'être calmé, avait prévu quelques mesures de sécurité lors du référendum de 1995, qui m'ont donné l'idée de départ, une idée qui ne pourra être mise en œuvre sans l'apport de chacun d'entre vous. Nous avons, par le passé, utilisé des espions, infiltré les organisations felquistes et embauché des agents perturbateurs ; ce n'est un secret pour aucun d'entre vous. Avec l'autre, au front commun, nous avons même assuré le suivi, mais cela n'a jamais été suffisant. Si les Québécois obtiennent leur indépendance, nous devrons travailler à ce que chacun regrette sa décision et souhaite revenir à notre bonne vieille constitution. Normandeau a gueulé à sept millions de personnes qu'ensemble, ils allaient créer un pays. À nous quatre, nous le ferons mentir.

Le premier ministre sembla méditer un moment ce qu'il allait dire, ou simplement se demander s'il allait le dire, puis il prit une grande respiration et regarda les trois hommes tour à tour.

— Nous serons au-dessus des lois, pour le bien du plus grand nombre. En clair, messieurs, si je prévoyais des vacances dans les prochaines semaines, je ferais un grand détour pour éviter le Québec.

Murphy, Jordan et Taylor se penchèrent un peu plus en avant, attentifs au moindre mot de leur chef :

— Voici comment nous procéderons, commença celui-ci.

8

Tout étonné de se réveiller dans un lit moelleux et accueillant, Benny Trudeau tentait de se rappeler ce qui s'était passé la veille. En regardant la demoiselle endormie à ses côtés, certains moments de la manifestation à laquelle il avait participé lui revinrent par bribes. Étonné, il l'aurait été plus encore s'il s'était rappelé que c'était lui qui avait fait le dernier discours de la soirée, devant mille cinq cents personnes, et qu'il avait été applaudi à tout rompre, alors qu'il était ivre mort. Discours qui lui avait d'ailleurs permis de lever la jeune femme, mais puisqu'il ignorait l'avoir prononcé, il était bien en peine de deviner pourquoi elle avait invité un sans-abri sans le sou à dormir dans son lit. Il finit par se rappeler qu'il l'avait tout de même organisée, cette manifestation !

Benny dormait dans la rue depuis six mois lorsque Georges Normandeau avait pris le micro sur les plaines d'Abraham. Il n'était pas chômeur par choix ni par paresse, mais sa consommation d'alcool posait parfois problème à ses employeurs. Il n'était pas à proprement parler alcoolique, puisqu'il lui arrivait de passer des semaines et des mois sans toucher une bouteille, mais ceux qui le connaissaient savaient d'expérience qu'il ne savait tout simplement pas boire. Une agence de placement lui procurait de temps à autre du travail, mais il n'avait jamais aimé les responsabilités, ni du reste la routine.

Ses parents possédaient une magnifique maison dans le Vieux-Longueuil et ne manquaient pas d'argent, mais il n'avait pas eu de contact avec eux depuis plus de trois mois, même s'il dormait à la belle étoile à cent mètres de chez eux. Trudeau ne le faisait certes pas pour la noblesse de la pauvreté ; il aurait vendu père et mère (et comment !) pour réintégrer le cocon familial, mais ces derniers n'y tenaient pas spécialement. Le jour de ses dix-huit ans, sans aucun motif particulier, son père lui avait indiqué la porte, mouvement accompagné d'un petit laïus sur l'âge de raison et les responsabilités qui s'y rattachent. Comme chaque règle comporte ses exceptions, il y a nécessairement, de par le monde, des parents qui n'aiment pas leurs enfants. Pas de chance pour Benny Trudeau.

Benny s'intéressait beaucoup à la politique et se considérait vraiment privilégié de s'être trouvé sur les plaines, à la fête nationale. Il était parti pour Québec le 23, où il avait dormi au pied d'une scène à moitié montée, ce qui lui avait assuré une excellente place au spectacle. Il frissonnait encore au souvenir du regard de Normandeau qui s'était posé sur lui entre deux phrases. Trudeau, indépendantiste convaincu, était l'un des premiers à s'être mis à hurler à la lune après le choc causé par le PM.

Jamais de sa vie il n'avait connu de joie aussi profonde, aussi dévastatrice que ce soir-là, entouré de plus d'un demi-million de personnes partageant ses vues. Durant la nuit chaude et étoilée de la Saint-Jean-Baptiste, il s'était promené sur les plaines, dans une marée humaine frémissant d'espoir, buvant un coup et tirant sur les joints qui lui étaient proposés par tout un chacun. Peu de gens étaient rentrés à la maison et la fête ne s'était terminée qu'avec l'aurore, quand plus de deux cent mille personnes, ivres d'alcool ou de joie, saluèrent l'arrivée du soleil au-dessus du Saint-Laurent par un cri immense, optimiste et éternel, qu'aucun de ceux l'ayant poussé n'oublia jamais.

Benny était aussi de la première manifestation, à Montréal, qui avait donné le ton à toutes les autres durant les premiers temps. Le lendemain matin, en se réveillant dans le parc où il avait l'habitude de dormir, il vit deux gamins le pointer du doigt en se parlant à voix basse. Le temps qu'il parvienne au dépanneur où il buvait son café, trois quidams qu'il n'avait jamais vus lui sourirent d'un air entendu, augmentant d'autant sa perplexité. Lorsque M. Lee lui tendit le journal, il répondit machinalement :

— Merci, M. Lee, mais j'ai pas assez d'argent.

— Gratuit aujourd'hui ! Parce que M. Lee est aussi un bon Québécois !

— Aussi ? demanda Trudeau alors que le dépanneur retournait le journal pour lui montrer la page frontispice.

On y voyait Benny en gros plan, les bras levés au ciel, un sourire triomphant sur le visage. La photo, prise à la manifestation, était vraiment excellente et lui donnait l'air d'un Spartacus francophone. La photo ferait le tour du monde, tout comme le nom de Benny Trudeau. Le journal titrait : « Enfin ! » Il en conçut une immense fierté, surtout après avoir été déposer l'exemplaire dans la boîte aux lettres de ses parents. Jamais, de toute sa vie, on ne l'avait cité en exemple, et quelque chose en lui qui s'était brisé autrefois reprit du service. Il eut envie de montrer la voie, s'il pouvait la trouver. À sa mesure, disons…

De plus en plus de gens le saluant dans la rue, au cours de la journée, lui donnèrent l'idée d'organiser une manifestation dans sa propre ville, le soir même. Il y convia tout ceux qui l'abordèrent ce jour-là, les priant de passer le mot à leurs amis. Il la fit annoncer par la radio communautaire de Longueuil, et ses douze auditeurs y vinrent aussi. Il arpenta le chemin Chambly dans une voiture équipée d'un mégaphone, qu'un bon Samaritain mit à son service. Tout semblait lui réussir, et il n'avait qu'à demander. Il déborda même dans Saint-Hubert, Saint-Lambert et Brossard. Il chargea un autre militant rencontré sur sa route de diffuser le message sur les réseaux sociaux. Il demanda à un groupe d'amis de construire un petit podium où pourraient monter s'exprimer au micro tous ceux qui en auraient envie. Il était loin d'être sûr du résultat de toutes ces démarches, mais puisque ça ne lui avait pas coûté un sou, il était optimiste. Si cent personnes se réunissaient, il en obtiendrait le double pour la prochaine réunion. Il fallait que la nouvelle se propage. Il fallait que le message passe, que le Québec fasse front commun !

Six cents personnes se réunirent ce soir-là dans le stationnement de la Place Longueuil et Benny, que plusieurs reconnurent, y fut fortement acclamé. Au micro, il parla de sa situation et de l'avenir qui lui était réservé si rien ne changeait. Il improvisa durant vingt minutes un discours qui fut brillant, drôle et émouvant. De le voir se tenir debout et s'impliquer à ce point, alors que tant de malheurs accablaient sa vie, insuffla courage et détermination à nombre de ceux venus l'écouter. D'autres discours furent prononcés mais les gens repartirent ce soir-là en se rappelant Benny Trudeau qui disait :

— Jamais plus je ne baisserai les yeux devant personne !

La manifestation de la veille était sa deuxième en quatre jours, et le nombre de participants grandissait en proportion. Trudeau ne comptait pas s'arrêter en si bon chemin.

Il avait dix-huit ans et il était de plus en plus convaincu qu'il aurait un rôle à jouer dans la victoire finale.

Il avait raison.

9

William Andersen referma la porte d'entrée doucement, au cas où sa femme serait déjà au lit. Les enfants dormaient comme des bûches dans leur chambre, au premier étage. Il n'était pas rare qu'Andersen rentre aussi tard à la maison, car le crime prolifère en été.

Inspecteur de police depuis douze ans, William avait acquis un flair infaillible en matière d'emmerdements, comme nombre de ses confrères, et il n'était pas le seul à les flairer à pleine narine, ces derniers temps. La non-violence des manifestations qui s'étendaient comme des feux de broussaille ne le trompait nullement. Pour une question de cette importance, les sangs s'échaufferaient bien assez vite, et il ne ferait pas bon d'être anglophone *et* fédéraliste à ce moment-là. Il n'avait pas encore peur, mais l'inquiétude le gagnait rapidement et le moment viendrait où il lui faudrait certainement mettre les siens à l'abri. Comme policier, il savait que la foule est imprévisible et qu'il suffit d'une étincelle pour mettre en branle le pouvoir destructeur de la dynamite.

Contrairement à ce qu'une majorité d'indépendantistes pouvaient croire, Andersen et beaucoup d'autres comme lui ne voteraient pas contre la séparation uniquement pour embêter ceux qui la souhaitaient. Il aimait réellement le Québec, et tout autant le Canada, où personne n'avait jamais brimé ses droits. Il ne comprenait tout simplement pas cette obsession de l'indépendance et ne la comprendrait jamais. Pourquoi vouloir quitter un si beau pays ? Il est vrai qu'aucun de ses ancêtres ne s'était fait pendre devant sa famille pour avoir simplement refusé de courber l'échine et d'accepter le roi d'Angleterre comme souverain. Andersen était un homme bon, au service du peuple, et il craignait surtout d'inutiles souffrances.

— C'est toi, William ? demanda sa femme depuis la chambre à coucher.

— J'espère pour toi que c'est moi, dit-il en français, qu'ils parlaient de temps à autre pour que leurs enfants soient bilingues et ne connaissent pas les difficultés qu'ils avaient eux-mêmes affrontées durant leur enfance.

Lisa Andersen se souleva sur un coude dans le lit et sourit à son époux, consciente de la dure journée qu'il devait avoir traversé pour revenir aussi tard.

— C'était dur au boulot ? enchaîna-t-elle en anglais.

— Plutôt, oui. Et ici ?

— Jackson s'est battu. Avec un petit con qui l'avait traité de *square head*, fit-elle avec une moue qui en disait long.

— Je vois, fit son mari d'un air dégoûté. Et il a gagné ?

William et Lisa éclatèrent de rire, baissant immédiatement le ton pour ne pas réveiller le pugiliste et sa sœur. Âgé de quatorze ans, et quoique pacifiste, Jackson ne se laissait marcher sur les pieds par personne. Sa sœur Marianne, neuf ans, le prenait pour un dieu et souscrivait à chacune de ses opinions, au grand dam de leurs parents, puisque Jackson affichait de plus en plus une dégaine de Québécois pure laine, allant parfois jusqu'à ignorer ses parents quand ils lui parlaient en anglais. Un jour où son père ronchonnait en écoutant les actualités, à propos d'un détaillant de Westmount qui avait dû se plier à la loi sur l'affichage unilingue, Jackson dit d'une voix posée :

— Ça te plairait qu'on fasse disparaître l'anglais ? Qu'il ne soit plus parlé qu'en Angleterre ? Ou qu'une grosse communauté euh… disons, chilienne, vienne s'installer dans le quartier et t'oblige à traîner ton dictionnaire au magasin ?

Un peu décontenancé, William dût admettre que non.

— À eux non plus, ça ne leur plaît pas, avait conclu Jackson sans autre commentaire.

William et Lisa s'endormirent dans les bras l'un de l'autre, oubliant pour un moment le climat politique et les épreuves qu'ils auraient sans doute à traverser. William laissa la quiétude l'envahir doucement et éloigna pour un temps les mesures de sécurité qui lui étaient venues à l'esprit alors qu'il franchissait le seuil de sa maison.

Mauvaise idée.

10

En cette matinée pluvieuse du 27 juin, Curtis Taylor était inquiet. Il avala son déjeuner distraitement, dévorant plutôt les sections politiques des principaux journaux, qui ne lui apprenaient rien de nouveau. Depuis quinze ans qu'il dirigeait le SG4, les nouvelles importantes tombaient en général sur son bureau avant d'atteindre qui que ce soit. Lorsque ce n'était pas le cas, des têtes tombaient. Son entretien avec le premier ministre s'était déroulé la veille et il n'avait pratiquement pas dormi depuis. Il était prêt à parier que Murphy et Jordan n'avaient eu, de leur côté, aucun problème d'insomnie. Alors qu'il regardait l'eau tomber à verse sur sa ville, Curtis Taylor était en proie au doute.

Recruté par la GRC alors qu'il sortait de l'université, Curtis avait démontré dès le départ des aptitudes que peu de ses congénères possédaient. Sans parler d'une mémoire qui défiait l'entendement (de retour de mission, il avait un jour présenté mot à mot à ses supérieurs un rapport de quarante-deux pages qu'il avait pu lire mais qu'on l'avait empêché d'apporter avec lui), il avait aussi le don de flairer le coup fourré à des kilomètres. Il lui suffisait parfois d'observer quelqu'un quelques minutes pour savoir s'il mentait, même si l'autre n'avait pas ouvert la bouche.

Après trois ans, son grade était plus élevé que celui de l'homme qui l'avait recruté, même si la réputation de celui-ci s'était considérablement améliorée dans le service. Ses patrons eux-mêmes durent convenir qu'il plafonnerait avant longtemps s'il restait à la GRC. Ils commençaient surtout à craindre que le jeune homme, que l'on remarquait de plus en plus dans les hautes sphères, ne finisse par hériter de leur job.

Depuis un bon moment, et bien que personne n'ait osé l'avouer devant plus d'un interlocuteur, la GRC avait besoin d'un pendant clandestin, qui se chargerait de missions plus délicates, de celles dont les rudimentaires services secrets canadiens refuseraient de s'occuper. Pour parler clairement, ils avaient besoin d'une équipe pour faire le sale boulot, et Curtis Taylor était tout indiqué pour en prendre la tête. Ce dernier refusa tout d'abord, parce qu'il ne voulait pas avoir à rendre de compte aux SSC à tout bout de champ.

Sa valeur était telle que le premier ministre de l'époque mit alors la hache dans les services secrets, en envoyant leur personnel aux quatre coins du monde dans les ambassades reculées. Certains agents, qui n'auraient sans doute pas accepté la voie de garage aussi facilement, disparurent tout bonnement, de même que ceux n'ayant aucune famille rapprochée. Après tout, il n'y avait pas tant d'ambassades où les planquer, et on ne fabrique pas de tueurs patentés pour les relâcher dans la nature par la suite...

Curtis Taylor refusa également de diriger le nettoyage, arguant qu'il n'allait tout de même pas faire le ménage parce que le PM avait fait couler le directeur des services secrets dans les fondations du nouvel hôpital pour enfants de Winnipeg avant qu'il ne vide lui-même la poubelle d'agents doubles et de mercenaires se vendant au plus offrant qu'était devenue son organisation. Il observa la purge en mettant sur pied sa future organisation. Il exigea qu'on lui donne carte blanche pour embaucher ses hommes. Il évita soigneusement d'engager ceux qu'on lui recommandait avec trop d'empressement, puisqu'il n'avait confiance en personne, et qu'il voulait être sûr de chaque membre de son organisation.

Le SG4 était né, et plusieurs personnes parmi celles qui avaient favorisé une gestation harmonieuse eurent plus d'une fois l'occasion de le regretter.

Un seul homme des services secrets avait eu la vie sauve, grâce à l'intervention non officielle de Curtis Taylor. Pour ses employeurs comme pour le reste du monde, Erik Martel était mort étranglé dans un appartement de Toronto, après qu'il eut refusé d'être attaché à l'ambassade du Rwanda. Ce qui se serait d'ailleurs produit si Taylor ne s'était lui-même rendu sur place une heure avant l'exécution. Il avertit Martel de ce qui l'attendait et lui dressa le plan de l'organisation qu'il était en train de mettre sur pied. Il lui dit qu'un agent possédant ses qualifications lui serait utile et qu'il cherchait un homme de confiance pour le seconder. Erik pensa tout d'abord à un piège, mais il écouta en silence son éventuel sauveur. Il n'avait pas encore constaté l'ampleur du massacre dans son propre service, mais la franchise dans le ton de son interlocuteur était indiscutable.

Lorsqu'un agent se prétendant du corps diplomatique frappa à sa porte quelques minutes après que Taylor eut terminé de lui exposer ses vues, Erik Martel dut admettre la pénible réalité. Le corps diplomatique ne fut jamais retrouvé… Le recrutement se fit à petite échelle, tout d'abord, mais des hommes sûrs vinrent s'ajouter à l'équipe, portant chacun, comme des fourmis, plusieurs fois leur poids en secrets de toutes sortes, le plus souvent gouvernementaux. Curtis Taylor, un an après la fondation du SG4, était déjà un homme très bien informé.

Bien que les assassinats n'aient guère représenté qu'un dixième de leurs fonctions, ils étaient parfois absolument essentiels. Curtis Taylor avait déjà tué lorsqu'il prit la direction de l'agence, mais lorsqu'il le fit par la suite, ce fut toujours en état de légitime défense. Bien que la sachant nécessaire, Taylor n'aimait pas la violence, ce qui ne l'empêcha pas, les premiers temps, de se charger lui-même de missions délicates, s'attirant ainsi le respect de ses hommes.

Lorsqu'un de ses agents se fit descendre devant lui par un salopard qu'il avait mal fouillé, Curtis réalisa le tort qu'il ferait subir au SG4 s'il était mis hors jeu, et cessa pour un temps d'aller sur le terrain. Martel se révéla un auxiliaire d'une dévotion à toute épreuve. Brutal à souhait, il n'avait toutefois pas été choisi par Taylor pour cette raison. C'était un monte-en-l'air de grand talent, et il était souvent utilisé pour récupérer des documents dans les bureaux de divers organismes gouvernementaux sur lesquels Taylor manquait cruellement de mainmise. Curtis était d'avis qu'une bonne information valait toutes les armes du monde.

En quinze ans, il avait parfois exécuté certaines tâches de mauvaise grâce, même s'il en reconnaissait la nécessité. Avant de diriger le SG4, il avait placé le mouchard de la GRC à la tête des négociations pour le front commun, tout en sachant le tort que cela ferait au Québec. Ce fut le premier de la centaine de petits dégoûts similaires qui survinrent durant les années qui suivirent. Jusqu'à la veille, où il avait été saisi d'une véritable nausée lorsque John Roof avait exposé son plan sous les yeux émerveillés de Murphy et Jordan. Taylor n'avait pas attendu la fin de l'exposé pour aboutir à un verdict qu'il crut sage de garder pour lui : le premier ministre n'avait plus toute sa tête.

C'est en regardant par la fenêtre la pluie tomber sur la ville qu'il prit une décision qui influença le cours de l'histoire. Il allait s'en mêler.

Il décrocha son téléphone et composa un numéro à Québec. À l'autre bout du fil, Georges Normandeau demanda d'une voix étonnée :

— Vous rencontrer ? Ça pourrait se faire, M. Taylor…

Ce que John Roof ignorait, c'est qu'il n'était pas le seul à cacher ses origines québécoises.

Curtis Taylor était né à Chicoutimi, et ses parents n'avaient jamais parlé anglais de leur vie.

11

Le commandant Denis Marcoux regardait un troupeau de bleus fraîchement arrivés faire leurs manœuvres sur le terrain derrière le « PX », le magasin général de la base. La vue qu'il avait de son bureau englobait presque tout Valcartier, car il devait avoir l'œil sur tout. Depuis la sévère hernie discale que s'était infligée le général Riendeau, c'est à lui qu'il revenait de faire marcher la base au pas, sans mauvais jeu de mot. La situation ne l'enchantait guère, et lui donnait parfois de sérieux brûlements d'estomac. Et que Bethleem Jordan, le commandant en chef des Forces armées canadiennes, souhaite le rencontrer n'améliorait guère ses malaises gastriques.

Marcoux était issu d'une lignée de militaires, son père et son grand-père s'étant illustrés dans les deux guerres mondiales. Lui-même avait été envoyé dans le golfe Persique, sans pour autant y voir beaucoup d'action. Il était alors sergent et ne s'attendait pas à monter plus haut, comptant prendre sa retraite, que l'armée avait généreuse, comme tous les autres sous-officiers vers l'âge de quarante-cinq ans. Pour être franc, il avait été un peu dépité d'être nommé lieutenant, puis capitaine. Quand il avait reçu ses galons de commandant, neuf mois auparavant, il s'était résigné depuis longtemps à l'idée que sa retraite ne viendrait pas avant un moment. Ce n'était pas qu'il n'aimait pas l'armée, ou Valcartier, mais il pensait depuis longtemps en avoir fait le tour.

Denis Marcoux était loin d'être un imbécile, contrairement à l'idée que se fait le commun des mortels du militaire moyen. Il possédait un doctorat en sciences politiques, qu'il n'avait jamais mis à profit, sinon pour conseiller ses supérieurs sur l'orientation à donner aux forces armées selon les changements politiques survenus durant les dernières années. L'armée lui avait payé ses études en échange d'un nombre égal d'années passées au service de la patrie. Depuis 1995, il avait entrepris l'écriture d'un rapport sur ce qu'il adviendrait des forces armées stationnées au Québec en cas de victoire du Oui au référendum. Ses repères étant peu nombreux, il était difficile d'évaluer les conséquences d'un tel changement. Il faudrait créer une armée du Québec, et c'est là que le bât blessait.

Indépendantiste convaincu, Marcoux savait qu'il n'hésiterait pas une seconde à participer à sa création, si sa province devenait un pays, et que la majorité des troupes basées au Québec ferait de même, celle-ci étant constituée presque exclusivement de francophones. Qu'en serait-il alors des terrains, des bâtiments et de l'équipement, si un conflit éclatait durant les négociations ? Un jour où il avait posé la question au général Riendeau, le vieux militaire avait eu un demi-sourire :

— Si on en arrive là, commandant Marcoux, je considérerai jusqu'à la dernière de nos munitions comme une prise de guerre, et il faudra qu'ils soient drôlement armés et motivés pour venir me l'enlever !

Le général étant absent, Denis Marcoux était responsable non seulement de Valcartier, mais aussi des troupes basées à Saint-Jean-sur-Richelieu et Bagotville, dont il pouvait se rendre maître en cas de force majeure, ce qui ne s'était jamais produit, pas même durant la crise d'octobre.

Naturellement, Marcoux n'avait jamais pris au sérieux l'hypothèse d'un conflit armé avec le reste du Canada, mais une telle hypothèse revenait parfois le hanter aux petites heures de la nuit. S'il fallait seulement que cela arrive, le combat entre les Forces armées canadiennes et celles du Québec serait d'une telle inégalité qu'il faudrait remonter à David et son lance-pierre pour en voir la pareille. Et que dire des accords militaires passés avec les États-Unis ? Mieux valait ne pas y penser…

Un luxe que Bethleem Jordan anéantirait deux heures plus tard.

12

Le 1er juillet, à l'heure où les premiers signes de violence apparurent lors d'une manifestation, les trois principales maisons de sondage donnaient de six à huit pour cent d'avance aux indépendantistes. Les deux semaines suivantes allaient être décisives. Des deux côtés, les experts en relations publiques travaillaient à une campagne de publicité massive, allant jusqu'à racheter six fois leur valeur des encarts déjà vendus dans les journaux. Les indépendantistes, sur leur lancée, se concentrèrent sur les publicités destinées à la télévision. Ils avaient engagé pour les réaliser un jeune cinéaste nommé Dupuis, qui les pondait l'une après l'autre, sans effort, et le résultat était aussi esthétique qu'il était possible de l'être pour une annonce de nature politique.

Le gouvernement fédéral s'était décidé à porter ses efforts vers la presse écrite après avoir constaté que les réseaux de télévision appartenant anciennement à Reginald Johnston, maintenant propriété du groupe Duchesne, se montraient de plus en plus évasifs quant à la possibilité de lui trouver du temps d'antenne. Cela ne lui laissait guère que la télévision d'État, et quand on sait que celle-ci arrivait bonne dernière depuis dix ans dans les cotes d'écoute, cela n'augurait rien de bon.

Par acquit de conscience, une douzaine de publicitaires furent appelés à réaliser chacun un *spot* pour le gouvernement fédéral. Neuf des douze artisans inclurent un plan des Rocheuses dans leur annonce, ce qui renforça l'idée, chez les rares personnes qui s'y intéressèrent, que le Canada n'avait rien d'autre à offrir que ces montagnes.

Le premier d'une longue série de coups de poing fut donné au parc Lafontaine, à Montréal. Durant une manifestation qui eut lieu sous un soleil de plomb, une quarantaine de manifestants anglophones tentèrent de semer le désordre dans les rangs de l'adversaire. Ils insultèrent copieusement les indépendantistes, allant jusqu'à les bousculer et leur lancer ce qui leur tombait sous la main. Deux d'entre eux brisèrent quelques vitrines de commerces dans la rue Rachel, s'imaginant peut-être que leurs méfaits seraient crédités à leurs opposants.

Lorsqu'un ébéniste nommé Étienne Pelletier perdit patience et allongea pour le compte un des anglophones d'un seul et magistral coup de poing, les trente-neuf autres furent engloutis et proprement assommés. La police les retrouva menottés à des lampadaires tout au long de la rue Sherbrooke, complètement nus, mais relativement indemnes vu la situation. Les souverainistes gardaient encore un vernis de civilité devant leurs adversaires, et le galop d'essai de John Roof était terminé.

Les organisateurs de la manifestation ne le sachant pas eux-mêmes, Mark Murphy aurait difficilement pu apprendre par ses informateurs que les quarante agents perturbateurs qu'il avait engagés se verraient opposés à cinq mille francophones qui n'aimaient guère être insultés.

Il fut intéressant de noter que les policiers du SPM laissèrent les anglophones attachés à leurs poteaux près de vingt minutes, et qu'aucune ambulance ne fut requise sur les lieux pour intervenir. Tout doucement, chacun choisissait son camp.

Le hasard voulut que plusieurs des Québécois qui seraient appelés à jouer un rôle important dans la suite des événements fussent présents ce jour-là, et nombre d'entre eux remarquèrent l'organisation et le *modus operandi* des manifestants envoyés par la GRC, les trouvant bien peu naturels pour un groupe censé agir sous le coup de la colère.

Marcus Fontaine passait devant le parc Lafontaine par hasard lorsqu'il entendit les clameurs de l'attroupement. Il s'y joignit de bon cœur, même s'il ne se serait sans doute pas déplacé pour y participer, mais il s'était rendu à Montréal pour s'acheter une paire de chaussures. Lorsqu'il vit débouler la quarantaine de trouble-fête, il leur trouva bien plus une dégaine de militaires endimanchés que l'allure de civils emportés par la passion, impression confirmée par le fait qu'aucune femme ne grossissait leurs rangs.

Il s'étonna de ne voir nulle part l'escouade anti-émeute, le parc étant entouré de simples policiers qui ne firent pas le moindre geste, même lorsque les hommes de Murphy frappèrent leur Waterloo. Avisant une jeune manifestante malmenée par un des anglophones, Fontaine se jeta littéralement sur l'agresseur, qui ne vit rien venir. Il lui brisa le nez d'un coup de poing avant que la jeune femme ne l'achève à coups de pied. C'est elle qui eut l'idée de les dévêtir et de les menotter aux lampadaires. Les menottes furent fournies par le propriétaire d'un *sex shop* situé à deux rues de là, qui les offrit avec plaisir en riant.

À l'instar de Benny Trudeau, Marcus Fontaine se vit le lendemain matin sur la première page du *Provincial*, soulevant de terre l'agresseur de la jeune fille, ce qui lui donnait une pause plutôt avantageuse. Sa mère l'appela de Dorval en revenant des Antilles pour lui demander si elle lui avait appris à régler ses problèmes de cette manière, ce qui le fit sourire. Ses parents changèrent leur fusil d'épaule assez rapidement lorsqu'ils réalisèrent que leur fils était maintenant connu jusqu'à Gaspé, et qu'il était considéré comme un héros par bon nombre de ses concitoyens, la journaliste ayant décrit avec force détails comment il s'était porté au secours de la demoiselle en détresse. Il était d'avis, quant à lui, que la demoiselle semblait bien plus rompue aux sports de combat qu'il ne l'était lui-même.

Benny Trudeau avait été parmi les premiers arrivés et il s'en donna à cœur joie lorsque la foule se déchaîna. C'est lui qui prévint tout le monde, d'une voix forte, lorsqu'il vit se profiler au bout de la rue le groupe qui venait gâcher la fête. Il s'attendait depuis un moment à une opposition de ce genre, les manifestations procanadiennes s'étant multipliées durant les derniers jours, bien qu'il y en ait eu beaucoup moins que dans le camp du Oui. Ces manifestations s'étaient déroulées tout aussi calmement que celles des souverainistes, calme inspiré tout autant par la civilité que par le nombre d'indépendantistes y ayant assisté de loin.

Benny s'était attendu à du désordre durant les trois manifs qu'il avait lui-même organisées sur la Rive-Sud, et il s'était franchement étonné de n'y voir aucun policier, et encore moins d'opposants à leurs vues. Il faut dire que la Rive-Sud, et particulièrement Longueuil, ne comptait pas parmi les fiefs fédéralistes.

Benny n'était pas le seul à remarquer le curieux comportement des forces de l'ordre et des autorités officielles, qui semblaient user parfois beaucoup plus de leur libre-arbitre que des tables de la loi. Aucune manifestation pro-Canada, par exemple, ne s'était déroulée sans une solide présence policière. Bien que le chef du SPM, Réjean Morin, ait prétexté pour cela la sécurité des manifestants, tous ceux qui y assistèrent virent bien vers qui l'attention des flics était tournée.

Adossé à une Porsche, tout près du théâtre des opérations, Erik Martel observait le résultat de sa conversation avec Réjean Morin et en semblait entièrement satisfait. Il avait glané l'info de la manière la plus ridicule possible pour un agent secret : sur Twitter. Il avait franchement éclaté de rire en voyant la jeune fille, Julie Galipeau, entraîner les manifestants à déshabiller les agents de la GRC, et en avait profité pour prendre quelques photos, parce qu'il connaissait plusieurs d'entre eux, et que ces derniers auraient la plus grande difficulté à expliquer à leurs employeurs directs ce qu'ils fichaient à Montréal, puisque Mark Murphy avait sans doute donné aux hommes leurs ordres d'une façon peu protocolaire.

Il en enverrait aussi quelques-unes aux journaux, uniquement pour le plaisir. Martel était d'avis que le directeur de la GRC n'aurait pas pris le risque de faire foirer le plan du PM avant même qu'il ne soit réellement mis en branle, ce qui signifiait que Roof était derrière tout cela. Il fit un signe de tête au chef du SPM, qu'il avait repéré de loin, et monta dans sa Porsche. Curtis Taylor serait heureux ; son protégé suivait les ordres.

La journaliste ayant rapporté les faits d'armes de Marcus Fontaine était Elizabeth Converse. Le *Provincial* couvrant deux conférences de presse importantes et l'ouverture controversée d'une autre cité du cinéma, située cette fois sur le Plateau, on envoya Beth couvrir la manifestation, phénomène qui commençait à perdre de sa nouveauté pour les journalistes et le public, le journal en ayant dénombré quatre-vingt-trois durant la semaine précédente, dans les différentes villes du Québec, un chiffre qui aurait sûrement quadruplé, d'ici à ce que ledit public se rende à l'isoloir.

Discutant avec son photographe et se trouvant à des lieues d'imaginer qu'elle serait onze jours plus tard l'une des journalistes les plus connues du pays, elle ne s'aperçut de la présence de la meute d'anglophones qu'une fois ceux-ci à trente mètres des manifestants souverainistes. Pour leur malheur, ils défilèrent directement devant le photographe de Beth, qui zooma et photographia uniquement leurs visages, les flics étant toujours mieux disposés envers une journaliste lorsque celle-ci leur a déjà rendu service par le passé.

Le compère d'Elizabeth était le fils de son rédacteur en chef, et le jeune homme partageait les visions du paternel en matière de politique. Il se faisait un plaisir de nuire à ces trublions. Elizabeth interrogea de nombreux manifestants qui y allèrent d'un discours plus patriotique que sensé la plupart du temps. Elle tenta d'interroger une dizaine des hommes menottés à un lampadaire, mais la première moitié l'envoya au diable, alors que l'autre n'était tout simplement pas en état de répondre.

Mathieu Sinclair assista aussi à l'échauffourée, non par conscience professionnelle, mais parce qu'elle se produisit à trente mètres de chez lui. Assis sur son balcon, il observait la fierté de la foule et s'en voulut de ne pas être aussi partisan. Après tout, il était bien placé pour savoir à quel point sa langue et sa culture, sa liberté de parole et ses finances avaient été brimées par les intérêts anglophones. En fin de compte, résuma-t-il *in petto*, c'est à ça que le véritable débat sera réduit: ni aux abus du fédéral en matière de lois, pas plus qu'aux sommes considérables prélevées sur notre budget dont on ne revoyait jamais la couleur, mais à un combat pour notre langue. Il ne savait pas encore quelle décision il prendrait le jour du scrutin, mais depuis un moment, le *statu quo* lui donnait la nausée. Alors un peu de changement…

Il s'inquiéta lorsqu'il vit les agents incognito tenter de foutre la pagaille, parce que sa fille de dix-neuf ans était l'une des manifestantes, mais s'amusa beaucoup de les voir en difficulté quelques minutes plus tard. Il n'arrivait pas à apercevoir sa fille, et il se leva pour aller chercher les jumelles qui lui servaient habituellement à observer les oiseaux, son occupation de vieux garçon. Il s'inquiétait de ne la voir nulle part, mais lorsqu'il la repéra, Julie Galipeau était en train de menotter un type nu et sans connaissance à un lampadaire, de l'autre côté du parc. Il murmura doucement:

— Seigneur… C'est bien la fille de sa mère…

Ce que l'histoire retint de la manifestation du 1er juillet fut qu'elle permit à Marcus Fontaine et Benny Trudeau de faire connaissance, dans le métro qui les ramenait chez eux.

Dieu seul sait ce qui se serait produit s'ils étaient chacun montés dans une rame différente…

13

Paul Fiersen s'était toujours considéré comme quelqu'un de calme et de foncièrement bon. Son travail de médecin lui avait aussi enseigné la patience, mais celle-ci était mise à rude épreuve un peu plus chaque jour depuis la Saint-Jean-Baptiste. Paul était anglophone mais parlait le français d'une façon respectable quand il y était obligé, surtout pour un homme qui ne tenait pas la population francophone en haute estime. Depuis plusieurs années, il avait de plus en plus de difficulté à se voir accusé, tout comme ses congénères, de tous les maux de la Terre uniquement parce qu'il parlait l'une des plus belles langues utilisées à sa surface.

Quand il voyageait dans le vaste monde, on le prenait partout pour un Américain et on le traitait sans le moindre respect. Quand il visitait la France, il passait pour un Anglais et ne recevait pas meilleur accueil. Quand, enfin, il revenait à Montréal, on le cataloguait comme traître, uniquement parce qu'il s'exprimait dans la langue de Shakespeare. Quand la question de la langue revenait sur le tapis, il s'égosillait à expliquer qu'il était Canadien, merde ! comme tous les habitants de cette damnée province et que l'anglais était la langue de son pays, aux dernières nouvelles. Aussi bien tenter la quadrature du cercle.

Fiersen s'étonnait de cette violence qu'il sentait monter en lui parfois, en lisant les articles du *Provincial* au jugement si biaisé, encore que ceux du *Sun* d'Ottawa l'étaient tout autant dans le sens contraire. Le 29 juin, il avait fait partie du comité organisateur de la première manif anti-souveraineté, comme les journaux francophones l'avaient nommée le lendemain, comme s'il était impossible d'affirmer simplement sa fierté d'être Canadien.

Avec Julius Webster, un autre membre du comité, il s'était rendu à Québec la veille pour en organiser une similaire, qui n'avait pas particulièrement bien fonctionné. La première manif de Benny Trudeau, à côté, aurait été considérée comme une franche réussite. Il avait été très difficile de regrouper les anglophones de Québec, qui sont peu nombreux, dispersés et peu disposés à se mobiliser en vain. Après ce déplorable échec, Fiersen avait cédé l'organisation de la défense des anglophones de Québec à Webster, qui demeurerait chez un cousin de la capitale.

Julius Webster, qui approchait les soixante-dix printemps, en fut ravi, lui qui depuis sa retraite de l'enseignement s'ennuyait ferme. L'air un peu ahuri qu'il affichait en permanence faisait souvent oublier, même à ses proches, que les deux premières victoires de Pierre Elliott Trudeau dans son comté, avaient été en grande partie de son fait, avant qu'il ne perde toute illusion en matière de politique et ne se retire sans tambour ni trompette. Fiersen était convaincu qu'il aurait pu s'adjoindre bien pire comme organisateur.

Le comité organisateur était, à l'origine, un groupe de consultation sur le bien-être de la communauté anglophone de la ville de Montréal, subventionné à la fois par celle-ci (ce qui avait fait pousser les hauts cris à plusieurs) et par le gouvernement fédéral. Personne ne s'y était beaucoup intéressé lors de sa formation, pas même Elizabeth Converse qui s'était attiré le sujet le plus barbant de la journée parce que la stagiaire des chiens écrasés avait la grippe.

Converse s'était surtout contentée de demander, dans son article, ce qu'un groupe de quatorze personnes se réunissant dans le cabinet de l'un d'eux pourraient occasionner comme dépense qui justifie une subvention conjointe de trente-trois mille dollars par an, question à laquelle nul n'avait répondu, le gaspillage des deniers public étant une chose si fréquente qu'elle n'intéressait plus personne, sauf ceux qui encaissaient. L'idée d'un groupe formé de notables connus et respectés de la communauté avait été proposée par le nouveau maire de Westmount, qui avait été éjecté si rapidement de son siège lors des fusions qu'il en avait attrapé le rhume.

Puisque personne ne pensa à dissoudre leur commission et qu'ils se plaisaient tous à sortir de chez eux deux ou trois heures par mois pour discuter avec l'élite intellectuelle de leur génération, ils continuèrent à déjeuner une fois par mois au frais de la princesse. Après tout, on n'a pas souvent l'occasion de dîner avec un ancien maire, deux anciens ministres, un chirurgien aussi réputé que désœuvré et tout un assortiment des plus grosses fortunes de Westmount, où résidaient neuf des quatorze membres. Fiersen avait été déconcerté par sa nomination comme chef de la commission, alors qu'il était entouré de tant de gens habitués au pouvoir, jusqu'à ce qu'il comprenne que personne n'attendait rien de lui à ce titre, qui était aussi dépourvu de sens que de responsabilité, une situation qui avait légèrement changé depuis la Saint-Jean-Baptiste.

Un fonctionnaire municipal, qui par définition cherchait quoi faire de ses journées, se navrait du peu de représentation qu'opposait son cher pays à la vague nationaliste qui gagnait la province. On ne pouvait faire dix pas sans remarquer un drapeau du Québec, alors qu'on trouvait celui du Canada beaucoup plus rarement. Il se rappela soudain la commission qui ne servait à rien et qui se réunissait dans Westmount une fois par mois. Sur la demande du gratte-papier, le maire de Montréal accepta que la Commission Fiersen dont il se fichait éperdument devienne un porte-étendard du gouvernement fédéral, ce qui lui permettrait l'année suivante de leur retirer la subvention accordée par la Ville, qu'il jugeait du plus sublime ridicule. Sincèrement, qu'est-ce qu'il en avait à foutre du bien-être de la communauté anglophone ? Qu'est-ce que cette dernière avait fait pour lui, récemment ?

Un des anciens ministres se retira du comité, alléguant qu'il commençait à être un peu vieux pour agiter des drapeaux. Fiersen n'insista pas, sachant que son confrère faisait allusion à l'épisode Copps, puisqu'il avait dû lui aussi affronter la presse lorsque la ministre avait acheté le lot de drapeaux qui en avait fait sourciller plus d'un, malgré toute la bonne volonté qui était à l'origine de l'idée.

Paul, qui en tant que quadragénaire était le plus jeune du groupe, constata chez les autres la même résolution à faire face à la dissolution de leur pays qu'il ressentait un peu plus chaque jour. Leur assemblée tenait maintenant plus du conseil de guerre que du comité des fêtes.

Qu'une majorité choisisse un camp ne signifiait pas qu'elle ait raison, mais tout n'est bien sûr qu'une question de point de vue. Comme le souligna Webster, dans son langage imagé, à la fin de la première des séances, qu'ils tenaient dorénavant deux fois par semaine :

— Comment faire la différence entre un vieux sage chinois et un vieux con chinois quand on ne parle pas le chinois ?

14

Julie Galipeau exhibait fièrement à son père l'hématome de belle taille qui s'étendait sur sa hanche, résultat d'un violent coup de poing d'un des hommes de Murphy. Son père, qui tentait en vain de l'inciter à la prudence depuis le début des manifestations, se garda de passer un commentaire. Mathieu Sinclair, se rappelant la dégelée monumentale qu'avait infligée sa fille à l'homme que Marcus Fontaine avait déjà à moitié assommé, lui demanda où elle avait appris à se battre. Avec un sourire narquois, elle répondit :

— Dans les manifs contre la mondialisation, et que je ne t'entende pas me dire que je ne sais pas de quoi je parle, comme tu le fais avec tous mes amis, parce que je t'écoute en parler chaque soir à la télé depuis une éternité. Si tu me traites d'ignorante, conclut-elle avec un sourire, il faudra aussi te demander à qui la faute.

Sinclair, qui avait renoncé à argumenter avec Julie depuis un moment déjà, secoua la tête de façon théâtrale, sous l'œil amusé de cette dernière. La jeune femme tenait de son père un goût prononcé de la joute oratoire que n'aurait pu qu'admirer Schopenhauer. Elle pouvait ergoter sur des points de détails jusqu'à ce que le souffle lui manque, ce qui avait poussé Mathieu à lui conseiller le droit, où elle se sentirait comme un poisson dans l'eau.

Elle venait de terminer ses deux années de cégep et s'apprêtait à entrer à l'UQAM en septembre, sans savoir que la rentrée scolaire serait très perturbée en 2014. Bien qu'il ne lui ait jamais dit en toutes lettres, de peur que Julie ne l'accuse de sensiblerie, il éprouvait une immense fierté en regardant sa fille vieillir. Depuis qu'elle avait quatorze ans, elle avait pris le parti de défendre ses idées avec acharnement et s'était lancée à corps perdu dans toutes les causes nobles qu'elle avait pu dénicher. Sinclair se rappela qu'il agissait ainsi à l'adolescence, bien avant d'avoir perdu toute envie de combattre. La souveraineté du Québec étant son cheval de bataille, Julie Galipeau n'arrivait pas à comprendre que son propre père n'ait pas encore choisi son camp.

Elle se trouvait sur les plaines, comme tant d'autres, lorsque Normandeau avait laissé tomber le masque. Persuadée qu'elle était, du haut de ses dix-neuf ans, que le PM n'aborderait jamais la question, ne l'ayant pas soulevée une seule fois en trente ans de vie politique, elle était tombée des nues devant son discours. Elle avait parcouru les plaines durant toute la nuit, euphorique, discutant avec d'autres partisans dont une majorité textait et appelait à tout va pour répandre la nouvelle. Son physique étant des plus quelconque, elle avait été ravie de l'intérêt que lui avait porté un jeune homme sympathique de Longueuil, qu'elle avait ensuite revu à la première manif de Montréal, puis en pleine page du *Provincial*, photographié dans une posture qui lui donnait l'air d'un héros.

Sinclair avait sourcillé lorsqu'elle avait ramené Benny Trudeau à la maison, cherchant à se rappeler où il l'avait déjà vu, alors qu'il avait fait un topo sur la photo maintenant célèbre, qui avait rapporté à son obscur géniteur (un jeune homme de dix-sept ans qui avoua des années plus tard qu'il avait photographié Benny par accident, ne s'y intéressant absolument pas) de gros dividendes. D'emblée, Benny plut beaucoup à Mathieu parce qu'il ne mettait jamais de gants pour exprimer ses opinions, un trait de caractère qui rappelait beaucoup son père à Julie. Mathieu avait mis des années à apprendre à garder certaines opinions pour lui devant les caméras, et uniquement parce que ses employeurs le lui avaient fortement suggéré. Il avait même fait l'objet de poursuites, après avoir passé certains commentaires en ondes.

Julie se sentait plus proche de son père que de n'importe qui, sa déphasée de mère comprise. Depuis l'enfance, elle s'était toujours sentie choyée par la vie, et de voir son père narrer chaque soir à la population du Québec l'histoire de gens qui n'avaient pas sa chance l'avait poussée à prendre la défense des opprimés, sans grand résultat jusqu'à maintenant, sinon diverses bosses récoltées dans différentes manifestations. Lorsqu'elle avait vu s'approcher les anglophones de Murphy, la veille, elle avait pensé à un simple mouvement de contestation, droit qu'elle était bien prête à octroyer à quiconque si c'était fait dans le respect.

Que ceux-ci se soient carrément mis à taper dans le tas, sans discernement, l'avait offensée au plus au point. Quant à l'enfoiré qui lui avait tapé dessus, elle l'aurait envoyé à l'hôpital sans l'intervention du garçon qui l'avait défendue au départ, et qu'elle avait vu repartir avec Benny après les festivités. N'empêche… Qu'est-ce qu'elle lui avait mis, à ce con !

De plus, elle s'était enfin démarquée de la masse, ambition fort signifiante à ses yeux après avoir vu sa mère passer sa vie à tenter de s'y dissimuler. L'idée de les déshabiller avait été la sienne, de même que celle de les ligoter aux lampadaires, puisque la police n'intervenait toujours pas.

Julie ne se leurrait pas sur elle-même. Elle savait que son désir de justice et d'équité n'expliquait pas complètement son implication toujours grandissante dans toutes les causes inimaginables. Sa tristesse de ne pas attirer l'attention des hommes y jouait un rôle, bien que Benny ait fait surgir un espoir de ce côté-là. Il n'était pas à tout casser lui non plus, physiquement parlant, mais elle s'était sentie en confiance à ses côtés. Elle avait assisté à la troisième manif de Longueuil, le 29 juin, et elle avait platoniquement passé la nuit qui avait suivi dans ses bras, à la belle étoile, ce qui lui avait beaucoup plu, malgré l'odeur de bière que répandait Benny. Elle-même avait bu plus que son content, ce qui ne lui était pas habituel.

À sa grande joie, son père avait proposé un soir d'inviter Benny Trudeau à l'*Information*, l'émission dont il tenait les rênes depuis si longtemps.

— Ça nous changerait des vieilles barbes comme moi, expliqua-t-il. Le point de vue de la jeune génération, ou quelque chose comme ça…

Julie ne fut pas dupe. Elle savait que son père proposait ça pour lui faire plaisir, pour lui signifier son intérêt pour Benny, puisqu'elle invitait rarement de garçon à la maison et que Trudeau était le premier à ne pas avoir la dégaine du contestataire type. De plus, Sinclair avait réellement besoin d'un témoin pour les vingt à vingt-cinq ans, et la photo du *Provincial* avait fait de Benny un visage apprécié des manifestants. Finalement, le présentateur était d'avis qu'en fait d'invités, il avait eu droit à beaucoup moins articulé que Benny Trudeau.

Sinclair regarda sa fille mettre son manteau en vitesse et demanda :

— Une autre manif ? Déjà ?

Julie eut un demi-sourire :

— Beaucoup moins amusant. Je vais chercher ma pension alimentaire chez maman.

— Aïe !

15

À moitié réveillé, appuyé sur un coude, Erik Martel eut la désagréable sensation de ne plus savoir où il était, ne reconnaissant ni l'ameublement de l'appartement, ni ce qu'il entrevoyait par la fenêtre à côté du lit. Pire : il savait que cela lui arrivait souvent. Avisant un voisin de palier qui passa devant la fenêtre, il grogna :

— L'appartement de Rosemont. Marde !

Martel avait quatre appartements à Montréal, payés par le SG4, qui ne savait jamais quand s'avérerait nécessaire l'utilisation d'une planque. Il était pratiquement sûr que l'un des appartements était surveillé par la GRC, et comme il était le seul à l'avoir utilisé ces six derniers mois, c'était de très mauvais augure. On ne pouvait pas le relier à l'agent de la GRC mort quinze ans auparavant dans un appartement de Toronto, puisque Martel n'était pas son vrai nom, pas plus d'ailleurs que celui qu'il utilisait du temps des SSC, mais quelqu'un l'avait à coup sûr repéré durant un bref moment. Cela ne pouvait avoir de rapport avec ce dont Taylor l'avait entretenu la veille, puisqu'en comptant Normandeau, ils n'étaient encore que trois dans le camp des gentils à savoir ce que Roof préparait.

Martel n'avait pas d'avis sur John Roof, et le fait d'être né à Trois-Rivières n'entrait pas non plus en ligne de compte pour le choix de son camp. Il n'avait qu'un seul patron, Curtis Taylor, et il le suivrait jusqu'en enfer si cela s'avérait nécessaire. Il était souvent revenu en pensée à ce jour étrange où ce zigue qu'il connaissait de réputation s'était amené chez lui pour lui balancer dès l'ouverture de la porte :

— Si vous ne m'écoutez pas, vous serez mort dans une heure.

Puis, après avoir regardé attentivement la carrure de Martel, il avait ajouté :

— Ou en tout cas, ils essaieront…

Martel avait écouté très attentivement, et c'est le respect que Taylor vouait à ses talents particuliers qui l'avait décidé à accepter ses nouvelles fonctions au sein du SG4, une décision qu'il n'avait jamais regrettée, Taylor étant devenu par la suite son premier véritable ami depuis des années. Il savait qu'il aurait pu tuer son exécuteur même si Taylor ne l'avait pas prévenu, mais il n'aurait pas disposé de l'appui logistique indispensable que celui-ci lui avait offert pour se cacher et produire, une fois de plus, une nouvelle identité.

Martel n'usait pas non plus de fausse modestie, reconnaissant volontiers que le SG4 n'aurait pas la moitié de son efficacité actuelle s'il n'avait lui-même recruté une bonne partie du personnel de base. Il avait sorti des bas-fonds, au cours de ses années au SSC, bon nombre d'individus qui savaient lui devoir une fière chandelle et qui n'attendaient que l'occasion de lui remettre la pareille. Il embaucha même trois d'entre eux, qui trouvèrent captivant dès le départ d'œuvrer de l'autre côté de la barrière, dans une relative légalité.

À l'âge tendre de sept ans, Erik Martel avait découvert les joies de l'argent facile. Madame Évangéline Hubert, professeure de deuxième année à l'école Saint-Aubin, était sans doute loin d'imaginer que sa manie de laisser son sac à main dans le premier tiroir de son bureau avait contribué à former l'agent clandestin le plus efficace de sa génération. Du premier tiroir de Mme Hubert, il était passé au vestiaire des professeurs, puis aux attachés-cases des visiteurs de la direction, sans être suspecté ne serait-ce qu'une fois. Pour ce qu'il en savait, la direction n'avait jamais élucidé la vague de vols qui avait cessé trois ans après le départ du petit Erik, celui-ci ayant formé un condisciple peu scrupuleux à continuer la tâche, dans l'espoir qu'il se fasse prendre, éliminant définitivement le risque qu'on le suspecte.

Le jeune garçon devait être un pédagogue né, car son élève ne se fit jamais pincer non plus. Martel apprécia la compétence dès son plus jeune âge. Quinze ans plus tard, le mentor invita son élève à se joindre à lui au sein du SG4, dont il était devenu le directeur adjoint. Il avait occupé cette fonction dès le début, mais lorsque les effectifs passèrent de deux agents à deux cents, Curtis et lui avaient convenu d'officialiser les choses.

Martel fit son premier cambriolage à treize ans, dans un quartier chic de Québec (« Ne chie jamais où tu manges si tu ne veux pas que ton steak goûte la merde », était un adage de Martel senior, qui écopa de douze ans le jour où il décida de passer outre à ses propres conseils). Il avait sous ses ordres trois garçons à peine plus âgés que lui, en plus du frère de l'un d'eux qui conduisait la vieille camionnette en état de décomposition. La maison appartenait au père de l'un des deux autres. Sur ordre du futur agent clandestin, ils n'avaient fait main basse que sur l'argent et les bijoux parce qu'un cambrioleur a toujours, toujours, un poste de télévision à la main quand il se fait choper, et quand on sait que les années 1970 n'avaient pas encore éliminé ces énormes postes sur pied… Une fois la maison passée au peigne fin et ses acolytes payés, Erik Martel avait en poche un an du salaire de sa mère et une bonne idée de ce qu'il comptait faire dans la vie.

Martel père attaqua un jour une épicerie située trop près de chez lui, pour honorer une urgente dette de jeu, de celles qui peuvent apporter une modification majeure au sens dans lequel plient habituellement vos genoux. L'épicier Bonenfant le reconnut et le livra à la police de Trois-Rivières, qui l'attendait depuis un moment avec une brique et un fanal. « Bonenfant de chienne », comme on le surnomma par la suite, toucha soixante dollars pour l'avoir livré. Erik vida son coffre-fort trois semaines plus tard, à l'âge tendre de quinze ans, ce qui ruina l'épicier qui n'était pas assuré et qui ne put supporter le poids de la perte, le gamin ayant emporté les recettes des six derniers mois. Bonenfant ne faisait pas confiance aux banques. Tant pis pour lui…

En 1979, à l'âge de dix-neuf ans, Martel acheta comptant une magnifique maison centenaire dans ce qui pouvait passer pour le plus beau quartier de la ville, ou à tout le moins celui où les gens faisaient le moins dur. Maman Martel, qui n'avait jamais mis de frein aux activités criminelles de son fils après être parvenue à la conclusion qu'il fallait bien qu'ils vivent de quelque chose, s'émut beaucoup de ce cadeau, à la grande satisfaction d'Erik. Après tout, il avait fallu beaucoup de travail pour lui offrir cette maison, et il n'en était pas peu fier. Il parvenait, bon an mal an, à lui envoyer une grosse somme d'argent et à la voir quelques fois, leurs rendez-vous ayant toujours lieu en dehors de Trois-Rivières pour éviter les risques.

Quand elle apprit qu'il travaillait désormais pour les forces de l'ordre, elle éclata d'un rire joyeux auquel ne put résister Martel. Après tout, la situation était ironique. Son père, quant à lui, n'eut pas le loisir d'en être informé. La veille de l'entrée d'Erik à la GRC, plusieurs années auparavant, un codétenu lui avait enfoncé une cuiller dans le dos, événement qui fut qualifié de suicide par les autorités carcérales compétentes.

La façon dont Erik Martel était entré au service de la loi était restée dans les annales, bien que peu de gens des services officiels l'aient rencontré en personne, ce qui lui sauva sûrement la vie après son exécution bidon, ses fonctions au SG4 l'amenant parfois à rencontrer d'anciens supérieurs qui ne firent jamais le lien. Après avoir voté Oui au référendum de 1980 et avoir constaté où se trouvait le pouvoir, il avait décidé de travailler aux services clandestins, s'ils voulaient bien de lui. Féru de romans et de films d'espionnage, c'était le seul travail légal qui aurait pu soulever ne serait-ce qu'un vague enthousiasme chez lui.

Persuadé qu'on ne le prendrait pas une seconde au sérieux s'il allait simplement présenter sa candidature à la GRC, principale porte d'entrée du *secret service*, il décida de jouer ses cartes autrement, dans une histoire que certains agents racontèrent plus tard à leur femme et à leurs enfants, faisant passer Martel à la postérité.

Mettre ses idées en pratique lui prit neuf mois, la tâche ayant été compliquée par les déplacements des principaux intéressés, qui n'étaient pas soumis au même horaire que le commun des mortels. Il travaillait maintenant seul la plupart du temps, ayant réalisé le danger de la complicité le jour où le fils du propriétaire de la maison qu'ils avaient cambriolée s'était fait surprendre par sa mère à compter son pécule dans sa chambre. Sommé de s'expliquer devant les policiers (sa mère et celle de Benny Trudeau se seraient entendues à merveille, les vaches...), le jeune garçon n'avait pas desserré les lèvres, copiant même la moue méprisante que Martel adressait à toute forme d'autorité, et les flics en furent pour leur peine.

Martel lui avait envoyé le quart de sa propre part pour le remercier, et il ne prit plus que très rarement quelqu'un avec lui lorsqu'il faisait un casse. Lorsqu'il décida de tenter le tout pour le tout, au début des années 1980, Martel était sans doute le premier millionnaire de vingt-deux ans issu de Trois-Rivières, bien qu'il n'ait jamais eu à poser les yeux sur un rapport d'impôt.

Par une belle journée ensoleillée d'octobre 1982, Martel entra au siège de la GRC, à Ottawa, et demanda à voir le directeur, et personne d'autre que lui. Il adressa un sourire carnassier à la secrétaire qui le toisait de haut, et lui fit signe d'accélérer le mouvement, comme s'il avait autre chose à faire de son temps. Il était habillé d'un magnifique costume anthracite et d'une cravate bourgogne, qui lui donnaient un air de prospérité et une respectabilité qu'aurait enviés un ministre. On le fit patienter dans le bureau d'un grouillot, qu'il congédia aussi sec, l'envoyant quérir son patron s'il ne voulait pas qu'il s'adresse plutôt à la Sûreté du Québec, mots magiques qui l'introduisirent si vite dans le bureau de son futur patron qu'il perçut le courant d'air. Une fois devant son interlocuteur, avec les agents qui faisaient semblant près de la porte ouverte de ne pas tendre l'oreille vers ce curieux jeune homme, Martel se permit même une pointe d'arrogance. Désignant au directeur de la GRC son propre fauteuil, il dit :

— Vous pouvez vous asseoir…

Il y eut quelques rires dans le couloir lorsque l'un des hommes les plus puissants du pays obéit à Erik Martel par automatisme. Martel savourait à l'avance l'effet qu'il allait produire. Il ouvrit l'attaché-case qu'il avait à la main et en sortit une douzaine de dossiers. Regardant le directeur de la GRC dans les yeux, sans la moindre nervosité, il enchaîna :

— Monsieur, pas un des ministres que vous protégez n'est en sécurité.

Alors que Frank Stevens allait répliquer, Martel lui intima le silence d'un geste de la main.

— Vous avez ici la correspondance personnelle et les factures courantes du ministre de l'Éducation et du ministre de l'Environnement.

Stevens, qui ne comprenait pas du tout où son interlocuteur voulait en venir avec ses factures, grogna :

— *So what ?*

— Je les ai dérobées il y a deux mois dans leur propre maison.

— *Oh, come on...* J'ignore qui vous êtes, monsieur, mais cet entretien est terminé. Vous comprendrez que j'ai plus urgent à faire aujourd'hui. En étant un tant soit peu débrouillard, vous pouvez obtenir ces factures à deux ou trois endroits. Quant aux lettres, qui me dit que vous ne les avez pas écrites vous-même ?

Sans se laisser démonter, Martel tira une lettre de la pile et la plaça devant lui.

— J'imagine, M. Stevens, que vous reconnaissez votre propre écriture. Vous avez envoyé cette lettre il y a quatre ans à M. Marchant, qui était à l'époque ministre de la Défense.

Trop étonné pour répondre, Stevens regardait la lettre d'un air abasourdi.

— Parlant du ministre de la Défense, j'ai ici la photo de sa femme qui trône habituellement sur sa table de chevet, un détail que vous pourrez vérifier avec lui. De même que cette petite pendule, qui se trouvait jusqu'à tout récemment dans la chambre du ministre des Finances, dit-il en sortant les deux objets de sa petite valise.

— Mais comment ?...

— Puisqu'on en est à l'horlogerie, cette magnifique montre de gousset appartient au directeur des SSC, qui a d'ailleurs fait graver son nom dessus, comme vous pouvez le constater. Elle traînait dans le tiroir d'une commode, chez lui, depuis qu'elle ne fonctionne plus.

Stevens prit la montre, l'air hébété. Il connaissait Marshall, le patron des SSC, depuis vingt ans et savait que sa maison était l'une des mieux protégées du gouvernement, après la sienne et celle du premier ministre. Dans ce métier, paranoïa fait force de loi. D'ailleurs, il avait déjà vu cette montre. Il regarda d'un œil nouveau ce petit jean-foutre qu'il n'avait pas pris au sérieux en le voyant venir avec ses gros sabots.

— Je crois, M. Stevens, que vous reconnaîtrez aisément le magnifique costume que je porte, puisqu'il provient de votre propre garde-robe, que j'ai visité la nuit dernière.

Le directeur allait répliquer à son interlocuteur d'arrêter les frais, quand il reconnut effectivement l'un de ses plus beaux costumes, qu'il s'était fait tailler sur mesure à Rome l'été précédent. Il faillit s'étouffer. Ce type était entré chez lui ! Malgré les hommes en faction et les multiples systèmes d'alarme, il était entré dans sa maison ! Le placard dans lequel était rangé ce costume était à deux mètres de son lit !

Martel asséna le coup de grâce en lançant sur le bureau de Curtis une douzaine de photos :

— J'aurais pu tous les tuer, monsieur le directeur...

Avec effarement, Stevens regarda les photos de neuf ministres en train de dormir paisiblement dans leur lit, la plupart en compagnie de leur épouse, sauf en ce qui concernait le ministre des Finances, qui dormait dans les bras d'un jeune homme qui avait la moitié de son âge. Stevens contempla deux autres polaroïds, où il se reconnut sans trop de surprise, de même que le directeur des SSC, qui dormait en position fœtale mais était parfaitement identifiable. La dernière photo lui arracha un petit cri. Cela ne pouvait être vrai...

— Ce n'est tout de même pas ?...

— Le premier ministre de notre beau pays, en pleine copulation avec son épouse, dans leur maison de la rue Sussex, où vous avez douze hommes en poste jour et nuit, qui sont tous aussi inefficaces les uns que les autres. J'ajouterai, vu la fréquence de leurs rapports sexuels, qu'il fallait être assez doué pour les prendre sur le fait.

Abandonnant enfin son air buté, Stevens dit doucement :

— Vous avez maintenant toute mon attention... Qu'est-ce que vous voulez ?

Martel répondit sur le même ton :

— Vous êtes entouré d'incompétents, monsieur, et je suis quant à moi à la recherche d'une nouvelle carrière. J'aurais pu tuer chacun de ces hommes, vous y compris, et liquider la garde prétorienne avant que quelqu'un ne se soit même demandé s'il se passait quelque chose d'anormal, mais j'ai préféré vous aider en vous apportant la preuve de vos manques. Je suis sans doute le plus grand voleur du pays, et j'ai plus d'argent qu'il ne m'en faut pour le restant de mes jours. Je veux voir de l'action et j'ai dans l'idée que j'en verrai beaucoup, lorsque vous m'aurez engagé.

Stevens soupira, détaillant une fois de plus cet étrange phénomène. Un mince sourire éclaira ses traits lorsqu'il dit :

— Cent mille par an pour commencer. On verra après...

Erik Martel adressa son plus beau sourire à l'homme qui lui faisait face.

Stevens, qui avait vu plus que sa part de malfrats dans sa vie, trouva son sourire franchement inquiétant.

16

Shuan Lee s'était toujours fait une fierté d'afficher dans les deux langues les réclames de son dépanneur, bien qu'il préférât parler le français, contrairement au reste de sa famille. Pour lui, il n'était pas question d'en faire un débat, puisque le dernier client à lui avoir parlé thaï, sa langue, était passé chez lui trois ans auparavant et n'était jamais revenu. C'était pour lui une façon de satisfaire le plus de gens possible. Il aimait le Canada, qui l'avait accueilli à bras ouvert, même s'il lui avait fallu, contrairement à certains compagnons d'infortune, faire preuve de solvabilité avant qu'on ne lui ouvre les portes. Il allait fêter, en ce 1er juillet, la fête du Canada, comme il avait fêté la Saint-Jean-Baptiste. On l'avait laissé ouvrir ici un commerce beaucoup plus facilement que chez lui, et selon les critères thaïs de richesse, il s'en tirait honorablement.

Toutefois, Shuan était bien embêté ces derniers temps. Il réalisait de plus en plus qu'un indécis était aussi mal considéré qu'un fédéraliste, dans son coin de Longueuil, et deux cousins qui tenaient boutique à Québec et Montréal lui avaient confirmé que c'était encore pire chez eux, au point qu'ils avaient proscrit toute trace d'anglais de leur magasin. Tû Lee avait conclu en disant :

— Peu importe ce que tu penses, plie-toi à la loi du nombre.

Shuan Lee aimait profondément le Québec et ses paysages. Il aimait Longueuil, même si la ville devenait un dépotoir. Il aimait beaucoup Georges Normandeau, qu'il trouvait très drôle, et il aimait se sentir concerné par les décisions qu'il prenait. Ces dernières semaines, cependant, il se sentait un peu trop concerné. Il venait tout juste, après huit ans, d'obtenir sa citoyenneté canadienne et craignait d'être obligé de déménager à l'extérieur du Québec. Allez savoir quel genre de mouvement peut naître d'une telle révolution, d'un côté comme de l'autre. Une vague de racisme pourrait tout aussi bien s'élever, pour ce qu'il en savait. Après tout, les nazis n'étaient, à l'origine, qu'un parti politique, et que dire de l'IRA, qui en était devenu un après le massacre de tellement de civils ? La Thaïlande n'avait pas fait l'objet de tels bouleversements récemment, mais le Vietnam, la Corée et le Tibet étaient encore frais à la mémoire de Shuan Lee.

Il savait que s'il lui fallait absolument faire un choix, il préférait un Québec souverain à l'idée d'émigrer vers les terres de l'Ontario. Il aimait par-dessus tout parler français parce qu'il était très fier de le parler de façon plus correcte que bien des Québécois. C'est un détail qu'il comprenait mal : pourquoi tant de gens se décarcassaient-ils à défendre une langue qu'ils parlaient si mal ?

Lee n'aimait pas les manifestations. Il en avait trop vu dégénérer pour ne pas les craindre. Il était étonné de la civilité de son peuple d'adoption, à la suite des manifs qu'il avait observées aux nouvelles et en personne, puisqu'il s'était rendu à celles organisées en partie par Benny Trudeau. Après l'avoir vu dans le journal, tout comme Marcus Fontaine six jours plus tard, il avait appelé sa femme dans la cuisine pour lui désigner fièrement les deux hommes, en disant : « MES clients ! » Il en était très fier et se faisait un plaisir de leur laisser plusieurs articles gratuitement, surtout à Trudeau qui le plus souvent n'avait même pas assez d'argent pour se payer un café.

Shuan Lee était un honnête homme, qui n'aurait pas dû avoir à prendre parti, comme un bon nombre de nouveaux arrivants qui durent tout de même le faire. Au Québec, durant l'été 2014, bien peu de gens eurent le luxe d'être de simples touristes, et Lee n'en faisait pas partie. Naturellement optimiste, il demeurait quand même sur ses gardes. Comme il le dit à sa femme un soir, avant d'éteindre pour la nuit :

— Un ouragan commence toujours par un simple coup de vent.

17

Réjean Morin avait mal aux dents, et il se répétait de plus en plus souvent que sa défunte mère avait eu raison de lui conseiller de devenir ingénieur. Il avait eu tort de vouloir être policier. Malheureusement, quand il en vint à cette conclusion, il était déjà directeur adjoint du Service de police de Montréal, et maintenant que c'était lui le patron, c'était vraiment trop tard. Désolé, maman.

Il avait mal aux dents parce qu'un crétin de *dealer*, d'une détente remarquable, lui avait envoyé son pied dans la figure alors que deux de ses hommes le sortait de cellule pour l'emmener au tribunal. Il avait eu le malheur de passer par là pour voir un de ses adjoints, et le pied botté lui avait déchaussé une ou deux dents. Depuis la fin juin, Morin était vraiment nerveux, comme beaucoup de ses collègues. Il avait été un des rares à savoir ce que Georges Normandeau allait lancer depuis la scène montée sur les plaines. Il voyait avec soulagement sa retraite se profiler à l'horizon, et il se demandait où ils en seraient tous quand il la prendrait, dans un an.

On ne pouvait initier un tel bouleversement sans assurer ses arrières. À l'instar de Curtis Taylor, Normandeau avait passé en revue maintes et maintes fois les possibilités offertes à son homologue du fédéral, et il avait jugé plus prudent de préparer ses lignes de défense avant d'aller embêter l'ennemi. Le premier ministre était venu rencontrer Morin à la fin mai pour connaître son sentiment sur les rapports entre les services de police de toute la province. C'est à ce moment que les antennes de Réjean Morin s'étaient déployées. Quand les mots « cas d'urgence » avaient franchi les lèvres de Normandeau, même s'il parlait hypothétiquement, Morin avait senti le coup fourré. Il n'était pas souverainiste, mais ne laisserait pas non plus quelqu'un lui marcher sur les pieds sous prétexte qu'il parlait anglais.

Normandeau et lui avaient discuté jusque tard dans la soirée, et Morin se devait d'admettre qu'il avait été très fier de souper avec le premier ministre, même s'ils avaient mangé sur le coin de son bureau une pizza venue du bas de la rue. Réjean s'était étonné de la simplicité de Normandeau, tout comme de son franc-parler, et il était heureux d'être devenu, au cours des semaines, un des hommes de confiance de son premier ministre. L'homme d'État avait posé les questions qu'il fallait pour être compris à demi-mot du chef de police. Ce qu'il lui avait demandé par la suite représentait une tâche magistrale, mais essentielle, à laquelle Morin s'était attelé, déléguant la majorité de ses responsabilités à ses subordonnés pendant trois interminables semaines.

Il s'était rendu dans pratiquement toutes les villes importantes du Québec où un système autonome de police avait été mis sur pied, sans s'occuper des villages dont la sécurité était assurée par la SQ ou la GRC. Il s'était entretenu avec tous les chefs de police, un par un. Il avait parlé confidentiellement à chaque homme, huit ou neuf chaque jour, et retournait ensuite dans un quelconque motel attendre le lendemain. Il instaura l'entente, non écrite, d'une coalition entre les divers services d'ordre, en cas de force majeure. Cela n'alla pas sans mal, les responsables rechignant à l'idée d'un commandement situé à Montréal, mais en laissant filtrer une partie de ses informations et en donnant un coup de fil à Normandeau devant ceux qui se laissaient un peu trop tirer l'oreille, il parvint à ses fins. Que rien n'ait filtré avait abasourdi le chef de police.

Il conclut sa tournée par un rendez-vous avec le dirigeant du syndicat des agents de sécurité du Québec, qui comprit plus rapidement que bien des chefs de police que Morin ne s'était pas attelé à une pareille besogne pour le plaisir de la chose. Le syndicaliste accepta de convoquer et d'expliquer aux directeurs des principales agences une partie du problème, tâche qui ne s'annonçait pas tellement plus aisée, les relations entretenues entre les deux engeances n'étant pas des plus cordiales. Force est d'admettre que Réjean Morin laissa dans son sillage beaucoup de gens inquiets, qui ne savaient même pas pourquoi le passage du chef du SPM leur faisait cet effet.

Quand les dernières réponses affirmatives arrivèrent à la mi-juin, Morin put souffler un peu et retourner à sa tâche de gestionnaire, qui l'agaçait profondément. Il ne savait pas exactement pourquoi Normandeau lui avait demandé d'accomplir tout cela, puisque le PM ne le savait pas encore lui-même, mais le vieux politicien avait lui aussi flairé les embêtements. Dans le doute, mieux valait prévenir. Morin soupira en regardant le soleil se coucher de la fenêtre de son bureau, puis se remit au travail.

Quand le cirque arriverait en ville, s'il y venait jamais, on attendrait les clowns de pied ferme, et ils l'auraient dans le cul.

18

À la fin de la deuxième des trois semaines séparant le discours des plaines de l'annonce du référendum proprement dit, Marcus Fontaine prit enfin le temps de souffler, pour réaliser à quel point sa vie avait changé depuis qu'il avait envoyé son patron sur les roses. Il avait rencontré une ancienne flamme la veille et elle l'avait trouvé différent, sans parvenir à préciser sa pensée. Marcus savait ce qu'elle voulait dire : il se sentait vraiment différent.

Pour commencer, il s'était battu trois fois en six jours, lui qui n'avait jamais levé la main sur quelqu'un en dehors de ses cours de judo, au cégep ; un cours qu'il avait d'ailleurs réussi en envoyant son adversaire à l'hôpital, ce qui l'avait profondément dégoûté. En sortant du travail pour la dernière fois, Marcus avait croisé Adam Gary, un crétin fini qui lui tombait sur les nerfs depuis quatre ans. Il songea bien aux conséquences durant quelques secondes, mais ne put s'empêcher de lui envoyer son poing dans les gencives, par accident. La joie sauvage qui l'avait envahi lorsqu'il avait senti ses jointures s'écraser contre les dents de Gary provenait en partie du fait que ce crétin anglophone regardait tout ce qui parlait français comme s'il valait mieux qu'eux, avec son secondaire trois et un QI équivalent à la taille de son chapeau. Fontaine ne s'attarda pas sur les lieux, y restant juste assez longtemps pour voir la masse adipeuse de Gary s'affaler le long du mur. Quand il sortit de l'entrepôt, ma foi, il se sentait assez bien.

Marcus observait Benny Trudeau qui dormait encore, dans le lit de camp qu'il lui avait installé dans le salon. Quel drôle de gars, songea-t-il, en regardant les bouteilles qu'ils avaient vidées la veille pour fêter la première manifestation entièrement de leur fait. Benny était venu à lui dans le métro qui les ramenait à Longueuil. Fontaine l'avait déjà vu trois fois, au micro, aux manifestations qu'il avait organisé, et il avait affiché la photo du *Provincial* dans son salon. Dans le métro, le petit sans-abri était venu le féliciter pour la raclée qu'il avait administrée à l'agresseur de Julie Galipeau.

Sa simplicité avait immédiatement plu à Fontaine qui lui confia que c'était son discours, devant la Place Longueuil, qui avait fait pencher la balance, dans son cas. Trudeau ne cacha pas sa fierté d'avoir réussi là où Normandeau n'avait qu'ébranlé ses convictions, et son ardeur à la tâche s'en trouva décuplée. Parvenus à la station Longueuil, qui avait l'allure de la prison de Parthenais depuis que la Société de transport l'avait rénovée, ils étaient devenus amis. Le lendemain, quand Trudeau afficha à coté de sa propre photo celle de son hôte en train d'assommer un des hommes de Murphy, que le *Provincial* avait fait paraître ce jour-là, Fontaine réalisa que Benny, malgré son extrémisme, avait peut-être raison : il y aurait sans doute un rôle pour lui dans cette étrange affaire. Il aurait donné cher pour savoir lequel.

Une chose était sûre : il pourrait ou non se servir de la notoriété que lui avait procurée cette photo depuis une semaine, mais il ne pouvait pas la nier. Beaucoup de gens le saluaient dans la rue comme s'il avait été un militant de la première heure ! Tout comme son nouveau colocataire, il mesurait maintenant pleinement le pouvoir d'une bonne publicité, et il avait créé une page Facebook pour annoncer toutes les manifestations répertoriées au Québec chaque jour. Fontaine se demandait comment il paierait le loyer, car il n'avait pas beaucoup de temps pour se chercher un emploi. Et il y avait fort à parier que peu d'employeurs avaient en ce moment la tête à recruter du personnel. Il avait même donné quelques entrevues à des journaux de quartier, non sans s'être d'abord assuré que les journalistes ne se trompaient pas d'adresse.

Il avait été surpris lorsque Benny avait un soir ramené à l'appartement la jeune femme à qui il était venu en aide. Julie et Marcus s'étaient tout de suite bien entendus, et il avait été enchanté lorsqu'elle avait annoncé que son père les voulait, lui et Benny, pour une entrevue à l'*Information*, ce qui aurait surpris Sinclair lui-même puisqu'il ignorait encore l'existence de Fontaine. Une entrevue plutôt bien payée, d'ailleurs, ce qui leur permit durant un moment de bien manger, même avec l'appétit de Trudeau. Un appétit qui débouchait au moins sur du concret, car Benny collectionnait désormais les contacts, lors de ses manifestations. Lorsque Marcus le remarqua, Benny dit simplement, en imitant le râle de Marlon Brando :

— *One day, and that day may never come, I'm gonna ask you for a favor…*

Cela ne gênait pas Marcus d'héberger Benny. Le jeune homme dormait dans un parc près de chez lui depuis des mois, mais il ne l'avait jamais remarqué. Lorsque le sans-abri avait humblement expliqué sa situation, à la sortie du bus, il s'était vu offrir un toit, ce dont il avait été très reconnaissant à son nouvel ami. Fontaine n'avait que deux ans de plus que lui et n'avait ni frère ni sœur. Il entretenait peu de contacts avec ses parents, ce qui avait fait de lui, ces dernières années, un loup solitaire. Les femmes qui avaient partagé sa couche ne l'avaient fait que pour peu de nuits, car il ne tenait pas à s'attacher à quiconque. Les vieilles blessures ne se referment jamais complètement.

La veille de son départ aux Indes, son meilleur ami avait organisé pour lui une petite fête chez ses parents, à Contrecœur. Toute sa bande y était venue et ils avaient rondement festoyé. Marcus devait prendre l'avion à huit heures, le lendemain, et il fit ses adieux à ses amis assez tôt dans la soirée. Il n'apprit ce qui s'était passé qu'un an plus tard, en revenant chez lui. Après son départ, ses amis avaient décidé de faire un tour dans la barque à moteur de leur hôte. Complètement saouls, sans gilets de sauvetage, ils n'avaient pas eu de chance lorsque la barque avait chaviré. Le dernier des corps, celui d'un ami qu'il connaissait depuis l'enfance, n'avait été retrouvé que quatre mois avant son retour. Marcus ne s'en remit jamais complètement. Il avait été le premier des six inséparables à quitter le cercle, et il était maintenant le seul encore en vie. Ce genre d'association d'idées, bien que déraisonnable, avait fait des ravages avant de perdre de sa vigueur.

Benny était la première personne, depuis quatre ans, avec qui il s'entendait à merveille. Ils avaient passé l'essentiel de la dernière semaine ensemble, notamment à organiser une manif monstre qui avait eu lieu la veille à Saint-Hubert. Plus de quinze mille personnes de la Rive-Sud y vinrent et quelques journaux d'importance, comme *La Presse* et le *Provincial*, couvrirent l'événement, ce qui donna aux deux hommes l'occasion d'ajouter une photo d'eux au mur de l'appartement. Une partie du discours de Fontaine fut même reproduit, au grand plaisir de celui-ci. Il en envoya une copie à son père, qui en rebattit les oreilles du voisinage durant deux jours.

À la fin de la manif, un homme vêtu d'un coûteux costume descendit d'une Porsche garée dans la rue qui jouxtait le stationnement où elle s'était déroulée. Marcus le vit venir, car il regardait la magnifique voiture qui valait une fortune. Il s'étonna de voir le propriétaire du bolide fendre la foule pour se diriger droit vers eux. L'homme, qui ne devait connaître la quarantaine que depuis peu, eut un mince sourire en jaugeant Marcus et Benny ; il avait toujours apprécié la compétence.

Il glissa la main dans son costume Armani et en ressortit une épaisse enveloppe qu'il tendit à Fontaine.

— Certaines personnes apprécient beaucoup vos efforts dans ce coin de pays. Ils souhaitent vous aider dans vos démarches.

Marcus ouvrit l'enveloppe et constata qu'elle était bourrée à craquer de billets de cinquante et de cent dollars. Avant de retourner à sa voiture, Erik Martel dit simplement :

— Les gens ont besoin qu'on leur montre le chemin…

Quand Trudeau et Fontaine eurent terminé leurs comptes, la veille, ils étaient plus riches de trente mille dollars. Benny déboucha une bouteille, regarda les piles de billets d'un air rêveur en se tournant vers Marcus :

— La prochaine manifestation va faire du bruit, je t'en passe un hostie de papier !

19

Lucien Laverdure était nerveux. Très nerveux. Il ramena les yeux vers l'épais dossier étalé sur son bureau, dossier qui n'aurait jamais dû s'y trouver. Glissé dans la mauvaise pile au sortir du bureau du ministre, il avait terminé sa course avec les dossiers de zonage problématiques sur le pupitre de Laverdure, petit fonctionnaire situé cinq ou six échelons plus bas. Alors qu'il allait simplement charger un des stagiaires de le rapporter à qui de droit, il l'ouvrit pour s'assurer que ce n'était pas un de ses propres dossiers glissés dans la mauvaise chemise cartonnée. À son grand étonnement, il trouva des douzaines de titres de propriété, ainsi que les caractéristiques des terrains qu'ils accompagnaient.

C'était inhabituel, certes, mais le gouvernement achetait parfois des terrains de grande superficie, quoique le ministère de l'Agriculture n'y soit que rarement mêlé, et uniquement quand l'usage que l'on réservait au lot tombait sous sa juridiction. Les terrains se situaient au Labrador, au Nouveau-Brunswick, au bord de la frontière du Maine et de l'État de New York, et particulièrement en Ontario, tout au long de la frontière séparant les deux provinces. Laverdure sentit le vent tourner quand il réalisa que l'acheteur ne travaillait ni à l'Environnement, ni aux Pêcheries, mais dans un ministère pour lequel l'achat d'une cinquantaine de terrains entourant le Québec ne pouvait être un hasard : l'homme de paille qui avait signé les titres de propriété travaillait pour le ministre de la Défense.

Si n'importe qui d'autre, parmi les cinquante confrères de Lucien, avait mis la main sur ce dossier, l'histoire n'en aurait certainement rien retenu, puisque le nom de l'acheteur n'était pas tellement connu. C'était en quelque sorte l'éminence grise de McLelland, le ministre de la Défense, et le fait que le ministre n'ait pas signé lui-même les ordres d'achat et que son nom, en fait, n'apparaisse nulle part dans les documents avait quelque chose d'inquiétant, comme si celui-ci ne tenait pas à y être mêlé, ou n'était pas tenu au courant des actions entreprises en son nom. Laverdure connaissait son bras droit de réputation, et cela lui suffisait amplement.

Le tout avait été adressé au ministre de l'Agriculture, et une improbable erreur l'avait amené à en prendre connaissance. Le plus étrange était sans doute la correspondance entre l'assistant personnel du ministre et le signataire des titres de propriété. Ce dernier ne *demandait* pas un changement de zonage ; il *ordonnait* le changement de zonage. On sentait d'ailleurs dans la condescendance du ton qu'il le faisait uniquement pour s'assurer qu'un fonctionnaire trop zélé n'ait aucune raison de s'intéresser par la suite à ces terrains en particulier. On changeait vraiment très rarement le zonage d'une terre, qui plus est agricole, mais les soixante propriétés avaient apparemment échappé à cette loi. La dernière lettre au dossier, signée du *Prime Minister*, y avait veillé.

Lucien Laverdure n'était pas le moins du monde indépendantiste, mais il demeurait Québécois, bien qu'il ait vécu à Ottawa ces dernières années. Il n'aimait pas beaucoup que la moitié de ces terrains ait été achetée dans la semaine suivant l'annonce du référendum, bien qu'il n'y ait peut-être aucun lien, et moins encore que le premier ministre du pays se soit mêlé personnellement du dossier. Il craignait que des intentions douteuses ne se cachent sous toutes ces précautions.

Lucien n'avait plus grand-chose à perdre. Il n'était pas dupe quant à l'assurance de son patron sur le fait que rien ne changerait dans leur service dans le cas d'une réponse positive au référendum. Le fait qu'on ait eu besoin de lui en parler en disait suffisamment. Il craignait de perdre son travail prochainement, quelle que soit l'issue du combat politique qui se déroulait dans sa province natale. De plus, on chercherait très vite le dossier perdu, et allez savoir ce qui lui arriverait si on le trouvait en sa possession. Il passa la demi-heure qui le séparait de cinq heures dans un état de fébrilité. Après que la plupart de ses collègues furent passés devant son bureau pour gagner la sortie, il prit sa décision, et glissa le dossier dans sa mallette. Une fois dans le stationnement, il respira plus librement, inconscient que, trois étages plus haut, un agent de la GRC interrogeait sans ménagement le courrier qui avait fait la tournée de l'après-midi sur son parcours exact.

Lucien Laverdure demeura un moment dans sa voiture, devant sa maison, à se demander ce qu'il allait faire du contenu de sa mallette. Il n'était ni brave, ni candidat au chômage, mais il ne pouvait enterrer ce qu'il avait découvert uniquement pour garder son travail. D'un autre côté, il n'était tout de même pas journaliste…

Il redressa l'échine sous le coup de l'inspiration :

La colocataire de sa fille Émilie, Elizabeth Converse, elle, l'était !

20

Georges Normandeau et Curtis Taylor se jaugeaient en silence. Normandeau ne pouvait écarter l'idée qu'il s'agissait d'un piège, malgré l'apparente sincérité du directeur du SG4. Le premier ministre n'avait personnellement rien à se reprocher et ne craignait donc pas Taylor, mais il était conscient que le prendre de haut pouvait s'avérer une funeste erreur, si seulement le quart de ce que son homologue venait de lui annoncer était vrai. L'homme des services clandestins demeurait quant à lui imperturbable. Il attendait la première réaction de Normandeau, qui donnerait le ton au reste de la conversation.

Quand le directeur des services secrets (Taylor pouvait bien les appeler comme il le voulait, on y revenait toujours quand même, selon le PM…) avait téléphoné à son domicile, Georges Normandeau avait été pour le moins surpris. Il ne voyait pas pour quelle raison l'ennemi lui envoyait un émissaire, John Roof étant la seule personne ayant le pouvoir de commander à Taylor, et encore... Le ton pressant et confidentiel du directeur avait fait retentir une sonnette d'alarme, de même que sa demande de n'avertir aucun de ses subordonnés de sa visite. Il lui assura que sa propre équipe n'était pas au courant des faits, et Normandeau avait accepté de le recevoir.

Une heure plus tôt, le premier ministre du Québec considérait son homologue du fédéral comme un adversaire valable. Obtus et borné quelquefois, mais d'une intelligence supérieure. Normandeau lui accordait au moins le minimum de respect dû au combattant, même s'il lui aurait balancé son pied au cul avec plaisir s'il l'avait rencontré dans une ruelle obscure. Maintenant, une rage sourde remplaçait toute la gamme des émotions que le *Prime Minister* aurait pu lui inspirer. Alors qu'il regardait Taylor dans le blanc des yeux et tentait une dernière fois d'y relever une nuance de traîtrise, il sut que le petit homme avait dit vrai. Son visage se teinta alors d'un rouge carmin qui fit reculer Taylor dans son fauteuil, conscient que son message avait enfin été entendu.

Normandeau se leva d'un bond et se dirigea vers le bar pour se servir à boire. Il regarda un instant la bouteille, avant de la lancer contre le mur.

— L'enfant de chienne ! L'hostie d'enfant de chienne sale !

Il balaya tout ce qui se trouvait sur son bureau, y allant d'invectives remettant en question la vertu de la mère de Roof. Curtis Taylor se retenait à grand peine de rire malgré la gravité de la situation, mais Normandeau savait se montrer très imagé quand il s'agissait d'insulter quelqu'un. Quand l'un de ses gardes du corps vint s'assurer que tout allait bien, Normandeau lui ordonna de réunir toute son équipe, qui comprenait aussi la garde rapprochée du vice-premier ministre, et de la ramener deux heures plus tard.

— Mais monsieur, répondit l'agent de la GRC, plusieurs sont en congé, et l'équipe de jour est probablement en train de dormir…

Les yeux de Normandeau s'ouvrirent encore plus grand. Il réveilla sa femme, qui dormait deux étages plus haut, en hurlant :

— Est ce que j'ai l'air de dormir, moi, ciboire ? Est-ce que j'ai une tête à être en congé ? Je vous enverrai chercher personnellement par la peau du cul tous ceux qui ne seront pas dans ce bureau dans deux heures ! Est-ce que je me fais bien comprendre, maudit insignifiant ?

— Oui, monsieur.

Alors que l'agent sortait, Georges Normandeau revint s'asseoir devant Taylor qui avait suivi la scène avec intérêt. Ce dernier haussa un sourcil en guise d'interrogation. Normandeau, après une minute de silence, demanda finalement :

— Pourquoi vous, M. Taylor ? Pourquoi l'homme le plus puissant du pays après John Roof risque-t-il sa situation, sans parler de sa vie, pour venir me prévenir ? Je n'ai pas besoin de vous expliquer ce que Roof vous réservera s'il apprend que vous êtes allé chez l'ennemi pour éventer son plan.

— C'est le Québec que je suis venu prévenir, M. Normandeau, et John Roof apprendra nécessairement que je suis derrière tout cela. Ce serait bien qu'il ne l'apprenne pas avant le vote, remarquez, mais même là-dessus, je n'ai pas trop d'espoir. Tellement de gens à la langue bien pendue ont besoin d'argent de nos jours, et j'en ai déjà peut-être croisé une demi-douzaine en venant ici ce soir. Je ne saurais trop vous conseiller de restreindre votre cercle de confidents, en attendant le résultat du référendum.

Georges opina du chef, réfléchissant à toute vitesse aux mesures à prendre. Parer au plus urgent. Toujours.

— Qui est au courant ?

— Vous, moi, et un de mes agents qui se révélera très utile pour coordonner nos activités.

— Est-ce que j'ai entendu “nos”, M. Taylor ? Songeriez-vous à vous joindre à nous ?

— Il le faudra bien ; je n'aurai sans doute plus d'emploi dans un mois, répondit Curtis en souriant. Vous aurez besoin de tous les hommes de bonne volonté qui voudront vous appuyer.

— Vous disiez que votre anonymat était important jusqu'au vote, mais que Roof apprendrait forcément votre participation. Pourquoi ?

— Si je demeure en poste et que je lui fais croire que je remplis ma part du plan jusqu'au moment crucial, je lui couperai une jambe dès le départ. S'il me fout dehors et me remplace par un de ses hommes qui fera le boulot pour lui, on ne sera pas plus avancé.

— On pourrait faire éclater tout ça dans les journaux ! Ils n'oseraient pas continuer…

— Sans preuve, on pourrait vous démettre de vos fonctions, si on apprenait qui est la source. De plus, Roof nous réserve des surprises ; j'en suis persuadé. Sans se douter de mes allégeances, il ne me fait pas entièrement confiance. Il a très bien pu faire revenir Jordan et Murphy dix minutes après mon départ pour ajouter quelques lignes directrices à leur intention. Nous ne pourrons rien empêcher, je le crains, mais nous pouvons préparer nos défenses. Nous sommes le 3 juillet. Il nous reste une semaine et demie pour le faire, monsieur le premier ministre, mais heureusement, je ne suis pas porteur que de mauvaises nouvelles.

Normandeau hasarda un sourire perplexe alors que Taylor sortait une chemise cartonnée de sa mallette et la lui tendait en disant :

— J'ai l'impression que ce serait du plus mauvais effet pour notre ami si cela venait à se savoir, n'est-ce pas ? Surtout à une échelle nationale, deux ou trois jours avant le référendum…

Normandeau prit connaissance du dossier et se mit à rire doucement. Il adressa un sourire malicieux à Taylor.

— Vous croyez que ça pourrait lui nuire ?

— Pas plus, disons, qu'une livre de coke dans ses bagages à l'aéroport, répondit l'agent clandestin en riant à son tour.

Ils discutèrent encore une heure pour mettre au point les détails de leur nouvelle association. Un peu plus tard, quelqu'un frappa à la porte et une douzaine d'agents de la GRC pénétrèrent dans son bureau, certains cachant difficilement leur irritation d'avoir été rappelés d'urgence.

Le garde que Normandeau avait insulté un peu plus tôt dit simplement :

— Ils sont tous là…

— Parfait, grogna le premier ministre en se levant de son fauteuil. Je vois à l'air agréable qu'affichent plusieurs d'entre vous que d'être ici ce soir ne vous plaît pas beaucoup. Soyez heureux, messieurs, car c'est la dernière fois que vous y venez…

Les douze agents se regardèrent entre eux, ne comprenant manifestement pas où Normandeau voulait en venir. Celui-ci les regarda tour à tour, puis dit finalement :

— Vous travaillez tous pour un gouvernement qui ne souhaite aucun bien à la population que je représente. Le fait est que je n'ai confiance en aucun de vous. Retournez voir Mark Murphy et dites-lui qu'à partir d'aujourd'hui, d'autres que vous devront l'informer de mes faits et gestes. À partir d'aujourd'hui, le Québec assumera lui-même la protection des siens.

Sans paraître y attacher la moindre importance, le contingent de la GRC sortit du bureau en haussant les épaules. Le premier ministre reprit sa place en face du directeur du SG4, qui semblait satisfait de la première décision de son nouvel allié. Normandeau affichait une mine grave lorsqu'il se pencha vers son interlocuteur.

— On en revient au problème du jour, M. Taylor… En qui pouvons-nous avoir confiance ?

21

John Roof ne faisait effectivement pas confiance à Curtis Taylor. À son arrivée au pouvoir, il avait été curieux de rencontrer l'homme pour qui l'un de ses prédécesseurs avait démantelé les SSC. Il n'avait eu connaissance de l'ampleur de l'opération qu'au moment où on l'avait chargé du ministère de la Défense, et il se demandait alors ce que pouvait bien posséder cet homme qui vaille autant de tracas, sans parler des nombreuses vies humaines qu'il avait fallu sacrifier pour en arriver au SG4, un service dont les champs d'action étaient exactement les mêmes, en un peu plus vicieux.

Le directeur des SSC qui avait disparu à l'époque était un ami de son père, et celui-ci avait deviné ce qui lui était arrivé bien avant que son fils n'ait accès aux dossiers. Roof n'en voulait pas pour autant à Taylor. *Business is business.* Roof et Taylor étaient au moins d'accord sur un point : un agent qui tuait sous l'influence de la haine n'était pas un professionnel.

Le premier ministre venait de recevoir un message de Murphy lui annonçant le retour de la garde de son homologue de Québec, ainsi que celle du vice-premier ministre, ce dont il se foutait comme de ses premiers langes. Ce qui inquiétait John Roof était la rapidité avec laquelle Normandeau avait suspecté ses gardes du corps. Il s'attendait à ce que cela arrive, mais comptait récolter au moins une semaine de plus de précieux renseignements. L'apparente stupidité de Normandeau était un piège dans lequel tout le monde tombait un jour où l'autre. Il frissonna en pensant au commentaire que ce pauvre con avait fait sur le président des États-Unis de l'époque. Si lui ou n'importe lequel de ses subordonnés avait osé sortir pareil sacrilège, un appel serait immédiatement venu de Pensylvannia Avenue, mais lorsqu'il avait appelé l'ambassadeur des États-Unis à Ottawa, celui-ci lui avait dit que Bush avait apprécié le culot de ce politicien obscur et qu'il n'avait pas à s'en faire avec cela. Et puis quoi encore ?

Comme aucun des hommes de la GRC présents dans le bureau de Normandeau n'avait jamais rencontré Curtis Taylor, personne ne fut en mesure de donner des détails sur l'homme qui discutait avec le premier ministre la veille au soir. Roof pressentait que ce détail était d'une importance capitale, mais comme la réunion avait eu lieu à la résidence du PM, il n'avait pu compter sur aucune de ses sources habituelles, qu'il utilisait d'ailleurs rarement puisque les gardes du corps à sa solde connaissaient en général tous ceux que Normandeau pouvait avoir besoin de rencontrer.

Malheureusement pour Roof, il n'y avait pas une douzaine de personnes au pays aptes à reconnaître Curtis Taylor pour ce qu'il était ; Erik Martel l'avait surnommé la « licorne des services secrets ». Quoi qu'il en soit, Roof avait besoin d'apprendre qui était assis avec Normandeau quand il avait congédié ses hommes.

L'idée qu'il puisse s'agir de l'un de ses hommes ne lui avait pas effleuré l'esprit. Quelle que soit la méfiance entretenue à l'égard de Taylor, il demeurait persuadé qu'ils nageaient tous les deux dans la même direction. Le directeur du SG4 s'était chargé de missions désagréables concernant le Québec sans rechigner par le passé et il lui serait bien utile pour la suite des opérations. Il lui avait d'ailleurs fait son rapport en fin de soirée, la veille ; Roof n'avait pas tout à fait saisi ce que Taylor faisait au Manitoba, mais il savait pouvoir se fier au professionnalisme de son subordonné.

Son bras droit entra dans son bureau après avoir frappé à la porte. Roof examina le jeune homme alors qu'il faisait le tri dans une pile de dossiers, à la recherche du plus prioritaire, le pays ne cessant pas de fonctionner pour un conflit que le reste du Canada était persuadé de voir se terminer comme les deux dernières fois. Après l'avoir trouvé, Simon Meyer le tendit à son patron et sortit sans un mot. Il ne parlait que lorsqu'on l'interrogeait, une qualité rare que Jonathan Roof appréciait, d'autant plus que son épouse faisait exactement l'inverse.

Meyer aussi lui serait d'une grande utilité, et que le ministre des Finances aille se faire mettre s'il comptait le récupérer. À voir comment la femme du ministre regardait l'assistant de son mari, de toute façon, Roof était convaincu d'avoir rendu service à son subordonné.

Il se questionna brièvement sur la façon dont s'étaient déroulées les entrevues de Valcartier et Bagotville le matin même, mais il n'était pas très inquiet, Bethleem Jordan étant sans conteste l'un des plus grands soldats que le pays ait connu. Roof s'était d'ailleurs étonné de le voir graviter avec aisance dans les hautes sphères, après avoir été nommé commandant des Forces armées canadiennes. Roof n'était pas d'avis que l'intelligence soit de mise chez un soldat, et l'armée reflétait bien cette triste réalité. Jordan, toutefois, n'en était pas dépourvu, et il était doté d'une morale assez malléable, ce qui arrangeait bien le premier ministre, peut-être parce que la sienne ne l'était pas tant que ça.

Tout de même… Depuis qu'il avait reçu les trois hommes dans son bureau, le premier ministre nourrissait quelques doutes. Comme il aurait été heureux que Normandeau attende un an avant de tenter le coup… Il aurait lu la nouvelle, assis à une terrasse, à Madrid, en souhaitant beaucoup de plaisir à son remplaçant. Roof savait qu'il était de son devoir de faire ce qui devait être fait, même si ça ne lui plaisait pas.

En regardant le calendrier posé sur son bureau, ses pensées dérivèrent vers son père, mort quatre jours avant qu'il ne devienne premier ministre du Canada. Le vieux était mort avec quatre-vingts millions de dollars à gauche, ayant fait de deux boulangeries de quartier une multinationale dont la cote de popularité auprès du public n'avait jamais chuté en soixante ans. Quelques semaines avant sa mort, Roof était allé le visiter dans leur maison de Westmount, qui avait été choisie et achetée par sa mère et que son père n'avait jamais vraiment aimée. Roof senior avait confié à son fils qu'il aurait préféré demeurer dans Hochelaga et continuer à faire du pain dans ses deux boulangeries plutôt que d'ouvrir toutes les succursales suivantes et faire à ce point fortune.

Jonathan Roof comprenait, maintenant. Il aurait tout donné, en ce moment précis, pour être boulanger.

22

Mike Sullivan était vanné. Couché sur son lit, dans le bâtiment des officiers, il tentait de prendre un peu de repos après la nuit blanche qu'il venait de passer. La première semaine de juillet était étouffante et aucun air ne circulait dans les dortoirs. Deux soldats et un caporal francophones s'en étaient pris durant la nuit à un des rares anglophones de la base qui avait eu la mauvaise idée d'encenser John Roof après l'avoir vu à la télévision de la salle de récréation. Les trois hommes lui firent une tête au carré et le pauvre diable finit son voyage dans le conteneur qui jouxtait le bâtiment où Sullivan dormait.

La discipline n'était pas de son ressort et était laissée à la police de la base, mais le capitaine Sullivan avait été outré de voir le sort réservé à son coreligionnaire. Il s'était fait charger du cas par un supérieur endormi qui avait été dépêché sur les lieux et qui n'avait été que trop heureux de lui laisser le tout entre les mains. Il avait passé les quatre heures suivantes à interroger les principaux intéressés et les badauds qui avaient assisté à l'échauffourée. Il occupa l'heure qui précéda l'aube en dégradant le caporal et en saquant purement et simplement les deux bleus qui n'étaient à la base que depuis deux mois.

Sullivan ne vit pas entrer l'homme de haute taille par la porte qui se trouvait à l'autre bout du dortoir, et ne l'entendit pas davantage. Un grincement tout près de son lit lui fit ouvrir un œil, qui s'arrondit de surprise en distinguant une barrette de général à cinq étoiles sur la poitrine d'un uniforme devant son lit. Bethleem Jordan, la plus haute autorité militaire du pays, le regardait dormir ! Sullivan bondit comme un ressort pour se mettre au garde-à-vous, réalisant après coup qu'il ne portait qu'un slip. Jordan lui épargna les excuses d'un revers de main :

— Repos, capitaine.

— C'est un honneur de vous rencontrer, mon général, dit sincèrement Sullivan. À la base où je me trouvais avant de prendre mon poste ici, les militaires ont gardé un très fort souvenir de vous.

— J'en suis parti quelques mois avant votre arrivée, si ce que j'ai lu est vrai. Dites donc, reprit Jordan après avoir regardé autour de lui, vous êtes sûr d'être seul ?

— Oui, répondit Sullivan, que la question étonnait. Le commandant Marcoux m'a laissé ma matinée pour récupérer.

— Entre vous et moi, que pensez-vous de Marcoux ?

— C'est un militaire parfaitement capable, général Jordan. Depuis l'accident du général Riendeau, il fait bien son boulot. Vous voulez que j'aille le prévenir de votre venue ? Personne ne vous attendait ici ce matin, vous savez, et je…

— J'ai déjà rencontré Marcoux ce matin, capitaine, mais je ne suis pas ici en ce moment. Je n'y suis jamais venu ; vous m'avez bien compris ?

— Parfaitement, mon général.

— J'ai besoin d'un œil à Valcartier, capitaine Sullivan, dit gravement Jordan. D'un œil qui ne soit pas voilé par la rancune, qui soit autant satisfait du pays dans lequel nous vivons actuellement que de la langue dans laquelle nous exprimons notre satisfaction. Je ne crois pas m'être trompé en m'adressant à vous ?

— Je suis votre homme, dit Sullivan en saluant de nouveau, le pantalon qu'il avait enfilé lui donnant meilleure allure, cette fois. Si je puis me permettre, mon général, reprit-il doucement, vers quoi devrai-je tourner mon attention ?

— Vous faites partie de l'état-major de cette base, Sullivan. Dans les prochains jours, il y aura peut-être d'importantes manœuvres, dont j'ai informé Marcoux ce matin, mais il m'a semblé qu'il doutait de leur bien-fondé, même s'il n'en a rien laissé paraître. Marcoux est un idéaliste, et c'est vraiment le dernier type d'homme qu'il nous aurait fallu à son poste en ce moment, mais nous n'y pouvons rien. Si on le renvoyait à deux semaines du référendum, tout le monde crierait aux représailles, et nous ne voulons surtout pas attirer l'attention.

Perplexe, Sullivan amorça une question que son supérieur ne le laissa pas achever.

— Je suis conscient que vous ne pouvez saisir le problème dans sa complexité, capitaine, mais je ne peux vous donner plus d'informations. Ma propre femme me croit en Colombie-Britannique, c'est vous dire... Je ne vous demande qu'une chose : si vous voyez votre commandant ne serait-ce qu'hésiter à mettre les ordres en application, vous me contactez immédiatement, conclut-il en lui tendant une carte sur laquelle ne figurait qu'un numéro de cellulaire.

— Bien, monsieur. Je n'y manquerai pas, fit Sullivan en saluant une dernière fois.

— J'en suis persuadé.

Bethleem Jordan fit demi-tour et s'éloigna vers la sortie, sous le regard de Mike. Alors qu'il avait la main sur la poignée de la porte, il se retourna et dit :

— En passant, vous êtes maintenant le colonel Sullivan ; j'y ai veillé ce matin. Toute peine mérite récompense...

— Merci, mon général, bredouilla Sullivan, au comble de la fierté.

Jordan sortit du dortoir avec moins de précautions qu'il n'y était entré, tout plein de sa propre importance. Il ne vit pas le commandant Marcoux qui descendait d'une jeep à cent mètres de là.

Marcoux, par contre, le vit parfaitement et envoya un sergent vérifier discrètement qui se trouvait dans le dortoir.

23

Simon Meyer ne se rappelait plus quand il avait dormi pour la dernière fois. Installé provisoirement dans un bureau qui jouxtait celui de John Roof, il regrettait le temps du ministère des Finances, qui prenait de plus en plus, à ses yeux, des allures de Club Med parlementaire. Mais bon, après tout, il était conseiller du premier ministre, et cela rendait sa chère mère très fière. Que le PM ait plus de soixante conseillers n'y changeait rien, apparemment. De toute façon, rares étaient les conseillers que Roof appelait cinq ou six fois par jour dans son bureau. En dépit d'un intercom ultra perfectionné et de trois secrétaires, Roof s'obstinait à hurler son patronyme quand il souhaitait lui parler.

Avant le prochain hurlement, Meyer espérait bien avoir une piste pour régler le problème du jour.

Il lui fallait retrouver ce foutu dossier qui s'était égaré durant la journée. Le jeune coursier avait été renvoyé après avoir été interrogé, mais plus d'une dizaine de personnes avaient pu le recevoir par erreur. Huit d'entre elles avaient été jointes dans la soirée et juraient ne rien savoir de ce dossier, mais impossible de mettre la main sur les deux autres. Il fallait de toute urgence les retrouver, car ces paperasses amèneraient des tas de gens à se poser des questions et son travail était justement d'éviter ça.

Roof avait exigé le dossier des deux hommes qui n'avaient pas refait surface et il les avait étudiés à la loupe. Simon craignait pour la santé de celui des deux qui avait en sa possession ces titres de propriété. Laverdure n'ayant guère de consonances anglo-saxonnes, Meyer espérait que les titres soient tombés aux mains du dénommé Jagger, le second choix. Jagger n'ayant pas la réputation de rapporter du travail à la maison et le dossier restant introuvable, Meyer s'inquiétait de plus en plus. Ces faits ne pourraient à eux seuls fournir matière à un article majeur, mais inciteraient drôlement n'importe quel journaliste à fouiner du côté du ministère de la Défense, ce qu'il valait mieux éviter dans la mesure du possible jusqu'au vote. Deux douzaines d'agents de la GRC avaient été lâchés dans Ottawa à la recherche de Lucien Laverdure.

S'il était en possession des dossiers et qu'il s'avisait de poser la moindre question y ayant trait, les agents avaient ordre de l'enfermer dans l'une des quinze cellules situées dans les locaux du SG4. Bon an mal an, une cinquantaine de personnes y passaient quelques jours, aux bons soins des tortionnaires de Curtis Taylor. Le penthotal est très efficace quand il s'agit de délier les langues, mais bon, cela n'aura jamais le charme de la torture. Et puis, les drogues chimiques coûtent cher ; n'importe quel adolescent vous le dira…

Simon alla s'étendre sur le lit de camp qu'il avait fait installer dans son bureau, présumant que le PM n'allait pas hurler son nom à travers le parlement à quatre heures du matin. Il devait rencontrer Bethleem Jordan à Québec avant qu'un vol ne ramène celui-ci vers sa Saskatchewan natale, pour s'entretenir des résultats de Valcartier, Bagotville et Saint-Jean-sur-Richelieu. Le commandant en chef des forces armées ne devait pas être vu une deuxième fois en une semaine en compagnie de John Roof, s'il ne tenait pas à en entendre parler par la suite. Différentes explications pourraient venir à bout des soupçons en moins de deux, mais Roof et sa clique ne voulaient pas en arriver là. Il devait revenir dans la soirée pour assister à l'entretien de Mark Murphy avec le PM. « Au moins, se dit-il avec suffisance, j'aurai une limousine pour la journée. »

Simon posa la tête sur l'oreiller et s'assoupit aussitôt.

Trois heures plus tard, alors que le soleil pointait à peine le bout de son nez, il entendit hurler :

— MEYER !

24

La première semaine de juillet vit l'avance des indépendantistes fondre comme neige au soleil, au point où John Roof lui-même commençait à se demander s'ils s'étaient tous démenés ainsi en vain. À la question :

Souhaitez-vous que le Québec soit considéré comme souverain, qu'il soit dégagé de toute obligation envers le Canada et qu'il acquière de ce fait les droits inhérents à l'état de nation ?

Cinquante et un pour cent de l'échantillonnage appelé répondit oui. Les libéraux exposèrent cette baisse des intentions du vote souverainiste comme une grande victoire morale, ce à quoi Normandeau répondit, avec son tact habituel :

— Si un troupeau de vaches devait être massacré, John Roof soutiendrait que c'est un grand pas vers l'amélioration de la couche d'ozone, puisqu'elles ne pèteront plus.

Des seize lecteurs de nouvelles qui rapportèrent la réplique en ondes, trois seulement réussirent à garder leur sérieux. Ces mêmes présentateurs rapportèrent aussi que l'activité des manifestants s'était nettement organisée au cours de la semaine. De nombreuses manifestations avaient en effet eu lieu au cours des sept premiers jours, mais elles étaient dispersées, au point qu'on en tenait parfois trois ou quatre dans la même ville durant une même journée. La semaine qui suivit vit apparaître d'énormes manifestations, organisées par des gens qui savaient exactement ce qu'ils faisaient, et comptaient sur un budget sensiblement plus généreux.

Québec avait vu un défilé monstre parcourir ses rues, jusqu'au Château Frontenac, auquel vinrent s'ajouter nombre de badauds désœuvrés par la panne de courant qui frappa la Vieille Capitale au moment même où les festivités commençaient, ce qui déclencha une enquête à l'Hydro. Soixante mille personnes terminèrent leur parcours sur les plaines, après avoir emprunté, en ordre et en silence, l'escalier venant de la terrasse Dufferin, ce qui offrit aux caméramans présents des images qui frappaient l'imagination. De tous les reporters présents sur les lieux, aucun n'osa avouer ce qui lui était venu à l'esprit en premier : une armée en marche.

Des manifestations procanadienne eurent lieu aussi dans différentes villes, mais exception faite de la télévision d'État, peu de médias s'y intéressèrent, sinon pour déplorer les quelques blessures qu'elles occasionnèrent, principalement dues à des projectiles lancés par des souverainistes, qui ne semblaient prêts à reconnaître le droit de manif qu'à partir du moment où vous étiez du même avis qu'eux. Un député du Parti libéral trouva sa Mercedes remplie d'une matière innommable après qu'un péquiste convaincu, propriétaire d'un service d'entretien de toilettes mobiles, fut venu lui rendre visite. Le juron qui lui échappa fut fort à propos.

Le problème venait, de l'avis de plusieurs, de la minable prise de position exprimée par le Parti libéral du Québec. Son chef, un petit être insignifiant que Georges Normandeau avait pratiquement laminé aux dernières élections, n'avait pris la parole que trois fois depuis la Saint-Jean, et toujours dans des termes extrêmement modérés, à la limite du vague absolu. Il glissait à tout moment dans la conversation qu'il fallait aussi veiller aux affaires courantes de la province, et que puisque personne ne semblait s'en soucier, lui, Richard Boivin, allait y veiller. Le verdict des journalistes fut unanime : le bonhomme attendait qu'éclate la bombe, la tête entre les fesses, pour voir quel poste il pourrait ramasser. Il était clair pour le public que Jonathan Roof et Georges Normandeau seraient les deux seuls pugilistes de ce combat. Roof le souhaitait ainsi, et c'est pourquoi il avait intimé le silence à Boivin malgré les vives protestations de celui-ci, qui tenait évidemment à tenir le rôle qui lui revenait. Le chef du PLQ savait toutefois que s'il contrevenait aux ordres du premier ministre, il pourrait dire adieu à son poste à la prochaine convention, sans parler d'une expérience homosexuelle, quinze ans auparavant, que les fouille-merde du *Prime Minister* avaient déterrée. L'ironie, c'est qu'il ne lui serait jamais venu à l'idée de faire de la politique, à lui, s'il avait possédé ne serait-ce que le quart de la fortune de Roof. La treizième fortune du pays, en fait.

Le mouvement antisouveraineté, qui manquait sérieusement de figures de proue, s'était trouvé un leader en Paul Fiersen, que le Conseil de Westmount avait rendu célèbre parmi ses pairs, après qu'il eut tenu un discours inspiré lors d'un attroupement qui avait eu lieu près de chez lui. Fiersen s'était vite rendu compte du peu d'enthousiasme des partisans libéraux. Il n'arrivait pas à attirer assez de gens pour assurer une bonne couverture médiatique, ce qui ne l'aidait pas. Cela tenait en partie à ce que les rangs des opposants à la souveraineté étaient scindés encore une fois par la langue. Les Québécois de souche qui ne souhaitaient pas la séparation ne faisaient pas pour autant confiance à un médecin millionnaire de Westmount, et Fiersen attirait donc essentiellement les anglophones, mais ceux-ci représentaient, surtout à l'extérieur de Montréal, une bien faible opposition.

Quand à Julius Webster, il s'en tirait aussi bien que possible avec la résistance de Québec, c'est-à-dire plutôt mal. Il était surtout utilisé comme symbole, un journaliste anglophone l'ayant décrit comme le stratège des bonnes années de PET. Heureusement pour la cause, le journaliste s'abstint de demander à Webster son avis sur Trudeau.

La Sûreté du Québec dispersa deux groupes de manifestants sur le point de se rentrer dedans à Sainte-Foy. Principalement formés d'adolescents survoltés par la situation qui régnait depuis deux semaines, ils en étaient à se crier dessus lorsqu'un policier de l'endroit lança un appel. Plusieurs d'entre eux cherchaient des yeux une arme de fortune aux alentours, mais la plupart se contentèrent d'arracher le panneau de leur pancarte, comptant se servir du manche comme d'une matraque. Le policier n'osant pas sortir de sa voiture de patrouille, les deux groupes se rapprochèrent l'un de l'autre, à pas mesurés.

Chacun agitait les bras et lançaient des injures que l'autre clan ne comprenait pas. À cet instant, la question politique était à cent lieues de Sainte-Foy. Que le référendum passe ou non, les *frogs* et les *bloaks* continueraient de se détester. Ce jour-là, une quarantaine de jeunes imbéciles avaient surtout envie de frapper et de prouver que personne ne leur marcherait sur les pieds. Le jeune homme de seize ans qui dirigeait le groupe francophone n'eut que le temps d'abattre sa pancarte sur le crâne de son pendant anglophone avant que ne déboulent la moitié des effectifs de la police de Sainte-Foy, sans parler de la douzaine de voitures de la SQ qui les accompagnaient. Les adolescents arrêtés par la police municipale furent traités avec beaucoup plus d'égards que ceux qui tombèrent entre les mains des agents de la Sûreté du Québec, parce que le chef de police avait eu une conversation avec Réjean Morin plus tôt dans la journée.

Roland Martial, le chef de la SQ, n'avait quant à lui parlé à personne, et ses agents y allèrent rondement avant de finalement confier les belligérants à la police de Sainte-Foy. La SQ, qui s'attendait plus à une émeute qu'à une bagarre de rue, laissa le tout entre leurs mains. Quand les fauteurs de troubles arrivèrent au commissariat, ils étaient deux fois moins nombreux et parlaient tous anglais.

Les ministres des différentes provinces se réunirent, cette fois publiquement, pour tenter de trouver un compromis au problème québécois. Georges Normandeau fut convié. Après avoir appris qu'une réunion secrète s'était tenue sans lui neuf jours plus tôt, il n'avait pas la moindre intention d'accepter. Autant se jeter dans la cage aux lions habillé d'un costume de steak, comme il le confia à sa femme Louise dans son langage imagé. Il attendit que tous les ministres se soient rendus à Ottawa avant de décliner l'invitation. Il eut un sourire espiègle pour les caméras qui l'attendaient devant chez lui lorsqu'il dit :

— Je suis peut-être premier ministre, mais j'ai du travail… Naturellement, je ne porte aucun jugement sur mes collègues qui ont le temps de se réunir pour discuter d'une question qui ne les regarde en rien… Si les Québécois décident d'obtenir l'indépendance, reprit-il sérieusement, et qu'ils obtiennent au scrutin cinquante pour cent plus une voix, que Dieu vienne en aide à celui qui se placera sur notre chemin.

Rue Sussex, dans l'immense salle de réunion située au sous-sol, John Roof se tourna vers les premiers ministres qui s'y étaient une fois de plus réunis.

— *Jesus-Christ… What a fuckin jerk…*

Personne ne pipa mot, mais quelques sourires discrets naquirent, que la pénombre dissimula.

25

Lucien Laverdure craignait de rentrer chez lui. À sa sortie du ministère, sa décision était déjà prise. Il y aurait plus que son emploi en jeu, ce soir-là. Il prit sa voiture, une Honda bien reconnaissable à sa portière déformée par une collision et alla la garer dans le stationnement longue durée près de chez lui. Une part de lui-même criait à la paranoïa, mais l'autre répondait, imperturbable, qu'il valait mieux prendre trop de précautions que pas assez.

La part rationnelle en lui soulignait qu'il ne s'agissait que de foutus titres de propriété, après tout, et qu'un reste de lasagne tout à fait appétissant l'attendait dans le réfrigérateur, mais Lucien faisait la sourde oreille à la voix de la tentation. C'est uniquement dans le taxi qui l'emmenait au terminus d'autobus qu'il réalisa que si ses suppositions étaient fondées, il ne pourrait plus retourner au travail. Il y réfléchit un moment et grogna finalement :

— Je brûlerai ce pont-là quand j'y serai…

Avant de monter dans l'autobus pour Montréal, il tenta en vain de rejoindre sa fille ou la colocataire de celle-ci. Il prit alors ses messages, chez lui, et découvrit qu'un nommé Meyer en avait laissé deux, demandant qu'il le rappelle d'urgence. Son supérieur immédiat en avait quant à lui laissé trois, ce qui ne présageait rien de bon. Lucien n'avait pas reçu autant d'appels durant le dernier mois. Laverdure, une fois assis, réalisa qu'il avait une faim de loup, mais alors qu'il se relevait, l'autobus se mit en mouvement. Il prit son mal en patience, calculant pour se distraire l'heure à laquelle il arriverait.

Malgré les circonstances, Lucien était content de rentrer dans sa ville natale, car il n'avait que peu d'occasion de voir sa fille depuis quelques années. De plus, il apportait peut-être avec lui un scoop pour sa meilleure amie, ce qui ne pouvait que la mettre dans de bonnes dispositions envers son vieux père. Il aurait été exagéré de dire qu'ils étaient en froid, mais ils n'avaient jamais non plus battu des records de chaleur depuis qu'il avait accepté un poste à Ottawa.

Émilie reprochait à son père d'avoir détruit leur famille pour favoriser sa carrière. Marie Laverdure, qui ne parlait pas un mot d'anglais, avait refusé de suivre son mari quand il avait accepté une promotion dans la capitale et avait demandé le divorce. Ce n'était bien sûr que le résultat des longues années d'un mariage qui ne les avait jamais rendus heureux, mais le constat d'échec n'était pas total, puisqu'une mignonne petite fille en avait découlé, et qu'ils l'aimaient tous les deux à la folie. À mesure qu'avaient passé les années, les récriminations d'Émilie s'étaient faites moins amères, la jeune femme étant en âge d'en prendre et d'en laisser lorsque sa mère l'entretenait de son mariage raté. À dix-sept ans, Émilie avait quitté la maison de sa mère, à Charlesbourg, pour entrer à l'Université de Montréal.

Alors qu'elle lui rendait visite à Ottawa, avec Elizabeth, Lucien fut enchanté de constater que la meilleure amie de sa fille avait les pieds sur terre. Tête folle, Émilie avait le chic pour se faire des amis, mais elle ne semblait pas avoir beaucoup de jugement en la matière. Enjouée et exubérante, elle attirait l'attention partout où elle allait. Ce n'était pas tant sa beauté que l'appétit de la vie qu'elle manifestait qui fascinait ses pairs. Laverdure avait été soulagé de savoir que Beth mettrait parfois un frein à ses lubies, d'autant plus qu'elles avaient emménagé ensemble.

Soulagé, il l'avait été encore plus lorsqu'elle lui avait annoncé, son diplôme en poche, qu'elle venait de trouver une place d'assistante à l'*Information*, le plus respecté des bulletins de nouvelles francophones. Mathieu Sinclair lui-même était responsable de son embauche, après qu'Émilie eut fait le pied de grue devant son bureau durant trois jours pour avoir l'occasion de lui parler et de prouver sa valeur. Épaté, dans un premier temps, par la poitrine sensationnelle de la postulante, que celle-ci ne s'était pas gênée pour mettre en valeur, il avait ensuite été impressionné par la vivacité de l'intelligence de la jeune femme. Il l'avait prise à l'essai, et n'avait jamais eu de raison de s'en mordre les doigts par la suite.

Lucien Laverdure avait d'abord pensé s'adresser directement à sa fille, pour le dossier qui lui était tombé entre les mains, puis il en était venu à la conclusion que Beth serait sans doute mieux placée pour effectuer sa petite enquête et qu'elle pourrait ensuite en faire profiter sa fille, s'il y avait réellement matière à écrire un article. L'assistante du lecteur de nouvelles, elle, devrait arriver avec un dossier bien étoffé et prêt à être présenté si elle souhaitait qu'on l'écoute. Qui plus est, Beth avait des relations pour la couvrir si cela s'avérait dangereux de creuser du côté des terrains nouvellement dézonés.

Il n'était pas dupe au point de croire qu'on ne remonterait pas jusqu'à lui si sa fille n'était pas directement impliquée, mais cela leur laisserait sûrement assez de temps pour publier l'article, si cela intéressait la jeune femme. De plus, se rappela Lucien avec un sourire, Beth était phénoménale, physiquement parlant, et il lui serait agréable de discuter avec elle, même s'il se savait trop vieux pour pouvoir espérer davantage.

Le voyage de Laverdure ne fut pas de tout repos, en grande partie parce qu'il dut se convaincre une demi-douzaine de fois qu'il n'était pas en pleine dépression nerveuse. Sous un certain éclairage, effectivement, il avait un comportement étrange. Voici un homme qui quitte son travail en emportant un dossier important, compromettant peut-être ainsi un contrat essentiel à son ministère, qui cache sa voiture pour ne pas qu'on la repère et qui s'enfuit en autobus à des centaines de kilomètres de chez lui, pour aller confier non à sa fille, mais à la coloc de celle-ci d'informations hautement confidentielles, ce qui pourrait lui coûter, au mieux, son boulot, ou encore quelques années de prison. À cinquante-trois ans, après une vie régie par l'honnêteté, il allait sûrement être arrêté, une idée qui le faisait rougir de honte jusqu'à la racine des cheveux dans l'obscurité de l'autobus.

Inclinez la lampe de quelques degrés, et une situation complètement différente vous saute aux yeux. Provenant des plus hauts échelons, des changements de zonage avaient été ordonnés, une mesure dont Lucien n'avait jamais entendu parler et qui était, à son avis, fortement inconstitutionnelle… Les terrains étaient tout bonnement effacés des registres du zonage agricole, sans être pour autant classés autrement, ce qui incitait Laverdure à penser que l'usage que l'on ferait de ces terres ne devrait jamais venir à l'oreille du public, et que les hommes de Roof seraient prêts à aller très loin pour y réussir. Que l'éminence grise du ministre de la Défense soit l'homme de paille dont le nom apparaissait sur les titres avait de quoi inquiéter, surtout après avoir compris à quel point ces terrains entouraient le Québec, à une semaine du référendum... Ajoutez à ça les messages qu'un assistant du *Prime Minister* vous a laissés et ceux de votre propre patron, et seul un naïf aurait pu croire à une coïncidence. Ce qui faisait vraiment peur, c'était de voir le manque de subtilité de l'opération, comme si tout cela n'était qu'un point de détail, et que rien ni personne ne pouvait intervenir pour y mettre un bémol. C'était aussi, malheureusement, l'argument principal de la partie qui lui soufflait qu'il devenait cinglé, et que tout ceci était une opération singulière, mais sans conséquence.

Au cours du trajet, il fut si occupé à débattre des implications qu'il ne lui vint pas un instant à l'esprit qu'il faisait la seule chose à faire. Il ne savait pas encore, heureusement, que les hommes de Murphy étaient déjà à ses trousses.

Il l'apprendrait bien assez tôt.

26

Marcus Fontaine et Benny Trudeau buvaient du petit-lait. En retrait sur la scène monumentale installée dans un parc d'athlétisme de Saint-Lambert, ils n'arrivaient pas à croire qu'autant de gens se soient déplacés à leur invitation. En cette soirée du 7 juillet, à une semaine du grand jour, la manifestation qu'ils avaient organisée avec l'argent du SG4 était en passe d'être répertoriée comme la plus grosse survenue depuis la fête nationale, car la foule arrivait encore en masse de Montréal et du reste de la Rive-Sud. Marcus devait admettre qu'il s'était trompé en prédisant, après les premières manifs, que l'enthousiasme retomberait assez tôt.

Les manifestations de joie sont rarement aussi spontanées que celles motivées par la colère, mais le mouvement était pourtant inversé, les anglophones et francophones pro-Canada ne faisant guère parler d'eux depuis deux jours. L'annonce de la manif sur les réseaux sociaux était devenue virale, et menait à un lien sur YouTube où Benny et Marcus invitaient la population à venir manifester pacifiquement avec eux dans un spot qui semblait avoir été fait par un professionnel, ce qui était le cas. Martel le leur avait envoyé directement à la maison, et le tout avait été bouclé en une heure. Benny Trudeau attendait ce soir-là quinze mille personnes. Un journaliste qui avait reconnu Fontaine pour l'avoir interrogé la veille aux nouvelles du soir lui confia que plus de deux cent mille personnes étaient venues au rendez-vous que Trudeau avait pris soin d'annoncer aux principaux organes de presse depuis trois jours. Geraldi en avait parlé à la télévision d'État, tout comme Mathieu Sinclair et Judith Hong, qui devait en grande partie son poste à sa ressemblance frappante avec Connie Chung, de la télévision américaine.

Marcus Fontaine avait fait sept apparitions en deux jours à la télévision, et il commençait à se demander s'il était le seul type dans la vingtaine à présenter un discours inspiré puisque tout le monde souhaitait entendre son avis. Pour établir une comparaison, le chef de la branche jeunesse du Parti québécois avait été approché une seule fois, et son intervention avait été supprimée au profit d'un topo sur les maigres subventions accordées aux athlètes en fauteuil roulant. Quant à son homologue du Parti libéral, il avait eu l'insigne honneur de recevoir un appel du *Prime Minister* qui disait en substance :

— Si je t'entends parler d'autre chose que de frais de scolarité ou d'une réduction des tarifs pour le transport en commun, je te garantis que t'atteindras pas l'âge de raison, garçon… Est-ce qu'on se comprend ?

Les deux hommes, accompagnés d'une Julie Galipeau fort impressionnée par les talents d'organisateur de ses nouveaux amis, regardaient la foule s'étendre à perte de vue, déborder du parc jusque dans les rues qui durent être bloquées par des policiers qui pensèrent tous exactement la même chose : « S'il fallait que ça dérape… »

Un groupe de contestataires anglophones avait décidé de venir équilibrer la balance en faisant bien sentir leur présence, mais Paul Fiersen intima l'ordre à ses partisans, à peine deux cents personnes, de rebrousser chemin alors qu'il n'était pas encore complètement sorti de sa Mercedes.

Quand un quidam hurla son nom et qu'une cinquantaine d'autres jetèrent des regards haineux dans sa direction, il décida qu'une manif indépendante ferait très bien l'affaire, tout compte fait. Il pouvait toujours déménager à Toronto si le Québec devenait un pays, mais il ne pourrait jamais remarcher si on le cassait en quatre avant même qu'il n'ait rempli son bulletin de vote. Tout est une question de priorités dans la vie…

Fontaine ne s'habituait que très lentement à la célébrité. Des gens le saluaient maintenant sans arrêt et il entendait constamment des commentaires dans son sillage. Alors qu'ils buvaient un verre sur une terrasse du Plateau, Benny et lui, Éric Lapointe était venu les saluer, ce qui les avait laissés sur le cul. Il avait même proposé d'assurer la partie musicale du rassemblement qu'il venait de voir annoncé à l'*Information*. Après tout, on ne pouvait espérer intéresser la foule avec trois heures de discours. Il les avait retrouvés en début d'après-midi pour inspecter les installations et installer l'équipement. C'est lui qui chauffait l'atmosphère pour le premier orateur, un écrivain bien connu pour ses convictions politiques et qui avait fait parler de lui la semaine précédente en déclarant :

— J'aime bien Normandeau. Enfin un politicien avec des couilles et quelque chose dans le citron !

Ce qui avait fait sourciller le principal intéressé, à Québec, qui n'écoutait que d'une oreille et qui croyait l'avoir entendu faire l'analogie entre ses couilles et des agrumes.

Sans que qui que ce soit ne l'ait averti, Fontaine avait vu arriver dans l'après-midi trois camions chargés d'écrans géants, et il ne fut pas surpris de voir une petite Porsche qui suivait le dernier des camions. Il s'en approcha pour s'assurer qu'il s'agissait bien du grand type bien habillé qui leur avait donné une petite fortune quelques jours plus tôt. Celui-ci eut un sourire pour une jeune femme qui croisait son chemin et Marcus fut amusé de la voir se retourner pour le suivre des yeux. Martel s'approcha de Marcus en lui tendant la main :

— J'étais sûr que vous étiez celui qu'il nous fallait. J'ai particulièrement apprécié votre campagne-éclair pour la promotion du show de ce soir. Du grand art, faire tout ça en trois jours, particulièrement pour quelqu'un qui n'y connaissait rien. Le type que je vous ai envoyé a fait du bon travail aussi, je dois dire. Vous avez perdu votre associé, M. Fontaine ?

— Benny rencontre les principaux orateurs de ce soir. Le problème, c'est qu'on gratte un peu le fond du baril, en ce qui concerne les célébrités. À part Lapointe et le vieux schnock qui parlera après lui, ce n'est pas reluisant. Il est déjà à moitié saoul…

— Lapointe ?

— Non, l'autre.

— Vous ne comprenez pas encore tout à fait, Marcus. C'est en grande partie pour vous et M. Trudeau que les gens sont venus…

— Charriez-moi pas ! Il y a deux semaines, je n'étais personne. Ce n'est pas d'avoir assommé un Anglais qui va faire de moi une vedette…

— Pas plus que d'avoir été au bon endroit au bon moment n'aurait rendu Trudeau célèbre si personne ne vous avait vu, mais vous l'avez tous les deux fait en direct, devant les photographes et les gens de la télé. Ils connaissent maintenant vos noms et vos visages. Peu importe ce que vous étiez avant que le cirque n'arrive en ville, vous êtes maintenant des symboles de la résistance et c'est ainsi que vous voit le public !

— Le public connaît peut-être mon nom, mais j'ignore encore le vôtre, mon cher.

Martel eut un mince sourire.

— Erik Martel, pour vous servir…

— Vous servez assurément quelqu'un d'autre, M. Martel, pour disposer d'autant de moyens, dit Marcus en regardant les écrans qui étaient déchargés par quelques hommes du SG4 . De qui prenez-vous vos ordres ?

Martel coula un regard discret vers le journal qu'un badaud lisait, appuyé sur un arbre. La tête de Georges Normandeau s'étalait en première page. Marcus ouvrit de grands yeux, et Martel ordonna, avant de repartir :

— Attendez-moi, vous et votre ami, après la manifestation. Il faudra que nous discutions, si ce que j'ai à vous offrir vous intéresse. Nous en aurons pour une bonne partie de la nuit.

— Vous n'avez ni la tête, ni la voiture d'un fonctionnaire, M. Martel. Quel est l'intitulé officiel de votre charge ?

— Vous êtes trop malin pour votre bien, Fontaine, dit Martel en souriant. On entre dans une époque où il sera peut-être dangereux de poser trop de questions. Je raconterai ce que je pourrai après le spectacle.

— N'est-ce pas une manifestation ? demanda Marcus, espiègle.

— On pourrait se le demander, répondit l'agent en le saluant de la main, sans se retourner…

En regardant l'homme de Curtis Taylor quitter le terrain où commençait à arriver la foule, Marcus se posait beaucoup de questions à propos de leur nouveau partenaire. Pas loin de lui, en coulisse, l'écrivain se tenait d'une main à une caisse qui contenait à son arrivée un énorme amplificateur. Il était déjà solidement bourré, mais quand il adressa à

Benny Trudeau son pouce levé assorti d'un énorme sourire, celui-ci ne put s'empêcher de rire.

Lui-même aurait bien pris une cuite en prévision du discours d'une vingtaine de minutes qu'il allait prononcer une heure plus tard. Il ne s'était accordé que deux bières dans l'après-midi, et même Marcus avait bu plus que lui. Il ressentait moins fréquemment le besoin de boire depuis deux semaines, en partie parce qu'il avait le sentiment d'être saoul à longueur de journée. Comment expliquer autrement tous les changements survenus dans sa petite vie de misère ? À la mi-juin, il était itinérant, sans travail ni attache d'aucune sorte. Il n'avait pas un rond et les gens baissaient souvent les yeux à sa vue. Depuis le milieu de l'après-midi, il avait dû être salué un millier de fois et tout le monde semblait vouloir lui dire un mot d'encouragement.

Il y avait Julie, qui le regardait comme s'il était sorti de la cuisse de Jupiter et que Benny, puisque tous les goûts sont dans la nature, trouvait ravissante. Le plus étonnant, selon lui, était sa rencontre avec Marcus, qu'il aimait maintenant comme un frère, alors qu'ils ne se connaissaient pas trois semaines auparavant. Il avait l'impression d'avoir trouvé une famille, et tout l'argent du monde ne lui aurait pas fait plus plaisir. Il mit la main sur l'épaule de Fontaine pour lui signifier qu'il s'éloignait un peu, car la musique assourdissante interdisait toute parole. Il entraîna Julie derrière la scène où la foule était, comme de raison, beaucoup moins dense.

— Je suis désolé pour ce soir, Julie. J'aurais aimé que tu viennes dormir à l'appart, mais Marcus va probablement ramener notre gars chez lui, pour avoir la paix.

— Et tu ne veux pas non plus qu'il pense que tu lui imposes ta visite, puisque qu'il t'héberge, non ?

— Non, Marcus ne pense pas de cette manière-là. Par contre, il te dirait sans doute qu'on a connu plus confortable qu'un lit de camp pour deux. J'ai peur qu'il nous propose sa chambre, ce qui ne manquera pas d'arriver… C'est surtout que, sans vouloir t'offenser, je suis pas mal certain que notre nouvel ami demanderait à ce que tu sortes.

— À ce point-là ? répliqua Julie Galipeau en haussant les sourcils. Je suis sûre que je pourrais vous être utile. Il n'y a rien que je puisse faire ?

— Sûr ! J'ai du lavage et une épicerie en retard ! lança Benny, tout sourire. Sérieusement, viens m'embrasser si on n'est pas ensemble quand le show finira. On pourra se voir demain matin, si tu veux.

— Mon Dieu, minauda théâtralement Julie en battant des cils, deviendriez-vous sérieux dans vos intentions, M. Trudeau ?

En guise de réponse, il l'embrassa doucement, étranger à toute l'agitation qui les entourait et qu'il avait lui-même organisée.

La soirée fut une franche réussite. L'écrivain saoul se révéla parfait pour chauffer le public, et son discours fut parsemé de digressions particulièrement amusantes qui détendirent l'atmosphère. Vers neuf heures, la plupart des policiers étaient retournés au poste, une seule bagarre ayant éclaté durant la soirée entre deux souverainistes qui avaient trop bu.

Benny Trudeau fut chaudement applaudi à son entrée sur scène, et son discours fut religieusement écouté, à en juger par le silence qui régna durant son allocution. Il fut amusé de constater qu'une bonne partie des deux cent mille personnes scandèrent son prénom quand les écrans géants diffusèrent sa bouille sympathique de sous-alimenté.

La grande vedette de la soirée, comme le rapportèrent les journaux le lendemain, fut Marcus Fontaine. Il prononça le discours qui clôturait la soirée, et son moment de gloire fut diffusé aux différents bulletins de nouvelles du lendemain. Il avait toujours aimé écrire, mais n'avait jamais pensé qu'il lui serait possible de rejoindre un aussi grand nombre de gens. Il fut interrompu par des applaudissements à quatre ou cinq reprises, et il en semblait presque gêné.

Quand le silence se fit, il dit :

— Il est important, bien sûr, de manifester notre fierté d'être Québécois, et francophones, en ce moment. Par contre, il ne faudrait pas que cela s'éteigne, que l'on gagne ou non. Dans le meilleur des cas, nous mettrons au monde un pays, mais toutes les mères ici présentes peuvent vous dire que pour en arriver à la félicité du nouveau-né, il faut passer par d'effroyables souffrances. Notre effort en tant que nation ne se terminera pas lorsque Mathieu Sinclair annoncera aux nouvelles que le Québec a acquis sa souveraineté. C'est au contraire à ce moment-là que le véritable travail commencera. Depuis déjà deux semaines, le monde entier apprend qu'une petite province francophone tient tête à l'envahisseur. Nous sommes distincts. Nous sommes décidés. Il est grand temps que le Canada anglais assimile le fait que nous ne leur appartenons pas !

Il attendit quelques instants, durant lesquels les manifestants rugirent leur approbation. Il termina en disant simplement :

— On se fait botter le cul depuis des centaines d'années. La semaine prochaine, ce sera notre tour de frapper, et j'ai dans l'idée que ça va faire mal !

Dans le silence qui précéda l'ovation finale qui lui fut réservée, ses paroles prirent des allures de prophétie.

27

William Andersen regardait le petit sac de marijuana qu'il avait trouvé dans la chambre de son fils. Il n'était pas tombé dans le piège de la colère comme tant de parents l'auraient fait. Il avait tranquillement appelé Jackson et lui avait demandé de venir. Comme policier, il avait vu bien pire que la consommation d'herbe, mais ce chemin était savonné à l'extrême, et il convenait d'expliquer à son fils à quel point il risquait de glisser s'il ne prenait pas garde.

Jackson entra de son pas chaloupé dans la chambre et fit mine de tenter le demi-tour dès qu'il aperçut ce que son paternel avait à la main. William lui fit signe de se calmer et lui désigna le lit sur lequel il était lui-même assis. Quand son fils décida que ce n'était pas une ruse pour l'amener à portée d'une claque, il obéit. William dit :

— Écoute, mon vieux… Je ne te cacherai pas que je suis assez fâché. Si tu avais eu seize ans, je ne dis pas, mais tu es drôlement jeune pour fumer du pot.

— À seize ans, je vais pouvoir ? demanda l'adolescent en levant vers son père un regard plein d'espoir.

— *Funny guy*… Est-ce que je t'ai déjà parlé de Joseph Pirogi ? Joseph le boiteux ? demanda William.

— Non, répondit son fils, intrigué par le changement de sujet.

— C'était mon meilleur ami, quand j'avais ton âge. On fumait de l'herbe dans la ruelle derrière chez eux. On buvait de l'alcool que je volais à ton grand-père. Rien de bien méchant, tu vois... Joseph, en vieillissant, fumait et buvait de plus en plus. Moi j'avais arrêté, parce qu'on ne savait pas se tenir.

Jackson tenta un instant d'imaginer son père complètement saoul et défoncé sans y parvenir.

— Joseph a découvert la coke, par après, puis l'héroïne, mais tout ça ne lui serait jamais venu en tête sans le premier joint, tu comprends ? Je sais que tu es assez grand pour décider de ce qui est bon pour toi, mais je ne pense pas que la marijuana en fasse partie. Toutefois, c'est toi qui vois... dit William en lui remettant le sac d'herbe.

Touché par cette marque de confiance, Jackson demeura songeur un moment. Puis il laissa tomber le sac dans une petite poubelle au pied de son lit avant de demander :

— Et Joseph ? Il s'en est sorti ? Il a arrêté de consommer ?

William, qui était presque parvenu au seuil de la chambre se retourna, lugubre :

— Il ne s'en est pas sorti, mais il a arrêté de consommer...

En sortant de la chambre, il eut la surprise de voir sa femme appuyée au mur, les yeux pleins de larmes. Affolé, il s'approcha d'elle.

— Lisa ! Qu'est-ce qui se passe ?

— Pauvre Joseph... dit-elle doucement. Pauvre, pauvre Joseph... Pourquoi tu ne m'as jamais parlé de ça ? Je suis ta femme !

— *Ah, come on, Lisa !* Joseph n'a jamais existé !

Une fois ce problème interne réglé, William Andersen descendit s'asseoir à la cuisine, où il se versa un verre de lait. Il pouvait au moins dire une chose en faveur du référendum : depuis l'annonce de Georges Normandeau, les crimes avaient chuté de vingt-cinq pour cent. Les crimes répertoriés, à tout le moins, pensa-t-il en revoyant la figure tuméfiée de sa fille Marianne. S'il n'était pas aisé, en temps normal, d'évoluer dans une école publique francophone avec un nom comme Andersen, c'était devenu un exploit d'y parvenir sans casse, surtout en cours de rattrapage. La petite Marianne, qui éprouvait encore un peu de difficulté avec son français, avait constitué une cible de choix pour ses petites camarades. William rageait littéralement, ce soir-là, contre les francophones. De quel droit nous mettent-ils à l'écart, pensa-t-il, découragé. Merde ! Je veux me sentir chez moi !

Une jeune fille plus âgée que Marianne lui avait lancé un caillou et l'avait atteinte à la tempe. La petite était tombée tête première sur le ciment, sous les rires de ses camarades. Appelé à l'école, William avait bien failli en venir aux mains avec le père de l'autre gamine, un crétin bedonnant qui semblait fier de ce que sa fille avait fait. Il eut même le culot de conseiller à Andersen de placer sa fille dans une école spécialisée, puisqu'elle n'était même pas foutue de parler la langue d'usage. William se contenta de se pencher vers son rival, tout sourire, pour lui glisser à l'oreille :

— Viendra un jour où l'on se croisera et où je ne serai ni avec ma fille ni en service. Ce jour-là, je te la ferai avaler, ta crisse de langue d'usage, et tes dents avec, pour faire bonne mesure…

Même en intervenant chaque jour sur le terrain, et malgré le fait qu'il se soit rendu à deux manifs en faveur du *statu quo*, Andersen avait l'impression de regarder le train passer. Il savait qu'il n'accepterait pas de vivre dans un Québec souverain, où les droits des anglophones seraient abondamment bafoués, sans que personne ne s'en indigne.

Même dans l'éventualité peu probable qu'un *modus vivendi* acceptable apparaisse (et il ne voyait vraiment pas d'où il aurait pu surgir ainsi !) et permette à la communauté anglophone de bien vivre la sécession, il refuserait de s'y plier, ne serait-ce que par principe. S'il fallait que chaque minorité en vienne à ces extrémités, bon sang, la notion même de pays deviendrait ridicule ! De deux cents pays dans le monde, on passerait à deux mille.

La discussion entre le Québec et le reste du Canada était stérile depuis soixante ans parce que les francophones, au fond, n'avaient jamais eu l'intention de faire avancer les choses. Les rares périodes où l'entente fut cordiale durent leur existence au fait que deux salopards de la même trempe s'étaient trouvés au pouvoir au même moment. Et encore fallait-il que ce soit deux salopards du même Parti…

Andersen réfléchissait surtout à l'offre que lui avait faite Paul Fiersen, leur médecin de famille, de se joindre au Conseil de Westmount. Fiersen, depuis quelques jours, recrutait l'élite de la communauté anglophone de Montréal, et un policier leur apporterait un angle de vision qui leur manquait encore. Les manifestants anglophones avaient un urgent besoin d'un service de sécurité, puisque le SPM n'assurait qu'une présence dissuasive contre les belligérants francophones qui menaçaient de leur rentrer dedans au premier discours procanadien.

À deux reprises, cette semaine-là, des manifestants s'étaient vu lancer des projectiles, sans parler de cette odieuse arrestation, à Sainte-Foy, où seuls ses semblables étaient parvenus à la prison municipale, les francophones ayant été relâchés quelque part en chemin. L'idée de passer enfin à l'action lui plaisait, mais les membres du comité étaient tous sous les feux de la rampe, et il ne tenait pas à faire de sa famille une cible si les choses tournaient mal.

Il savait que ce n'était pas de la lâcheté de sa part. Il ne craignait aucunement les coups durs pour lui-même, mais l'idée que quelqu'un d'autre puisse l'interpréter ainsi le décida à prendre sa décision.

Ce soir, il annoncerait à Lisa qu'il partait lui aussi au combat.

Ce que l'orgueil pousse à faire, parfois…

28

Elizabeth Converse eut la surprise, en revenant de la manif de Saint-Hubert le soir du 7 juillet, de trouver un vieil homme qui l'attendait devant sa porte. Il devait bien avoir soixante-dix ans et tenait à la main un papier qu'il relut en vitesse lorsqu'il vit Beth s'avancer dans le couloir. Celle-ci hésita un instant, puis réalisa qu'au besoin, elle pourrait envoyer valdinguer le vieux schnock d'une main s'il se révélait belliqueux. Quand il avança jusque sous l'ampoule, elle vit clairement qu'il était inoffensif. Le pauvre vieux était sans doute itinérant et ne semblait pas avoir mangé depuis des lustres. Il demanda d'une voix grêle, avec un accent slave :

— Vous être Mme Converse ?

— Mademoiselle Converse, oui. Qu'est-ce que vous me voulez ? Si c'est pour m'exposer un problème afin que j'en fasse un article, il faudra passer au journal, mon bon monsieur. Il est plus de minuit, et…

— Y a monsieur dans restaurant plus bas sur la rue qui attendre vous. Lui pas pouvoir venir ici alors il me donner l'argent pour vous avertir. Depuis trois heures je suis ici. J'espérer pour vous que monsieur être patient comme Angus.

— Angus ? demanda Beth, circonspecte.

— C'est moi ! dit joyeusement le vieillard avant de se diriger vers les escaliers.

Il se retourna alors qu'il atteignait la porte :

— Moi croire monsieur toujours là. Et puis, si pas là, y a bonnes frites dans le restaurant.

Curieusement, c'est ce qui décida Elizabeth à aller vérifier. Elle avait eu toute la soirée un creux qu'elle n'avait pas eu le loisir de combler tant elle avait été surchargée de boulot. Elle avait interrogé la plupart des personnalités présentes et quelques badauds, mais au moment de mordre dans un sandwich, Raoûl Duguay était sorti comme un diable de sa boîte pour venir faire son numéro qui avait beaucoup plu à tout le monde, Elizabeth comprise, mais qui avait considérablement réduit sa pause repas. Elle ouvrit la porte de l'appartement et y laissa son sac avant de redescendre. Tout à l'idée de ce qu'elle allait manger, elle en oublia presque la raison pour laquelle elle était ressortie alors qu'elle était si fatiguée. Pendant qu'elle allait s'installer dans le fond du restaurant, en mâchant une frite, un petit homme corpulent appela d'une voix contenue :

— Elizabeth !

Regardant autour d'elle, elle aperçut le père d'Émilie, qu'elle n'avait rencontré que deux fois, et chercha où elle avait bien pu le croiser, une interrogation qu'il balaya rapidement en demandant, alors qu'elle s'installait en face de lui :

— Comment va Émilie ?

— Monsieur Laverdure ! Je ne vous avais pas reconnu ! Pourquoi ne pas nous avoir dit que vous veniez en ville ce soir ? Émilie est allée à la manif sur la Rive-Sud, et je crains qu'elle ne revienne pas cette nuit…

— J'essaierai de la voir demain si ça m'est encore possible, mais c'est toi que je venais voir ce soir. La journaliste, pour dire vrai…

Et voilà, pensa Elizabeth, il ne me manquait que ça… Tout le monde, étrangement, croyait détenir LE sujet qui ferait d'elle une journaliste de premier plan, comme si tout le travail abattu jusqu'alors ne comptait que pour du beurre. Elle se faisait parfois apostropher d'un côté à l'autre de la rue par quelqu'un qui connaissait quelqu'un qui connaissait quelqu'un qui, en fin de compte, n'avait rien vu ni rien entendu, ce qui l'avait amenée, au cours des derniers mois, à se méfier de ce genre de tuyau crevé. Ignorant encore, bien sûr, qu'à la fin de la semaine, les médias d'un bout à l'autre du pays reprendraient ses articles, elle leva un œil sceptique vers le père de son amie.

— Pourquoi vous n'êtes pas simplement venu cogner chez nous ?

— Je ne voudrais pas paraître parano, mais il y a deux hommes assis dans une voiture devant chez toi, et ils y sont depuis trois heures.

Elizabeth, qui les avait remarqués en revenant chez elle, sursauta.

— Vous croyez que je suis surveillée ?

— Pas toi, non ; c'est votre appartement qu'ils guettent. En fait, je suis persuadé que c'est moi qu'ils attendent. Ils ne me trouvent pas à Ottawa, et je n'ai pas cent endroits où aller. J'espère ne pas vous avoir mis en danger, mais d'une certaine façon, nous avons de la chance...

— En danger ? Minute, papillon ; c'est quoi cette histoire ? Et pourquoi est-ce que c'est de la chance ?

— Ils pensent que je suis venu voir ma fille. Ils n'ont pas fait le lien avec la journaliste du *Provincial* qui dort sous le même toit qu'elle. L'appartement est à son nom, non ?

— Oui, et les comptes aussi, même si c'est toujours moi qui finis par les payer. Bon ! Clarifions les choses un brin, M. Laverdure...

— Lucien, je t'en prie…

— Ouais, bon, Lucien… Qui attend devant chez moi, et pourquoi ?

— Je ne peux en être sûr, mais je dirais le SG4 ou la GRC. Ils attendent pour une seule raison : ceci, fit-il en sortant le dossier compromettant.

— Le SG4 ? Les services secrets ? Merde ! C'est quoi, ces conneries ? C'est quoi, ces papiers ?

Il lui expliqua alors la procédure standard de dézonage et lui énuméra les irrégularités dans ce cas précis. Il lui montra une carte du Québec qu'il avait achetée dans la soirée et où il avait noté l'emplacement des terrains en question. Leur disposition pouvait n'être qu'un hasard, mais c'était fort peu probable. Il lui raconta ce qu'il savait de l'homme dont le nom figurait sur les actes de propriété et lui donna le nom de quatre ou cinq personnes susceptibles de lui fournir d'autres renseignements sur l'homme de paille. Il conclut en disant simplement :

— J'ignore où tout cela nous mène, Elizabeth, mais du moment où le ministère de la Défense est impliqué, je tendrais à dire que ça ne sent pas bon.

Songeuse, Beth regardait les papiers étalés devant elle, essayant de discerner la paranoïa des faits indiscutables. Il est vrai qu'à première vue, tout cela avait quelque chose de dérangeant. Pas mal même, pensa-t-elle, en se rappelant les deux types assis devant chez elle dans leur voiture. C'est d'ailleurs leur présence qui l'incitait à ne rien prendre à la légère. S'ils n'avaient pas été là, elle aurait peut-être chassé l'idée d'un revers de main, car enfin, il pouvait y avoir vingt explications différentes à ces achats de terrain. Même la culture de marijuana à des fins thérapeutiques (mais ne le sont-elles pas toujours ?) aurait semblé plus plausible que l'idée que laissait sous-entendre Laverdure.

— Que je vous comprenne bien, Lucien... Vous pensez qu'on vous poursuit pour ça ? Que ce dossier a une importance tellement capitale qu'en pleine période de bouleversements, les services secrets ont envoyé une équipe à votre recherche ?

— C'est peut-être la GRC...

— Ah, oui, tiens... J'oubliais la GRC... Soit dit en passant, je connais Simon Meyer, l'assistant du PM qui vous a laissé deux messages. C'est un type brillant et ambitieux, mais, somme toute, inoffensif. Je ne le vois pas envoyer des molosses à vos trousses pour rapporter quelques papiers...

— Quelques papiers ? fit Lucien, incrédule. Quelques papiers ? Est-ce que c'est moi qui m'exprime mal ou c'est toi qui es bouchée, ciboire ? Si, par le plus grand des hasards, ma théorie se révélait juste, as-tu la moindre idée de ce qu'ils seraient prêts à faire pour remettre la main sur ce dossier ? Ils n'hésiteraient pas une seconde à tuer, je te le dis clair et net ! Je t'ai apporté tout ça parce que je sais que tu es une excellente journaliste, mais aussi parce que je me suis dit que ta parenté t'éviterait sans doute de mauvaises surprises, si tu posais la mauvaise question à la mauvaise personne. Émilie, elle, n'a que moi et je les ai déjà au cul. Je ne serai pas en sécurité tant que ça n'aura pas été publié, et je ne le serai sûrement pas davantage après, mais le référendum risque de me donner un peu de temps pour me retourner.

Elizabeth, que la peur apparente de Laverdure commençait à rendre nerveuse, demanda :

— Vous y croyez réellement, n'est-ce pas ? Vous pensez qu'ils ne se contenteraient pas de vous reprendre le dossier ?

Lucien Laverdure eut un sourire désabusé.

— J'en ai bien peur. Je n'en étais pas sûr à mon départ d'Ottawa, mais je peux d'ores et déjà dire adieu à mon boulot. Dans le meilleur des cas, je serai poursuivi, et si j'ai vraiment mis mon nez dans ce que ça semble être à première vue, je peux te garantir qu'il m'arrivera quelque chose en prison. Je ne travaille peut-être pas à la Défense, mais en vingt ans, on en entend, des choses… Une seule chose, en fait, pourrait me sortir du pétrin.

— Quoi donc ?

— La souveraineté du Québec, auquel cas je suppose que mon nouveau gouvernement sera derrière moi et me félicitera même de mon implication dans la situation présente. On aurait vu plus étrange…

— Vous savez, Lucien, que je pourrais sûrement vous obtenir une protection.

— Ces derniers temps, j'ai appris à craindre les fuites dans les organismes gouvernementaux. N'en suis-je pas le meilleur exemple ? dit-il en souriant. Je crois que je vais tenter de me débrouiller seul. J'ai une idée d'où je pourrais aller, mais je n'ai pas encore résolu le problème du transport.

Sans hésiter, Beth fit glisser sur la table les clés de sa Subaru, en disant :

— J'expliquerai la situation à Émilie… Si vous avez besoin de quelque chose, faites-le-moi savoir. Idem si vous apprenez quelque chose de nouveau. Votre message a été entendu, Lucien, et je vais voir ce que je peux dénicher, dans un laps de temps aussi court…

Pour tout remerciement, Lucien se pencha vers elle impulsivement et lui colla un baiser sur la joue.

— Si j'avais vingt ans de moins, Mlle Converse, je serais votre fan le plus assidu. Merci de ce que vous faites pour moi. C'est à charge de revanche.

Il sortit sans se retourner, alors qu'Elizabeth cherchait son téléphone portable dans son sac à main. Elle appela chez lui un collègue du journal qui n'apprécia guère d'être réveillé à cette heure indue.

— Je suis vraiment désolée, Jules, mais on ne dispose que de très peu de temps, et c'est peut-être réellement important. J'ai ici des ordres de virement pour le paiement de terrains qui sont plus que douteux. On sait parfaitement que ce n'est pas le propriétaire officiel qui a payé. Je veux savoir d'où provient l'argent, et toutes les infos qui te tomberont sous la main à propos des titulaires des comptes. Voici les numéros…

Alors que Lucien Laverdure sortait du restaurant, l'un des deux agents de la GRC donna un coup de coude au second, qui sommeillait légèrement.

— Le gars avec le manteau brun, là ! Qui sort du resto !

— Oui, c'est lui ! Attends qu'il approche avant de sortir de l'auto. Je ne veux pas avoir à lui courir après.

— Tu crois qu'il a le dossier dans sa mallette ?

— C'est à espérer, répondit l'agent Johnson, parce que si c'est la fille qui l'a, on l'a dans le cul ! On ne pourra pas le récupérer. C'est avant qu'ils se rencontrent qu'il aurait fallu l'intercepter.

— Comment ça, on ne pourra pas le récupérer ? Je rentre chez elle, je le récupère et tant pis si elle ne s'écarte pas du chemin !

— Ah, oui ? Et moi je te dis que c'est la dernière chose que tu ferais. Je ne sais pas qui c'est, la petite *cute*, mais Mark Murphy a assuré qu'il couperait personnellement les couilles du premier qui s'en approcherait à moins de vingt pas.

— Murphy ? Bon, de toute manière, on sera très vite fixé…

Alors que Lucien était à une dizaine de pas de la voiture d'Elizabeth, de l'autre côté de la rue, les deux hommes sortirent de la leur.

Quand Elizabeth rentra chez elle, dix minutes plus tard, elle était trop fatiguée et préoccupée pour remarquer que sa voiture était toujours garée au même endroit.

29

Georges Normandeau profitait d'un des rares moments de répit qui lui avait été accordé depuis le début de la campagne pour la souveraineté. Un des hommes que Curtis Taylor avait personnellement choisi parmi ses troupes passa devant la fenêtre par laquelle il regardait et lui fit un sourire, auquel le premier ministre répondit. Sa femme Louise était partie faire les magasins, chose qu'elle n'avait que très rarement l'occasion d'accomplir puisqu'elle était dévouée corps et âme à la carrière de son mari, tout en s'occupant elle-même de plusieurs bonnes causes, dont les responsables avaient eu l'heureuse surprise de voir la première dame du Québec venir offrir spontanément son aide. Georges était seul dans la maison, à tout le moins aussi seul que puisse l'être un dirigeant élu. C'est toujours dans ses moments libres que les pensées de Normandeau revenaient à son fils.

Benoît Normandeau avait été fauché par une voiture, près de la polyvalente d'Anjou, alors qu'il avait quinze ans. Il circulait à bicyclette et une Mustang bleue avait brûlé un stop pour venir l'emboutir, l'envoyant à plus de trente mètres du point de collision. L'adolescent avait été tué sur le coup, mais sa disparition avait poussé ses parents au bord du gouffre. Que le responsable n'ait jamais été appréhendé n'avait rien arrangé. Leur enfant unique avait été un partisan inconditionnel de la souveraineté et, dès son plus jeune âge, il s'était mis en devoir de rallier son père à la cause. Georges n'était pas, loin s'en faut, le supporteur le plus acharné à l'obtenir, même s'il en reconnaissait le bien-fondé.

Il était surtout d'avis que la tentative échouerait encore une fois, et il conservait sa mentalité de député d'arrière-banc. Normandeau n'avait alors que quarante ans, et il mit des années à comprendre ce que son défunt fils avait sans doute compris d'emblée : l'important, dans ce cas-ci, n'était pas tant d'avoir l'assurance de la victoire que la foi nécessaire au combat.

Jamais il ne lui vint à l'esprit qu'il pourrait être l'artisan de cette indépendance, jusqu'à ce que Philippe Martin fasse son incroyable déclaration. À soixante-quatre ans, en meilleure forme que jamais depuis qu'il avait cessé de fumer, il s'était senti prêt à réaliser le rêve de son fils. Il avait la foi.

Le premier ministre était très fier de la façon dont avait été gardé le secret avant le 24 juin. Jouait aussi en sa faveur la rumeur selon laquelle l'indépendance du Québec le laissait plus ou moins froid. Il avait déclaré, alors qu'il était vice-premier ministre et que l'on reprochait à Philippe Martin de ne pas aborder assez souvent le sujet de la souveraineté :

— Être chef du PQ, ce n'est pas nécessairement rechercher l'indépendance à tout prix. C'est aussi savoir être réaliste pour ne pas nuire à ce qui est déjà en place.

Il n'avait tout d'abord mis que quelques-uns de ses plus proches collaborateurs au courant de ce qu'il projetait, et leur avait fait jurer le secret sous peine de sanctions. Les juristes appelés pour vérifier le délai minimal permis entre l'annonce et le vote avaient dû jurer de même. Les avocats s'arrachèrent les cheveux pour terminer à temps l'énorme masse de paperasse nécessaire à l'opération, ce qui ne fut pas une mince affaire si l'on considère que Normandeau en avait appelé un nombre très restreint, chacun d'eux ayant reçu le patronage d'un homme de confiance du premier ministre.

Il convenait aussi de choisir le moment opportun. Annoncer le référendum durant les séries de la coupe Stanley, alors que les Canadiens venaient enfin d'y parvenir, n'aurait pas été une tactique très brillante, et tout le monde le savait dans sa petite équipe. Le CH se fit sortir en première ronde, de toute façon… Il y avait bien le super motocross, en ville, mais les vingt mille spectateurs, au Stade olympique, avaient appris la tenue du référendum en même temps que le reste de la province, sur l'écran géant. L'idée s'était fermement implantée dans la tête de Normandeau depuis janvier, quand il avait réalisé qu'il ne solliciterait sans doute pas un prochain mandat.

C'est Louise Normandeau qui proposa le soir de la fête nationale, et l'idée, qui lui était déjà passée par l'esprit, se concrétisa. Normandeau ne se gênait jamais, devant les journalistes, pour souligner le rôle que sa femme jouait dans sa carrière politique, même si les seuls reproches venus des journaux avaient toujours été à ce propos, à la suite de certaines décisions que l'on jugea trop démocrates et où l'opinion publique tint absolument à voir l'empreinte d'une femme. Le plus souvent, d'ailleurs, Normandeau constatait qu'il s'agissait des rares décisions qu'il avait prises sans avoir consulté Louise, ce qui la faisait bien rire.

Normandeau avait espéré, dans le meilleur des mondes, que l'enthousiasme soulevé par l'annonce durerait au moins trois ou quatre jours, le temps de faire boule de neige aux quatre coins du Québec, qui n'avaient eu qu'une retransmission des événements, sans y prendre pleinement part. Il n'osait pas espérer plus que cela, la boule de neige ayant en général une durée de vie assez limitée en plein mois de juillet. Il s'étonnait encore du compte rendu de l'assemblée de la veille, sur la Rive-Sud. Plus de quatorze jours plus tard ! Il était enchanté des efforts de Taylor et de son subordonné, qu'il avait brièvement rencontré en sa compagnie trois jours plus tôt. Leurs deux jeunes gars de la Rive-Sud n'étaient pas mal non plus…

Sur la suggestion du directeur du SG4, il avait débloqué des fonds pour donner un peu de profondeur aux manifestations, leur offrir une bonne visibilité, une charge qui était retombée sur les épaules de Martel, qui s'en acquittait à la perfection.

— Un autre mythe politique qui s'effondre, M. Taylor… Tout le monde s'imagine qu'il me faut convoquer une commission chaque fois que j'ai besoin d'argent pour un problème précis. Seigneur ! S'ils savaient tous avec quelle rapidité je peux disposer de millions… Je suis vraiment surpris qu'aucun ministre ne soit jamais parti avec un magot, en plein milieu de son mandat, pour aller faire la belle vie dans un paradis fiscal.

Amusé, Taylor répondit :

— Mathew Connely, ministre des Finances, en 1975. Jean-Pierre Morneau, de votre propre parti, en 1981. Reginald Peterson, sous-ministre à la Défense, en 1985. Irene Jacobs, de l'Alliance, en 1987… Et j'en passe, et des meilleures…

Suffoqué, Normandeau demanda :

— Morneau ? Il est parti parce qu'il avait le cancer !

— L'avez-vous entendu vous l'annoncer lui-même ? demanda Taylor avec un grand sourire. Avez-vous vu un avis de décès par la suite ? Avez-vous assisté à ses funérailles ? Il a volé huit cent mille dollars et s'est poussé en Amérique du Sud avec sa femme et sa fille. À l'heure de l'annonce que votre parti a faite, il se dorait les fesses au soleil de l'Argentine…

— Niaise-moi donc… Connely aussi ? Je venais d'arriver quand il est parti. Il a volé combien ?

— Si je vous le disais, vous ne me croiriez pas. Il ne faut pas oublier que le ministre des Finances est beaucoup mieux informé qu'un ministre de l'Industrie, au provincial qui plus est. Nous avons appris plus tard qu'au moment où il démissionnait, la larme à l'œil, en nous confiant qu'il voulait se consacrer à sa famille, quarante millions de nos beaux et bons dollars étaient transférés aux îles Caïmans, où il a fichu le camp. Sans sa famille, notez-le bien…

Normandeau avait recraché son scotch sous l'effet de la surprise.

— Quarante mil… Vous saviez ça et vous n'avez rien dit !

Curtis Taylor haussa les sourcils.

— Voyons, M. Normandeau… J'étais justement payé pour que personne ne l'apprenne.

Perplexe, Normandeau réalisa la drôlerie de ce qu'il venait de dire, et joint son rire à celui du transfuge.

Le premier ministre était conscient que le temps jouait un rôle majeur dans cette affaire. Il restait une semaine avant le vote, et Taylor et lui comptaient faire exploser leur bombe dans les journaux deux ou trois jours avant, pour laisser le moins de temps possible à leurs adversaires de répliquer.

Jonathan Roof devrait remuer ciel et terre pour dénicher la moindre anecdote qui puisse faire pâlir l'étoile de son rival. Normandeau s'inquiétait beaucoup moins de ce qu'il pourrait trouver (rien, à sa connaissance, puisqu'il n'avait pas eu à faire trop de lobbying pour arriver au pouvoir) que de ce qu'il pourrait inventer et balancer en première page la veille du référendum, quitte à se rétracter le lendemain, alors que les dommages de ces quelques milliers de votes en moins seraient irréparables. Le référendum de 1995 avait bien prouvé que cela pouvait se jouer dans un mouchoir de poche.

Georges espérait que son homologue effectuait sa recherche sur plusieurs plans, parce que celle qu'il avait confiée à Curtis Taylor n'avançait guère, étrangement.

Normandeau avait eu vent, par un contact de Taylor à la GRC, qu'on recherchait activement un assistant qui travaillait au zonage, pour une histoire de dossier volé. Il avait demandé à être informé de la suite des événements sans trop savoir pourquoi il le faisait. Une intuition qui ne mènerait sans doute nulle part, mais on n'envoyait pas les chiens après un vulgaire fonctionnaire, habituellement. En surface, il ne semblait y avoir aucun lien avec ce que projetait Roof, mais comme l'avait si bien dit Taylor, le premier ministre n'avait sûrement pas mis tous ses œufs dans le même panier.

Taylor avait été rappelé deux fois rue Sussex pour mettre au point certains détails. Murphy et Jordan y étaient sans doute revenus aussi, aux petites heures, pour ne pas attirer l'attention, d'autant plus que le contingent de journalistes qui suivait habituellement le PM s'était considérablement élargi en cette période de référendum. Normandeau était douloureusement conscient qu'une semaine, en politique, dure une éternité, et qu'il pouvait survenir n'importe quoi, de n'importe quel côté. La durée de vie, en politique, était proportionnelle à votre résistance à la paranoïa.

Il se rappela qu'il aurait dû, depuis longtemps, inviter sa sœur à venir les visiter à Québec, mais Georges connaissait trop sa femme pour ne pas savoir qu'elle les inviterait à demeurer chez eux, malgré son antipathie pour son crétin de beau-frère. L'idée d'avoir à prendre son café, ne serait-ce que deux jours, en face de cet énergumène le décida à repousser le tout encore un peu. Après tout, calvaire, il était en train de créer un pays, non? Une excuse qui en valait bien d'autres… Sa jeune sœur lui manquait parfois, mais ils ne se voyaient que rarement, leurs deux emplois les accaparant complètement. Il n'arrivait pas à croire qu'elle avait fêté ses cinquante-quatre ans récemment. Était-il réellement devenu vieux? Incroyable, et pourtant…

L'interphone encastré dans le mur près de son fauteuil bourdonna:

— Monsieur le premier ministre… Le directeur de la Sûreté du Québec vient d'arriver. Souhaitez-vous le recevoir maintenant?

Georges Normandeau soupira à fendre l'âme. Il n'aimait pas plus Roland Martial que ce dernier ne l'aimait. La rencontre promettait d'être houleuse, mais elle devait avoir lieu, pour le bien du Québec. Il tendit la main, abaissa un petit levier et répondit:

— Vous avez le téléphone en main ou vous parlez par l'intercom de l'entrée? demanda-t-il à l'agent du SG4 en faction devant la porte.

— Première option, monsieur.

— Bien. Conduisez M. Martial au sous-sol, et demeurez avec lui jusqu'à ce que j'arrive. Je répète: ne laissez pas ce gars-là se balader seul dans mon bureau!

Il ferma l'intercom et respira profondément.

— C'est reparti… marmonna Normandeau en se levant de son fauteuil.

30

Bethleem Jordan était un homme qui ne se posait pas trop de questions. Il avait rapidement compris que dans la vie, elles aboutissaient le plus souvent à des problèmes précis. Commandant en chef des Forces armées canadiennes, Jordan était fort satisfait de sa personne et de son existence en général. N'avait-il pas, après tout, atteint le plus haut barreau de l'échelle ? Lui, le fils d'un fermier de la Saskatchewan ?

Il serait injuste de dire que Bethleem était imbu de lui-même, mais de l'avis de plusieurs, il surestimait considérablement ses facultés mentales, qui figuraient tout au bas de la liste des raisons pour lesquelles il avait été choisi pour ce poste. Naturellement, personne n'en soufflait mot, tout comme on passait sous silence la rapidité avec laquelle il avait grimpé dans la hiérarchie après avoir épousé la fille d'un général dont la réputation, même mort et enterré, lui avait ouvert bien des portes qui lui seraient restées fermées autrement. Il fit le boulot, toutefois, et personne n'eut à se plaindre de son rendement. Un jour, comme Alexandre devant l'étendue de son empire, il pleura, en marmonnant :

— Qu'est-ce que je m'emmerde…

Normandeau monta alors sur une certaine estrade, un soir de juin, et l'action revint au galop. Jonathan Roof lui-même fut impressionné de l'enthousiasme du chef de ses armées. De l'avis de Jordan, il n'y avait rien de pire que l'inertie pour tuer un homme. Il aimait bouger, penser à des actions à prendre, et être le dirigeant d'une armée qui ne se battait jamais l'attristait. Il éprouvait une certaine sympathie pour Roof, malgré son état de civil, et croyait qu'il était l'homme qu'il fallait pour redresser le pays. Mater ces maudits Québécois était l'ordre du jour pour le *Prime Minister*, mais il avait toujours veillé à ce que les crédits alloués à l'armée soient renouvelés et augmentés, ce qui en faisait un allié. Jordan n'avait aucune sympathie particulière pour les Québécois, mais il n'avait jamais compris pourquoi le Canada anglais leur refusait le droit d'être différents. Ils sont différents, bon Dieu ! Ils sont moins intelligents que nous, ne parlent pas la même langue et se marient entre cousins ! Pourquoi vouloir les retenir à tout prix ?

Par contre, le stratège en lui refusait de voir son pays scindé en deux par une bande d'illuminés, ce qui en compliquerait singulièrement la défense. Jordan n'en revenait toujours pas d'avoir appris qu'au Lac-Saint-Jean, au fin fond de cette province miteuse, on avait élu un roi. Un roi ! Je vous demande un peu…

Quoi qu'il en soit, il était payé pour obéir et agir. Il n'avait pas vu sa femme depuis deux semaines, et il ne comptait plus le nombre de vols qu'il avait dû prendre depuis. Celle-ci le croyait à Calgary pour une autre de ces réunions dont il ne pouvait parler, et il eut droit à quinze minutes de houle sur son cellulaire lorsqu'un petit débrouillard d'une obscure station de télévision câblée l'intercepta alors qu'il entrait au parlement par la porte de service, un reportage que sa femme n'avait pas manqué. Dieu merci, ce petit con ne l'avait pas filmé lors d'une visite rue Sussex, ce qu'il aurait eu beaucoup plus de mal à expliquer aux journalistes.

Seule Anne Jordan en aurait été tranquillisée, car s'il la trompait, Bethleem trouverait sûrement plus discret que la première dame du pays. Roof et lui avaient convenu de se rencontrer désormais dans un endroit plus discret, ou d'envoyer Simon Meyer faire le message, ce qui fit grimacer Jordan. Il n'aimait pas du tout ce jeune con prétentieux et son diplôme de sciences politiques à la noix. Il s'imaginait quoi, ce crétin ? Qu'on le laisserait en vie une fois tout ce bordel réglé ? « Prie pour que les Québécois votent Non, mon ami, parce que c'est ta seule chance de survie, pensa-t-il avec un demi-sourire. Tu en sais beaucoup trop pour ne pas avoir d'accidents… »

Si la GRC ne mettait pas la main rapidement sur le dossier *et* sur le fonctionnaire, Roof allait chercher un bouc émissaire. Jordan connaissait l'homme depuis assez longtemps pour savoir que si le bonhomme réussissait à rendre la nouvelle publique, le PM allait enterrer Meyer à côté du fonctionnaire. Bien que cela ne relève pas de son domaine d'action, Jordan s'était tenu informé de l'avancée de la chasse par un contact à la GRC. À l'heure où Elizabeth Converse rencontrait le messager Angus, sur le pas de sa porte, la voiture de Laverdure était découverte dans un stationnement longue durée, ce qui confirma la culpabilité de l'assistant au zonage dans la disparition du dossier.

Le zonage ! Non, mais, quelle connerie ! C'est l'assistant de Murphy qui avait soulevé la question, sans s'y intéresser vraiment, mais Roof l'avait pris au sérieux. Dans un excès de prudence, pour ne pas soulever de questions sur un sujet aussi trivial, il n'avait fait qu'attirer l'attention et augmenter la marge d'erreur possible, ce qui venait bien d'être prouvé. D'une façon ou d'une autre, Jordan y gagnerait en crédibilité, puisqu'il s'y était opposé.

Le sort de Laverdure, en revanche, l'intéressait beaucoup. Jordan ne l'aurait pas dit à haute voix, bien sûr, mais le fonctionnaire forçait le respect. S'il avait compris d'instinct sur quoi il venait de mettre la main, ce qui semblait bien être le cas puisqu'il avait levé les voiles (ce qu'aurait aussi fait Bethleem Jordan, et comment !), il fallait un sacré cran pour décider de prendre parti. Jordan était sincèrement désolé de ce qui lui arriverait forcément, parce que tout cela était le fait d'une erreur funeste et que la mort d'un homme qui avait travaillé pour son pays toute sa vie était pour lui une tragédie. Bethleem, toutefois, ne s'inquiétait pas tant de la mort du pauvre homme que de ce qui surviendrait avant.

La GRC avait l'ordre de le cueillir et de l'amener dans un entrepôt où l'attendraient Curtis Taylor et ses cinglés du SG4. Mieux valait ne pas imaginer ce dont ils seraient capables pour mettre la main sur leur bien ! Jordan avait assisté une fois à une des séances de torture du SG4, et il en était revenu profondément troublé, lui qui avait pourtant le cœur solide en la matière. Il espérait presque qu'au moment où les agents retrouveraient Laverdure, celui-ci les forcerait à le tuer, d'une façon ou d'une autre. Soyons un peu humains, pour changer…

Le téléphone sonna dans le silence du bureau où il s'était installé. Son contact de la GRC était en ligne :

— Ils viennent de coincer Laverdure à Montréal. Il n'avait pas les papiers sur lui. Ils le ramènent à Ottawa. Mark Murphy a fait prévenir Taylor par un de nos agents. Ils vont l'amener à sa mort, le pauvre vieux…

Jordan raccrocha sans saluer son interlocuteur, de la tristesse dans le regard. Dans le silence de nouveau rétabli, il murmura :

— Pas de chance, petit père… Vraiment désolé pour toi.

Bethleem Jordan, qui savait très bien qu'il aurait agi de la même façon dans la situation inverse, éteignit les lumières et alla s'étendre sur son lit. Il demeura longtemps immobile, à attendre en vain que le sommeil le prenne.

31

Elizabeth Converse se réveilla une heure après s'être endormie. Alors qu'elle aurait dû être abrutie par une journée de travail de près de vingt heures (elle avait dû se rendre, avant la manif de Saint-Hubert, à une réunion du Conseil de Westmount, soporifique), elle se sentait au contraire parfaitement lucide.

Une inquiétude grandissait dans son esprit. Pourquoi donc pensait-elle ainsi à sa voiture ? Elle se redressa dans son lit et chassa les derniers vestiges du sommeil. Quelques secondes plus tard, elle entendit qu'on tournait doucement la poignée de la porte d'entrée, comme pour vérifier la solidité de la serrure. Elle se leva d'un bond, ouvrit le tiroir de sa commode et en sortit le Glock 21 que son père avait tiré de sa collection pour le lui offrir lorsqu'elle avait quitté la maison. Un pistolet en porcelaine qui valait deux mois de son salaire, invisible aux détecteurs de métaux, n'était certes pas un cadeau de départ usuel, mais son père ne s'était jamais targué non plus d'être normal. Il avait ajouté, tout à fait sérieusement :

— Beaucoup de tarés se promènent dans le vaste monde, Elizabeth, et si j'ai pu remarquer quelque chose dans ma vie, c'est que les jolies femmes en attirent plus que leur content. Si cela devait se produire, ma chérie, tire d'abord et pose ensuite les questions. Jamais l'inverse.

Cette nuit-là, plus que n'importe quelle autre nuit de sa vie, Beth remercia le ciel d'avoir un père si original et clairvoyant. Où en serait-elle, à présent, si son paternel lui avait offert un ensemble de chambre à coucher, ou une décapotable ? Alors qu'elle se dirigeait vers la porte de sa chambre, elle glissa le chargeur dans la crosse du pistolet. Elle se souvint alors de ce qui clochait avec sa voiture. Elle n'avait pas bougé ! Lucien ne l'avait donc pas empruntée, ou n'avait pas eu l'occasion de le faire. Elle se rappela aussi les hommes planqués devant son appart, et cessa de se demander qui venait de faire glisser le pêne de la serrure et tournait de nouveau la poignée, avec plus de succès. Beth se glissa hors de sa chambre, sans un bruit, son arme à bout de bras, pour se placer en vue de la porte d'entrée, qui commençait à s'ouvrir lentement.

Une silhouette entra furtivement dans l'appartement, referma lentement derrière elle la porte d'entrée et se pencha pour déposer quelque chose qu'elle tenait à la main. C'est à ce moment précis que Beth lui colla son flingue derrière l'oreille et dit d'une voix aussi calme qu'assurée :

— J'espère que tu en as profité, parce que tu viens de vivre la dernière journée de ta vie de fasciste ! T'es pas mieux que mort…

Émilie s'évanouit sans un mot.

Quand celle-ci eut recouvré ses esprits, quelques minutes plus tard, Beth se confondit en excuses et tenta de lui expliquer sa rencontre avec son père, ce qui effraya encore plus la jeune femme. Ce qui amenait toutefois Émilie au bord de la panique (tout près ? On y était carrément, oui !) était de voir Elizabeth, son amie si calme et effacée, un revolver à la main, à poil. Seigneur ! Cette voix qu'elle avait eue, quand elle lui avait mis son arme contre la tempe !

Et son père ? Disparu ? Recherché par les services secrets et la GRC ? La douzaine de bières ingurgitées dans la soirée n'avaient pas altéré la rapidité d'esprit d'Émilie et elle démarra au quart de tour.

— Ce dossier ? C'est du solide ? Une raison suffisante pour lui faire du mal ?

— On n'en est pas encore sûrs. J'ai réveillé un collègue du bureau qui va chercher pour nous aux premières lueurs de l'aube. À première vue, sans nécessairement savoir où ça va nous mener, je dirais que c'est une sale histoire, oui. Ton père s'y est trouvé mêlé par accident.

Pour la première fois, le vernis de calme d'Émilie se fissura. Les larmes lui vinrent aux yeux, et elle demanda d'une toute petite voix :

— Ils ne vont quand même pas le tuer ?

Beth, qui savait que son amie était aussi au fait qu'elle de certaines irrégularités des instances gouvernementales chargées de notre sécurité, ne répondit pas à la question. Le téléphone sonna, et Émilie se jeta sur l'appareil.

— Papa ? Je… Oh, désolée… Une minute.

Elle passa le combiné à Beth, en retenant ses larmes. Le collègue du journal demanda d'un ton jubilatoire :

— Je te réveille ?

— Non, je ne dormais pas. Je suis passée à deux doigts de mettre une balle dans la tête de ma meilleure amie cette nuit. Ça réveille…

— Hein ? Dire que j'ai fait ces hosties de recherches-là cette nuit pour pouvoir te réveiller à mon tour. En tout cas, agent spécial Converse, c'est du beau boulot. J'ai su que tu étais une bonne journaliste quand j'ai vu le nombre de personnes qui ne t'aimaient pas au journal… Sérieusement, c'est du flair, ça, mademoiselle…

— Qu'est-ce que tu as trouvé ?

— Tu m'en dois une ! J'ai grillé deux contacts que j'aurais pu utiliser encore au moins dix ans pour t'avoir ce que tu voulais. Deux autres m'ont simplement rappelé pour me dire qu'ils ne trouvaient rien, ce qui signifie, dans leur cas, qu'ils ne souhaitaient rien trouver. L'argent ne venait pas de notre ami du ministère de la Défense ; je ne t'apprendrai rien. Par contre, tous ces beaux terrains ont été achetés avec l'argent du contribuable, prélevé sur des comptes qui, techniquement parlant, n'existent pas. Quarante-cinq millions de dollars sortis de nulle part. Par qui ? Par l'assistant personnel de M. Bethleem Jordan en personne, pardi !

— Bingo ! fit Beth, furieuse, qui voyait déjà la gueule de ce salopard s'étaler en pleine page.

— Plus important encore… Bien que tu ne m'aies rien demandé, je me suis informé auprès du ministère de la Défense. Mon contact est un homme qui pourrait bien remplacer Jordan, un jour, et il n'a entendu parler de rien. De rien. Ce n'est pas une blague… Si lui ne sait rien, c'est que seul Jordan est au courant ou qu'il s'agit d'une initiative personnelle de cet ami si cher à notre cœur, Jonathan Roof !

— Mon Dieu ! Écoute, je te rappelle demain matin. Va falloir qu'on discute.

— OK, Elizabeth, mais… Tu fais attention où tu mets les pieds, hein ? Ça sent mauvais, cette histoire.

— Je sais, tout le monde me le dit sans arrêt, fit-elle en raccrochant.

Au regard interrogateur de sa colocataire, elle répondit :

— Ton père s'est vraiment embarqué dans quelque chose de dangereux.

Émilie resta silencieuse, se demandant si elle allait oser demander à son amie ce service, sachant à quel point cette dernière n'aimait pas profiter d'un traitement de faveur. Finalement, la pensée de son pauvre père qui n'avait jamais fait de mal à personne, retenu contre son gré dans un endroit sordide, la décida :

— Beth, ça m'écœure de te demander ça, mais là, je ne vois vraiment pas quoi faire d'autre. Tu crois que tu pourrais… ?

— J'y ai pensé aussi, acquiesça Elizabeth, et il faut que je le prévienne de ce que l'on vient de découvrir de toute façon. Dire que je m'étais toujours promis de ne jamais faire ça… J'ai l'impression de travailler pour lui, parfois, quand je me sens mal de lui cacher quelque chose d'important. En tout cas…

Elle prit le téléphone et composa un numéro de mémoire. À l'autre bout du fil, une voix de femme ensommeillée, celle de Louise Normandeau, répondit :

— Résidence du premier ministre…

— Bonjour, ma tante, dit Beth. Tu peux réveiller Georges, pour qu'il vienne au téléphone ? C'est vraiment très important.

En attendant que le frère de sa mère vienne à l'appareil, elle adressa à Émilie une grimace de résignation qui fit sourire la jeune femme à travers ses larmes.

32

Lucien Laverdure, dans sa joie d'avoir trouvé un moyen de transport, n'avait pas oublié les hommes stationnés devant chez Beth, mais il lui fallait quand même parvenir jusqu'à la voiture. Quand il vit une portière s'ouvrir, il comprit qu'il l'avait dans l'os et fit demi-tour à toute vitesse. Les agents de la GRC, en meilleure forme que lui, le rattrapèrent en trois minutes de course qui ne les laissèrent même pas essoufflés. Lucien se trouva plaqué contre une voiture avec tant de force qu'il en vit des étoiles. Quatre mains le fouillèrent avec précision avant de lui arracher sa mallette. Vidée sur le capot de la plus proche voiture, elle ne révéla rien d'intéressant, au grand dam des hommes de Murphy. Celui qui avait conseillé à son collègue de se tenir loin d'Elizabeth Converse imprima une nouvelle secousse à Lucien, l'envoyant une fois de plus contre la portière.

— Où est le dossier ? fit-il, menaçant.

— Quel dossier ? grogna Lucien, que l'avant-bras de l'agent empêchait de respirer correctement, et à plus forte raison de parler.

— Comme vous voudrez, monsieur, intervint le second agent en l'agrippant solidement par le bras, tout en prenant la direction de leur voiture banalisée.

Lucien tenta bien une dernière fois de leur échapper, se propulsant contre l'un de ses anges gardiens, qu'il réussit à surprendre durant une seconde, mais le deuxième des hommes de Murphy, plus éveillé que son confrère, le ramena par son col de chemise, manquant de peu de le faire basculer sur le dos.

Les deux comparses l'entraînèrent vers son point de départ, devant chez sa fille, et le poussèrent tête première dans la voiture. L'un des deux hommes le suivit sur la banquette arrière et le menotta. Lucien demanda précipitamment :

— Qu'est-ce que je vous ai fait ? Que me voulez-vous ? Je n'ai rien à voir avec quoi…

— Ta gueule, vieux con, répliqua vivement le conducteur en se retournant vers son passager. J'étais tranquillement en train de baiser une jolie petite femme quand on m'a tiré du lit pour te courir après. Alors, ta gueule ! Je ne veux pas t'entendre avant Ottawa !

— Oh, merde, gémit Lucien. Vous n'allez pas me ramener à Ottawa ?

Vif comme l'éclair, le chauffeur détendit le bras et balança son poing dans la figure de Laverdure, qui partit en arrière avec un cri.

— J'ai dit : je ne veux pas t'entendre respirer jusqu'à OTTAWA !

L'agent qui était assis près de Lucien lui tendit son mouchoir pour essuyer le sang, tout en sortant un téléphone cellulaire de sa poche. À l'autre bout du fil, Mark Murphy grommela :

— Oui ?

— On a chopé l'oiseau, monsieur, mais il a pas de quoi chanter.

— Voulez-vous bien me dire qui peut trouver de telles âneries comme code ?

— C'est pas moi, monsieur, répondit l'agent, en tentant de masquer son amusement. Il n'avait rien sur lui.

— Bien. Ramenez-le à la maison, mais vous ne ferez que déposer le paquet quelque part. J'assurerai moi-même le suivi. Les hommes du SG4 s'en chargeront.

Dans la voiture, l'homme de la GRC murmura « SG4 » à son collègue, et les deux hommes eurent un regard navré pour Lucien, qui n'en fut que davantage terrifié. Après que son comparse eut coupé la communication, l'homme qui l'avait rudoyé demanda à Laverdure, presque gentiment, s'il désirait un café. Il tourna la tête vers son prisonnier et dit :

— J'ignore où t'es allé te fourrer, mon vieux, mais j'espère que tu as des réponses à leurs questions. Si j'étais toi, je parlerais rapidement, parce que tu vas de toute façon parler, après un moment. Entre les pattes du SG4, ils parlent tous… Évite-toi de trop souffrir, si tu crois qu'ils ne te laisseront pas repartir.

C'est la résignation dans le ton de son geôlier qui réduisit à néant ce qui restait de combativité en Lucien Laverdure. Il baissa les yeux et pleura silencieusement en pensant à sa fille qu'il n'aurait pas eu le temps de revoir, finalement. Quelques heures plus tard, la voiture pénétrait dans le stationnement d'un entrepôt du quartier industriel d'Ottawa, et venait s'arrêter devant des portes de chargement. Un homme d'une quarantaine d'années en sortit, habillé d'un costume noir. Ses lunettes renvoyèrent un reflet qui n'empêcha toutefois pas les hommes de Murphy de croiser le regard dur du nouvel arrivant. L'un des deux agents ne put retenir une exclamation de surprise.

— *Man*, je ne sais pas ce que tu as fait, mais là, ce n'est vraiment pas bon ! Vraiment pas ! Ce gars-là n'a pas tant l'air d'un agent que d'un patron ! Prie le ciel qu'il ne s'occupe pas personnellement de toi parce que…

La phrase s'éteignit sur ses lèvres en voyant l'homme qui avançait maintenant un peu en retrait de Taylor. Son visage lui était familier, bien qu'il ne parvînt pas à mettre un nom dessus. Il fouilla ses souvenirs sans parvenir à faire remonter quoi que ce soit, et se désintéressa de la question.

(Par les mystères des méandres du cerveau, cela lui reviendrait deux ans plus tard, alors qu'il fêterait les neuf ans de sa fille et que cela n'aurait plus aucune importance : à ses débuts à la GRC, il avait effectué deux missions avec un nouveau des SSC appelé John Myers, l'un des premiers pseudonymes du directeur adjoint du SG4. Le souvenir n'était pas remonté parce qu'il avait assisté à l'enterrement de Myers, qu'il trouvait sympathique, et qu'il y avait fort longtemps qu'il n'avait pensé à son collègue, liquidé par son propre gouvernement. Avec un chapeau pointu ridicule sur la tête, cet après-midi-là, il éclata d'un rire joyeux en se rappelant l'homme qui marchait, décontracté, derrière Curtis Taylor. Ce con de Myers !)

Pour l'heure, les deux hommes se contentèrent de sortir Lucien de la voiture et l'amenèrent vers les nouveaux arrivants. Martel, qui avait parfaitement reconnu son ancien collègue, hocha la tête mais ne dit pas un mot. Il avait dû louer un petit avion pour revenir en hâte de Longueuil et être à temps aux côtés de son patron, mais l'entrevue avec Fontaine et Trudeau avait été constructive. Taylor remercia les deux hommes et les renvoya vers Murphy. Jetant un coup d'œil par-dessus son épaule alors qu'il repartait, un des agents vit que plusieurs hommes attendaient Lucien à l'intérieur. Il pesta, comme il le faisait parfois, contre son métier, qui ne lui laissait pas toujours exactement l'impression qu'il défendait la veuve et l'orphelin, mais plutôt le sentiment qu'il en créait… Il vit sur le visage de son ami la même résignation.

Martel et Taylor encadrèrent Laverdure et le menèrent vers une pièce du sous-sol, insonorisée. Quatre agents des

SG4 les précédaient, sélectionnés minutieusement. Laverdure ne se faisait plus aucune illusion quant à ses chances de sortir de ce bâtiment en vie. Dans la pièce l'attendait un lourd fauteuil de barbier, comme on en trouvait il y a encore trente ans dans les salons de coiffure. Deux paires de menottes y avaient été ajoutées, qui ne devaient pas figurer sur le modèle de base. Lucien se trouva enchaîné par les mains et les pieds et ne put plus bouger qu'avec difficulté. Taylor se dressa devant lui, menaçant. Il semblait énervé et parlait fort.

— Où avez-vous caché ce dossier ?

Autant retenter le coup, se dit Lucien.

— Quel dossier ? fit-il, l'air idiot.

Taylor fit signe à Martel qui lui envoya son poing à travers la figure.

« On voit qu'ils sont tous formés au même endroit ! », songea Laverdure avec amertume en recrachant du sang.

— Je ne passerai pas ma soirée à vous poser la même question, M. Laverdure, soyez-en assuré. Quand j'en aurai assez, je pourrais décider de trouver l'information d'une autre façon, et vous ne me serez plus alors d'aucune utilité. Je répéterai donc ma question, monsieur : où avez-vous caché ce dossier ?

— Je vous assure que j'ignore totalement de quel dossier vous parlez…

Taylor refit signe à Erik qui frappa de nouveau. Taylor semblait enragé, ce qui étonna beaucoup ses hommes, car il était d'un calme légendaire. Il se tourna vers eux et leur cria :

— Sortez ! Je vais m'occuper de ce monsieur, et je vous garantis qu'il va chanter tout ce qu'il sait avant longtemps !

Ses hommes sortirent en réprimant un frisson. Quand le patron était dans cet état, impossible de savoir de quoi il était capable. Ils ne tenaient pas spécialement à y assister. Quand la porte fut refermée, Taylor, plus calme, dit à Martel :

— Allez, au boulot !

Deux heures plus tard, Mark Murphy arriva pour venir constater l'avancée de l'interrogatoire. Un agent du SG4 vérifia son identité, le conduisit devant la porte du sous-sol et dit au directeur de la GRC :

— Moi, je ne veux pas voir ça… Cognez et entrez, monsieur.

La porte s'ouvrit alors sur un spectacle que Mark Murphy n'oublia jamais. Il réprima un haut-le-cœur et s'avança vers Taylor, qui l'accueillit même s'il n'avait en fait rien à faire là. En voyant Martel envoyer un direct dans l'estomac de Lucien, Murphy ne put s'empêcher de crier :

— Jésus ! Mais lâchez-le ! Pensez-vous qu'il aurait enduré tout cela sans vous le dire, s'il avait su quelque chose ?

Lucien était à moitié mort sur sa chaise, affaissé en avant sous le dernier coup de poing qu'il avait reçu. Son visage était strié de fines lignes de sang, résultat des incisions pratiquées au niveau du visage, là où c'était le plus douloureux. Ses pieds avaient subi le même traitement. Ses yeux étaient tuméfiés, et l'un des deux ne s'ouvrait plus qu'avec difficulté. Il avait, sur son torse dénudé, des traces de brûlures de cigarettes dont une se consumait encore dans un cendrier posé à proximité. Il avait les mains et le cou couverts de sang, et un hématome bleu noir s'élargissait à la hauteur de ses côtes, signe probable de la fracture de l'une ou de plusieurs d'entre elles.

— Justement, dit Taylor avec un sourire qui fit peur à Murphy, il ne nous a rien dit. Je commence à croire qu'il y a quelqu'un, chez vous, qui s'est sérieusement mélangé les pinceaux. Si c'est le cas, et si j'ai eu à faire ça pour rien, des têtes vont rouler, mon bon M. Murphy.

— Merde ! cria l'autre, sur le point de vomir. Si vous ne vous amusiez pas à les abîmer comme ça, on aurait peut-être une chance de les remettre en circulation, en cas d'erreur.

— Hypocrite, dit doucement Martel, derrière lui, et le directeur de la GRC se retourna vers lui d'un bloc, offensé.

— Pardon ?

— Hypocrite, répéta Martel courtoisement. Vous n'aviez aucune intention de le laisser en vie et personne n'aurait eu à se salir les mains si vos employés savaient lire et remettaient les dossiers aux personnes *ad hoc*. Et ne nous regardez surtout pas avec cette horreur dans les yeux, môssieur, parce que vous nous l'avez envoyé précisément pour ça. En fait, ce beau gouvernement démocratique nous PAIE pour ça… Alors si vous souhaitez rester, demeurez poli.

— Bon, reprit Taylor. Il ne sait rien et il n'est plus en état de quoi que ce soit. Vous souhaitez le finir vous-même ? fit-il, en lui tendant une arme que Martel lui avait glissée dans la main.

Murphy eut une mimique horrifiée.

— Non, mais ça va pas ? C'est votre job, Taylor, et c'est une sale job ! Vous le ferez vous-même et vous attendrez que je sois parti pour ne pas me mêler à ça. Je n'ai jamais entendu parler de ce type !

Lucien releva lentement les yeux et les planta dans ceux de Murphy. Il cracha, en même temps que son sang :

— Votre faute…

Et sa tête retomba sur sa poitrine, ce qui acheva la résistance du directeur de la GRC, qui en avait assez vu.

— Achevez ce pauvre bougre, bon Dieu ! dit-il en ouvrant la porte pour sortir.

Avant que la porte ne se referme complètement, pour ne pas laisser à Murphy la grâce de l'insonorisation, Martel pointa son arme vers Lucien et tira à trois reprises.

33

Marcus Fontaine et Benny Trudeau se regardaient, sans mot dire, à travers le salon de l'appartement de Marcus. Nul n'avait prononcé une parole depuis le départ en coup de vent d'Erik Martel, une demi-heure auparavant. Benny avait encore sur le visage l'expression de surprise qui s'y était affichée après que Martel leur eut dévoilé la raison de sa visite. Martel les avait ramenés dans sa Porsche quelques minutes après la fin du discours de Fontaine, car Curtis Taylor l'avait appelé pour lui dire que les choses se précipitaient dans le cas du dossier disparu. Le supérieur de Martel s'était attendu à ce que Laverdure échappe à ses poursuivants durant au moins vingt-quatre heures, et il l'avait donc envoyé sans inquiétude sur la Rive-Sud de Montréal. Il devait maintenant revenir au plus sacrant, sans demander d'explications.

Une heure avant l'appel de Taylor, Martel avait expliqué aux deux hommes une partie du plan de Jonathan Roof, et leur avait parlé des mesures qu'il fallait prendre de toute urgence. Si ce con de Noé était parvenu à bâtir son arche avant le déluge, rien ne leur interdisait de faire de même. Fontaine et Trudeau furent, comme l'agent du SG4 s'y attendait, parfaitement outrés et leur aîné ne tenta pas d'endiguer leur indignation, car il avait besoin de ces hommes motivés. Martel aurait très bien pu se charger lui-même de l'opération qu'il ne ferait que superviser, mais puisque Curtis n'avait pas encore sélectionné la demi-douzaine d'agents nécessaires à la suite des opérations, il se trouvait surchargé de travail.

De plus, Marcus et Benny, en cette époque de trouble et d'espoir, étaient devenus des visages publics très appréciés de la masse, et ils pourraient accomplir plus rapidement, grâce à leur célébrité nouvelle, les tâches dont Martel espérait les charger. Michel Beaulieu, dans un éditorial de *La Presse* intitulé humoristiquement « Mais où est donc Paul Piché ? », les avait même classés parmi les leaders de la révolution souverainiste, alors que des artistes connus pour leur sympathie à la cause n'y figuraient même pas. L'article datait de la veille, et Benny Trudeau l'avait lu une bonne demi-douzaine de fois depuis. Même Benny, dans son enthousiasme délirant, trouvait que le journaliste en avait beurré épais. Fontaine avait quant à lui reçu un appel de son père, tout fier de lui annoncer que le curé de leur paroisse l'avait cité comme un exemple de détermination, ce qui l'avait sidéré, lui qui n'avait rencontré le bonhomme qu'à son baptême. La liste des leaders, chez leurs adversaires, était sensiblement plus courte, et Paul Fiersen y figurait en bonne place, à la grande satisfaction de celui-ci, qui s'était pris au jeu.

Martel ne leur avait pas doré la pilule non plus. Il n'avait jamais, de toute sa vie, criminelle comme professionnelle, engagé quelqu'un sans lui expliquer clairement dans quoi il s'embarquait. Ce n'était pas tant une marque de respect qu'une assurance contre la panique provoquée par un événement inattendu. La seule fois où il avait tenté de passer outre pour sauver du temps, une erreur de son subordonné l'avait obligé à se terrer durant six heures dans un trou rempli de boue, dans une forêt près d'un bled nommé

Jacksonville, en Saskatchewan. Le jeune con, lui, n'avait malheureusement pas trouvé de trou où se cacher, et Martel avait dû enterrer son cadavre avant de rentrer en stop.

Une des raisons qui poussait Martel à demander le concours de Trudeau et Fontaine était fort simple : il aimait bien leurs gueules. Tout juste entrés dans l'âge adulte, alors qu'ils ne comprenaient manifestement pas la portée de leurs actions, ils avaient réussi non seulement à organiser les plus grosses manifestations de la région de Montréal, mais à se fabriquer, bien malgré eux, une image. Martel était en train d'expliquer le potentiel de Fontaine à Curtis Taylor, deux jours auparavant, lorsque Benny et lui étaient apparus à l'*Information* pour la seconde fois en une semaine. Avec un geste triomphal, Martel s'était écrié :

— Là ! Tu vois ? Curtis, je te le dis : ils ont un petit quelque chose de plus. Ils sont passés, ensemble ou séparément, à sept émissions de télévision cette semaine, dont quatre figurent au top cinq francophone des cotes d'écoute. Tout ça sans publicitaire, sur la seule force de leur foi, et en organisant parallèlement la plus grosse manif de la semaine ! Merde, un des deux n'avait même pas d'opinion sur la question il y a seulement deux semaines, tu imagines ? Si un manutentionnaire qui se croit écrivain et un sans-abri à moitié alcoolique ont pu réaliser tout ça, imagine !

— Dis donc, répondit Taylor avec son demi-sourire habituel, on dirait presque que tu t'es choisi un camp…

— *Ah come on, Curtis*… C'est toi qui me dis ça ? Toi qui risques ta vie une fois à la minute, depuis quelque temps ? Tes rencontres avec Normandeau, c'est ta tête sur le billot chaque fois, vieux… S'il fallait que qui que ce soit te reconnaisse, on ne saurait jamais assez rapidement que tu es démasqué pour te sauver la peau, et c'est quelque chose qui peut se produire, tu le sais mieux que quiconque. Ton visage n'est pas très connu, mais il suffira que tu en croises un qui travaille du mauvais côté de la barrière pour que les choses tournent mal. Tu le fais pour sauver la vie de beaucoup de gens et je t'ai suivi une fois de plus pour les mêmes raisons. On peut raconter ce qu'on voudra devant les autres, Taylor, mais ça reste nos terres et notre peuple. Dans un débat démocratique, nous aurions peut-être eu le luxe de choisir, mais ce n'est jamais le cas. Au fond, on fait tout ça parce que nos mères ont fait de nous de bons garçons, conclut-il en souriant largement.

— Arrête, fit Taylor en l'imitant, tu vas me faire pleurer… Jusqu'à sa mort, ma mère a pensé que je travaillais pour une société d'informatique.

— Non ? fit Martel, qui était toujours passionné par les rares histoires personnelles que lui racontait son patron, qui ne se livrait pratiquement jamais. Tu mentais à ta maman, toi ? Tu avais pourtant l'air d'un type bien, fit-il en éclatant de rire.

— C'était mieux que de rentrer et de lui raconter ma journée au travail, non ? "Aujourd'hui, maman, j'ai tiré dans le foie d'un homme qui tentait de m'enfoncer un couteau dans l'œil. Je vais aller faire un somme ; je suis un peu fatigué. Qu'est-ce qu'on mange pour souper ?"

Jetant un coup d'œil sur le visage photogénique de Fontaine, à l'écran, il reprit :

— OK, tu as mon accord, mais… tu ne veux tout de même pas les enrôler, non ? De la publicité, ça va, mais tu n'en feras pas des soldats si ça t'est possible de l'éviter.

— Ah, moi, je veux bien, fit Martel en écartant les mains, paumes en l'air, mais s'ils choisissent d'eux-mêmes, je ne les découragerai pas non plus. Le petit Trudeau serait prêt à combattre le 22e Régiment armé d'une cuiller ! C'est de ce genre de type dont nous avons besoin.

Martel revint à la réalité et se leva pour prendre congé de ses hôtes. Avant même qu'il n'ait ouvert la bouche, Marcus dit simplement :

— C'est d'accord, M. Martel. Je marche avec vous.

— Et moi donc ! enchaîna Benny à sa suite.

Pour la première fois depuis des années, Erik se sentit vraiment fier d'être Québécois.

— Je ne vous dirai pas que ce sera agréable, messieurs, mais ce sera très utile.

— Encore heureux, grommela Fontaine.

Martel était alors sorti et les avait laissés sous le choc, réfléchissant à cent à l'heure.

Ce fut Benny qui rompit finalement le silence.

— Bout d'christ ! Veux-tu bien me dire ce qu'il y a dans l'air ces temps-ci ? Il y a deux semaines, je dormais dans un parc ; la semaine dernière, j'étais la coqueluche des médias et me v'là maintenant comme cul et chemise avec un agent secret !

Il secoua la tête, ébahi devant les mystères de l'existence, et ne trouva rien de plus spirituel à dire que de répéter :

— Bout d'christ…

34

Georges Normandeau était assis dans une petite pièce attenante à sa chambre et tenait le téléphone d'une main nerveuse. Il était maintenant tout à fait réveillé, et les nouvelles apportées par sa nièce lui démontraient clairement qu'il venait de tomber sur un point qui n'avait pas été discuté devant Curtis Taylor. La disparition de Lucien Laverdure ne le laissa pas de marbre, mais il ne voyait pas vraiment comment éviter à ce dernier un interrogatoire serré s'il avait déjà été capturé.

Il ne souscrivait pas à l'idée que Laverdure était réellement en danger, mais il n'avait pas encore pris connaissance du dossier dans son intégralité. Il avait eu, quelques heures auparavant, une discussion avec le directeur du SG4 à propos de ce dossier et de ce qu'il pouvait contenir de si important pour que la GRC déploie ses troupes, ce dont avait été averti Taylor à la seconde où la décision avait été prise, par un de ses contacts. Roof ne lui avait pas donné d'ordre direct, mais il avait confié le soin à Murphy de s'assurer que Taylor mènerait les choses à terme, si tout ne se passait pas comme prévu. Ils savaient maintenant ce que contenait le dossier, mais comme Normandeau ne pouvait joindre Curtis Taylor rapidement sans le mettre en danger, il décida donc d'attendre le matin pour le prévenir.

— Ça regarde mal, Georges, murmura sa nièce au bout du fil, le ramenant à la réalité.

— Je ne te le fais pas dire…

— Et en ce qui concerne le père de mon amie, mon oncle?

— Je vais voir ce que je peux faire, mais il est un peu tard pour agir maintenant. J'aurais pu les faire intercepter avant qu'ils n'atteignent Ottawa, si c'est bien là qu'ils vont, mais le fait est qu'on n'en sait rien. C'est vraiment inquiétant, cette histoire, selon toi?

— Oh, oui, même si j'ignore le plan d'ensemble.

« Si tu savais, mon chou… », pensa le premier ministre.

— Je compte sortir ça demain matin au plus tard. Ça va être une bombe!

— Non! s'écria son oncle avec vigueur. Ne fais pas ça, Elizabeth!

— Tu sais ce que je pense de ça, mon oncle…

— Attends un peu, ma petite maudite! C'est pas moi que ça va servir, que tu étouffes ça un peu! Tu imagines le vent de panique que ça pourrait soulever?

— Mais justement! Pourquoi crois-tu que je fais ce travail, à la fin?

Une idée vint subitement sauver Georges Normandeau et arranger la situation, Il proposa d'un ton matois:

— Sais-tu, ma grande, je crois qu'on va pouvoir s'entendre… J'ai un *scoop* dix fois plus juteux pour que tu fasses le *front* de demain et toi, tu me gardes cette histoire au frais jusqu'à la veille du référendum. *Deal?*

— OK, *deal!* On parle de quoi?

— Alors là, ma fille, fit Normandeau avec un rictus vengeur, tu vas en tomber sur le cul!

Normandeau raccrocha quelques minutes plus tard pour réveiller Réjean Morin chez lui, à Montréal. Le chef du service de police ne mit que quelques secondes à comprendre qu'il s'agissait d'une affaire de la plus haute importance. Sa femme grogna :

— Veux-tu ben me dire quel maudit insignifiant appelle au beau milieu de la nuit, ?

— Oui, monsieur le premier ministre, dit Réjean Morin, et sa femme piqua un fard avant de s'étendre de nouveau sans un mot. Oui, monsieur, je m'y rends moi-même immédiatement. Vous voulez que je lui en fasse une photocopie ? fit-il, tout étonné. C'est n'est pas habituel, monsieur, et n'est-ce pas un peu risqué que… Oh ! Un accord, je vois. Bien, M. Normandeau. J'y vais tout de suite avec ma propre voiture.

Normandeau raccrocha et se laissa tomber dans le fauteuil qui était le seul meuble de la pièce avec la table du téléphone. Il lui tardait de joindre Taylor, qui n'était pas à son domicile. Il ne pouvait l'appeler sur son téléphone portable sans demander une ligne sécurisée, ce qui aurait encore plus attiré l'attention. Le directeur des services secrets finirait bien par rentrer chez lui ou appeler. Il avait peur de ce que contenait ce dossier, mais il était surtout abasourdi par la chance insensée qu'il avait. Combien y avait-il de possibilités que le dossier soit remis à la mauvaise personne ? Que celle-ci réussisse à le faire parvenir à un journaliste ? Que la journaliste soit sa nièce ? C'était invraisemblable, mais en même temps, curieusement logique. Il aurait le dossier entre les mains dans trois heures au plus tard.

Il fallait maintenant penser à l'autre tordu, celui qui leur avait permis de mettre la main sur ce dossier. Qu'avait dit sa nièce, déjà ? Que le SG4 ou la GRC l'attendait devant chez elle ? Sûrement la GRC, puisque Taylor n'aurait pas accepté de se charger de lui en sachant pourquoi on le lui avait amené. Quoique… Il ne nourrissait pas réellement d'inquiétude quant au camp qu'avait choisi son nouvel allié, mais que savait-il de lui, en réalité ? *Nada*. Murphy, à l'heure actuelle, ne devait plus ignorer que la fille de son suspect habitait le même appartement que la nièce du PM, mais il n'oserait jamais s'approcher d'elles. Normandeau serait parfaitement capable de le faire passer par les armes dans la cave insonorisée d'un bâtiment administratif sans en ressentir le moindre remords, s'il s'y essayait. La cause était plus importante que tout. Pour son fils comme pour beaucoup d'autres. Il crèverait à la tâche, s'il le fallait.

— Georges, fit une voix depuis sa chambre à coucher, tu viens dormir ?

— Dormir ? fit-il, les yeux plissés par la concentration. C'est quoi ça ?

En s'étendant à côté de son épouse (« Le jour où je ne dormirai pas collée à mon mari, avait confié Louise Normandeau à sa belle-sœur, c'est que j'aurai un oreiller de satin sous la tête et la moitié du couvercle d'un cercueil refermé sur les jambes. »), Georges Normandeau prit soudain conscience de l'énormité de ce qu'il allait accomplir, si les Québécois montaient dans le train à sa suite. Seigneur ! Un pays ! Vous vous rendez bien compte, amis et voisins ? Le petit gars de Cowansville, à qui Agathe Desbiens avait un jour refusé une sortie sous prétexte qu'il était laid, allait être le premier à proclamer l'indépendance du Québec ! Au diable la Desbiens ! Dans le cas contraire, qu'il n'effleurait jamais qu'en pensée et dont il ne parlait jamais, il ferait comme Parizeau et enverrait tout le monde se faire foutre. De quel droit avait-on exigé de Jacques des excuses pour n'avoir dit que la vérité ? Ce salopard de

Murphy était intervenu lui-même auprès des responsables, à l'Immigration, et on eût dit, durant les deux mois qui précédèrent le référendum, qu'un festival des opprimés avait été organisé aux douanes. Combien de milliers de votes ainsi acquis ? Allez savoir...

Il songeait à Roland Martial, qu'il n'aimait décidément pas, en glissant vers le sommeil. Il l'aurait volontiers remplacé et il s'en voulait de ne pas avoir eu la présence d'esprit de le faire avant l'annonce du référendum. À présent, un renvoi, ou même un simple changement de poste, pourrait être interprété de dix manières différentes, dont aucune ne lui serait profitable. Bah ! Une fois l'indépendance gagnée, il serait libre, en tant que chef d'État, de faire ce que bon lui semblerait sur ce plan, et sur bien d'autres encore. Non mais, quelle libération ce serait de pouvoir sortir du système pénal canadien complètement arriéré !

Et les impôts... Si on déchargeait le contribuable d'une taxe de presque huit pour cent et qu'on éliminait carrément les impôts fédéraux, ils pourraient augmenter presque sans problème les leurs de trois ou quatre pour cent, et tout le monde y serait gagnant ! Sa dernière pensée, en sombrant dans le sommeil, fut pour les quatre pour cent d'avance que détenait son clan.

Dix minutes plus tard, un agent de la GRC à qui Normandeau avait demandé de s'informer discrètement sur Lucien Laverdure le réveilla pour lui annoncer que leur homme était mort.

35

John Roof était une fois de plus contrarié. Le directeur de la GRC, assis devant lui, adoptait un profil bas. Il venait d'annoncer au premier ministre que non seulement le SG4 n'avait pas remis la main sur le dossier, mais que le fonctionnaire qui l'avait dérobé avait résisté à tout interrogatoire.

— Menacez-le de le tuer ! Il va bien finir par parler !

De plus en plus rouge, Murphy s'agita sur son siège.

— C'est qu'il est déjà mort, Jonathan. De plus, dans l'état où il se trouvait, il ne devait souhaiter que cela.

Roof, que la violence dégoûtait, eut un hochement de tête songeur.

— Mais il n'a pas remis le dossier à un tiers, n'est-ce pas ? Vos hommes l'auraient vu.

— C'est que… fit Mark Murphy, vers qui le PM se lança comme une bête.

— QUOI ? hurla-t-il.

— La fille du suspect travaille à l'*Information*…

— C'est pas vrai ! s'exclama Roof.

— Ce n'est pas elle la plus inquiétante ; elle n'y était pas quand son père est venu. Sa colocataire, par contre, est entrée et ressortie aussitôt, pour aller durant une heure dans une gargote du bas de la rue.

— Elle avait faim… Et alors ?

— Je ne crois pas, monsieur. Le suspect est sorti plus tard du même restaurant et la demoiselle est journaliste au *Provincial*.

— J'y crois pas, ciboire ! C'est un cauchemar, cette connerie ! Est-ce que le portier possédait aussi Radio-Can, un coup parti ? Enfin, fit-il en se calmant un peu, ce n'est pas encore tragique. On intercepte la journaliste et on lui confisque le tout sans trop la brusquer, avant qu'elle n'ait le temps de monter sur ses grands chevaux. Envoyez des hommes à ses trousses et ramenez-la !

— Je ne peux pas, fit le directeur de la GRC en regardant ses chaussures.

— Et pourquoi, si je peux me permettre de le demander ? demanda le premier ministre du Canada d'un air las.

— C'est la nièce de Georges Normandeau, Elizabeth Converse.

Roof eut envie de pleurer mais se contenta d'envoyer Murphy, qui tenait tout juste sur ses pieds, faire un somme chez lui pour que sa femme et ses enfants sachent qu'il était encore en vie.

Il était évidemment hors de question de tenter quoi que ce soit à propos d'Elizabeth Converse. Normandeau partirait alors en guerre pour de bon. Même si la gamine comprenait et rapportait ce qu'elle avait appris à son oncle, celui-ci n'y comprendrait rien de précis, faute de connaître le plan. C'était tout de même fâcheux.

Il s'inquiétait tout autant de la fille de Laverdure, qui pouvait faire passer un message par Mathieu Sinclair à un million de francophones chaque soir. Un kidnapping de la grosse et méchante GRC ne les aiderait sûrement pas à maintenir le *statu quo*. « Quelle chierie », pensa-t-il. Tout ça s'était produit à cause de Meyer ! Si ce larbin avait récupéré le dossier plus rapidement, aussi !

De plus, son mariage était en chute libre. Il le déplorait sincèrement, car il aimait sa femme, mais il ne savait comment lui expliquer qu'une charge de premier ministre se marie mal avec une vie de famille. Chaque jour, il la voyait s'éloigner un peu plus, et la seule chose qui pouvait le convaincre qu'elle n'avait pas pris un amant était les deux gardes du corps qui la suivaient partout, à condition qu'elle ne se les fasse pas. Ils avaient depuis un moment déjà dépassé le point de non-retour, et Maggie Roof avait mis cartes sur table quelques jours auparavant.

Le regardant au-dessus du steak qu'elle n'avait pas entamé, elle avait dit froidement :

— Jonathan, il faut bien se rendre à l'évidence. On vieillit parallèlement, mais on ne se rejoint plus. Nous avons tout juste cinquante ans, et c'est encore possible d'être heureux séparément. Je suis restée beaucoup plus longtemps que je ne l'aurais dû par respect pour ta carrière. Je suis si fière de toi, si tu savais… Je vais rester jusqu'au référendum pour ne pas te nuire, mais ensuite, il te faudra assurer seul tes campagnes. J'ai assez souri aux journalistes pour le restant de ma vie.

— Mais…

Il tenta de trouver quelque chose à dire, mais elle l'arrêta d'un geste sec, en levant la main comme si elle avait affaire à un enfant d'école.

— Aucun besoin d'en discuter, Jonathan. On savait tous les deux vers quoi on se dirigeait, n'est-ce pas ?

— J'imagine…

— Voilà. C'est dit et bien dit. Je voulais t'offrir le temps de mettre tes vautours au parfum pour assurer la suite du programme.

— Trop aimable, grogna-t-il, alors qu'elle sortait déjà de la pièce.

Le voyage aurait peut-être assoupli la rigidité de Maggie Roof, mais ce foutu référendum avait tout jeté par terre. Merci, Georges Normandeau, espèce d'enculé ! Il se dirigea vers sa chambre à coucher et découvrit en chemin qu'il n'avait plus du tout sommeil. Son réveil indiquait près de cinq heures du matin. « Autant s'y remettre », pensa-t-il sans entrain. Il découvrit avec stupeur qu'à cette minute précise, il se foutait comme d'une guigne que les Québécois obtiennent leur indépendance, mais il savait que cela lui passerait quand le soleil, qui s'annonçait à peine, brillerait un peu plus haut dans le ciel.

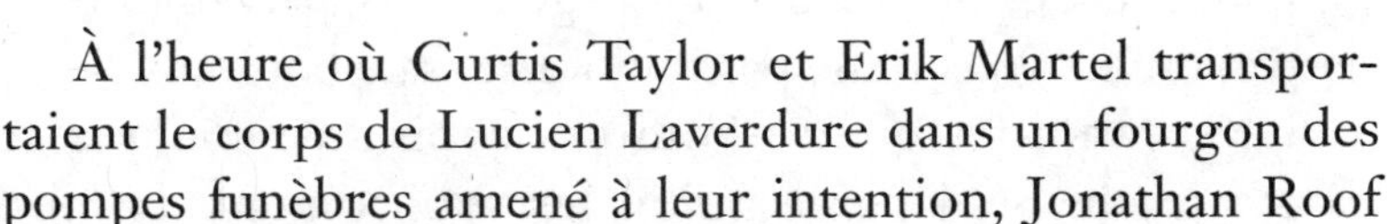

À l'heure où Curtis Taylor et Erik Martel transportaient le corps de Lucien Laverdure dans un fourgon des pompes funèbres amené à leur intention, Jonathan Roof s'assit derrière son bureau et attaqua une autre journée de travail.

36

Erik Martel remercia poliment l'agent qui leur tenait la porte alors qu'ils s'acharnaient à sortir le cadavre de Lucien Laverdure de l'entrepôt.

« Quel homme, pensa l'agent en regardant Taylor peiner pour transporter le lourd quinquagénaire. Parlez-moi d'un patron qui ne vous refile pas toujours le sale boulot ! »

Le second des quatre hommes choisis ce soir par le directeur du SG4 parce qu'on les soupçonnait de faire rapport à d'autres agences, ouvrit les portes arrière du fourgon noir marqué aux armoiries d'une maison funéraire qui appartenait en fait aux services secrets. Ses trois collègues l'attendaient dans une voiture, qui partit aussitôt qu'il y prit place. Ils avaient reçu l'ordre de prendre deux jours de congé, ce qui leur fit apprécier encore plus, si possible, leurs deux supérieurs, inconscients que la plupart des gens normaux ont droit à deux jours de congé *chaque* semaine.

Les deux agents secrets semblaient épuisés. Taylor n'avait pas dormi depuis quarante-huit heures, et Martel n'en avait guère eu l'occasion, lui non plus. Même s'il en était responsable, le spectacle de Lucien Laverdure donnait des nausées à Erik Martel, mais Taylor s'installa, sans état d'âme apparent, derrière le volant.

Alors qu'il tirait Laverdure par les bras vers l'arrière de l'habitacle, Martel dit à son ami :

— C'était pas le boulot idéal, hein ?

— Effectivement, fit Taylor en regardant attentivement le corps marqué et mutilé de Lucien. On n'a pas eu tout le temps qu'il nous aurait fallu. *Geez*, Martel, veux-tu bien me dire où tu as appris à faire *ça* ? demanda-t-il en désignant la figure ensanglantée du petit fonctionnaire, ainsi que les trous laissés par les balles.

— Pourquoi ? demanda Lucien Laverdure en se relevant sur un coude. Je fais si dur que ça ? Dis donc, beau blond, fit-il en se retournant vers Erik, tu trouves pas que tu y es allé un peu fort, avec ce coup de poing dans le ventre, devant l'autre, là ?

Il souriait largement, ne revenant pas encore des événements de la nuit. « James Bond peut aller se coucher ! », pensa-t-il, en regardant tour à tour ses sauveurs. Après avoir reçu deux coups de poing en plein visage, il avait jugé plus malin de filer doux avec le type à lunettes. Quand celui-ci avait renvoyé tout le monde, rouge de colère, et qu'il avait verrouillé la porte derrière eux, Lucien avait bien cru qu'il allait se faire dessus. Il était terrifié, et le mot était faible.

Il crut avoir mal entendu lorsque le second homme, celui qui portait de coûteux vêtements, lui avait dit avec une note de regret dans la voix :

— Soyez assuré, M. Laverdure, que je regrette d'avoir dû vous frapper. Par contre, si nous comptons vous faire sortir d'ici en vie, il me faudra peut-être recommencer avant la fin de la nuit.

— Qu... Quoi ? réussit à bredouiller Lucien, qui ne savait plus quoi penser.

— L'homme qui se tient devant vous est le directeur du SG4, M. Taylor. Je suis M. Martel, son adjoint. Nous avons vraiment très peu de temps, monsieur, si nous voulons limiter les dégâts. Vous n'avez aucune raison de nous croire, mais nous travaillons du même côté de la barrière.

— J'ai comme un doute là-dessus, si vous êtes des services secrets, fit timidement Lucien, qui s'attendait à recevoir une gifle.

— Vous en dire trop ne vous rendrait pas service, Lucien, dit Taylor qui parlait pour la première fois. Disons simplement que nous ne représentons pas exactement les services secrets, cette nuit, mais qu'en dehors de nous trois, personne ici n'est au courant. C'est d'ailleurs votre seule chance de survie, si vous êtes celui que je crois. Le malheur, c'est que j'ai très peu d'informations en ma possession en ce qui vous concerne. Le dossier qui vous est tombé entre les mains est d'une importance capitale pour nous, au point où nous risquons notre vie cette nuit pour sauver la vôtre. Si j'étais réellement du côté des méchants, je n'en serais pas réduit à vous demander ce qu'il contenait.

Perplexe, Lucien fronça les sourcils devant l'argument tout à fait logique de Curtis Taylor. Qui donc étaient ces deux types ? Était-ce simplement une tactique plus fine pour récupérer ces damnés fichiers ? Dans ce cas, ce Taylor était diablement convaincant, et Lucien se retrouva en train d'évaluer, comme Martel quinze ans auparavant, et Normandeau quelques jours plus tôt, la sincérité du directeur du SG4. « L'histoire de ma vie », aurait dit Taylor si on le lui avait fait remarquer.

— Qu'est-ce qui me dit que vous ne me poussez pas la chansonnette uniquement pour savoir où j'ai planqué le dossier ?

« Bingo ! », pensa Martel, enfin assuré que leur client de la nuit était bien celui chez qui avait échoué les titres de propriété.

— Pour la bonne raison qu'il m'importe peu de savoir où est ce dossier, Lucien. Par contre, j'espère pour vous que la personne qui vous le garde a de puissantes relations, ou aucun lien avec vous, parce que vous n'avez fait que refiler le problème à quelqu'un d'autre.

— Vous me prenez pour un con ? demanda Lucien avec une pointe d'agressivité. Le dossier ne pourrait être plus en sécurité qu'il ne l'est en ce moment s'il était entre vos mains, M. Taylor. Si jamais quelqu'un de vos services ou de la GRC arrivait à remonter jusque-là, jamais il n'oserait s'en approcher, je vous en passe un papier !

Puisqu'il ne souhaitait qu'en apprendre le plus possible sur le contenu du dossier, Taylor laissa tomber le sujet. Lucien Laverdure décida, puisqu'il le fallait bien !, qu'il ferait confiance aux deux hommes du SG4 et raconta pour la dernière fois comment il en avait pris possession et ce qu'il contenait, sauf que Taylor, lui, connaissait très bien tous les hommes impliqués dans cette histoire, pour avoir lu à maintes reprises leurs antécédents dans ses propres archives. Roof leur avait donc donné des devoirs à effectuer chacun de leur côté, et Jordan avait presque terminé les siens... En pensant à cet immonde salopard de Roof, qu'il devait rencontrer plus tard dans la journée, le directeur des services secrets eut une mimique désabusée, que Lucien interpréta à tort :

— Vous ne me croyez pas, fit-il, déconfit.

— Bien sûr que oui, M. Laverdure, dit Martel qui disposait de curieux petits pots devant lui sur la table.

Cela rappela son ex-femme à Lucien, sans qu'il sache pourquoi. Quand Martel sortit de son sac une gamme de pinceaux et un sac d'une matière rouge et visqueuse, Lucien eut un mouvement de recul.

— Je ne voudrais pas vous faire peur, Lucien, gloussa Curtis en souriant, mais dans quinze minutes, vous serez tout à fait mort.

« Merde ! pensa Lucien à toute vitesse. Je le savais ! Je me suis fait avoir comme un bleu ! »

Erik éclata de rire devant la mine du fonctionnaire, et dit d'un ton de reproche à son patron, en tentant de réfréner son hilarité :

— Tu le fais exprès, c'est pas vrai ! Tu vas lui filer une crise cardiaque, Curtis ! Puis, se tournant vers Lucien : ce que ce taré veut dire, c'est que vous aurez l'air parfaitement mourant, et qu'il vous faudra jouer la comédie devant l'un des hommes les plus perspicaces du pays, raison pour laquelle il dirige la GRC.

— Perspicace mon cul, grommela Taylor. Tu ne vas pas me dire que tu ne sais pas comment Mark Murphy a eu son poste ? fit-il, incrédule. Je ne t'en ai jamais parlé ?

— Non, fit Martel, perplexe. Il a acheté son poste ?

— Presque. Il l'a gagné au poker en 1993, au chalet de l'Honorable Jonathan Roof.

— C'est pas possible ! fit Lucien, fasciné au point d'en oublier où il était.

En appliquant du sang sur les joues du fonctionnaire, le directeur adjoint du SG4 demanda avec un sourire :

— Tu te fous de moi, là, non ? Je veux bien croire que le parti au pouvoir octroie généralement ce genre de poste d'une façon plutôt arbitraire, mais là, il ne faudrait pas charrier…

— Je te jure que c'est la pure vérité. On a coincé le larbin qui faisait le service ce jour-là pour possession de cocaïne et quand je l'ai menacé de faire cinq ans à Parthenais, il est devenu très loquace. Il avait travaillé à de nombreuses occasions, même rue Sussex, et il savait bien que les services secrets ne s'occupent pas de banales histoires de drogue, du moins pas pour un kilo de coke. Il a chanté comme un pinson, et je te garantis qu'au milieu des potins du grand monde, il y avait de véritables perles, dont celle-ci. Voilà ce qui arrive quand on est snob au point d'avoir besoin de se faire servir comme un invalide.

— Wow, murmura doucement Lucien, alors que Martel dessinait de petites incisions sur son visage.

Pendant que celui-ci se rendait à l'évier placé dans un coin de la grande pièce pour fabriquer les emplâtres qui simuleraient les blessures par balle, son patron s'approcha et siffla admirativement.

— Pas à dire, c'est du magnifique boulot, dans un laps de temps aussi court… Tu te bonifies avec l'âge, l'ami, lança-t-il en direction d'Erik, qui lui tournait le dos et put ainsi cacher le plaisir que provoquait la remarque.

L'embêtement, dans son travail, était qu'on ne pouvait que très rarement faire admirer le résultat à d'autres, et encore moins s'en vanter. De plus, Taylor était sûrement le seul homme dont l'avis importait réellement à l'agent clandestin.

« On rencontre parfois nos meilleurs amis dans les endroits les plus étranges », pensa-t-il. L'amitié des deux hommes s'était scellée très rapidement, bien qu'ils ne fussent coutumiers ni l'un ni l'autre de ce genre de phénomène.

Alors qu'ils descendaient à deux le corps de l'agent de la GRC venu éliminer Martel, du sang jusqu'aux coudes, ce dernier avait déclaré solennellement à son vis-à-vis :

— En tout cas, c'est un plaisir de faire votre connaissance, Taylor, et les deux hommes avaient éclaté de rire.

Taylor et Martel furent littéralement éblouis par les talents de comédien de Lucien Laverdure, presque autant que le principal intéressé. Les deux hommes étaient on ne peut plus nerveux à l'arrivée de Mark Murphy. Taylor se plaça derrière lui, un peu en retrait, pour une bonne raison. Si Murphy s'apercevait de la supercherie, le directeur du SG4 devait avoir le temps de sortir son pistolet pour le tuer avant qu'il n'ait fait demi-tour. Tirer dans le dos de quelqu'un n'avait jamais fait partie des techniques de Curtis, mais cela ne lui posait pas particulièrement de problème non plus. Si l'adversaire était dangereux, pourquoi lui laisser la moindre chance de vous baiser ?

La dernière crainte de Taylor s'envola lorsqu'il passa du visage du directeur de la GRC à celui de leur prisonnier, ce qui lui causa un choc. Sa première impression fut que Laverdure était effectivement en train de mourir, qu'un des coups de Martel l'avait plus secoué que prévu. Le visage crispé par la souffrance, Lucien était gris. Se tordant sur son siège, il paraissait à l'agonie. Curtis remarqua une inquiétude non feinte sur le visage de son subordonné, sans parler du dégoût et de la pitié sur celui de Mark Murphy. C'était gagné.

Quand Lucien leva un dernier regard pour le planter dans celui du directeur de la GRC et gémir : « Votre faute… », Curtis se sentit prêt à faire pression pour qu'on lui accorde l'Oscar de l'interprète de l'année. Quelle prestation ! Quand Murphy sortit en courant et que Martel tira dans l'angle des murs derrière le supplicié pour simuler sa fin, Curtis Taylor dut se retenir d'applaudir. Il vit que Martel, qui rangeait son arme, respirait difficilement, à grands hoquets, jusqu'à ce qu'ils entendent tous la porte se refermer, les mettant à l'abri de la moindre indiscrétion. Il éclata alors d'un rire puissant, inextinguible, bientôt suivi par son patron, puis par leur cadavre. Alors qu'ils commençaient tout juste à se calmer, Lucien reprit son air pitoyable pour une reprise de sa dernière réplique, ce qui repartit le bal.

Avant de partir au volant de la fourgonnette, toutefois, Taylor dut admettre pour lui-même qu'il s'en était fallu de peu.

De très peu.

37

Le commandant Denis Marcoux jeta un coup d'œil à sa montre en se demandant s'il devait convoquer les officiers de son état-major immédiatement. Tout dépendait de la décision qu'il se devait de prendre rapidement. Devait-il rompre la chaîne de commandement ? La rompre non seulement au niveau de la hiérarchie militaire, mais aussi à celui du palier de gouvernement à qui il comptait rapporter les ordres qu'il avait reçus de Bethleem Jordan ?

Il n'était pas question d'en référer à Jonathan Roof, évidemment. Marcoux connaissait Jordan depuis assez longtemps pour savoir qu'une pareille folie ne pouvait provenir de son cerveau en *lock-out*. S'il ne parvenait pas à joindre un membre haut placé du gouvernement provincial et qu'il contrevenait aux ordres, sa carrière était terminée. S'il rampait comme une larve pour sauver son poste, beaucoup d'autres auraient des ennuis qui lui retomberaient nécessairement dessus.

Le problème, si le référendum ne passait pas, était qu'il ne pourrait se cacher nulle part par la suite. Les hommes étiquetés comme traîtres par le gouvernement ne faisaient pas de vieux os, en règle générale. Les gens croient que ce genre de cas ne se présente plus parce qu'ils n'en entendent pas parler. Il y a pourtant toujours des traîtres, dépendant de l'angle sous lequel on regarde les choses. La section 51 en comptait un, et Marcoux devait rapidement décider ce qu'il en ferait. Du point de vue de Denis Marcoux, Mike Sullivan était un traître, et il allait devoir payer.

Sullivan, qui avait été démasqué avant même d'avoir pu faire son premier rapport à Bethleem Jordan, ne se doutait de rien. Si la situation se dégradait autant qu'elle le promettait, Mike serait même dans un sacré guêpier, et il ne s'en tirerait pas en y laissant simplement ses galons. Pourtant, Marcoux devait décider ou non d'envoyer ses ordres aux autres bases dont il avait la responsabilité dans les plus brefs délais. Il avait appelé le colonel Belisle, à Saint-Jean-sur-Richelieu, pour lui conseiller de tenir ses sujets anglophones à l'œil, mission encore plus facile là-bas qu'à Valcartier puisque la base n'en comptait que quatre, tous simples soldats. À Bagotville, la tâche était plus compliquée, mais le colonel Huard avait obéi sans discuter.

Le problème, songeait le commandant, serait de garder le silence sur toute l'opération, ce qui serait presque impossible puisqu'il lui faudrait parler à la troupe, une fois son état-major au courant des faits. Chaque homme, alors, n'aurait rien de plus pressé à faire que de sortir son téléphone pour alerter sa famille. « Voilà ! s'exclama Marcoux en se redressant subitement. Le point faible, c'est le téléphone ! Quel connard je fais, bon sang ! », pensa-t-il en décrochant le sien.

— Lieutenant ? Vous avez de quoi noter ? Je veux que vous vous rendiez personnellement, et j'insiste sur ce point, à l'intendance et que vous ordonniez de couper toutes les entrées de téléphone et d'Internet, exception faite de ma ligne privée, par laquelle passeront les rares appels autorisés. Je veux que le dispositif qui empêche les ondes cellulaires d'entrer soit activé. Aucun appel n'entre ni ne sort. Je veux que vous alliez ensuite chercher mon état-major, à l'exception du capitaine Sullivan, et que vous me les rameniez ici. Vous rassemblerez aussi la police militaire et vous leur expliquerez que personne, absolument personne, ne sortira de l'enceinte de la base sans ma permission expresse. Dites-leur que si un seul homme sort de la base, je ferai mettre aux arrêts tous ceux qui étaient de garde ce soir-là, fût-ce de l'autre côté du périmètre. Je me fais bien comprendre ?

Nullement désemparé par ces ordres extraordinaires, le lieutenant qui lui servait d'ordonnance demanda d'une voix où perçait un sourire :

— Et en ce qui concerne le capitaine Sullivan ?

— Rassemblez une dizaine d'hommes et allez l'arrêter. Je m'occuperai de son cas personnellement. Vous l'appellerez môssieur Sullivan, et que je n'entende surtout personne s'adresser à lui en lui donnant du "mon capitaine". Et encore moins du colonel ! Je veux que ce salopard comprenne ce qui l'attend…

Il laissa passer quelques secondes avant d'ajouter :

— Lieutenant ?

— Oui, mon commandant ?

— Ne soyez pas trop doux avec lui.

38

Lotto Finetti se sentait un peu patraque en cette matinée du 9 juillet. Il avait festoyé avec un de ses cousins, la veille, et avait un peu exagéré sur le porto. Après tout, à son âge, il devenait de plus en plus rare de rencontrer un ami en assez bonne santé pour se permettre de faire la fête, alors autant en profiter…

À quatre-vingt-neuf ans, Finetti ne comprenait tout simplement pas ce qui lui arrivait. Jamais de sa vie il ne s'était senti aussi en forme, ce qui était parfaitement ridicule… Il ne ressentait aucune difficulté respiratoire, n'avait pas mal aux articulations et était d'une santé de fer quand il ne forçait pas sur la boisson. Il fumait comme un sapeur, mangeait trop et restait tout de même mince. Il avait couru le marathon de Boston à deux reprises alors qu'il avait plus de soixante ans. À n'y rien comprendre. Sa femme de ménage, qui travaillait pour lui depuis plus de trente ans et n'était plus elle-même de la première jeunesse, lui fit un sourire chaleureux en passant près de lui dans la grande maison. La vieille dame, qui avait été en son temps une merveille de beauté, aimait profondément le vieux Lotto, et elle veillait sur lui comme une mère, bien qu'elle fût sa cadette de plus de vingt ans. Elle n'avait pas la santé nécessaire pour faire la plus grande partie du nettoyage quotidien, mais elle avait été la meilleure amie de sa défunte femme, et il aurait été inconcevable, pour le vieil homme, de lui enlever non seulement ses revenus, mais sa fierté, au déclin de sa vie. Une *infamita*.

Lotto sourit en entendant jurer sa *mamma*, au premier étage, qui elle n'était guère encline à veiller sur son fils. Vingt-cinq ans auparavant, alors que Lotto était encore un jeune homme de soixante-quatre ans et que sa mère soufflait ses quatre-vingts bougies, celle-ci avait déridé l'assemblée en racontant aux invités, fort nombreux, qu'elle avait décidé de ne pas mourir. Connaissant le caractère intraitable de la *mamma*, plusieurs convives admirent que si quelqu'un pouvait parvenir à vaincre la mort, ce serait Mme Sophia Finetti. Alors que la famille se réunissait dix ans plus tard pour la même raison, elle leur rappela sa promesse et plusieurs invités se regardèrent entre eux, trouvant la boutade un peu lourde. Immense serait un adjectif bien pâle pour décrire la fête célébrant le centième anniversaire de la *mamma*, et celle-ci n'eut aucun besoin de rappeler sa promesse à quiconque. Vivant pleinement sa vie, armée de son sale caractère, de son bourbon et d'un sens de l'humour à toute épreuve, la *mamma* cheminait maintenant, en trottinant et en jurant, vers son cent septième anniversaire, ce qui faisait d'elle la sixième plus vieille femme d'Amérique, à égalité avec une dame du Nebraska qui ne savait plus qui elle était depuis plus de vingt ans et qui n'avait comme activité que la respiration. Sophia Finetti s'apprêtait, en ce 9 juillet, à partir en camping à Drummondville, avec un groupe de l'âge d'or qu'elle avait elle-même formé. Dans la famille Finetti, plus personne n'en doutait : la *mamma* était éternelle.

Lotto, quant à lui, portait bien son âge, trouvait son existence fort agréable et en remerciait Dieu chaque jour de l'année. Ces derniers temps, toutefois, ses vieux os lui criaient qu'il y avait du grabuge dans l'air. Finetti avait toujours eu du flair, et ce dernier lui avait permis de fuir l'Italie à temps, quarante ans plus tôt, avant que les capitaux de son père ne soient saisis par le fisc. Il avait traîné la *mamma* pratiquement à bras-le-corps vers l'avion, et il avait découvert, les années passant, qu'elle ne lui avait jamais tout à fait pardonné. Pourtant, il l'aimait presque autant qu'elle l'exaspérait et il savait que, des douze enfants que sa mère avait mené à terme, aucun n'avait hérité plus que lui de son bagage génétique. Sa formidable santé en était sans doute la meilleure preuve, et il se demanda fugitivement s'il ne devrait pas lui aussi faire une annonce à son anniversaire, l'an prochain. Il entra dans son bureau avec un sourire qu'il dissimula aussitôt à deux de ses employés venus le rencontrer.

Ils dirigeaient respectivement un restaurant et une entreprise de démolition appartenant à Lotto Finetti. Il avait autrefois dirigé lui-même la plupart de ses commerces, mais il déléguait maintenant le plus souvent, surveillant toutefois tout ce qui demandait sa signature. À un de ses directeurs, licencié depuis, qui tentait d'éviter une question de son patron, Finetti avait un jour dit sèchement :

— Écoute-moi bien, jeune crétin. Quand Hitler a envahi la Pologne, j'étais déjà largement en âge de me raser. Tu crois réellement que toi, tu pourras m'en montrer ou m'en dissimuler ? Tu parles quand je questionne, ou tu pointes au chômage ! Voilà l'entente. Si ça ne te plaît pas, bien le bonjour à Anthony !

Finetti était le père de trois femmes ravissantes qui l'avaient, au fil du temps, rendu dix fois grand-père. Il frissonna en se souvenant que son arrière-petite-fille avait maintenant treize ans. Sa seule consolation était que pour sa mère, le décompte était encore plus étourdissant. Être arrière-arrière-grand-mère de votre vivant peut vous filer le cafard, aucun doute là-dessus.

Il donna ses instructions à ses subordonnés et se rendit dans la cave de l'énorme maison que l'argent de son père avait achetée à leur arrivée au Québec, une patrie que Lotto chérissait ardemment, et qu'il était prêt à défendre bec et ongles contre le reste du Canada, s'il fallait en arriver là. Il ouvrit une pièce au sous-sol de sa résidence dont lui seul possédait la clé, et il sourit en voyant la machine qui l'attendait contre le mur. En cet instant, il ressemblait diablement au petit garçon qui avait couru dans les champs de Sicile, quatre-vingts ans auparavant, une époque depuis longtemps révolue. Finetti s'était commandé, quelques semaines plus tôt, pour la modique somme de dix mille dollars, une machine à boules des années 1960 qui lui avait tapé dans l'œil, sur eBay. Lotto Finetti avait travaillé dur toute sa vie, et il s'accordait maintenant, à quatre-vingt-neuf ans, de menus plaisirs.

Il verrouillait toutefois toujours la porte, car le plus puissant chef de la mafia nord-américaine depuis Lucky Luciano ne pouvait tout de même pas se permettre trop d'honnêteté, n'est-ce pas ?

39

Mathieu Sinclair tentait de garder son calme. En vain. À trois heures du matin, en ce 9 juillet, il se contenait difficilement d'éclater devant les deux agents de la GRC venus l'interroger à cette heure indue. Il articula lentement :

— Vous est-il passé à l'esprit, messieurs, que je n'avais qu'à décrocher mon téléphone pour que la province tout entière sache demain matin que la GRC enquête sur d'honnêtes citoyens au beau milieu de la nuit ?

Les deux agents échangèrent un regard exaspéré.

— Vous imaginez-vous, dit le premier, que je me suis levé cette nuit en me disant : "Tiens, allons interroger ce vieux bouc qui lit les nouvelles, puisque nous n'avons personne de plus agréable à faire chier" ?

Son collègue, qui ne connaissait qu'une douzaine de mots en français, releva la tête sur le dernier, qui faisait partie de son vocabulaire restreint.

— Dites donc, espèce de tordu ! fit Sinclair, piqué au vif. On ne vous a jamais appris la politesse, dans vos stages de formation foireux ? Ils sont sûrement trop occupés à vous montrer comment matraquer le contribuable, en cas de manif ? Si vous me parlez encore sur ce ton, pauvre con, je vous garantis que je ferai un tel scandale autour de votre nom que vous pourrez vous coller votre insigne au cul ! Je me fais bien comprendre ?

L'agent, qui ne s'attendait pas à une telle énergie chez un homme qui dormait encore dix minutes plus tôt, recula d'un pas. Il tenta de se reprendre en adoptant le ton employé pour expliquer une vérité fondamentale à un enfant attardé :

— Nous tentons seulement de savoir où nous pourrions joindre votre assistante, Mlle Laverdure. Elle n'est pas à son domicile, pas plus que ne s'y trouve sa colocataire, et elle dispose d'informations qui nous sont essentielles.

Sinclair prit un air mi-amusé, mi-repentant, en lâchant :

— Faudra alors vous acheter des skis et une parka…

— *Beg your pardon* ? dit le second agent, pour justifier sa présence.

— J'ignore pourquoi vous courez après Émilie de cette façon, mais elle a pris l'avion hier pour une semaine de vacances. Elle est partie à Gstaad, fit-il en esquissant un sourire.

L'agent francophone leva les yeux au ciel devant un mensonge aussi flagrant, qui démontrait clairement que Sinclair ne coopérerait pas. Ce qui ne voulait pas nécessairement dire qu'il savait où elle se trouvait, et on n'embarque pas une personnalité aussi facilement qu'un badaud, surtout pas un homme qui s'adresse à un million de personnes chaque soir. Il se leva, bientôt imité par son collègue, et se dirigea vers la porte. Il se retourna avant de sortir pour tendre sa carte à Mathieu, qui ne fit aucun geste pour la prendre.

— S'il vous revenait quoi que ce soit…

— J'ai une très mauvaise mémoire, répondit le lecteur de nouvelles. Vous n'avez jamais écouté mon émission ? C'est pour ça que j'ai des tas de papiers devant moi, à l'antenne.

En refermant la porte, il entendit distinctement la remarque de l'agent :

— *Bastard…*

Dans la noirceur, brisée uniquement par la petite lampe allumée dans l'entrée de son appartement, Mathieu Sinclair alluma une cigarette et réfléchit intensément. Le temps de la neutralité était passé.

Sinclair choisit son camp.

40

L'agent Theodore Donovan, qui gardait l'entrée principale de la résidence de Georges Normandeau, s'ennuyait ferme. Anciennement du SG4, il faisait maintenant partie de la garde rapprochée de Georges Normandeau, pendant que le reste de l'agence vaquait à ses occupations habituelles, parce qu'il fallait bien couvrir le reste du Canada malgré l'attention que demandait le Québec. Les terroristes et les maniaques ne prennent jamais de congé, sauf s'ils font de la politique...

En cette soirée du 9 juillet, Donovan restait attentif, mais se prenait aussi à rêver au whisky qu'il s'enverrait de retour à l'hôtel. Au Château Frontenac, je vous demande bien pardon... Theodore Donovan aurait bien été le dernier à accuser l'agence de radinerie. Tout de même, il faudrait faire gaffe à sa consommation d'alcool, qui grimpait un peu trop ces derniers temps, sans parler des moments qu'il passait à attendre ceux où il pourrait boire, qui l'inquiétaient bien davantage. « Et merde pour le whisky, je me prendrai une limona... », dit-il à haute voix, lorsqu'une ombre, rapide comme l'éclair, s'avança derrière lui et lui glissa une lame sur la gorge.

« Et voilà, eut-il le temps de penser, c'est comme ça qu'on se fait baiser et qu'on crève. C'est tout simple... »

— C'est mauvais, lui dit à l'oreille Erik Martel, qui avait traversé le terrain derrière lui en constatant que son attention s'était relâchée. Ce n'est pas bon du tout, je dirais, Donovan !

Durant un instant de panique, Donovan crut bien qu'il s'était pissé dessus.

— Reprenez-vous, bordel ! gronda Curtis Taylor en passant devant lui sans même le regarder, jetant de brefs coups d'œil à la recherche d'éventuels passants. Il détestait ces moments où il était à découvert.

Entre les deux hommes de l'ombre se tenait maladroitement Laverdure, qui avait tout de même reçu sa part de baffes depuis vingt-quatre heures, et qui n'avait dormi que le temps du trajet Ottawa-Québec. Étrangement, il n'y avait pas un seul journaliste en vue, sans doute parce que les vautours doivent dormir aussi. Le directeur du SG4 et son adjoint grimpèrent quatre à quatre les marches qui menaient au porche, conscients tous les deux que c'est à ce moment qu'ils étaient les plus vulnérables. Taylor ne se donna pas la peine de frapper et entra dans le vestibule de la grosse maison. Derrière eux, l'agent Donovan frottait sa gorge endolorie, rouge de honte.

Le premier ministre jeta lui aussi un œil de la fenêtre du premier, car il ne tenait pas plus que son nouvel allié à ce que leur coopération ne s'ébruite, ce qui serait désastreux si cela devait se produire avant le 14 juillet. Normandeau fit signe à sa nièce Elizabeth de ne pas bouger de son fauteuil et descendit au rez-de-chaussée à toute vitesse, car il lui fallait parler à Taylor avant de le présenter à Beth, sans parler de son comparse, à qui il trouvait un je-ne-sais-quoi d'inquiétant, surtout quand il souriait.

— Taylor, dit-il avant que l'autre ait placé un mot, ils ont tué un fonctionnaire qui…

— Je sais, le coupa Taylor.

— Pas que ça ! gueula presque Normandeau. Nous avons mis la main sur un dossier qui…

— Je sais, le coupa de nouveau Taylor, un demi-sourire aux lèvres.

— On a eu de la chance ! C'est ma nièce qui a récupéré le…

— Je sais, répéta laconiquement l'agent.

— Oh… On voit pourquoi vous travaillez dans le renseignement, vous… fit Normandeau avec une moue dubitative. Et pour le fonctionnaire, ciboire, on fait quoi ? C'est le père de la coloc de…

Normandeau remarqua enfin Lucien Laverdure qui se tenait dans l'ombre d'Erik Martel et cria malgré lui :

— Vous êtes qui, vous ?

— Je suis le cadavre, fit Lucien avec un grand sourire. C'est vraiment un plaisir de vous rencontrer, monsieur le premier ministre. Vous excuserez le sang sur mes vêtements, mais on m'a beaucoup tapé dessus, depuis hier, dit-il en tendant la main à l'homme d'État qui la serra, amusé.

Normandeau se tourna vers Taylor :

— Ça vous dirait d'être premier ministre quelques semaines, le temps que je parte en vacances ?

Les quatre hommes s'esclaffèrent. Normandeau reprit gravement :

— N'empêche que c'est quelque chose que vous ne saviez pas, n'est-ce pas, Taylor ?

— Exact, et il risque de nous tomber encore quelques merdes du genre sur la tête avant que tout ne soit fini. Roof est encore plus parano que je ne le pensais.

— Heureusement, dit le PM, que nous avons tous la capacité de faire pleuvoir la merde, et plus particulièrement avec les deux meilleurs agents de renseignement du pays et une étoile montante du journalisme en poche.

Alors qu'ils parvenaient au premier étage, Martel demanda :

— Croyez-vous que votre nièce a les reins assez solides pour faire paraître cette histoire ?

— Ne vous fiez surtout pas aux apparences, dit Normandeau à voix basse. Le fait qu'elle soit magnifique fait souvent oublier aux gens de se méfier de son intelligence, et elle s'en sert, la vicieuse ! fit-il en étouffant un petit rire. Elle est brillante, n'en doutez pas un instant.

« Magnifique ? pensa tout d'abord Martel en pénétrant dans le bureau à la suite de son patron, les yeux rivés sur Beth. C'est comme de dire que c'est frisquet au pôle Nord en janvier ! Merde, elle est à couper le souffle ! »

Inconsciente de l'effet qu'elle produisait aux trois hommes derrière son oncle, Elizabeth attendait que l'un d'eux prenne la parole pour lui donner son *scoop*. Avisant le dossier que Taylor tenait sous le bras, elle dit finalement :

— Alors, c'est vous le grand manitou du renseignement ? Le Curtis Taylor dont le nom n'est prononcé qu'à voix basse ? Le seul type du journal qui prétend vous avoir déjà vu décrivait un type de plus de six pieds et large comme une barrique. Je passerai désormais sa crédibilité aux pertes et profits, dit-elle en riant.

— Je vous assure que je n'ai pas refoulé avec l'âge, Mlle Converse, dit Taylor en souriant, mais comme vous pouvez le constater, mon ami ici est très grand, ce qui saura sans doute vous consoler.

Martel se contenta de sourire et tendit la main à la journaliste. Celle-ci le détailla du coin de l'œil, lui trouvant quelque chose de séduisant, sans savoir trop quoi. Quelque chose de dangereux aussi, elle en était persuadée. Le genre de type à avoir avec soi en cas de coup dur. Comme ce gars, Fontaine, qu'elle avait interrogé et dont ils avaient publié la photo, celui qu'elle avait vu courir au secours d'une femme en danger, même si celle-ci avait presque tué son assaillant par la suite. Elle fut surprise de retrouver Lucien et se désola de son aspect, avant qu'il n'efface une partie du maquillage avec sa manche de chemise pour la rassurer. Ils prirent tous place dans des fauteuils.

— Voici qui devrait faire considérablement avancer votre carrière, Mlle Converse, fit Taylor en tendant son dossier à Beth.

— Mais qu'est-ce que c'est, à la fin ? fit-elle en l'ouvrant. J'ai fait trois heures de route sans même savoir de quoi il s'agit.

— Ni plus ni moins, dit Martel calmement, que la preuve que le premier ministre du Canada a triché aux dernières élections dans son district pour pouvoir continuer à diriger le pays.

— Vous vous foutez de moi ?

— C'est dur à croire, hein ? fit Lucien pour participer.

Beth réfléchissait à toute vitesse, estimant à quelle échelle la presse reprendrait son article et la citerait dans la foulée comme il était de mise de le faire. La semaine prochaine, elle aurait un bureau avec de grandes fenêtres au lieu du placard dans lequel elle bossait. Elle ressentit un élan de gratitude envers son oncle et s'en voulut de n'avoir informé le bonhomme qu'à contrecœur, la nuit précédente. Les titres de propriété, c'était bien, mais là, c'était le scoop d'une vie. Du genre sur lequel on peut bâtir une fracassante carrière. Restait à vérifier si la recherche était aussi poussée que la présentation, mais elle n'avait malheureusement pas le temps, et cela dut se voir sur sa figure. Martel brisa le silence à sa seule intention :

— Je sais ce que vous êtes en train de vous dire, Elizabeth, mais je travaille avec ce type depuis quinze ans et je répondrai de ma vie quant à la véracité des infos qu'il vient de vous remettre, bien que je n'aie participé que de loin à leur collecte.

— Oh ! s'exclama Beth, je ne nourris pas tant de doutes, monsieur l'agent clandestin, mais une carrière peut se voir détruite très rapidement, après une bévue de cette envergure.

— Ils tenteront bien de démentir, intervint le premier ministre, mais trois jours pour rétablir l'équilibre, dans ce cas-ci, c'est vraiment très peu. Toutefois, je ne voudrais pas que cet enfant de chienne en vienne à penser que je l'ai pris en traître, même si c'est ce que je fais et si c'est ce qu'il est. Il aura amplement le temps de se faire aller la gueule, mais trop peu de gens croiront à ses mensonges pour espérer un revirement de dernière minute. Soit dit entre nous, la marge est mince entre les deux camps. Plus que ne le laissent croire les sondages, qui nous placent pourtant coude à coude.

— Il ne faut pas lui laisser trop de temps, intervint Martel. Il faut que vous soyez à l'antenne pour crier votre indignation au plus tard à midi, demain.

— Vous voudrez bien m'excuser, dit Beth en se levant, mais il faut que je le ponde, cet article, si vous souhaitez avoir une raison de vous indigner demain.

Les quatre hommes se levèrent alors qu'elle sortait. Martel jeta un coup d'œil à sa montre et dit :

— C'est pas que je m'ennuie, mais il faudrait planquer Lucien quelque part.

— Et ma fille ? demanda ce dernier.

— Un de nos hommes s'en occupe. Il la suit partout où elle va, mais je ne crois pas que la GRC va l'embêter encore longtemps. Ils ont sans doute fait le rapprochement avec Beth et ils savent que sur ce plan, au moins, ils ont perdu. N'oubliez pas qu'ils n'ont aucune raison de nous croire au courant de quoi que ce soit, puisque M. Taylor travaille d'arrache-pied pour John Roof. N'est-ce pas, Curtis ?

Taylor fit semblant de dormir, ce qui fit rire les trois autres un moment.

Lucien Laverdure se redressa vivement, comme traversé par une décharge électrique, ce qui fit sursauter ses trois compagnons. Taylor le fixa, son sixième sens en éveil.

— Je suis vraiment désolé, mais avec tout ce qui m'est arrivé ces dernières heures, j'avais oublié un détail… Avez-vous eu des nouvelles de Roland Martial, aujourd'hui ?

— Le directeur de la SQ ? s'étonna le PM. Non, du tout… Pourquoi vous demandez ça ? s'enquit-il d'un air inquiet.

La figure de Laverdure vira soudainement au gris que le maquillage de Martel avait simulé plus tôt dans la soirée.

— Je suppose, dit-il, qu'il vaut mieux vous l'apprendre maintenant que plus tard…

— Quoi ? demandèrent à l'unisson les trois hommes.

— Avant de rencontrer Beth, et au cas où il m'arriverait quelque chose, j'ai faxé le dossier au directeur de la Sureté du Québec. S'il ne vous a pas contacté, c'est donc…

— …qu'il a été acheté, dit sombrement Erik Martel.

À la sortie de la résidence du premier ministre, Taylor fit signe à un taxi en maraude, pendant que Martel et Laverdure partaient à bord de la voiture de l'agent. Chacun avait son boulot à faire.

Une heure plus tard, un article de trois pages fut faxé à Raoul Gagnon, le rédacteur en chef du *Provincial*, qui s'apprêtait à regarder un film avec sa femme qui dormait déjà à moitié. Il relut le titre une demi-douzaine de fois, puis, incrédule, passa à l'article.

« La p'tite calvaire, marmonna-t-il en souriant. Je vais être obligé de lui donner un bureau avec des fenêtres… »

41

Le 11 juillet, Jonathan Roof se leva d'excellente humeur. Il avait bien dormi et n'avait été réveillé que deux fois seulement par le téléphone, ce qui ne se produisait pas souvent ces derniers temps. Le fait que sa femme Maggie ait commencé à faire ses bagages altéra un peu sa jovialité lorsque cette réalité émergea des brumes du sommeil, mais il sentait qu'il y aurait de l'action aujourd'hui, et il était content d'y prendre part, de ne pas rester le cul par terre comme ces badauds qui regardaient passer le train.

C'est un sentiment qu'il ressentait rarement à la fin d'une journée, mais celle-ci était neuve et pleine de promesses. Qui sait ? Ce gros crétin de Normandeau allait peut-être se planter en ondes ? Celui-ci l'avait convié, quatre jours plus tôt, à un débat sur la place publique, mais le PM du Canada avait refusé d'un air dédaigneux :

— Si M. Normandeau refuse de se joindre aux autres ministres de *son pays* pour discuter de l'avenir du Québec, je ne vois vraiment pas pourquoi moi, j'aurais à le faire.

Réplique qui avait sonné juste dans l'oreille de la population puisque les intentions de vote n'avaient fluctué que d'un pour cent dans la journée qui avait suivi. Un point perdu qui ne se comparait en rien avec la dégringolade que pourrait amener une bourde dans un débat, et quelque chose lui disait que quand il s'agissait d'humilier quelqu'un par la parole, Normandeau était peut-être plus fort que lui. Mieux valait ne pas prendre de risques. Il n'avait rien à y gagner.

Roof s'étira dans son lit en attendant que le majordome qu'il venait de sonner se ramène avec le café et les différents journaux du Québec. Certains l'avaient accusé de mener une vie de pacha, mais il avait toujours payé ses domestiques avec son propre argent. John Roof n'était sans doute pas un exemple de morale pour notre jeunesse, mais ce n'était assurément pas un voleur. En trente ans de vie publique, il n'avait jamais volé un dollar au contribuable. Pourquoi l'aurait-il fait, avec la fortune de son père en poche, qu'il ne parviendrait jamais à dépenser en totalité avant sa mort, de toute façon ? Le PM n'avait jamais démontré un grand intérêt pour l'argent, pas plus d ailleurs que son père, ce qui lui avait valu de mourir riche, lui qui ne possédait pourtant pas un empire.

Jordan avait accompli sa part de marché et l'avait réveillé, non sans plaisir, pour le lui annoncer. Il n'était pas tout à fait certain de la loyauté des bases de Valcartier et de Saint-Jean-sur-Richelieu, mais cela semblait aller à Bagotville et il avait un œil dans chacun des trois endroits. Les commandants des bases ne semblaient pas follement ravis de se faire rappeler qu'ils étaient Canadiens, mais ils obéiraient. Il les appellerait prochainement pour contrôler le jeu. Naturellement, Marcoux pouvait autant préparer quelque chose à Valcartier sans qu'il soit au courant, mais Sullivan l'appelerait. Roof avait marmonné de vagues félicitations avant de se rendormir.

En attendant le domestique, le PM eut une grimace en réalisant qu'il allait lui incomber d'avertir sa fille de leur prochain divorce, et il ne savait pas comment elle le prendrait. Si on lui avait dit que Nancy Roof, vingt-six ans, allait s'en réjouir, il n'aurait pas été plus rassuré pour autant, et encore moins d'apprendre que la petite l'avait su avant lui. Bah, cela ne changeait rien au principe : il aurait une belle grande maison pour lui seul, et ferait jouer du jazz à plein volume pour la première fois en trente ans. Qui s'en soucierait, du moment qu'ils parvenaient à l'empêcher de reprendre le pouvoir ? Après tout ce temps, peut-être ne s'en porterait-il pas plus mal. Il y songerait sérieusement, une fois ces Québécois matés.

Il eut envie d'une cigarette, bien qu'il ait arrêté depuis cinq mois parce que cela nuisait maintenant à son image de marque. N'en ayant pas à portée de main, le problème ne se posait pas, mais Jonathan décida qu'à sa prochaine envie, il en subtiliserait une au premier venu et la grillerait jusqu'au filtre. Son image de marque, il pourrait se la coller bien loin dans deux semaines si les Québécois obtenaient l'indépendance. Maintenant qu'il y pensait, il pourrait même être dans un sacré pétrin si les choses tournaient mal, mais bon… Il aurait au moins vu de l'action.

Ernst, son majordome depuis vingt ans, cogna une fois et entra dans la pièce, la mine défaite. Il adoptait toujours le profil bas en présence de son patron, mais donnait, en ce 11 juillet, l'impression de vouloir entrer dans le plancher, au point où même Roof, qui n'était pas l'homme le plus à l'écoute des autres qui ait vu le jour sous cette latitude, le remarqua.

— Ernst ? Ça ne va pas, mon vieux ? Tu es blanc comme du lait. Tu as bien dormi ?

— Oui, monsieur le premier ministre, mais le réveil a été brutal ce matin.

Contrairement à son habitude, le majordome ne déposa pas le plateau avec la cafetière sur le lit. Devant l'air interrogateur de son patron, il tendit à regret l'exemplaire du

Provincial qu'un homme de la garde rapprochée du PM lui apportait tous les matins. Avant de le lire, Roof tendit la main vers le café, mais Ernst, étonnamment, et pour la première fois en vingt ans, l'arrêta d'un geste, et fit un signe du menton vers le journal, que Roof déplia finalement :

SCANDALE À OTTAWA

Le premier ministre Roof aurait truqué les résultats des dernières élections dans sa circonscription de Magog

Fermant les yeux pour ne les rouvrir que très lentement, John Roof dit à Ernst :

— Allez me chercher un peu de cognac pour le café…

Oh, oui ! Il allait y avoir de l'action aujourd'hui !

42

Marcus et Benny s'étaient immobilisés sur le palier du logement qu'ils partageaient maintenant dans le Vieux-Longueuil, dans la rue Grant, et qui était un peu mieux adapté pour la vie à deux. De plus, son ancien propriétaire était un fédéraliste convaincu et il avait fortement encouragé Marcus à foutre le camp, lui laissant même le dernier mois de loyer s'il consentait à partir dans la semaine. Marcus riait encore à la pensée de ce qu'avait fait Benny avant de partir.

L'ancien sans-abri avait acheté deux énorme tubes de la plus vicieuse colle contact à avoir foulé les tablettes d'une quincaillerie, et avait absolument tout collé dans l'appartement: les armoires, le siège des toilettes, les portes de la salle de bain et des placards, la porte-patio, dont il avait généreusement enduit les rails, et finalement celle de l'entrée, sur le cadre de laquelle il avait laissé assez de colle pour engluer un cheval. Fontaine était prêt à parier qu'il leur faudrait la défoncer s'ils voulaient un jour y entrer de nouveau. Il adorait l'humour un peu tordu de son nouveau comparse. Il aurait été étonné de l'apprendre, mais leur duo avait diablement rappelé à Erik Martel l'équipe qu'il formait avec Taylor. « Et Benny est tout aussi cinglé que je pouvais l'être », avait pensé l'agent avec un sourire. Le calme de Fontaine rappelait la tranquille assurance de Curtis Taylor.

En entrant ils trouvèrent Julie Galipeau, assise en lotus contre le mur du fond, un café à portée de la main. Benny s'attachait de plus en plus à elle depuis quelques jours, et déplorait d'avoir à partir jusqu'au référendum, d'autant plus, comme le leur avait souligné Martel, que leur mission n'était pas sans danger, même si c'était à un niveau moindre.

Tout était arrivé si vite ! Il ne restait que soixante-douze heures avant le jour J et elles promettaient de filer à toute vitesse. Marcus et Benny regardèrent en même temps les horaires préparés par Martel et se demandèrent s'il était vraiment possible de caser autant de rendez-vous en trois jours.

Julie jetait à Benny des coups d'œil éloquents qui rappelèrent des souvenirs doux-amers à Marcus. Le grand amour de sa vie, même s'ils ne se fréquentaient plus à l'époque, s'était noyé avec le reste de sa bande la nuit de son départ pour l'Inde. Il doutait de pouvoir un jour l'oublier tout à fait. Il fit mine de regarder sa montre et dit :

— C'est pas que je m'ennuie, mais j'ai quelques courses de dernière minute avant de partir. Avec toutes les admiratrices qu'on va pouvoir… que je vais pouvoir mettre dans mon lit, dit-il avec un clin d'œil vers Julie, faut que je me fasse beau.

— Ah, bon ? fit Benny. Tu crois qu'ils auront le temps de t'opérer avant qu'on parte ?

— Ta gueule ou je te renvoie coucher dans le parc, miteux, dit Fontaine en éclatant de rire.

— Je suis un sans-abri avec de la classe, maintenant, dit Benny avec un signe de tête à l'endroit de son ami pour le remercier de lui laisser le champ libre avec Julie pour la soirée.

— À plus, dit simplement Marcus en embrassant Julie avant de sortir.

Dans l'appartement devenu soudainement plus intime, Julie murmura :

— C'est un type bien, hein ?

— Ça oui… J'ai rarement vu quelqu'un d'aussi intègre, je dirais. Il me laisse à cent coudées derrière lui, pour ce qui est de l'intelligence…

— Voyons, tu es loin d'être idiot, mon amour, dit Julie avec un regard qui le fit fondre.

— Je sais bien. Je dirais même que je suis une coche au-dessus de monsieur Tout-le-monde, mais lui… C'est un cas, crois-moi. Plus cultivé que ce gars-là, tu te mets à récolter. Tu as vu tous les livres qu'il possède ?

— Et nous deux ? Sans se faire un spécial Claire Lamarche, on s'en va où ?

— Peu m'importe, si c'est ensemble… dit Benny en l'attirant contre lui.

L'indépendance du Québec passa au second plan pour un moment.

43

L'article d'Elizabeth Converse fit sensation. Dès cinq heures du matin, tous ceux qui passèrent devant un présentoir où le *Provincial* se vendait s'arrêtèrent pour en prendre un exemplaire. Les stations de radio reprirent la nouvelle une demi-heure plus tard et la diffusèrent à l'échelle nationale, tout comme la plupart des stations de télévision, même fédéralistes, le firent vers sept heures du matin. Une heure plus tard, la majorité des Canadiens, d'un océan à l'autre, avaient appris que leur premier ministre était accusé de fraude électorale et d'avoir soudoyé les responsables du dépouillement des votes dans le district de Magog.

Le directeur général des élections du Québec, M. Pierre-Jean Jacques (qui maudissait depuis bien longtemps l'humour de son paternel), reçut de Curtis Taylor, anonymement, le dossier qui avait étayé l'article de Beth, et en resta sur le cul. Il n'est jamais agréable pour un officiel d'avoir à suspecter un élu, mais dans ce cas précis, ça tournait au cauchemar ! Il annonça dès dix heures du matin qu'une enquête serait ouverte si la moindre parcelle de vérité apparaissait dans les preuves qu'il venait de recevoir. Il autorisa toutefois John Roof à conserver ses fonctions de député de Magog (quelle farce ! pensèrent unanimement les habitants de l'endroit) et laissa le soin au palier fédéral de décider si le suspect pouvait rester en poste, une question que même l'opposition balaya d'une main indulgente sous le tapis de l'honnêteté avant qu'il ne soit midi, probablement d'avis qu'il serait toujours temps d'en reparler lorsque le PM serait venu à bout de l'insurrection au Québec. Les rares membres de l'opposition qui émirent une opinion défavorable sur Roof reçurent avant longtemps un appel de la part de leur chef de parti. En surface, les choses ne changèrent que peu pour Jonathan Roof, qui avait annoncé une conférence de presse à trois heures cet après-midi-là. Son image de marque, toutefois, en prit pour son rhume. Il pourrait désormais se remettre à fumer sans trop s'inquiéter.

Madame Berthon, d'Amqui, grogna vers son mari :

— Et c'est à ce tricheur que tu donnes ton vote, hein ? Tu préfères rester dans un pays dirigé par ce gars-là que de voter pour Georges Normandeau ? Normandeau, s'il venait dans le coin et qu'on lui offre de rester à souper, y'accepterait sûrement. Penses-tu que Roof viendrait seulement jusqu'à Amqui ?

— T'as peut-être raison… Je vais dormir là-dessus, dit son mari, renfrogné.

Pierre Chagnon, vétérinaire à Verdun, s'exclama, en entendant la nouvelle :

— Ah, le maudit enfant de chienne !

Jean-Pierre, Laurent, Patrick et Martin, qui se rencontraient une fois par semaine depuis la petite école pour rire et discuter ensemble, n'avaient guère d'avis sur la question, depuis l'annonce de Normandeau. En buvant un café à la beignerie du coin, ce matin-là, Laurent dit aux autres :

— Juste pour ça, je vais voter Oui au référendum, et ses trois amis opinèrent gravement du bonnet.

Le cercle de l'âge d'or de Matane, qui se réunissait en ce 11 juillet, oublia sa partie de pétanque quotidienne, fait ahurissant en soi, pour discuter de la nouvelle du jour. Alma Mathieu, la doyenne du cercle, annonça à ses amies qu'elle allait soutenir Georges Normandeau, Ronald McDonald ou un cochon à trois pattes avant de donner son vote à quelqu'un qui non seulement avait oublié d'où il venait, mais était prêt à tricher pour ne pas y retourner. Ses compagnes, qui remplissaient assidûment leur devoir civique depuis des années, tombèrent d'accord avec elle et promirent de faire de même.

Un communiqué officieux du syndicat de la Voirie de Montréal encouragea ses membres à voter massivement en faveur de l'indépendance du Québec. Avant la fin de la journée, les syndicats des policiers, des ambulanciers et des infirmières avaient fait de même. Ils l'auraient sans doute fait de toute façon, mais la nouvelle renforça leur détermination et le spécialiste du lobbying de Curtis Taylor y travaillait depuis la veille. À Québec, Sherbrooke, Longueuil et Trois-Rivières, le même phénomène se produisit.

Paul Fiersen et William Andersen étaient ensemble lorsqu'ils apprirent la tricherie de leur premier ministre. Le seul commentaire vint de Fiersen :

— *Oooh shiiiiiiit...*

La nouvelle sortit du pays dans la matinée et atteignit la Maison-Blanche peu après. Le président pointa un doigt victorieux vers le message qu'il avait reçu et dit à son secrétaire d'État, fort occupé à se curer le nez :

— Là ! Tu vois que je ne suis pas le seul à faire des conneries !

À l'Élysée, le président français demanda à son secrétaire :

— Roof ? Ce n'est pas celui qui est venu ici l'été dernier ?

— Oui, monsieur le président.
— Quel connard, ce mec !
— Oui, monsieur le président.

Et partout, chaque fois, on citait le nom d'Elizabeth Converse. Avant même de recevoir les félicitations de ses collègues du journal, Beth avait déjà donné six douzaines d'entrevues à des journalistes parachutés en urgence de partout au pays, sans compter les reporters américains venus rendre compte du scandale. Comme l'avait dit Curtis Taylor, Beth faisait maintenant partie de l'élite, et elle ne broncha pas une seule fois en entrevue, pas plus qu'elle ne révéla de qui provenaient ses informations.

Elle reçut un coup de fil d'Émilie, que son père avait emmenée avec lui dans le Nord, dans un immense chalet que lui avait prêté Curtis Taylor, et qui appartenait à un ponte de la finance de la rue Saint-Jacques qui collaborait parfois avec le directeur du SG4 en échange d'informations privilégiées. Theodore Donovan (qui vit là une sanction et qui avait parfaitement raison) avait été affecté à leur protection, tâche qui le fit jurer jusqu'à ce que ses yeux se posent sur Émilie. Sa colocataire était folle de joie devant le succès de son amie, ce qui réjouit celle-ci, la compétition entre collègues dépassant parfois l'amitié, dans le milieu.

William Converse l'appela aussi pour l'inviter au restaurant dans la soirée, pour fêter en famille le *scoop* de l'année.

— C'est gentil, papa, mais je dois me rendre à Ottawa pour la conférence de Roof et je vais revenir tard.

— Ça sera beaucoup plus rapide que tu ne le crois, ma chérie. J'ai un client qui te prête son jet.

— Pardon ? dit Elizabeth, éberluée.

— La nouvelle tarification de Roof sur les exportations lui a fait perdre plus d'un million l'an dernier, et quand il a appris que ce salopard donnait une conférence de presse, il m'a appelé lui-même pour que je te propose son avion. Ça te dit ?

— Sûr ! fit Beth qui avait toujours détesté le trajet Montréal-Ottawa par la route.

Comme sa nuit avait été assez courte, Converse dormit deux heures dans un bureau de l'aéroport de Saint-Hubert qu'un des responsables mit à sa disposition lorsqu'il la reconnut. À une heure, elle monta dans un jet privé qui, bien qu'il ne soit pas énorme, tenait du palais flottant. Le pilote et l'hôtesse l'accueillirent comme si elle avait fait partie de la famille royale. Le pilote dit, après quelques courbettes :

— Le patron nous a dit d'exaucer chacun de vos désirs.

Beth se détendit et s'enfonça dans le moelleux fauteuil en attendant le décollage, une flûte de champagne à la main.

À l'heure où son avion prit son envol, Jonathan Roof aurait donné n'importe quoi pour avoir la liberté de lui mettre le grappin dessus.

44

Le Conseil de Westmount était réuni au grand complet à midi, le 11 juillet. Aux membres originaux s'étaient joints William Andersen, détective au SPM, et deux propriétaires de chaînes de magasins qui figuraient parmi les hommes les plus riches de la métropole. À voir leur président dans tout ses états, les quinze autres membres du conseil peinaient à se rappeler la douceur et la patience du médecin qu'il était en réalité, tout en partageant son désarroi.

— Ce crétin ! rugit Fiersen. On se désâme pour donner un sens à la fierté d'être Canadien, et le premier ministre se fait choper le cul à l'air ! Il aurait aussi bien pu dire à Normandeau de ne pas se donner la peine d'un référendum ! Ce petit gros a des idées stupides concernant le Québec, mais au moins, il est honnête ! À moins de trois jours du référendum !

— Pour ce qui est de la fierté, grogna Julius Webster, on l'a dans l'os.

Julius, dont les tentatives infructueuses à Québec avaient légèrement aigri le caractère, s'agita sur sa chaise.

— Ça fait deux semaines que je bats la campagne, sans mauvais jeu de mots, pour réunir assez de gens pour un rassemblement. On dirait que ces cons ne se sentent pas du tout concernés. Il m'a fallu les gagner au cas par cas. Pire encore : en connaissez-vous beaucoup, vous autres, des vedettes à la fois pro-Canada, francophones et disposées à prendre parti dans un rassemblement ? Je parviens à en rassembler quelques-unes et BANG ! Tout me saute à la gueule. J'en avais une demi-douzaine, à onze heures hier soir. Combien il m'en reste, douze heures plus tard ? Une seule vedette, et probablement parce qu'il se lève tard ou qu'il ne lit pas les journaux ! *Geez* ! Il aura annulé avant cinq heures, et on a une manif où personne de connu n'ira parler. Je l'annule ?

— Maintenez-la, intervint Will Andersen. Il est important qu'ils comprennent qu'ils sont une communauté. Nous aurons une couverture médiatique ?

— Si vous la faites venir d'Ottawa, c'est possible, grimaça Paul Fiersen. Je me dis parfois que si je m'immolais en pleine salle des nouvelles et que je demandais de l'aide en anglais, le caméraman et Mathieu Sinclair pivoteraient simplement d'une trentaine de degrés pour ne pas me passer en ondes. Ils ont fait un ou deux articles, pour paraître impartiaux, et les ont placés en cinquième page, où l'on ne parle plus ni de sexe ni de sang, ce qui fait que personne ne se rend jusque là. À qui appartiennent ces journaux ? Ta-dam ! À un nommé Beaubien, quelle surprise !

Alicia Morton, une avocate réputée, dit doucement :

— Il faut avouer que j'ai vu bien peu de résumés des manifs souverainistes dans le *Sun* d'Ottawa ou dans *The Gazette*… Ils font exactement ce que nous ferions si les rôles étaient inversés.

— Le rassemblement du 13, au parc Lafontaine, on le maintient ? demanda Seymour Hoffman, un banquier qui se demandait vraiment pourquoi il n'avait pas quitté le Conseil en même temps que l'ancien ministre.

— Oui, dit Fiersen. On y fera la plupart des allocutions, mais j'ai bien peur qu'après la bourde de Roof, cela ait peu de poids.

— En effet, glissa Alicia, mais ce qui nous manque principalement, c'est la jeunesse.

Offensés, les membres du conseil se tournèrent vers elle. La plupart des têtes sur lesquelles il restait des cheveux étaient blanches comme neige.

— Allons ! se défendit Morton en rougissant. J'ai moi-même cinquante-cinq ans, alors vous savez bien ce que je veux dire ! Il nous manque des figures emblématiques ! Notre président, avec sa quarantaine, est le plus jeune d'entre nous, et peu de jeunes adultes sont prêts à faire confiance à la génération qui les précède, sans parler de celle qui venait avant ! Il nous faut l'équivalent de ces deux crétins qui ont eu leur photo dans le journal par hasard, et qu'on nous sert à toutes les sauces depuis. Ces gamins de la Rive-Sud…

— Ils sont bien loin d'être idiots, ma chère… dit Webster d'une voix calme. Je les ai vus quelques fois à la télévision, et ils paraissent très bien. Il est vrai que d'avoir un membre de la nouvelle génération dans le conseil ne nous nuirait pas.

— Je verrai ce que je peux faire, mais je doute que cela nous avance tellement, dit Fiersen, un peu offensé. William, gardez les yeux ouverts de votre côté. Pour ce qui pourrait se passer à votre travail, d'accord ?

William hocha la tête.

— Bon ! On se revoit après-demain. Ma clientèle commence à me demander si je suis ministre ou médecin.

45

« *Oh shit!* » pensa Shuan Lee en arrivant à son commerce, le matin du 11 juillet. Son dépanneur n'avait plus de vitrine. Enfin, elle y était toujours, mais en de nombreux morceaux, dont la plupart étaient tombés dans la boutique. Une fois la porte ouverte, celle-ci étant munie de barreaux qui étaient toujours en place et d'une vitre qui avait rejoint sa consœur au niveau du sol, il aperçut la fautive dans l'allée qui menait à la caisse. Une brique que quelqu'un (le petit enculé de facho !) avait lancée depuis la rue, sans doute d'une voiture.

Un de ses clients habituels entra peu après lui et siffla entre ses dents devant les dégâts. Les yeux du Thaïlandais lui sortaient maintenant de la tête tant il était en colère.

— Vous avez une idée du pourri qui aurait pu vouloir vous faire ça, M. Lee ?

— Oui. Je sais qui c'est. Un fasciste qui est venu me dire, la semaine passée, que bien des gens n'aimaient pas que je serve mes clients dans les deux langues, ni que j'affiche de la même façon. Ils ont brisé mon enseigne au début de la semaine.

— Ah, oui, tiens, j'avais remarqué ça…

— Tout ces gens me font chier ! cria-t-il en lançant le balai qu'il venait d'aller chercher. Est-ce que c'est si compliqué à comprendre que c'est ce genre de détails qui gardent un commerce ouvert ? Que je servirais bien un Javanais dans sa propre langue si je savais la parler ? Anglais ou français, j'en ai rien à foutre, merde ! Je parle thaï !

Ces scènes devinrent de plus fréquentes partout à travers la province. Il n'y avait pas de mouvement organisé, mais la frénésie politique générait parfois un fanatisme sauvage. Les gens qui vandalisèrent de telle façon les boutiques qui continuaient d'afficher dans les deux langues devaient bien savoir que cela ne changeait strictement rien, mais l'important, apparemment, était de trouver un exutoire. À Montréal, Longueuil et Brossard, des commerces qui n'affichaient qu'en anglais furent parfois incendiés, sans qu'aucun coupable ne soit appréhendé. Les malchanceux comme Shuan Lee n'étaient pas légion avant le référendum, mais assez nombreux pour justifier un ou deux articles, d'autant plus qu'on pouvait aussi jouer sur la corde sensible puisque plusieurs nouveaux arrivants faisaient partie du lot.

Sa femme Grace, stoppée net devant la porte, poussa un gémissement. Shuan crut qu'elle s'était coupée lorsqu'il l'entendit additionner :

— L'enseigne à deux mille cinq cents, la vitrine à deux mille, la porte… Je te l'avais dit que tes francophones étaient encore plus cinglés que les autres ! rugit-elle en se tournant brusquement vers lui.

— Ils ne sont pas tous ainsi et tu le sais, dit-il en désignant la photo de Fontaine sur le mur derrière le comptoir. Il n'était pas gentil, celui-là ? Ils ne sont pas gentils, nos clients ?

— Non, dit-elle en haussant les sourcils d'étonnement. Nos clients ne sont pas particulièrement gentils…

— D'accord, mauvais exemple, concéda Shuan.

— Mais le garçon de la photo est bien. Il est encore passé à la télévision avant-hier. J'aurais bien aimé aller à la manifestation.

— Toi ? s'étonna son mari. Tu veux aller à un regroupement souverainiste ?

— On voit que tu n'as pas pris le temps de regarder le journal… dit-elle en lui prenant le balai des mains et en le remplaçant par un exemplaire du *Provincial*.

46

En ce matin du 8 juillet, alors que Georges Normandeau savourait pour la dixième fois la première page du *Provincial* en compagnie de quelques-uns de ses conseillers, Jonathan Roof était, lui, en proie à un doute affreux. Même la conférence de presse qu'il devait donner dix minutes plus tard s'était effacée de son esprit pour le moment. Le regard vide, en coulisses, il tournait et retournait le problème dans sa tête, à la recherche de l'infime détail qui clochait, de ce petit rien qui l'agaçait depuis sa première lecture de l'article de Converse, dans la matinée. Quelque chose ne collait pas. Ne collait absolument pas.

Pourtant, le scénario semblait on ne peut plus simple. Normandeau avait fait entreprendre des recherches et découvert le filon. Un filon qu'il avait vraisemblablement offert à sa nièce contre un peu de répit à propos de ses découvertes sur le ministère de la Défense. Si sa nièce avait été éducatrice en garderie ou coiffeuse, un autre journaliste aurait tout de même reçu un paquet de la part de…

Le premier ministre du Canada se redressa d'un coup. Cela lui parut soudain si gros, si monumental, qu'il se demanda comment il avait pu passer à côté tant de fois depuis son réveil. Le problème était qu'il pensait en fonction de ses options à lui, alors qu'il lui aurait fallu se mettre à la place de son rival. Jésus-Marie-Joseph, qu'il avait été con ! Si le premier ministre avait discrètement décidé d'enquêter sur lui, à qui se serait-il adressé ? Qui aurait battu la campagne pour lui dénicher ses informations ? Assurément quelqu'un de la SQ !

C'était pourtant impossible, puisque ce fait aurait été le premier révélé par Roland Martial, depuis qu'ils étaient parvenus à un terrain d'entente. Si la Sûreté ne s'était pas mêlée de cette histoire, qui l'avait fait ? Il avait un dossier sur le moindre collaborateur de Georges Normandeau et aucun d'eux n'avait assez d'expérience et de talent pour faire une telle découverte. La fraude semblait simple, une fois étalée dans les journaux, mais c'était en fait un petit chef-d'œuvre d'organisation, que n'aurait pu percer un simple grouillot avec de la chance. Jamais le premier ministre n'aurait pris le risque de s'adresser à une agence de recherche étrangère à leur gouvernement pour une question aussi capitale. La personne qui avait pourtant creusé pour exhumer ce squelette avait l'habitude de ce genre de travail…

Il avait pensé selon ses propres options, et la réponse, finalement, s'y trouvait. Il espérait de tout son cœur avoir tort, mais sa déduction lui semblait on ne peut plus sensée. La grande question, toutefois, n'était pas de savoir comment il avait pu se laisser berner à un tel point. L'heure n'était plus à faire dans la dentelle. Il devait apprendre, tout en gérant la crise en cours et le référendum qui s'amenait, pourquoi il avait été trahi. Il est toujours temps, après coup, de découvrir comment on s'est fait baiser. Par contre, si on ne comprend pas rapidement le pourquoi de l'histoire, on s'expose à ce que cela se reproduise, encore et encore… Quand le régisseur lui fit signe qu'il était temps d'entrer sur scène, et en ondes par la même occasion, Roof sentit une rage froide l'envahir. Le tabarnac !

Son chef de campagne, qui le présenta, annonça à l'avance que le *Prime Minister* ne répondrait pas aux questions, ce qui fit grogner plusieurs journalistes qui n'avaient que la consolation de savoir que les autres journaux repartiraient eux aussi bredouilles. John Roof entra côté jardin, une mine sévère de circonstance sur le visage.

Il avait d'abord opté pour un sourire, mais celui-ci s'était figé en reconnaissant Elizabeth Converse au premier rang, bien au centre. « C'est qu'elle est mignonne, la garce », pensa Roof en se dirigeant vers le micro, où il débita un discours de défense tellement hermétique qu'il aurait pu s'adapter à n'importe quelle situation fâcheuse survenue aux dépens d'un homme politique ces vingt dernières années, en changeant quelques dates. Il affirma son innocence et déclara que ses adversaires étaient prêts à tout pour faire avancer la cause souverainiste (d'un air faussement offensé, Georges Normandeau s'exclama dans son bureau, avec un accent de bouseux, « Ben voyons, m'sieur ! J'oserions jamais ! », faisant s'écrouler de rire ses collaborateurs), y compris émettre d'odieuses insinuations au sujet de leur premier ministre pour miner son crédit. Insinuations qui jusqu'ici ne reposaient sur rien, fallait-il le rappeler.

Roof débita un peu mécaniquement son discours, ce qui ne l'aida en rien. La tête encore en feu de sa nouvelle découverte, il se serait amplement passé de cette allocution à l'échelle nationale. « Ils découvriront tout, de toute façon, dans quelques semaines, alors à quoi bon m'en défendre ? Le combat de l'heure, c'est l'unité de mon pays ; point final. J'aurai bien le temps de filer à l'étranger avant ma mise en accusation, si on en vient là, et ils ne seront que trop heureux de me laisser faire. »

Quand il redescendit du podium, John Roof marchait d'un pas vif. Avisant deux hommes en costume sombre qui l'attendaient en coulisse, il leur fit signe de le suivre. Alors qu'ils lui emboîtaient le pas dans une zone interdite au public, Jonathan Roof aboya :

— Ramenez-moi Curtis Taylor ! Je le veux ici, maintenant ! Vous avez intérêt à vous bouger le cul !

Les historiens qui s'intéressèrent par la suite en profondeur à cette partie de l'histoire du Québec ne se mirent jamais réellement d'accord à savoir si le premier ministre réalisa, avant qu'il ne soit trop tard, qu'il s'était adressé à deux agents du SG4.

47

Roland Martial était déprimé. Le 12 juillet, il était assis au bord de sa piscine, les pieds dans l'eau et le regard dans le vague. Il avait appelé au bureau pour prévenir ses principaux adjoints qu'il n'irait pas travailler. Il se sentait un peu nauséeux, mais ne savait pas encore qu'il s'agissait du dégoût qu'il ressentait envers lui-même. Il ne réalisait que tout doucement qu'il venait de tuer un homme qui n'avait fait que son travail. Il tendit le bras et but à même le flacon de whisky qu'il avait traîné avec lui, une habitude qui lui était tellement étrangère qu'elle aurait sidéré sa femme, cette dernière eût-elle été encore en vie.

La pensée de sa femme l'observant en train de se saouler un jour de travail, alors qu'il n'était pas encore midi, lui fit lever le coude encore une fois. Il n'aimait pas se rappeler celui qu'il avait été avant le départ de Lucille, parce qu'il n'avait plus que de lointaines ressemblances avec cet homme, quelque chose qu'il était heureusement parvenu à cacher à ses collègues. Il ne buvait pas plus maintenant qu'il ne le faisait à l'époque, mais cela lui sembla une excellente idée, en ce matin de juillet, et peut-être que c'en était effectivement une, au vu de ce qui arriva par la suite.

Sa femme était morte d'un cancer généralisé un an auparavant, alors qu'il était déjà directeur de la Sûreté. Ils avaient tenté ensemble tous les traitements, partout aux

États-Unis, et Martial y avait laissé une bonne partie de son bas de laine. Quand Lucille mourut, il se retrouva seul, sans enfant et presque sans argent. Il n'était pas au point où il aurait eu à emprunter, mais durant ses années comme agent, il avait tout de même placé un bon montant à gauche, et celui-ci venait de s'envoler.

En décembre, un homme s'était présenté à son domicile, bien mis et l'air respectable. L'envoyé de John Roof lui fit la conversation sur un mode amical durant près de trois heures. Le premier ministre ne voulait pas nuire au Québec, bien sûr que non ! Il souhaitait seulement que le Québec ne nuise pas au reste du pays, et désirait être informé des sujets épineux pouvant concerner l'unité canadienne, vous voyez ? Tout se ferait sur le mode d'un échange de services, le bureau du premier ministre étant en général fort bien informé sur ce qui se tramait dans le reste du Canada. De plus, M. Roof était prêt à payer généreusement le surcroît de travail qu'il occasionnerait à M. Martial, on se comprend toujours bien ?

Martial n'hésita que quelques jours, puis donna son accord. Il n'avait jamais été partisan de la souveraineté, et Jonathan Roof lui offrait deux fois son salaire, chaque mois. De plus, il n'avait demandé des informations qu'une douzaine de fois, toujours par le même intermédiaire, et celles-ci avaient toujours paru à Martial de moindre importance.

Jusqu'à ce que ce crétin file avec ce dossier, bien entendu ! Martial ne s'en serait pas voulu autant s'il avait reçu un ordre quelconque, mais il avait agi de lui-même, et en crevait de honte. Il se tenait devant son fax, lisant l'une après l'autre les pages qui arrivaient, et il avait eu l'opportunité d'envoyer le dossier au premier ministre de son choix. En définitive, ses griefs contre son propre gouvernement l'avaient emporté et il avait téléphoné rue Sussex pour prévenir le *Prime Minister*. Il n'avait pensé qu'après-coup au fait qu'il venait sans doute de condamner l'homme qui lui avait fait confiance en lui envoyant ce dossier.

Il savait que ses remords disparaîtraient finalement, comme les précédents, et c'est ce qui le déprimait le plus. Il n'était pas un assassin. Les rares exécutions orchestrées par son service étaient toujours essentielles, mais elles lui laissaient chaque fois un arrière-goût amer. Martial avait envisagé le suicide, après la mort de sa femme, mais il n'avait pas eu le courage de passer à l'acte, retenu par l'opinion qu'entretenait son épouse à propos de cette forme particulière de lâcheté.

L'histoire s'est souvenue de la trahison de Roland Martial, mais elle ne mentionna jamais à quel point il avait pu aimer sa femme, qu'il avait rencontrée au collège et qu'il n'avait plus jamais quittée. Quoi qu'il en soit, Martial décida, au bord de sa piscine, que son association avec Jonathan Roof était terminée. Il ne s'était jamais targué d'être un homme de principe, mais aucun innocent ne mourrait désormais par sa faute, il s'en faisait le serment.

Martial entendit sonner le téléphone plusieurs fois, à l'intérieur, mais ne ressentit pas le besoin de décrocher. Que pourrait-on lui annoncer comme bonne nouvelle? Mieux valait prendre des forces pour affronter la merde qui allait assurément tomber au soir du 14 juillet, que les Québécois obtiennent ou non leur indépendance. Roof ne lui en avait pas soufflé mot, mais Martial était persuadé que ce dernier avait un plan B, qui s'annonçait tout sauf agréable. Ne connaissant aucun détail, il aurait été vain de tenter de prévenir ce gros crétin de Normandeau qui, aussi détestable qu'il puisse paraître, savait flairer le vent aussi bien que lui. Le premier ministre en aurait sans doute été surpris, mais le mépris du directeur de la SQ à son égard se limitait à sa personnalité, puisqu'il avait toute confiance en ses capacités de dirigeant. Du moins jusqu'au moment où un référendum avait été annoncé…

Avisant la bouteille presque vide, il se leva pour tenter d'en découvrir une autre dans la maison. Il ne trouvait jamais du premier coup quelle section du grand meuble du salon s'ouvrait sur le minibar. Lucille et lui en avaient toujours conservé un pour leurs invités, même si Martial ne devait pas évaluer à plus d'une douzaine les fois où il avait bu depuis son entrée à la SQ. Disons treize, pensa-t-il en regardant la bouteille qu'il balança d'un geste nonchalant dans la piscine. Il se sentait pris d'une terrible lassitude ce jour-là.

Martial ouvrit la porte-patio et se dirigea vers le salon en titubant légèrement. Comme il ne fréquentait pas la bouteille assidûment, ce qu'il avait déjà ingurgité faisait effet. Il voyait un peu trouble, un phénomène qui l'intéressa assez, comme tout ce qui était nouveau pour lui, en général. La maison était bien sombre pour un après-midi ensoleillé, mais il n'était pas en état de le remarquer. En ouvrant le meuble du salon (se trompant une fois de plus de compartiment, bien qu'ayant cette fois une excuse), il tenta de chanter un ou deux couplets d'une chanson de Brassens, puis y renonça.

Martial perçut tout à coup une ombre qui se découpait à la limite de son champ de vision. La vitesse à laquelle il réagit, vu son état d'ivresse, fut tout à fait respectable. Laissant tomber la carafe qu'il avait à la main, il fit demi-tour si rapidement que ses visiteurs eurent du mal à le croire, portant dans le même geste la main vers sa ceinture, en direction de l'arme dont il ne se séparait jamais depuis l'école de police. Sobre, il serait sans doute parvenu à sortir son pistolet et se serait fait tuer dans la foulée, mais l'alcool le priva de la fraction de seconde nécessaire pour le faire. Il sentit le canon d'une arme s'enfoncer entre ses reins, pendant qu'on lui subtilisait la sienne.

Dans les brumes de l'alcool, il eut encore la présence d'esprit de penser :

« Des professionnels… Quand un clown te braque son arme derrière la tête, tu sais que tu as affaire à un amateur. Quand il te la pose en douceur contre la colonne vertébrale, tu sais au moins que ce n'est pas le genre de type que la frousse va pousser à te tirer dessus au hasard, te perforant le foie, et qui se poussera en hurlant dans la nuit. Celui-ci sait que tu sais qu'on peut encore interroger quelqu'un qui a une balle dans le dos. Merde. Ma mère avait raison : l'alcool est un poison… »

Aussi incroyable que cela puisse paraître, il sentit monter en lui un petit rire, qu'il étouffa maladroitement.

— Quelque chose vous semble peut-être très drôle, M. Martial, fit une voix, mais plusieurs personnes, dont moi-même, pour ne rien vous cacher, ne sont pas du tout du même avis…

Le rire de Martial s'éteignit aussi sec. L'homme qui avait parlé n'était pas celui qui l'avait désarmé et qui se tenait derrière lui, sans même le toucher, semblant considérer que sans arme, il n'était guère dangereux. Roland Martial était maintenant pétrifié au point où il avait de la difficulté à respirer. Son cœur battait la chamade dans un rythme désordonné qui lui fit craindre la crise cardiaque, mais pas autant que la voix qu'il avait reconnue.

Ne l'avait-il pas toujours su ? N'avait-il pas déjà pensé que s'il venait à être tué, un jour, ce serait par cet hostie de cauchemar ? Ne l'avait-il pas attendu, en fait, depuis un an ? Il n'aurait su le dire avec certitude, une partie de lui-même s'émerveillant perversement qu'un adulte puisse ressentir une telle terreur, comparable à celles ressenties, enfant, devant tout ce qui est noir et ne peut être expliqué.

Oh, oui ! Il la reconnaissait, cette voix, et il comprit aussi immédiatement que Jonathan Roof avait des problèmes beaucoup, beaucoup plus sérieux qu'il ne pouvait le penser, si ce salopard avait retourné sa veste.

— Je crois que nous nous devons d'avoir une sérieuse conversation, M. Martial, déclara Curtis Taylor dans l'obscurité. Certains points restent à éclaircir, dit-il avec un sourire qui fut épargné au traître, qui avait fermé les yeux.

— Oh, mon Dieu… murmura Roland Martial

— Appelez-moi donc Curtis, répondit son bourreau en souriant de nouveau.

48

Parmi les forces de l'ordre, l'annonce de l'arrestation de Roland Martial défia l'imagination. Nul ne l'avait jamais beaucoup aimé, rigide et puritain comme il l'était, mais personne n'avait envisagé pour autant, malgré les griefs qu'il nourrissait envers le parti, qu'il puisse trahir. Évidemment, peu de gens l'avaient beaucoup fréquenté depuis la mort de sa femme…

Curtis Taylor lui-même avait été très surpris, lui qui avait jadis pensé recruter Martial, alors qu'il dirigeait la meilleure escouade de la SQ. Il y avait renoncé parce qu'il n'aimait pas tellement avoir de subordonnés plus âgés que lui et que Martial était son aîné de plus de dix ans. L'événement secoua bien des gens qui s'aperçurent soudain que si le patron pouvait trahir, ils ne pouvaient faire confiance à personne, ce qui les fit détester le *Prime Minister* encore un peu plus.

Plusieurs d'entre eux décidèrent à ce moment précis qu'ils ne souhaitaient plus vivre dans un pays tellement compartimenté que les élus au pouvoir s'espionnaient entre eux plutôt que de travailler au prestige national. Dans un Québec souverain, il était peu probable que le maire de Drummondville place des mouchards chez celui de Sainte-Julie pour surprendre un secret d'État.

Réjean Morin passa quatre heures au téléphone à appeler chaque chef de police, d'un bout à l'autre de la province, pour leur rappeler l'entente qu'ils avaient conclue et leur dire que « leur-gouvernement-comptait-sur-eux », formule qui a toujours annoncé, dans quelque pays que ce soit, que la merde allait bientôt pleuvoir.

Denis Marcoux, quant à lui, passa ces quelques heures à écrire l'allocution la plus importante de sa vie, qu'il prononcerait, ou non, le 14 juillet au soir, après que Curtis Taylor lui aurait communiqué les résultats et avant qu'ils ne soient rendus publics. Il découvrait à la fois qu'il avait un réel talent d'écriture quand il était inspiré, mais que pour rien au monde il n'aurait souhaité être politicien, lui qui avait toujours pensé le contraire. Il avait finalement pris contact avec Georges Normandeau pour se mettre à sa disposition. À entendre les bruits que lui rapportait son aide de camp à intervalle régulier, il commençait aussi à craindre pour la sécurité de Mike Sullivan.

En ce début de soirée, Mark Murphy assistait à une réunion à laquelle il ne portait aucune attention. Il n'avait pas connu personnellement Roland Martial et n'était pas précisément inquiet pour lui, mais à l'instar de Jonathan Roof, il réagissait en tacticien. Il réfléchissait surtout à la façon dont on avait pu coincer Martial, qui n'était pas la moitié d'un con et qu'on disait fort habile, en règle générale. Cela l'agaçait, car il ne voyait vraiment pas comment. Murphy aurait juré être au courant de chaque renseignement que leur avait transmis leur contact, et très sincèrement, il n'y avait rien là qui eût poussé une autorité à ouvrir une enquête, alors comment l'avaient-ils su ? Concluant qu'il ne le saurait pas sans élément nouveau, il passa en pensée au problème suivant.

Bethleem Jordan ne s'émut pas outre mesure de la capture de l'indicateur. Il repassait au peigne fin le cours des opérations à venir, savourant la complexité de son œuvre, oubliant pour le moment que l'idée était de Roof. Il était rentré chez lui pour un court séjour qu'il avait mis à profit pour tondre le gazon qui avait prospéré durant son absence. Il lui tardait que les choses se mettent en branle, dans un sens ou dans l'autre. Le commandant en chef des Forces armées aimait l'action, et l'inactivité des dernières heures le minait.

Étrangement, l'annonce de l'arrestation de Martial souleva bien peu d'intérêt. Les gens qui prirent la peine d'y porter attention ne doutèrent que davantage de l'honnêteté du beau et grand pays dans lequel ils vivaient. « On ne prend pas les gens pour des imbéciles impunément », titra l'éditorialiste de *La Presse*, pourtant peu reconnu pour sa sympathie à l'égard de la cause souverainiste. Il s'avéra que l'article était parti aux presses avant que le rédacteur en chef n'y jette un œil. Savard, qui avait pondu l'article, fut viré le lendemain avec fracas. Raoul Gagnon l'engagea l'après-midi même. Il fut, après Beth Converse, le journaliste le plus suivi de la campagne référendaire. Roland Martial n'étant pas une figure connue du grand public, les gens retinrent surtout que le gouvernement canadien avait encore corrompu un des leurs, par ses sales manigances.

On approchait de la ligne d'arrivée, et les sangs se réchauffaient.

49

Marcus Fontaine regarda Benny partir dans sa nouvelle voiture et s'installa au volant de la sienne, gracieuseté du sieur Martel. Ils avaient tous les deux beaucoup de route à faire et beaucoup de gens à rencontrer durant les deux prochains jours, mais ils avaient convenu d'aller voter ensemble à Longueuil quarante-huit heures plus tard. Ils pourraient alors se vanter d'avoir, à eux deux, mis le pied dans plus de quarante villes du Québec. Fontaine, qui avait vécu en permanence avec Trudeau depuis leur rencontre, se sentit bien seul tout à coup.

En se dirigeant vers Saint-Hyacinthe, il eut un sourire pour l'entrepôt minable où il avait travaillé quelques siècles auparavant. Que ces morons lui semblaient loin !

Il devait rencontrer là-bas le chef d'une bande de motards locale, ce qui ne l'énervait pas outre mesure. Si Martel assurait que c'était sans danger, ça l'était. Tout comme un pays, une ville se doit d'être défendue par une force de police légale, mais avoir avec soi une engeance qui ne recule devant rien pour assurer la sécurité des leurs peut s'avérer d'une grande utilité.

Partout, dans chaque ville, des bandes de voyous, mais aussi de braves types, ne demandaient qu'à défendre leur pays sans nécessairement marcher au pas. Beaucoup de simples mortels sans affiliation, aussi, qui ne se laisseraient pas marcher sur les pieds si on les embêtait. Erik Martel les avait trouvés et contactés. Marcus Fontaine et Benny Trudeau allaient maintenant tenter de les organiser. Ils allaient rencontrer du drôle de monde durant ces deux journées, mais sur la lie de la société reposait peut-être l'une des meilleures défenses de celle-ci.

Les brigades de rue passeraient bien sûr à l'histoire, mais nos deux héros l'ignoraient encore.

50

Curtis Taylor reçut l'appel qui lui sauva la vie à 15 h 45, le 11 juillet. Il émanait de Martin Mueller, un jeune voyou qui lui avait un jour fait les poches dans un train se rendant à Vancouver, s'ouvrant sans le savoir un avenir qu'il n'aurait jamais soupçonné, puisque Taylor l'avait engagé trois heures plus tard, après lui avoir fait comprendre qu'il y avait mieux à attendre de la vie que de risquer la prison pour cent malheureux dollars. Curtis avait le chic de se faire aimer des malfrats. Le chef d'une bande de motards, qu'il avait rencontré en vacances dans le Maine et qui le connaissait de réputation, puisque son organisation était fort bien informée, lui offrit même un salaire absolument scandaleux pour qu'il se joigne à eux comme organisateur, ce qui avait beaucoup amusé le directeur du SG4.

Martin Mueller était l'un des deux hommes du SG4 que l'on avait incorporés à l'équipe de la GRC, et à qui s'était adressé par erreur Jonathan Roof. Taylor, qui se trouvait dans un hôtel de Québec, se raidit immédiatement, à l'affût, lorsque son téléphone sonna.

— Taylor, répondit-il laconiquement.

— C'est Martin Mueller, m'sieur ! J'ignore ce que vous avez pu faire, mais il faut vous sauver en vitesse ! Le premier ministre veut vous mettre la main au collet, et *subito presto* ! Je ne crois pas que ça ait à voir avec la routine, m'sieur ! S'il vous prend, j'ai dans l'idée qu'il vous réserve un sale quart d'heure, dit rapidement l'agent.

Taylor soupira, en regardant au loin par la fenêtre. Ça devait arriver.

— Merci, Mueller. J'apprécie que vous me préveniez. J'ai toujours su que vous seriez un magnifique agent. Vous pouvez désormais refuser d'obéir, car je ne serai plus longtemps votre patron, mais j'aimerais que vous réunissiez l'essentiel de nos agents dans un entrepôt que le SG4 possède près de Moncton. J'ai à vous parler une dernière fois, et vous aurez, quant à vous, à prendre une décision.

— C'est à ce point ?

— Je le crains, oui…

— Vos hommes y seront, monsieur le directeur, dit Mueller avec une tristesse qu'il ne tenta pas de dissimuler et qui fit chaud au cœur de Curtis. J'en rassemblerai le plus grand nombre possible pour demain, trois heures. Je m'adresserai à M. Martel pour ce qui est des détails. Je présume qu'il saura où vous joindre. Il va falloir faire vite, parce que Roof a sûrement déjà lâché la meute et que si je suis parvenu à vous retracer, il le peut aussi. J'ignore comment il a appris que vous étiez à Québec…

— Merci beaucoup, dit Taylor, étrangement touché par le respect et l'affection que lui vouait son subordonné, alors que celui-ci ne faisait pourtant que son travail.

« Si je parviens à sauver mon vieux cul encore une fois, mon gars, pensa-t-il, je connais un agent qui va faire un sacré bond dans l'échelle de la hiérarchie, au point où il s'en étonnera lui-même… »

Il raccrocha et passa à l'action. Toujours bouger, contrairement à ce qu'on pourrait penser de la sécurité d'une planque. Il fallait qu'il reste en vie à tout prix pour orchestrer la suite des opérations. Martel était de loin l'homme le plus compétent qu'il lui ait été donné de diriger, mais il ne pouvait tout faire seul, le pauvre vieux… Curtis avait fait virer un demi-million de dollars d'un compte offshore des opérations du SG4 dans celui d'Erik Martel. S'ils échouaient à la tâche, ce ne serait pas de sa faute, et il avait fait le boulot d'une bonne douzaine d'agents depuis le début de la crise.

Il boucla en deux temps trois mouvements la petite valise qu'il avait apportée et ouvrit la porte de sa chambre d'hôtel à la volée. Il se retrouva devant deux hommes tout en muscles, à la mine patibulaire, malgré leur apparence soignée. Dans la fraction de seconde qui précéda l'action, Taylor eut le temps de les identifier comme deux des principaux adjoints de Mark Murphy.

Les deux hommes jurèrent par la suite à leur patron que Curtis Taylor avait agi si vite qu'ils n'avaient enregistré le mouvement qu'une fois celui-ci terminé. Celui qui s'apprêtait à trafiquer la serrure n'avait pas sorti son arme, mais son comparse avait la sienne bien en main, même s'il se trouvait derrière le premier, une erreur pour laquelle un stagiaire du SG4 aurait à coup sûr été viré, et qui leur aurait coûté la vie s'ils s'étaient attaqués à un autre que Taylor.

L'agent qui crochetait la serrure confia officieusement à son collègue l'impression qu'il avait eue que tout se serait passé exactement de la même façon s'ils avaient été armés de M-16, et prêts à faire feu lorsque la porte s'était ouverte. La vitesse à laquelle ce salopard avait agi était tout simplement incroyable ! Son coéquipier, qui avait près de dix ans de moins que le directeur du SG4, répondit qu'il s'était senti très vieux et très lent, cet après-midi-là.

Alors que la porte ouverte d'un seul élan n'avait pas encore frappé le mur, Curtis était déjà en mouvement. Lançant sa valise par-dessus l'épaule du premier homme en direction du second qui levait son pistolet, il se jeta en avant avec une agilité stupéfiante, envoyant son pied dans le sternum du premier homme, sans pour autant ralentir son assaut vers le pistolet du second assaillant. Le premier homme recula vers le mur, vidé de son souffle, tout en tentant de sortir lui-même son arme. Deux secondes à peine s'étaient écoulées depuis que Curtis avait ouvert la porte. Il atteignit d'un foudroyant uppercut l'homme qui se tenait en retrait, tout en lui tordant le poignet d'un seul mouvement, se débarrassant de la menace immédiate en même temps que de l'arme de service de l'agent. Il donna du revers de la main un coup retenu sur la gorge de l'assistant de Murphy, qui s'effondra comme une masse, alors que le premier agent parvenait enfin à sortir son Colt 45. Sans même se retourner, alors que sa première victime n'avait pas encore touché le sol, Curtis lança sa jambe derrière lui et brisa net contre le mur le poignet qui tenait l'arme. En faisant demi-tour, il frappa du coude de toutes ses forces dans l'estomac du policier, qui émit un gémissement étouffé avant de glisser au sol. Le directeur du SG4 se pencha vers lui, alors qu'il gisait, à moitié assommé, sur le sol du couloir du Château Frontenac.

— Dites à Mark Murphy que je m'occuperai personnellement de lui avant longtemps. Dites-lui que Taylor lui promet ça…

Il descendit à toute vitesse les escaliers en appelant Erik Martel pour savoir quels agents étaient dans le secteur et disponibles pour le dépanner. Il eut la mauvaise surprise d'apprendre qu'aucun effectif du SG4 n'était à Québec, mais Taylor avait connu pire et savait qu'il parviendrait à se débrouiller pour sortir de la ville et se rendre à la réunion prévue le lendemain. Sa voiture de location était inutilisable, même si l'agence qui la lui avait louée appartenait au SG4. Ne souhaitant prendre aucun risque, il la laissa sur place. Les deux agents ne l'inquiéteraient pas de sitôt, ligotés dans sa chambre comme il les avait laissés.

Taylor parvint même à sourire en voyant une Porsche identique à celle d'Erik Martel garée à deux rues de l'hôtel, ce qui lui sembla de bon augure. Jetant un coup d'œil aux alentours, il vit que personne ne faisait attention à lui. Il glissa la main à l'intérieur de son veston, où il pêcha un trousseau de clés qui aurait fait baver d'envie un voleur de voitures. Le troisième passe-partout était le bon, et Taylor prit place dans la bombe noire que prévilégiait son adjoint depuis qu'ils travaillaient ensemble. « L'heure n'est plus à la discrétion, pensa-t-il en démarrant sur les chapeaux de roue. L'heure est à la vitesse… »

Quand les hommes de la GRC rapportèrent à leur patron les propos de Curtis Taylor, ils virent Mark Murphy devenir d'abord blanc, puis d'une jolie couleur de cendre.

51

— MEYER !

— *Fuck you* ! hurla l'intéressé.

Passant la tête par la porte, le premier ministre demanda :

— Plaît-il ?

— J'ai dit : *Fuck you* ! répéta Meyer, excédé. Vous pouvez me garder ou me virer, je m'en fous éperdument, mais vous allez arrêter d'hurler comme un goret qu'on égorge, merde ! Combien de fois je suis sorti de ce bâtiment depuis deux semaines, moi, hein ? Deux fois ! Qui coordonne le sale boulot, pendant que vous dormez, hein ? Arrêtez de beugler !

Sidéré, John Roof regarda son assistant un moment avant d'éclater de rire.

— Dis donc, toi ! Tu me prends pour un des serveurs du bordel où travaillait ta mère ou quoi ? Ramène ton cul dans mon bureau ! On ne te paie pas quatre-vingt-dix mille dollars par an pour classer des papiers !

Meyer en avait plein le dos. En l'espace de quarante-huit heures, son intérêt pour sa tâche s'était complètement consumé. Il n'aurait même pas su dire pourquoi il s'y était intéressé en premier lieu. Ça gueulait de tous les côtés ! Roof, Jordan et Murphy avaient au moins ça en commun : ils aboyaient leurs ordres ! Meyer se trouvait entre les trois et ses oreilles commençaient à bourdonner. Il savait que Jordan ne l'aimait pas, uniquement au mépris de sa voix, et s'il n'aurait su se prononcer quant aux sentiments de Murphy, ceux de son premier ministre étaient fort clairs.

Alors qu'il regardait par la fenêtre, trois ou quatre jours plus tôt, il avait surpris dans le reflet sur la vitre le regard de son supérieur, qui lui avait fait froid dans le dos. Au départ, il avait eu un immense respect pour John Roof, mais celui-ci fondait à tout va. À l'instar de Curtis Taylor, il commençait à sérieusement s'interroger sur la santé mentale de son premier ministre, qu'il aurait pourtant jugé solide comme un roc deux semaines plus tôt. Beaucoup de choses s'étaient produites depuis, et il en restait beaucoup à venir. Le roc semblait maintenant se fissurer à toute vitesse.

Simon Meyer avait compris avec effroi que si tout ce qu'avait prévu le *Prime Minister* tombait à l'eau ou tournait au vinaigre (et dans ce cas précis, une combinaison des deux semblait tout aussi probable), il n'avait que très peu de chances de poursuivre une vie normale, voir de simplement s'en tirer. C'est à ce moment qu'il avait décidé que quatre-vingt-dix mille dollars par an ou non, il allait se sauver de là vite fait. Il lui restait à décider s'il passerait à l'ennemi et il n'avait que très peu de temps s'il voulait garder la moindre crédibilité en arrivant dans l'autre camp, ce qu'il n'était toujours pas prêt à faire, malgré la dernière sortie de Roof.

En écoutant d'une oreille distraite son premier ministre discourir sur les mesures à prendre, Meyer en vint à la conclusion qu'il devait partir immédiatement, dès que ce salaud se tairait, le temps de lui laisser placer une phrase. Il allait annoncer qu'il lui fallait aller manger et il s'éloignerait d'Ottawa aussi rapidement que le lui permettrait sa Mercedes, c'est à dire à la vitesse grand V.

Excellente idée, oui.

Quand retentirent les douze coups de minuit, Simon Meyer était déjà très loin.

52

Le 12 juillet, certains habitants de Milton, petit village à la frontière du Nouveau-Brunswick et du Québec, notèrent une augmentation de la circulation, plutôt réduite en règle générale, de la rue principale qui traversait leur hameau. Judson Creed, qui habitait l'endroit depuis quarante ans, dit à son voisin :

— Y a d'la machine sur la route, aujourd'hui, s'pas Johnny ?

— Y en a beaucoup, c'est vrai, répondit le dénommé Johnny, mais y a plus étrange…

Creed leva à son intention un sourcil interrogateur.

— Je suis resté assis ici depuis un moment, et les vingt dernières voitures, ce qui en fait déjà quinze de plus que d'habitude, étaient grises ou noires.

— Ah, bon ? dit Judson, étonné.

— Ouais… Et au volant, ils portaient tous des cravates…

À quinze kilomètres de Milton s'étendaient une suite de champs en jachère et plusieurs bâtiments de ferme abandonnés. Le chemin qui y menait depuis la route semblait n'avoir été emprunté que tout récemment, car l'herbe avait poussé en son milieu. La dernière voiture passée devant Judson et Johnny, qui était effectivement grise, s'y engagea à bonne vitesse. Au moment où elle parvenait devant le bâtiment principal, une vaste grange qui tombait en morceaux, les portes s'ouvrirent sur des rails silencieux, qui contrastaient avec le côté vétuste de l'endroit.

D'après les calculs de l'agent Mueller, cette voiture était la dernière attendue. Il n'était pas peu fier d'avoir réussi à réunir, en moins de vingt-quatre heures, cent soixante-quinze des deux cents agents employés actuellement par le SG4. Les absents étaient en mission, souvent sous couverture, et les contacter pourrait causer leur mort. La petite prouesse de Muller, à savoir ramener tout ce beau monde des quatre coins du pays, avait coûté à l'agence la bagatelle de deux cent mille dollars. Curtis Taylor était bien prêt à lui en offrir autant lorsqu'il descendit de la dernière voiture en compagnie d'Erik Martel et qu'il vit la presque totalité de son équipe qui l'attendait.

Un jour ou l'autre, il leur avait tous personnellement sauvé la mise, et les gens de l'ombre ont bien souvent plus d'honneur que leurs compatriotes qui vivent à la clarté. Au cours des dernières heures, de drôles de rumeurs avaient couru à son sujet, parmi lesquelles le mot « trahison » était revenu plus souvent qu'à son tour, mais pas un seul de ses hommes n'y avait cru, comme en attestait leur présence en ces lieux. Comme il était fier de les connaître, tous…

Taylor s'avança vers l'avant de la grange, où Muller et un autre agent avaient rapidement monté une petite estrade d'où pourrait parler leur patron. Martel le suivait à deux pas derrière, saluant au passage ses subordonnés préférés. Il y avait dans cette salle de quoi court-circuiter n'importe quel appareil gouvernemental, partout à travers le monde, et cette fierté collective rachetait à elle seule bien des tares de leur métier. Ils étaient les meilleurs, et ils le savaient. Ils étaient aussi à la solde du Canada. Moins d'une dizaine d'entre eux savaient que Curtis Taylor était « passé à l'ennemi », mais il faudrait être franc, ce soir, et parler d'une voix sûre, car ces hommes étaient entraînés à déceler la moindre hésitation.

Le silence se fit lorsque Curtis Taylor prit place sur l'estrade, en face de ses troupes. Il les salua en inclinant légèrement le buste vers eux. Jonathan Roof, Bethleem Jordan et Mark Murphy ne connaîtraient jamais la sensation d'appartenir à une famille de ce type. Le respect et l'inquiétude qu'il lisait dans leurs yeux lui firent chaud au cœur une nouvelle fois, et il se dit qu'il commençait à être un peu mou pour ce genre de boulot. Il prit une grande inspiration, jeta un coup d'œil à Martel et se lança :

— Messieurs... Je ne saurais vous dire à quel point votre présence ici est appréciée et primordiale. Nous vivons des temps troublés ; ceux d'entre vous qui ont travaillé au Québec récemment pourront vous le dire. La fraude de Jonathan Roof et l'arrestation de Roland Martial en sont des exemples, mais ce n'est que la partie visible de l'iceberg. Les événements à venir pourraient être plus pénibles encore pour beaucoup de gens. Réglons d'abord un point de détail : plusieurs d'entre vous ont entendu entre les branches que j'avais livré certains secrets d'État à des sources extérieures à l'agence. Que j'aurais même été jusqu'à trahir notre *Prime Minister*.

Les agents, qui n'avaient entendu que de vagues rumeurs, ouvrirent grand les yeux et se regardèrent entre eux. Curtis Taylor ne fit pas durer le suspense :

— Ces rumeurs sont parfaitement fondées. J'ai effectivement, durant les deux dernières semaines, pris contact à plusieurs reprises avec le premier ministre du Québec. Je lui ai en effet livré les grandes lignes d'un plan ourdi par John Roof. J'ai utilisé les ressources de l'agence contre notre employeur. Je n'ai pas non plus rempli la tâche que m'avait confiée celui-ci, et je l'ai fait à dessein. Aux yeux de notre gouvernement, je suis un traître. Aux yeux des Québécois, qui sont aussi canadiens pour l'instant que vous et moi, je suis un patriote.

Dans le silence qui suivit, alors que chaque agent accusait tant bien que mal le coup, Taylor prit dans sa poche un paquet de cigarettes et en alluma une. Martel le voyait fumer en public pour la première fois, et il mesura la tension que devait ressentir son patron, tension qui le mettait lui-même à rude épreuve. Après tout, ils ne pouvaient écarter l'hypothèse de se voir embarqués par leur propre agence, qu'ils avaient fondée, si leurs subordonnés n'étaient pas convaincus au moment de partir. Quant à leur échapper si le vent tournait, mieux valait ne pas y songer.

— Je ne suis pas un traître, messieurs, vous le savez comme moi. Nous avons travaillé ensemble durant des années ; vous m'avez vu opérer. Je sais que certains bruits qui courent englobent M. Martel, que vous connaissez aussi bien que moi. Nous sommes tous les deux multimillionnaires, pour ceux qui ne s'en doutaient pas déjà. Nous l'étions bien avant que John Roof n'entre en scène. Martel l'était même avant que l'agence ne soit fondée. L'argent n'est pas entré en ligne de compte car nous n'avons pas reçu un cent pour les informations que nous avons livrées, et dont vous prendrez aussi connaissance cet après-midi, si vous ne décidez pas de nous lyncher avant.

Il n'y eut que quelques rires dans la salle, ce qui ne rassura ni le directeur du SG4, ni son adjoint.

— Le fait est, messieurs, que les Québécois, quelle que soit leur situation actuelle, sont des Canadiens à part entière, quoi que vous puissiez en penser, et qu'une agression contre eux serait une abomination. Jonathan Roof est dans son tort, car il tente d'enrayer l'appareil démocratique. Nous avons tous vu cette semaine que c'est une pratique qui lui est familière depuis un moment déjà… Ce que projette de faire notre bon gouvernement, si les Québécois obtiennent leur indépendance, ne peut être considéré que comme un coup d'État. Certains diront que le Québec sera alors un pays en soi, et que l'agression ne pourra être considérée comme telle, mais les préparatifs ont lieu depuis un moment déjà, et en cela c'est un complot contre les habitants du pays qui vous emploie, par ceux qui vous emploient.

Il y eut quelques murmures parmi les agents.

— On ne tente pas ici de seulement influencer la population, comme nous l'avons déjà fait. Non ! Roof ne trichera pas non plus au scrutin, parce qu'il a trop à y perdre et parce qu'une simple victoire du Non ne refroidirait pas assez les militants de la première heure. Si les Québécois votent Oui, le sang coulera partout à travers la province. La faute en incombera à tous ceux qui ne se seront pas levés pour empêcher le massacre ! Le premier ministre ne souhaite pas contraindre sept millions de nos concitoyens par quelque astuce de politicien, cette fois. Il compte leur faire assez mal pour qu'ils viennent ramper à ses pieds en demandant à ce que tout redevienne comme avant !

Theodore Jones, qui faisait partie quinze ans auparavant de la première dizaine d'agents engagée par Curtis Taylor, leva vers lui un regard teinté de doute.

— Enfin, M. Taylor, c'est ridicule… Comment Roof pourrait-il en arriver là, et je parle seulement des moyens, sans discuter de sa santé mentale qui serait au mieux… euh… compromise, si ce que vous dites est vrai ?

— Il utilisera des agents perturbateurs en grand nombre pour provoquer l'hystérie. Si l'indépendance est gagnée, ils agiront rapidement pour saper le moral des vainqueurs. Les médias penseront tout d'abord à des cas isolés, à quelques énervés fêtant un peu trop bruyamment leur victoire, mais ils comprendront très rapidement. Roof a l'intention de mettre le tout au crédit de Québécois hostiles à l'indépendance, ce qui le couvrira sur tous les plans. La santé mentale de Jonathan Roof, comme l'a dit si élégamment notre ami Jones, est sérieusement compromise. Il sait que tout lui reviendra dans la gueule, en définitive, et il y va tout de même, ce qui nous en dit déjà pas mal, vu la promptitude montrée par notre PM, au fil des ans, à sauver son cul de pacha. Il ne sera pas réélu et il le sait. Sa femme compte se tirer après le vote. Il n'a plus rien à perdre. Roof a mis l'armée dans le coup, de même que la GRC et, j'ai le triste devoir de vous le dire, le SG4. Ces agents perturbateurs, messieurs, qui poseront des bombes et tueront des civils innocents dans l'unique but de terroriser un peuple qui n'aspirait qu'à la liberté, ce sera vous !

Dans la grange, un grondement de colère s'éleva. La majeure partie des agents présents savaient que jamais Taylor n'oserait leur mentir à ce point. Il leur suffisait de maîtriser Taylor et Martel et d'envoyer Domenico Santori, le numéro trois, chez John Roof pour se faire confirmer leur plan d'action. Évidemment, Santori était au courant depuis plusieurs jours et il n'avait pas hésité à joindre les rangs de ses supérieurs, qui ne l'avaient jamais, quant à eux, laissé tomber. Taylor laissa le temps à ses hommes de digérer l'information et reprit d'une voix calme :

— Oui, messieurs… Vous tuerez des civils pour la gloire de votre beau pays ! Personne ici ne peut se glorifier d'être un saint, moi le premier, mais jusqu'ici je n'ai jamais été un terroriste, et je ne compte pas le devenir sur mes vieux jours, dit le petit homme à lunettes. Sachant cela, vous avez plusieurs alternatives, mais peu d'entre elles sont réjouissantes. Vous pouvez suivre les ordres, bien sûr. Je sais que certains d'entre vous n'ont pas de sympathie particulière envers les francophones. Tout comme l'Allemand moyen, sans histoire, ne devait guère en éprouver envers un Juif, durant la Seconde Guerre mondiale. Peu de gens, finalement, ont été accusés du meurtre de ces six millions de Juifs, alors vous n'avez que peu à craindre pour vous ou votre emploi à obéir aux ordres et à martyriser des gens qui ne vous ont rien fait. Combien d'Allemands, toutefois, ont porté en leur âme ce massacre pour le reste de leurs jours ? Personne n'a tenté de le savoir, mais vous devriez essayer, si vous comptez fermer les yeux et suivre le troupeau.

Les agents rassemblés échangèrent entre eux des regards gênés.

— Vous pouvez aussi vous joindre à moi, ce qu'ont décidé de faire plusieurs de vos collègues. Je me bats avec les faibles parce que cela me semble juste. Combien de soldats dans notre armée ? Combien d'hommes à la GRC ? Combien de civils, partout au Canada, qui détestent les francophones et qui ne demanderont qu'une occasion de foncer dans le tas ? Nous ne sommes pas nombreux, mais nous somme doués. Chaque homme ici vaut cinquante civils, en temps de guerre. Je ne peux rien vous promettre, mais en tant que pays indépendant, le Québec aura besoin de services secrets comme n'importe quel autre pays, et tous ceux qui se seront joints à moi y trouveront du boulot. Avez-vous envie de rentrer chez vous avec le meurtre de femmes et d'enfants sur la conscience ? Pas moi, messieurs... Pas moi !

Croyant l'allocution terminée, plusieurs agents commencèrent à discuter, mais Curtis Taylor leur coupa le sifflet :

— Encore une chose, messieurs... Si vous décidiez de ne pas faire partie de la résistance... Si vous vous rangiez derrière John Roof pour participer au massacre, sachez au moins ceci : mieux vaut nous tuer immédiatement, moi et ceux qui ont pris le parti de défendre les faibles, car nous sommes armés, et nous ne comptons pas repartir d'ici avec des menottes aux poignets. Vous savez tous qu'il n'y a pas de choix à faire, car je vous ai formés, tout comme j'ai affiné votre sens de l'honneur. Nous ne pouvons laisser notre gouvernement s'en prendre à des civils sans défense ; il n'y a rien de plus à dire…

Martel mit une main sur l'épaule de son patron et le fit sortir par une porte de côté, le temps de laisser leurs subordonnés discuter entre eux. Sur le visage de ces hommes entraînés à ne rien laisser paraître, il était difficile de deviner l'issue des débats. Bien peu d'entre eux venaient du Québec, et les autres n'étaient pas motivés plus qu'il ne le fallait par la cause francophone.

— C'était brillant, comme toujours, Curtis… dit Erik Martel alors qu'ils sortaient au soleil de l'après-midi. Ni trop, ni pas assez… Tu as toujours su parler aux hommes. Tu aurais dû faire de la politique…

— Et quitter le camp des gentils ?

Les deux hommes marchèrent en silence autour de l'énorme bâtiment. Soudain sérieux, l'adjoint se tourna vers son supérieur.

— Si on parvient à sortir d'ici et à survivre à tout ce qui suivra le référendum si les indépendantistes gagnent, je crois que je vais prendre ma retraite, vieux… Il ne faut pas m'en vouloir, mais je crois que j'ai fait le tour de ce travail. Je n'ai pas encore quarante-cinq ans, je suis plus riche que je n'aurai jamais besoin de l'être et j'aspire à un peu de tranquillité. À me réveiller chaque matin en sachant où je me trouve, tu vois ? Je ne suis resté que pour toi ces dernières années, parce que tu n'avais pas d'adjoint assez compétent pour me remplacer. Tu es un frère pour moi, et ne crois pas que je te sors le violon parce que je pense qu'on va se faire descendre. Tu es le seul ami que j'aie eu, ces dernières années. Domenico est à point, maintenant, et il pourra faire mon travail correctement. Faut pas m'en vouloir…

— Tu te rends compte qu'on s'énerve peut-être pour rien, Martel ? Qu'il est plus que possible que le référendum ne passe pas plus cette fois qu'il n'est passé les deux dernières ? Tu imagines ? On risque notre vie en ce moment, sans même savoir si Roof aura l'occasion de mettre son plan en application ! Si le Canada reste uni, je serai fusillé dans une cave dégoûtante d'un de nos immeubles. Si le Québec devient une nation, je resterai quelques mois de plus pour mettre en place le nouveau SG4 québécois, et je m'en irai aussi. Je commence à être trop vieux pour ce boulot…

Surpris, Erik Martel se retourna vers lui.

— Sérieusement ? Tu laisserais tomber tout ça ? Tout ce que tu as créé de tes mains ? Eh bien, tu me rassures… Je comptais te le proposer, quand tout serait fini, et je m'attendais à une sacrée discussion. Qu'est-ce que le grand Curtis Taylor va bien pouvoir faire de son temps ?

— J'ai une ex-femme en Angleterre qui m'écrit deux lettres par mois m'y invitant, et un futur ex-adjoint dont la tête fourmille déjà, j'en suis sûr, d'idées toutes aussi farfelues qu'illégales. Je devrais pouvoir m'occuper, dit Taylor en réprimant un sourire.

— Vrai ? Tu envisagerais de passer du côté lucratif du spectre ? fit Martel en souriant largement, déjà enthousiasmé par une telle association. *Geez !* Quelle équipe on ferait !

Son patron n'eut pas le temps de répondre, car des coups de feu se firent entendre à l'intérieur de la grange, les faisant méchamment sursauter. Les deux agents sortirent leur arme de service en une fraction de seconde, s'attendant à voir débouler leur propre escouade, l'écume aux lèvres. Ce qui inquiéta plus que tout les deux hommes fut que le nombre de coups de feu correspondait approximativement au nombre de leurs partisans avoués à l'intérieur du bâtiment.

Domenico Santori sortit par la porte qu'ils avaient empruntée quelques minutes auparavant, et il était seul. Sa mine, grave, ne laissa guère d'espoir aux deux hommes, qui se rapprochèrent instinctivement l'un de l'autre dans l'éventualité d'une attaque. Santori avait peut-être été obligé de se plier à la majorité pour ne pas être tué aussi. Ni Taylor ni son adjoint ne rengainèrent leur arme, ce qui ne semblait pas troubler Domenico, qui en avait également une à la main, encore fumante.

— M. Taylor… dit humblement celui-ci avant de s'arrêter, cherchant ses mots. La discussion a été houleuse, mais nous faisons maintenant front commun.

Martel et Taylor étaient suspendus aux lèvres de l'agent, tâchant de savoir s'ils allaient vivre ou mourir.

— Vos hommes vous suivront, monsieur. Nous tiendrons le fort avec les francophones si vous nous dites que c'est la voie à suivre. Les avis étaient partagés, au départ, mais il n'y a que neuf agents qui ont refusé catégoriquement de risquer leur place pour soutenir les francophones. J'ai même l'impression que l'idée de Roof plaisait à certains d'entre eux…

— Les coups de feu que nous avons entendus… commença Erik Martel

— Personne n'aime les traîtres, conclut Santori en haussant les épaules.

53

Lotto Finetti jaugeait Marcus Fontaine en arborant un mince sourire. Manolo, son garde du corps depuis trente ans, aurait pu dire à Marcus qu'en fait d'émotion, sur le plan des affaires, le parrain manifestait rarement une telle prodigalité. De toute évidence, le jeune homme qui se tenait devant lui lui plaisait bien. Marcus réalisait à peine qu'il était assis en face du parrain Finetti, l'homme dont la famille faisait régner la terreur dans les bas-fonds depuis quatre décennies, du nord des États-Unis jusqu'à Toronto. On aurait difficilement pu reconnaître un Marlon Brando en regardant le parrain, tant ils étaient différents sur le plan physique. Finetti était petit, mince et semblait être dans une forme redoutable et même un peu inquiétante pour un homme de quatre-vingt-neuf ans.

Pour parvenir jusqu'à lui, Marcus avait dû se présenter à une douzaine de gardes, du portail d'entrée jusqu'au bureau du parrain. Quatre de ceux-ci étaient les petits-fils de Lotto. Il n'avait eu lui-même que trois filles, mais il se plaisait à dire, dans les fêtes de famille, que ses fils auraient près de soixante-dix ans aujourd'hui, et qu'il lui était beaucoup plus profitable d'avoir ses petit-fils pour le seconder. D'autant plus que ceux-ci n'avaient engendré que des filles, ce qui garantissait la paix de l'esprit à Finetti, qui ne souhaitait pas laisser à sa famille un héritage de violence pour les décennies à venir.

L'empire se démantèlerait à sa mort ; il avait donné des ordres à ses filles à ce propos. La dizaine de millions que toucherait chaque membre de sa nombreuse famille devrait consoler ceux que la perte de leur prestige guerrier aurait pu attrister. De toute façon, Finetti ne savait plus que faire de son argent. Même son équipe, qui aurait pu à elle seule remplir une salle de spectacle de bonne dimension, recevrait des indemnités qui en laisseraient plusieurs sans voix. Vient un temps, dans la vie d'un milliardaire, où toute envie a été assouvie et où l'on se demande plutôt quels souvenirs on risque de laisser. Quand ce moment vint pour Lotto Finetti, il ne recula pas.

Quand Domenico Santori, le fils de son aînée, vint lui demander son aide, il fit même un pas en avant.

— Je vais tenter de me faire comprendre, M. Fontaine, dit Finetti dans un français impeccable, alors que son anglais était toujours mâtiné d'un accent sicilien, même après quarante ans. Puis-je vous appeler Marcus ?

— Je vous en prie, répondit Fontaine, impressionné par la politesse et la déférence du vieil homme.

— Je comprends Curtis Taylor d'avoir changé de camp. En fait, je l'ai appris avant John Roof, avant même que Domenico ne vienne me parler. Je ne savais pas pourquoi par contre, manque auquel ce dernier a pallié. C'est son travail de protéger les gens, comme c'est celui de mon petit-fils. Que voulez-vous, il y a un canard boiteux dans chaque famille, plaisanta le parrain avec un sourire qui le rajeunit de dix ans. Je comprends aussi pourquoi c'est mon aide qu'on est venu demander, puisque mes effectifs sont pratiquement égaux à ceux de la GRC, mais que nous sommes décidément plus méchants... Ce que je ne saisis pas, et ne croyez pas que je m'en plaigne, c'est votre rôle à vous dans tout ceci. Je ne vois pas ce que vous en tirez…

— En fait, sourit Marcus, j'aurais de la difficulté à vous l'expliquer moi-même, M. Finetti. Si je n'avais pas décidé de m'acheter une paire de chaussures, il y a deux semaines, ou si j'étais parti de chez moi une heure plus tôt pour le faire, rien de tout cela ne se serait produit, mais je ne doute pas qu'il y aurait quelqu'un d'autre à ma place aujourd'hui pour vous demander le même service. Il y a eu la photo dans le journal, puis un type que j'ai connu, et sa copine dont le père nous a invités à son émission… Après ça, c'est le tourbillon ! Le SG4, les manifs, des voitures neuves et de l'argent… Mais je vous perds, là… dit Fontaine en apercevant le sourire perplexe du bonhomme.

— Non, du tout, mais… Êtes-vous en train de me dire que vous n'en retirez rien, finalement ? Que vous le faites parce qu'il fallait que quelqu'un s'y colle ?

— Oui, monsieur. On ne peut laisser le reste du Canada nous écraser sous sa botte. En fait, on ne peut même pas les laisser y penser sans réagir. Je suis d'avis qu'il faudra se venger *même* si le Québec n'obtient pas son indépendance, mais ça, ce n'est que mon avis, et je ne parle pas au nom de ceux qui m'envoient. J'avais une tête connue et ça a facilité certains rapports avec les gens. Dans votre cas, je crois que M. Santori devait venir vous rencontrer lui-même, mais qu'il a été appelé en Ontario pour la journée. Ils doivent vraiment être au bout de leurs ressources pour m'avoir envoyé, mais me voilà quand même…

— En tout cas, on ne peut vous nier un certain courage, tout comme à votre ami qui n'a jamais rencontré de peigne de sa vie, dit le parrain en faisant allusion à Benny, dont les cheveux, même après une demi-heure de brossage, s'obstinaient à fuir de tous les côtés. Si les choses se déroulent exactement comme vous l'avez prédit, vous pourrez bien sûr compter sur mon aide. Ça va de soi, dit Lotto en cueillant une cigarette dans un coffret avant de l'allumer. Avez-vous une idée précise en tête ?

— Non, car nous ne connaissons pas encore tous les détails, mais de vous savoir à nos côtés se révélera un support moral pour ceux qui tirent les ficelles, même s'ils n'ont pas à vous contacter, un luxe qu'il serait impensable de nous permettre, je le crains.

— Bien entendu, répondit le parrain avec un sourire finaud. Domenico est un bon garçon, et un bon policier aussi, mais croyez-vous sincèrement qu'on l'ait choisi au sein de l'élite du contre-espionnage pour ces raisons ? Vos patrons provisoires, Marcus, s'attendaient un jour à avoir besoin de moi, et ils ont eu raison d'agir de la sorte, car où en serions-nous, à l'heure actuelle, s'ils avaient agi autrement ?

— Effectivement, acquiesça Marcus que le monde de l'ombre commençait à dépasser un peu. Tout de même, je vous remercie de votre appui.

— Relaxe, mon garçon, on dirait presque que tu as peur… dit Finetti en souriant. Tu as bien dû lire cinquante fois dans le journal que John Roof faisait du bon boulot. Y as-tu cru ?

— Pas spécialement, répondit Fontaine, perplexe.

— Mais quand on raconte des histoires du grand méchant mafioso Finetti, tout le monde y croit… conclut le vieillard avec un triste sourire. J'aime à penser que je suis un brave type, Marcus. J'ai évité beaucoup de problèmes à beaucoup de gens dans ma vie en empêchant d'autres d'en causer. Si je l'avais fait gratuitement, on m'élèverait une statue, mais voilà, j'y ai aussi fait fortune. Fortune avec laquelle je me suis fait élever une statue, qui trône quelque part dans le jardin… Je trouvais ça d'un narcissisme aigu, mais ma femme y tenait beaucoup, va savoir pourquoi…

Réalisant qu'il était en train de s'ouvrir à un parfait étranger, Finetti se redressa et tendit la main à Marcus pour lui signifier que leur entrevue était terminée.

— J'ai eu beaucoup de plaisir à faire votre connaissance, Marcus. Nous nous reverrons sans doute dans les semaines à venir. Ça promet d'être un beau bordel…

— Merci de m'avoir reçu, monsieur. Nous vous contacterons.

Regardant Marcus s'éloigner à travers l'immense demeure, Finetti murmura :

— Oh que oui, vous le ferez…

54

Le 13 juillet, vingt-quatre heures avant l'ouverture des bureaux de scrutin, ni Georges Normandeau ni Jonathan Roof ne pouvait encore se prononcer quant à l'issue du suffrage : les indépendantistes ne possédaient que quatre pour cent d'avance sur leurs rivaux et les indécis pouvaient faire pencher la balance d'un côté comme de l'autre. Aucun des deux premiers ministres n'en fut réellement surpris, tout deux s'attendant à voir la question trouver une réponse à la dernière minute de l'échéance. Les deux hommes suivaient même une ligne de pensée étrangement similaire. Ils avaient aussi évité tous les deux d'effleurer, ne serait-ce qu'en pensée, un sujet qui devenait maintenant concret puisqu'il ne leur restait qu'un discours chacun à prononcer : qu'allait-il advenir d'eux s'ils perdaient ?

Normandeau considérait pour sa part qu'il ne pourrait rester en poste. Ce qu'il tentait d'accomplir pour son fils était déjà en marche, de toute façon. Partout les gens se rassemblaient pour clamer leur fierté d'être Québécois et francophone. Il leur laisserait au moins ça, s'il ne parvenait pas à la victoire finale. Il survivrait. Son mariage était solide et Louise le suivrait partout avec le sourire : c'était ce qu'on gagnait à avoir toujours fait passer sa femme avant sa carrière. Somme toute, il était presque riche et n'avait pas de goûts de luxe. Il ne s'était jamais permis de les cultiver.

Peut-être pourrait-il essayer, et emmener Louise en Europe comme elle le souhaitait tant ? Une défaite lui briserait le cœur, certes, mais pas les reins. Pourtant… Comme il souhaitait réveiller son peuple !

Jonathan Roof, lui, n'envisageait pas la défaite avec optimisme. La victoire signifierait le *statu quo*, mais dans le cas inverse, la sale besogne commencerait. Il n'ignorait pas qu'il encaisserait le blâme pour tout le monde s'il échouait autant à ramener le Québec dans la constitution qu'il avait échoué à l'y maintenir, sans parler des moyens qu'il comptait prendre pour y parvenir. Il ne se faisait plus d'illusions.

Il avait été fort populaire durant près de trois ans, mais cette époque était révolue. On ne lui élèverait jamais de statue. Même si les Québécois refusaient de quitter le Canada, on ferait tout de même une enquête pour la fraude de Magog. Aucun de ses puissants alliés ne pourrait lui éviter cela, maintenant que c'était du domaine public. Naturellement, il partirait lui aussi en voyage et ne comparaîtrait jamais devant aucun comité, mais l'idée de fuir lui faisait horreur, d'autant plus qu'il savait qu'il ne reverrait jamais Maggie si cela devait se produire. Quant à sa fille, elle ne serait que trop heureuse de se voir offrir plusieurs voyages à l'étranger chaque année pour visiter son père. L'opposition, qui le laissait tranquille pour l'instant, réclamerait sa peau dès la poussière du référendum retombée. Il fut surpris de constater qu'il n'en avait rien à foutre.

Dans la population, d'un côté comme de l'autre, on sentait la fébrilité atteindre un plateau duquel elle ne pourrait que faire un bond en avant ou s'écraser lamentablement. Dans les chaumières, ça discutait ferme :

— Faudra qu'il ait de sacrés arguments ce soir, Roof, pour me faire changer d'avis ! dit Noël Pratt à son voisin de palier. J'en ai mon voyage d'être dirigé par un hostie de crosseur !

— Ça fait deux fois qu'ils mettent le pays à l'envers avec leurs niaiseries, dit John Withney, de Westmount, à sa femme. Je me demande si on ne serait pas mieux de les laisser partir pour avoir la paix...

— Heille, le grand ! lui répondit sa femme brusquement. Tu peux les laisser partir si ça te tente, mais oublie pas que t'es assis dans leur char pour l'instant !

— Va falloir me passer sur le corps pour m'enlever mes Rocheuses ! dit Fernand Mercure à sa femme, argument qu'il reprenait invariablement à chaque référendum.

— Tu ne les as même jamais vues, tes christ de Rocheuses ! lui cria sa femme, qui avait annulé le vote de son mari aux deux derniers référendums.

— J'en ai plein mon *truck* d'avoir à prévoir le déménagement de nos usines à chaque référendum ! grogna le dirigeant de l'une des plus prospères entreprises du Québec.

— Un référendum sur quoi ? demanda Martin Gosselin, qui revenait de trois semaines dans la partie sauvage du parc de la Jacques-Cartier et qui n'avait parlé à personne depuis son retour, en matinée.

Toutes les stations de télévision et tous les grands journaux préparaient leurs éditions du jour en vitesse, réservant les espaces alloués aux reportages sur les discours qui allaient être livrés dans la soirée et rapportés de façon sommaire le lendemain, ce qui n'aurait plus alors aucune importance. Des articles défendant les deux positions étaient également légion sur le Net. Comme le dit Raoul Gagnon à ses journalistes :

— Il n'y a que les "tarlas" qui n'auront pas fait de choix à une heure de l'ouverture des bureaux de scrutin. Je doute que de leur rappeler un discours qui les aura endormis la veille à la télévision les aide beaucoup à choisir.

Si près de l'échéance, parmi les hommes et les femmes qui, des deux côtés, avaient pour mission de maintenir l'ordre, et parmi ceux dont la mission était de faire l'inverse, la tension grimpa considérablement. Réjean Morin, entre autres, réunit ses troupes sous le fallacieux prétexte de fêter les deux ans du nouveau SPM, qui avait succédé au SPCUM, prétexte qui ne trompa d'ailleurs personne, mais qui eut au moins le mérite de fournir aux trois mille policiers de la ville de Montréal des rafraîchissements qu'ils goûtèrent à peine, concentrés sur les derniers mots du discours de leur supérieur :

— Rappelez-vous seulement, mes amis, que vous avez été engagés non pour respecter des procédures, mais pour protéger des gens, et cela, contre toute agression, qu'elle vienne d'un simple quidam ou d'une autorité qui dépasse la vôtre. Il risque d'y avoir du grabuge au sein même de notre service d'ordre, messieurs, et il se peut alors que pour une courte période, vous ayez à prendre vous-mêmes certaines décisions qui pourraient s'avérer néfastes pour votre carrière… Nous vous reviendrons là-dessus après le vote de demain, mais soyez sûrs dès aujourd'hui que si vous avez à prendre une décision de ce genre, je serai derrière vous pour vous appuyer le jour où l'on tentera de vous en faire payer le prix. Je vous en donne ma parole.

55

Elizabeth Converse était épuisée en cette soirée du 13 juillet. Elle venait de pondre coup sur coup quatre papiers ces trois derniers jours, sans parler des journalistes de tout le pays qui souhaitaient la rencontrer. Émilie lui manquait. Celle-ci l'avait appelée la veille pour lui dire qu'elle était tombée amoureuse.

— Au beau milieu des bois ? avait demandé Beth, que cela n'étonnait qu'à peine.

— Six pieds trois pouces, tout en muscles, et agent secret ! Beth, ça ne se refuse pas !

— Fais attention de ne pas trop le distraire ! L'agent Donovan n'est pas là pour rien...

Elle entra dans un bistrot qui se trouvait à trois rues de son appartement, et choisit une table dans un coin sombre, pour avoir un peu la paix. Elle commanda une bière et observa les rares clients qui n'étaient pas à la maison pour suivre les discours. Elle avait lu la veille celui de son oncle et il était excellent. La télévision du bistrot retransmettait un match de cricket depuis l'Australie. Son regard accrocha un homme qui venait de s'installer au bar, lui trouvant quelque chose de familier.

Lorsqu'il passa près d'elle pour se rendre aux toilettes, elle le reconnut immédiatement. Elle l'avait interrogé pour un article moins de deux semaines plus tôt. Il avait aussi fait l'émission de Mathieu Sinclair, trois fois plutôt qu'une. Elle ne se souvint pas de son nom à temps pour l'intercepter à l'aller, mais lorsqu'il revint, elle demanda :

— Marcus Fontaine ?

Fontaine, qui revenait brûlé de sa tournée express du Québec et qui avait cru avoir un moment de paix en attendant le retour de Benny Trudeau dans la soirée, tourna vers elle un regard las, qui changea du tout au tout lorsqu'il vit la beauté de son interlocutrice. « Qu'est-ce qu'elle est belle ! pensa-t-il. Jésus-Christ ! Une star de cinéma ! D'ailleurs, je ne l'ai pas déjà vue ? »

— Pour vous servir, mademoiselle…

— Converse, Elizabeth Converse…

— Ah oui, tiens… On s'est rencontrés à la seconde manif de Longueuil, et aussi le jour où les anglos ont bien failli se faire lyncher à Montréal, c'est ça ? On m'a parlé de vous par la suite… Vous n'avez pas manqué de courage, cette semaine !

— Merci. Qui donc vous a parlé de la modeste journaliste que je suis ?

— Votre oncle. Je l'ai rencontré hier matin durant quelques minutes.

Beth ouvrit de grands yeux.

— Oui, j'avais cet air-là aussi quand je l'ai vu apparaître sans qu'on m'en ait averti. Nous vivons une étrange époque, et notre avenir dépend peut-être de gens aussi ordinaires que moi… Vous-même, à l'heure actuelle, devez en savoir beaucoup plus qu'il ne vous est permis d'en dévoiler, non ?

— Si vous faites allusion à un certain plan, oui. Mon oncle m'a appelée sur une ligne sécurisée hier soir pour m'en dévoiler l'intégralité.

— Du moins l'intégralité dont nous avons connaissance, ce qui risque d'être un maudit détail quand les perturbations commenceront… Je travaille pour les deux hommes que vous avez rencontrés en compagnie de votre oncle cette semaine.

— Excusez-moi un instant, dit Elizabeth en se saisissant de son téléphone cellulaire. Cela ne vous embête pas que je vérifie ? Comme vous le dites si bien, nous vivons à une drôle d'époque…

— Faites, faites…

Un peu vexé, Marcus retourna au comptoir chercher la bière qu'il y avait laissée et revint vers la déesse de l'info, maintenant assise au fond du bistrot. Celle-ci refermait son téléphone à ce moment précis et sourit largement à Fontaine.

— Veuillez me pardonner, Marcus, mais si vous saviez les moyens dont on a usé depuis trois jours pour me soutirer la moindre information ! Toutefois, M. Martel corrobore vos dires, bien qu'il m'ait priée de vous dire qu'il comptait vous enterrer sur place s'il vous prenait de nouveau à vous en vanter.

— Je voudrais bien voir ça ! gronda Marcus, irrité autant de la supériorité de l'agent que du fait que son numéro ait été en possession de la jeune femme. Je risque ma vie à les aider, et voyez les encouragements que j'y gagne…

— Vous n'avez pas à vous inquiéter. Agent secret ou non, tout le monde est humain, et j'ai dans l'idée qu'il voulait surtout faire le coq devant moi. Je crois bien lui être tombé dans l'œil, chez mon oncle.

— Pas étonnant, dit Marcus en baissant les yeux, ce qui fit rougir Beth de plaisir.

Elle détailla l'homme qu'elle avait en face d'elle, le regardant pour la première fois en tant que femme et non avec l'œil de la journaliste. Elle se souvenait s'être dit qu'il devait être bon, en cas de coup dur, d'avoir un homme pareil à ses côtés, mais elle n'avait pas remarqué à quel point il était mignon. Son comparse, Trudeau, semblait mû plus par l'énergie de ses convictions, mais on voyait que Marcus avait reçu une bonne éducation, ou à tout le moins qu'il s'était fait lui-même, et qu'il n'avait pas trop mal réussi son coup.

— Vous faites quoi dans la vie, quand le gouvernement fédéral ne projette pas de mettre votre province à feu et à sang ? demanda Converse avec un sourire qui fit fondre Marcus.

— Je suis écrivain, dit Fontaine en rendant son sourire à la jeune femme, qui eut chez elle le même effet. Enfin, je projette de l'être, un jour…

« Est-ce qu'on peut réellement tomber amoureux de cette façon ? pensa Marcus. Aussi rapidement ? J'espère bien que non ! »

— On travaille dans la même branche, en fin de compte…

— Oui, sauf que je n'ai pas votre courage d'affronter la tension des *deadlines*. Et que pour être plus connu que vous maintenant, il me faudrait ramer !

— J'ai l'impression que ça fait dix ans que je n'ai pu m'asseoir simplement pour discuter… dit Beth, ce qui fit rire Marcus, qui avait rencontré près de soixante personnes dans quarante villes ces dernières quarante-huit heures.

— Vous êtes descendue marche par marche dans la pourriture du monde politique. Personnellement, on m'a balancé dans le trou il y a quelques jours.

— *Welcome aboard…*

Décidément, qu'est-ce que sa vie avait changé depuis trois semaines ! Même si le Québec devait rester au sein du Canada, il devrait une fière chandelle à l'oncle de la perfection assise en face de lui. Feignant de ne pas voir le rose monter aux joues de Beth, il fit signe à la serveuse de leur remettre ça.

— Quoi qu'il puisse arriver, je crois que votre carrière est toute tracée, dit Beth.

Surpris, Marcus se tourna vers elle, fronçant les sourcils.

— Comment ? Vous ne faites pas tout ça pour être pistonné par mon oncle ? s'étonna Beth.

— Pistonné pour quoi ? demanda Marcus, interloqué. Vous croyez que je tiens à ce point à travailler pour les services secrets ?

— Mais non ! Pas les services secrets ! J'étais persuadée que vous souhaitiez vous lancer en politique ! Vous êtes fait pour ça !

Fontaine ouvrit la bouche toute grande. Cette idée ne l'avait jamais ne serait-ce qu'effleuré, non, mais maintenant qu'elle était évoquée… Il aurait effectivement de tout nouveaux amis, s'ils parvenaient à s'en sortir sans trop de casse. De puissants alliés, pour tout dire, sans parler d'un organisateur de campagne à toute épreuve, en Benny Trudeau. Il s'efforça de revenir, sous le regard attendri de Beth.

— Ne me dites pas que je viens de vous ouvrir une voie…

— Vous n'avez pas idée… répondit Marcus, souriant largement.

Ils discutèrent encore deux heures, se plaisant mutuellement un peu plus à chaque minute. Benny appela pour dire qu'il n'arriverait qu'au milieu de la nuit par un vol atterrissant à l'aéroport de Saint-Hubert, ce qui convenait on ne peut mieux à Marcus. Elizabeth ne se reconnaissait pas. Elle qui était généralement si timide avec les hommes, hors du cadre de son travail, répondait de plus en plus ouvertement aux avances de Fontaine. Marcus, lui, trouvait la situation fort agréable mais ne croyait pas possible de décrocher la timbale avec une pareille beauté. Avec une coureuse de manif, peut-être, mais la journaliste de l'heure au pays ? Faudrait pas charrier…

Ils virent arriver la fermeture du bistrot, à trois heures, avec une réelle surprise. Ils n'avaient vu le temps passer ni l'un ni l'autre, et rirent ensemble de leur étonnement. À la sortie, alors que l'air pur dissipait un peu les vapeurs d'alcool, Marcus demanda sans trop d'espoir :

— Je vous reconduis chez vous ?

Elizabeth demeura un moment sans répondre, semblant réfléchir.

— Pourquoi pas ? fit-elle en haussant les épaules.

Deux heures plus tard, alors qu'ils atteignaient tous deux l'ultime sommet du plaisir, Beth trouva encore la force de penser :

« Heureusement que je n'ai pas dit non ! »

56

À 19 h 58, le 13 juillet, plus de cinq millions de personnes étaient assises devant leur écran dans l'attente du discours de l'un ou l'autre des deux premiers ministres et cela, au Québec seulement. Ceux qui n'écoutaient pas n'avaient pas l'intention de voter ou considéraient que rien ne pourrait les faire changer d'avis sur la question.

Georges Normandeau était assis, seul, dans une loge du nouveau Colisée de Québec, où l'on avait dressé sa scène. L'amphithéâtre était plein à craquer, et le petit homme politique, tendu de la même façon. Ses collaborateurs se tenaient loin de lui depuis vingt minutes, le laissant se concentrer sur sa prestation à venir, qui déciderait à la fois du reste de sa vie et de l'avenir d'un pays, et même de deux si l'on comptait le Canada. Il ne doutait pas que Jonathan Roof soit aussi bien préparé que lui, alors il le garda loin de ses pensées. Tout comme il essayait de ne pas penser qu'une victoire provoquerait sans doute la mort de plusieurs personnes, qui étaient peut-être même avec lui, dans cet aréna.

Tout le paradoxe tenait dans le fait qu'il fallait pourtant obtenir l'indépendance pour éviter à l'avenir de telles situations. Il se concentrait sur sa femme, et sur son fils, qui se trouvait à l'origine de tout ça. Les derniers sondages, qui dataient du matin même, plaçaient les deux clans presque à égalité, avec une légère avance pour les indépendantistes, qui ne signifiait à peu près rien au point où ils en étaient.

Normandeau jeta un coup d'œil autour de lui pour s'assurer que personne n'était en vue et prit une cigarette dans le paquet de l'un de ses hommes, lui qui n'avait plus fumé depuis un an. Il lui trouva un goût infect et l'écrasa aussitôt. Il ne restait que deux minutes avant son entrée en scène, et il se força à respirer à grands traits pour se calmer un peu. Il n'aurait su dire dans quelle mesure son allocution allait jouer, et il ne croyait pas utile de s'interroger à ce sujet, rendu à ce point…

20 h…

— Eh bien… marmonna le premier ministre du Québec en se levant. Quand il faut, il faut!

Il n'existe pas de mot, dans la langue française, pour décrire l'ovation que reçut Georges Normandeau alors qu'il s'avançait, en apparence serein, vers le micro qu'on avait installé à l'avant-scène. Celle-ci était volontairement dénudée, à l'exception d'un immense drapeau du Québec, qui faisait bien trente mètres de large et dix mètres de haut, commandé spécialement par Louise Normandeau qui en avait fait la surprise à son mari lors des préparatifs de la veille, ce qui avait ému l'homme politique plus qu'il n'aurait su l'exprimer. Aussi s'était-il contenté d'embrasser sa femme, lui qui avait pourtant horreur des démonstrations publiques d'affection.

À peine mit-il le pied sur l'estrade que la foule se leva pour l'acclamer, en hurlant son soutien. L'ovation dura plus de cinq minutes, et Normandeau ne put retenir ses larmes, ce qui fit redoubler d'ardeur ses supporteurs. Il s'éclaircit la voix devant le micro pour parler, mais l'émotion lui nouait la gorge, et il laissa donc les gens applaudir encore, conscient que de toute sa vie il ne revivrait pareil triomphe, sauf bien sûr si son peuple décidait de s'affranchir de ses chaînes le lendemain.

— Mes amis… (La foule repartit de plus belle). Oui, mes amis, car je vous considère tous comme tels, puisque vous vous êtes déplacés ce soir et déménés depuis trois semaines, que dis-je, depuis trente ans, à obtenir notre liberté !

Normandeau dut une fois de plus s'arrêter pour laisser les gens l'acclamer, ce qui arriva vingt ou trente fois durant la soirée, un problème que ne connut guère Jonathan Roof…

— Ce soir, vous êtes venus clamer votre fierté d'être Québécois, et francophones ! Vous êtes venus dire au Canada entier que vous souhaitez vous aussi devenir un PAYS !, gueula Normandeau dans le micro. Nous ne souhaitons pas déclarer la guerre au Canada ! Nous n'avons rien contre eux… Nous sommes seulement différents ! À tous les Canadiens qui m'écoutent ce soir, je veux vous dire que nous n'avons pas de haine. Il n'y a seulement aucune raison de continuer à coexister !

Normandeau regarda du côté de sa femme, son baromètre personnel, et vit qu'il avait démarré en force. Il lui sourit tendrement. Qu'est-ce qu'il l'aimait !

— Est-ce un crime de demander que nos droits soient reconnus ? De s'indigner qu'un gouvernement censé nous soutenir nous tire dans les jambes une fois par semaine, pour plaire à tous les imbéciles qui ne supportent pas d'entendre parler français ? Nous parlons une langue merveilleuse, beaucoup plus raffinée que ne peut l'être l'anglais, que n'importe quel gugusse peut apprendre en un mois ! Nos artistes la font connaître de plus en plus à l'étranger, et si on se les arrache, ce n'est pas pour rien ! Je ne sais pas pour vous, mais j'ai envie, quant à moi, de vivre dans un pays qui en fera la promotion, et non sur un territoire où ma langue doit se battre chaque jour contre son extermination… J'ai envie de me sentir libre de diriger notre nation à ma façon, pour son bien-être, plutôt que d'avoir à en rendre compte chaque jour, en anglais, à un homme qui n'a même pas été foutu de gagner une petite élection de comté sans avoir besoin de tricher !

Des huées visant Jonathan Roof se firent entendre aux quatre coins de l'amphithéâtre, réaction qu'attendait Normandeau, naturellement.

— Oui, j'ai envie de le huer, moi aussi… J'ai aussi envie de l'envoyer promener, et c'est exactement ce que je ferai demain matin en allant voter pour l'indépendance du Québec !

— Et vlan, dans les dents ! marmonna en souriant Louise Normandeau, qui n'avait jamais été aussi fière de son mari, alors qu'elle l'observait depuis les coulisses.

— En fait, poursuivit le premier ministre, je suis indigné, déjà, d'avoir à tenir cette réunion et ce référendum ! Indigné d'avoir à demander la permission d'être Québécois à une nation qui nous a annexés de force et qui nous méprise ! Ils peuvent-tu se les garder, leurs hosties de Rocheuses !

Un énorme éclat de rire secoua la salle.

— J'en ai assez de supplier qu'on me redonne mon propre argent pour faire fonctionner nos hôpitaux et nos écoles. Assez qu'on considère que la formation donnée à nos jeunes, aux dirigeants de demain, soit considérée comme une priorité « secondaire » ! Assez qu'on vende notre bois et notre eau aux Américains à des prix ridicules, uniquement pour leur plaire ! Qu'on envoie nos hommes à l'autre bout du monde se battre dans des conflits qui ne nous regardent en rien ! Qui donc est Jonathan Roof, l'homme qui est né et qui a grandi parmi nous, pour nous traiter ensuite comme des porteurs d'eau ? Un homme qui n'a mis que quatre fois, et je les ai comptées, les pieds dans sa propre circonscription depuis son élection ? C'est cet homme que vous voulez voir vous diriger, et décider de ce qui est bon pour vous ?

— NON, rugit la foule en agitant les poings. JAMAIS !

Le premier ministre Normandeau les regarda en souriant, fier comme jamais d'appartenir à un peuple qui, enfin, se tenait debout.

— Je crois, en fait, que ce discours est superflu, que vous n'avez aucun besoin qu'on vous rappelle que vous méritez mieux qu'un petit chèque de TPS une fois tous les trois mois, et encore, uniquement quand le palier fédéral estime que vous ne gagnez pas trop d'argent ! Je ne suis pas hypocrite au point de vous faire croire que tous les maux du Québec viennent uniquement du gouvernement fédéral, et vous le savez aussi… Par contre, en tant que nation, nous aurons le pouvoir de régler bien des problèmes que nous ne pouvons qu'effleurer en ce moment, car nous avons les mains liées ! Le pouvoir, aussi, de décider qui gèrera notre argent, et de quelle façon. Vous n'en avez pas plein le dos, vous, de voir votre argent précieusement gagné servir aux habitants de l'Alberta ou de la Colombie-Britannique ?

— OUI ! gueulèrent les vingt mille personnes rassemblées au Colisée.

— Ben moi aussi ! Mon argent n'est pas planqué en Suisse, moi ! Mon ministre des Finances n'est pas multimilliardaire, moi ! En fait, depuis que j'ai remplacé notre ami, le regretté Philippe Martin, personne ne semble avoir remarqué qu'aucun de mes ministres ne se promène en limousine. Et de quel droit le feraient-ils ? Ne sont-ils pas à votre service pour vous faire épargner des sous et non pour vous les enlever de la poche ? Quand j'emmène ma femme en vacances, ce qui ne lui est guère arrivé souvent, dit

Normandeau avec un sourire modeste, nous y allons en Toyota Tercel, et pas aux frais de la princesse !

De nouvelles huées, provoquées par la fortune de Roof, éclatèrent dans la salle, réaction prévue une fois de plus par le clan Normandeau. Le premier ministre désigna l'immense drapeau derrière lui.

— Ce n'est pas qu'un bout de tissu, vous savez… On s'est battu depuis des années pour faire reconnaître nos droits, et le fait que nous soyons différents des autres Canadiens. Oh ! Il y en aura toujours pour dire que l'indépendance nous ferait perdre des emplois, car de grosses compagnies pourraient décider de partir s'installer ailleurs… Qu'on y perdrait de l'argent, aussi, car certains hésiteraient à investir dans un pays nouvellement fondé… Je dis : *bullshit* ! Rien que de la grosse *bullshit* ! S'ils sont venus s'installer au Québec ces trente dernières années, c'est qu'ils savaient fort bien vers quoi on se dirigeait, et ils ne partiront pas pour autant. Ils sont venus ici parce que notre main-d'œuvre est reconnue pour sa compétence, parce que les sites où se sont bâties ces entreprises avaient beaucoup à leur offrir. Un Québec souverain aura encore plus à leur offrir, puisque la moitié de leurs revenus ne partiront plus vers le palier fédéral !

Des applaudissements nourris interrompirent le premier ministre.

— Ceux qui y étaient avant que l'on ne se mette à parler d'indépendance sont en général des entreprises québécoises, et il faudrait qu'ils soient de beaux traîtres pour s'en aller après que nous les ayons engraissés durant toutes ces années ! D'ailleurs, nul besoin d'un référendum pour qu'une entreprise se foute de notre gueule et s'en aille avec notre argent ! Pensez seulement à GM ! Quand j'entends les modérés parler de partenariat économique avec le reste du Canada, j'en ai la chair de poule… Mais qu'est-ce que c'est que ces bêtises ? On se libère ou on reste enchaînés ! Je n'ai pas l'intention de garder la chaîne autour du cou même si personne ne tire dessus ! On va faire des affaires avec le reste du Canada, comme on en ferait avec n'importe quel autre pays désireux de traiter avec nous, mais nous ne leur appartiendrons plus !

Le discours se prolongea longtemps, et si les spécialistes de la politique s'entendirent à conclure qu'il s'agissait à peu de chose près de la même allocution qu'avaient prononcée Lévesque et Parizeau, quoique plus accessible au commun des mortels, ils accordèrent tout de même à Georges Normandeau que sa performance avait été supérieure à celles de ses deux prédécesseurs réunis, ce qui n'était pas rien. Personne, de toute façon, ne s'attendait à une réelle surprise, et son discours parut meilleur encore au vu de la performance plus qu'ordinaire qu'offrit Jonathan Roof au même moment sur d'autres chaînes, discours ponctué de lieux communs et de digressions de toutes sortes par un Simon Meyer qui s'était appliqué à faire mal paraître son patron avant de disparaître dans la nature. Ce dernier comptait bien sur le manque d'originalité du premier ministre pour qu'il ne voie pas à quel point son allocution ennuierait son auditoire avant le grand soir, et il fut servi. Étrange, comme le jeune homme qui détestait tant les habitants du Québec les aida, ce soir-là... Disons aussi, pour la défense du premier ministre, qu'il est difficile de soulever la passion en prêchant le *statu quo*...

Georges Normandeau, qui s'attendait à rester toute sa vie un député presque inconnu, termina son discours en disant :

— J'ai dit tout à l'heure que nous n'avions aucune haine envers le reste du Canada, et je le pense sincèrement, mais cela ne signifie pas pour autant qu'il nous faille les aimer...

Un enfant battu ressentira toujours, au fond de son cœur, l'envie d'aimer ses parents tout de même, malgré leurs mauvais traitements, mais il lui faudra s'éloigner s'il tient à vivre une vie normale… Il en portera les séquelles toute sa vie et il n'oubliera jamais, mais s'il parvient à partir et à fonder une famille, il aura une chance d'être enfin heureux. Demain, le Québec deviendra notre PAYS, et nous formerons enfin notre propre famille. Demain, nous commencerons à travailler à notre bonheur, ensemble !

Des millions de personnes, à travers la province, se rendirent compte qu'elles y étaient enfin, que la chance leur était de nouveau donnée d'améliorer les choses, et elles versèrent quelques larmes, à l'image de Georges Normandeau, qui ne tentait même pas de cacher les siennes. Il conclut sur une note triomphale, en levant les bras bien haut :

— Demain, je vous le dis carrément, NOUS VAINCRONS !

Toutes les cartes étaient maintenant sur la table.

57

Benny Trudeau atterrit à l'aéroport de Saint-Hubert le 14 juillet, à deux heures du matin. En descendant du luxueux appareil, il se retourna pour le contempler une dernière fois, sensible à l'ironie de la situation. La défense du Québec, après des années et des années de persécution, reposait maintenant en partie sur les épaules d'un type qui non seulement dormait dans un parc trois semaines auparavant, mais n'avait encore jamais pris l'avion soixante-douze heures plus tôt. Pour voler, il avait volé ! Il avait visité une trentaine de villes depuis trois jours, et rencontré nombre d'individus qui, n'eût été du respect qu'ils lui avaient tous témoigné, lui auraient flanqué la frousse de sa vie.

Il était toujours aussi abasourdi d'avoir entendu le chef du plus important gang de motards du pays lui donner du « M. Trudeau » avec du respect dans la voix. Il avait discuté en outre avec les hommes, bien souvent à peine sortis de l'adolescence, qui dirigeaient les bandes de délinquants les plus dangereuses de la province. Tous étaient prêts à les appuyer, jusqu'au bout…

— Comment est-ce que la population peut mépriser des gens capables d'un tel courage ? marmonna-t-il en posant le pied sur le sol de l'aérodrome, la tête toujours tournée vers l'avion.

— Ça les aide à se sentir supérieurs, dit clairement Curtis Taylor dans l'obscurité, le faisant drôlement sursauter.

Benny porta rapidement une main à la poche de son manteau pour y saisir l'arme que lui avait donnée le pilote quelques heures plus tôt, ce dernier faisant partie de la SQ, nouvellement dirigée par un Martin Mueller plus que surpris de s'y voir convié par le premier ministre du Québec, sur la recommandation de Taylor.

— Tout doux, M. Trudeau, dit Curtis Taylor avec un sourire dans la voix. Vous ne descendriez tout de même pas votre patron, n'est-ce pas ?

Benny sortit néanmoins son pistolet, sans le pointer vers l'homme qu'il n'avait jamais vu, mais qui semblait le connaître. Il ne faisait pas partie du monde de l'ombre depuis bien longtemps, mais il remarqua tout de même la bosse qui gonflait le veston de l'homme à l'aisselle. Si ce dernier avait voulu le descendre, il avait eu tout loisir de le faire au moment où il mettait le pied sur le plancher des vaches.

— Vous êtes qui, vous ? demanda-t-il en remettant son arme où il l'avait prise.

— Je suis l'homme qui vous a fourni cet avion, cette arme, votre voiture et l'argent qui vous a permis de tenir vos manifs ailleurs que dans le stationnement d'un centre d'achat…

— Ah, bon ? Vous êtes le père Noël ? dit Trudeau, suspicieux, lui qui avait toujours cru que Martel était derrière tout cela. Je vous imaginais plus gros, et barbu…

Taylor rejeta la tête en arrière et éclata de rire, ce qui surprit beaucoup Erik Martel, qui arrivait derrière lui après avoir garé sa Porsche.

— Je suis Curtis Taylor, Benny… Mon adjoint vous a peut-être parlé de moi ?

— Oh, merde, rougit Benny en lui tendant la main. Je suis désolé, j'ignorais que vous viendriez en personne m'accueillir… Je ne sais pas grand-chose sur vous, M. Taylor, mais d'après Martel, c'est un grand privilège que de vous rencontrer en personne. Et nous serions dans un sale pétrin si ce n'était de votre intervention, pour ce que j'en sais.

— J'ai fait ce qui me semblait être juste, et pour ce qui est de mon anonymat, il y a goûté, ces derniers jours… En passant, vos parents vous transmettent leurs amitiés…

— Pardon ? demanda Trudeau, interloqué.

— Oui… Il m'a semblé injuste qu'ils ne soient pas mis au courant du précieux concours que vous nous apportez, vous et Fontaine. D'autant plus précieux que je ne suis plus directeur de rien, à présent… Ils ont été pour le moins surpris, spécialement votre père, quand le premier ministre leur a passé un coup de fil, dit-il en voyant Benny bomber le torse de fierté.

Martel mit rapidement Benny au courant de la découverte de Roof quant à l'implication de Curtis Taylor aux côtés des indépendantistes. Roof essaierait bien sûr, tôt ou tard, de lui mettre la main au collet, mais les prochains jours risquaient d'être beaucoup trop chargés pour le faire. La GRC devait considérer sa capture comme l'une de ses priorités, mais pas pour longtemps : Lotto Finetti trouverait de quoi les occuper, et les inquiéter, très bientôt. Alors qu'ils revenaient tous les trois vers la voiture de l'agent, Benny encore très impressionné de marcher aux côtés de Taylor, Erik Martel dit en souriant à son patron :

— En passant, Mata Hari, j'ai reçu un appel de Phil March, du bureau… Roof a déjà nommé ton successeur…

— Merde ! tonna Curtis en se donnant une claque sur la cuisse. J'espérais qu'on aurait quelques jours de jeu, avant de voir l'un des sbires du premier ministre prendre ma place ! Ça va compliquer les choses inutilement ! Dis donc, crétin… Tu trouves ça amusant ? grogna-t-il à l'intention de Martel, qui retenait son hilarité sous le regard intrigué de Benny.

— Dans la mesure où je suis maintenant le nouveau directeur du SG4, je trouve ça assez drôle, oui, dit Erik en éclatant de rire.

— Qu… Quoi ? Ils t'ont donné mon poste ? Merde, Martel, comment tu as réussi ça ?

— L'enfance de l'art, pour un type qui a été l'adjoint de Curtis Taylor durant quinze ans. J'ai flairé le coup bas dès que Normandeau a annoncé un référendum, et je savais que tu ne prendrais pas position contre des innocents, alors j'ai laissé filtrer, par trois ou quatre sources différentes, à quel point tu commençais à me peser sur les pieds. Après l'annonce de ta trahison, rien ne paraissait plus naturel que de m'envoyer à tes trousses, assis bien confortablement dans ton fauteuil.

— C'est pas un génie, ce petit con ? demanda Taylor à Trudeau en agrippant son ancien second par le cou pour lui coller une bise en plein front. Je le savais quand je t'ai recruté, mon salaud ! Dis donc… Tu ne seras pas directeur bien longtemps, quand on y pense…

— Arrête, tu vas me gâcher mon plaisir, dit Martel, pour qui la situation n'avait absolument pas changé, Taylor demeurant pour lui son supérieur à vie.

— Vous avez des nouvelles de Marcus ? demanda Benny à Erik Martel.

Celui-ci eut un sourire mi-figue mi-raisin.

— M'est avis que ton ami est en train de séduire l'une des plus jolies femmes que j'ai vues de ma vie… Il me fait chier, ce gars-là ! dit-il en éclatant de rire. En plus, on dirait qu'on est en train de devenir une petite famille incestueuse.

Taylor et Trudeau lui jetèrent un regard intrigué.

— Il est avec notre journaliste vedette, la nièce du premier ministre. Il devrait se reposer... Vous ne devez pas aller voter aujourd'hui ?

Benny, qui avait été interrogé à deux reprises par Elizabeth Converse, siffla doucement.

— Ben merde, il y en a un qui ne s'ennuie pas, dit l'ex-directeur du SG4 avec un sourire.

En voyant Julie Galipeau appuyée sur la Porsche de Martel, Benny se retourna vers celui-ci.

— C'est sympa d'être allé la chercher...

Martel afficha le même sourire que quelques instants auparavant.

— Je ne sais même pas qui c'est...

— Mais une chose est sûre, conclut Taylor en souriant devant l'ingéniosité de Galipeau, on devrait l'engager...

58

Paul Fiersen et William Andersen buvaient un scotch dans la cour arrière de la maison de ce dernier. Le médecin avait été invité par celui qui était devenu son second à venir souper avec Lisa et les enfants, et les deux dirigeants du Conseil de Westmount s'étaient retirés dans de moelleux fauteuils installés sur la terrasse du policier. Fiersen n'avait pas de famille et appréciait beaucoup l'invitation.

— Dis donc, demanda celui-ci, ton fils a un bel œil au beurre noir… Il s'est battu ?

— Il s'est défendu, grogna Andersen en remplissant leurs verres une nouvelle fois alors qu'ils étaient tout deux plutôt ronds, déjà. Deux adolescents lui sont rentrés dedans quand ils ont appris que je faisais partie du Conseil… Il a beau parler leur langue mieux qu'eux, et être plus québécois que ces *frogs* mal élevés, ce ne sera jamais suffisant ! C'est la troisième fois en deux semaines.

— Merde… murmura Fiersen, qui se sentait en grande partie responsable, pour avoir attiré Andersen à sa suite. Pauvre petit…

Andersen eut un sourire sans joie.

— Il en a envoyé un à l'hôpital, c'est toujours ça de pris… Je l'ai puni, tu crois bien… Je l'ai emmené manger une crème glacée.

Les deux hommes éclatèrent de rire, réalisant intérieurement à quel point ce combat les avait changés depuis trois semaines.

— Eh bien… On y est, en tout cas. C'est le grand jour…

Andersen regarda sa montre, réalisa qu'il était plus de minuit et acquiesça du chef.

Le 14 juillet était effectivement arrivé.

— Sincèrement, demanda-t-il au médecin qui avait prononcé l'après-midi même une allocution enflammée devant trois mille personnes pour leur dernière manifestation, tu crois qu'on va gagner ?

— Si je n'étais pas si saoul, dit Fiersen, je répondrais “bien sûr que oui !” en frappant du poing contre la table, mais en ce moment, je n'en sais vraiment rien…

— D'autant plus qu'il n'y a pas de table où frapper… dit Will Andersen en souriant.

Fiersen regarda autour de lui, le regard embrumé par l'alcool, et éclata de rire, bientôt suivi par son patient, qui était devenu un ami au cours des dernières semaines. La pression rapproche les gens.

— Ben oui, tiens… Je ne sais pas, William… Avant que la tromperie de Roof ne soit étalée dans les journaux, nous avions toutes les chances de l'emporter, mais rien n'est moins sûr à l'heure actuelle.

— Quand je pense que cet enculé n'a même pas mis un pied au Québec durant toute la durée de la campagne… Pas même un appel pour nous remercier, rien… Je continue de croire que nous allons gagner, malgré tout… La manifestation de cet après-midi a attiré au moins trois mille personnes, non ?

— Ah, ça… Je veux bien, mais le dernier rassemblement souverainiste a attiré plus de monde que la fête du Canada d'il y a deux semaines, et la plupart ne venaient que de Montréal et des environs, tu sais…

— Combien d'entre eux se sont déplacés uniquement pour assister à un gros party? L'histoire ne le dit pas… C'est étrange, mais les deux jeunes de Longueuil nous ont fait plus de tort que n'importe quel élu de la région… Fontaine et l'autre, là… S'il fallait que le référendum passe, on n'a pas fini d'en entendre parler, de ces deux petits cons…

— Entre toi et moi, dit Fiersen en baissant le ton, tu as reçu des menaces, ces derniers temps?

Le policier fit une grimace qui en disait long.

— Oui, quelques-unes, que j'ai réussi à cacher à ma femme, mais j'ai quand même décidé que toute la famille partirait chez sa mère après-demain matin. Tu en as reçu, toi?

Le médecin afficha un air incrédule.

— Tu veux rire, merde? Ma boîte aux lettres déborde, mon répondeur est saturé même si je le vide trois par jour et je ne suis pas parvenu à faire une nuit complète sans être réveillé au moins deux fois par ces malades… Quant à ma boîte de courriels, inutile d'en parler… Heureusement que je n'ai pas de famille! Ces gens sont complètement fous… J'avais cru que je resterais à Westmount, même si on perdait, mais je n'en suis plus si sûr, maintenant. Certaines de ces lettres sont on ne peut plus sérieuses… Je suis désolé de t'avoir entraîné là-dedans. Je n'avais pas réfléchi.

— Ne t'en fais pas. Je compte déménager, que l'on gagne ou non. Mes enfants iront dans une école anglophone, en septembre… J'ai voulu leur éviter certains problèmes que ma femme et moi avons affrontés au même âge, mais les francophones sont de plus en plus cinglés…

— Beaucoup d'entre eux ne souhaitent pas obtenir l'indépendance… Nos manifs n'ont guère eu de succès, je te l'accorde, mais les sondages nous le démontrent clairement. Je ne jette pas la serviette…

— Que le ciel t'entende, l'ami…

Ils demeurèrent un moment silencieux, puis Fiersen se leva difficilement de son siège.

— Nous devons aller dormir, William. J'aimerais bien aller voter avec ta femme et toi, cet après-midi, si ça vous va… Il y aura sûrement un ou deux journalistes pour assister au vote des dirigeants du Conseil, alors je te suggère de faire garder tes enfants si tu ne veux pas voir leurs têtes dans les journaux…

— Ça me va, dit Andersen. Il faut prendre des forces… Nous fêterons peut-être très tard, la nuit prochaine…

— Espérons-le, dit Fiersen sans se retourner, en regagnant sa voiture.

Andersen grimpa les escaliers difficilement, avec en tête l'idée de faire l'amour à sa femme, mais la fatigue l'emporta dès le moment où il s'étendit dans leur lit. Il s'endormit immédiatement.

59

Marcus Fontaine se réveilla, en ce matin du 14 juillet, avec une impression qu'Erik Martel ne connaissait que trop bien: celle de ne pas savoir où il se trouvait. Il crut tout d'abord qu'il était encore en tournée pour le compte du SG4, et sursauta lorsqu'une main douce glissa sous les draps pour lui caresser la poitrine, alors que la demoiselle à qui elle appartenait dormait encore. Celle-ci se retourna dans son sommeil et vint se nicher dans les bras de Marcus, à qui tout revint en bloc.

« Incroyable… songea-t-il en affichant un sourire idiot. Même ce matin, je n'arrive pas à y croire ! » Ils avaient rejeté durant la nuit leur légère couverture et la splendide nudité d'Elizabeth Converse le troublait profondément. Il ne vit pas qu'elle avait ouvert les yeux pendant qu'il la contemplait. Elle lui fit un sourire, et laissa sa main glisser de la poitrine de Marcus vers un endroit plus stratégique. Elle murmura, amusée:

— Encore ?

Une heure plus tard, alors qu'ils traînaient au lit, repus tous les deux par cet exercice matinal, elle demanda:

— Tu dois aller voter à Longueuil, n'est-ce pas? C'est bien là que tu habites ?

— Ouais… Mais je dois retrouver Trudeau avant. Je dois savoir comment s'est passé le voyage, et nous sommes supposés aller voter ensemble.

— Trudeau ? Ah, oui ! L'organisateur de manifs qui ne se peigne jamais ? Celui qui dort dans un parc ?

Fontaine étouffa un petit rire. Décidément, Beth lui plaisait de plus en plus.

— Pour une journaliste qui l'a interviewé deux fois, tu es bien mal renseignée, ma jolie… Souffre d'apprendre pour commencer que Benny se peigne chaque jour, et beaucoup plus longtemps que moi (Beth eut un regard vers les cheveux rasés de Fontaine et lui fit une grimace). C'est juste que ses cheveux ne sont pas d'accord… Secundo, Benny ne squatte plus de parc depuis l'annonce de Norman… de ton oncle, puisqu'il habite chez moi.

Converse se souleva sur un coude pour s'assurer qu'il ne se fichait pas d'elle.

— Sérieusement ? Vous habitez ensemble ? Vous vous connaissez depuis longtemps ?

— Non, pas longtemps, mais on s'entend très bien. Si ce n'était de Benny, jamais je ne me serais engagé dans tout ce charivari… Je n'avais même pas d'opinion sur le sujet, à la Saint-Jean-Baptiste ! C'est un de ses discours qui m'a convaincu…

— Ne dis surtout pas ça à mon oncle, dit Elizabeth en riant. Tu pourrais dire adieu à la politique !

— Tu crois vraiment que je serais un candidat acceptable ?

— Non seulement tu seras fort acceptable, mais je serais surpris que mon oncle ne t'encourage pas en ce sens, quand je lui dirai que j'ai rencontré le candidat de l'avenir !

— Ce n'est pas ce qu'on disait de Mario Dumont, également ?

Ils se regardèrent et éclatèrent de rire, après quoi Beth se leva pour aller préparer à déjeuner, aussi nue qu'au jour de sa naissance. Marcus fut tenté de la ramener dans le lit pour lui faire l'amour de nouveau, mais il avait faim, lui aussi.

Assis à la table de cuisine, il lui demanda :

— Tu dois avoir une journée de fou, aujourd'hui ?

Elle jeta un coup d'œil à l'horloge en forme de hamburger qu'avait un jour rapportée Émilie et qu'elle trouvait hideuse.

— En fait, je devrais être au journal depuis une heure, mais je suis une vedette, maintenant, dit-elle en lui faisant un clin d'œil. Je dois apprendre à me faire désirer... Toutes les entrevues sérieuses sont faites depuis un moment. Aujourd'hui, je vais surtout sillonner les bureaux de vote pour interroger les personnalités connues qui s'y rendront. Et toi ?

— Libre comme l'air. À part aller voter, je dois peut-être passer à l'*Information*, mais il faut que je confirme avec la fille de Sinclair...

— Oublie ça... Sinclair doit être surchargé aujourd'hui. Comment tu as connu sa fille, au fait ?

— Je l'ai empêchée de se faire laminer à la manif de Montréal, et je lui ai évité de tuer son assaillant en piochant dessus, par la suite, conclut-il en riant.

— Tu n'es pas sérieux ? Dis-moi pas que c'est la fille qui a commencé à les déshabiller ? C'est la fille de Mathieu Sinclair, ça ? dit-elle en riant. Vous avez gardé le contact ? demanda-t-elle d'un ton qu'elle voulait anodin, mais qui laissa percer un petit rien de jalousie qui fit diablement plaisir à Marcus.

— C'est la blonde de Benny, dit-il en se levant pour la prendre dans ses bras. Ça te dirait qu'on passe la soirée ensemble, tous les quatre ? À moins que tu n'aies prévu autre chose, bien sûr, dit-il en la relâchant. C'est une soirée qui sort de l'ordinaire...

Beth se retourna et plongea son regard dans le sien.

— J'avais prévu quelque chose, oui, mais rien qui ne puisse être annulé. Tu veux faire ça chez toi ?

— Peut-être, je ne sais pas… Deux 450 contre deux 514, dans notre petit quatuor, dit-il en souriant. L'appartement de Mathieu Sinclair est immense, paraît-il, et il a un écran géant…

— Intéressant, dit Beth en détaillant Marcus de la tête aux pieds. Dis donc, mon mignon… Aurais-tu remarqué qu'on est flambant nus, depuis tantôt ?

Marcus fit mine de s'en rendre compte à l'instant même, alors qu'une partie de lui indiquait clairement qu'il ne le savait que trop bien.

— Ça n'a pas de sens, murmura Elizabeth. Est-ce qu'il va nous rester des forces pour aller voter ?

— On est encore jeunes… murmura Fontaine à son oreille, alors qu'il l'entraînait vers la chambre.

60

À neuf heures, ce matin-là, Jonathan Roof arrivait dans sa circonscription de Magog, l'appréhension lui nouant les tripes. Il regrettait d'avoir cédé à l'un de ses plus anciens collaborateurs qui était demeuré interdit lorsque son patron lui avait annoncé qu'il ne comptait pas se rendre au Québec pour voter.

— Mais voyons, Jonathan ! C'est complètement ridicule ! Il *faut* que vous alliez voter ! Comment pourriez-vous faire autrement ? C'est vous le chef de file ! Sans parler du fait que vous auriez l'air d'un parfait imbécile en ne le faisant pas ! Plusieurs milliers de vos partisans se décideront à aller voter en vous voyant déposer votre bulletin dans l'urne au journal du midi !

— Redding, vous me faites chier, avait grommelé le premier ministre du Canada, qui savait bien qu'il avait raison. Est-ce que c'est vous qui allez vous faire tirer des pierres en débarquant de la limousine ?

— Si ça peut vous décider, je suis bien prêt à aller en recevoir avec vous, merde ! Que l'on gagne ou non, l'opinion publique vous pendra en effigie si vous ne le faites pas. On pourra tous pointer au chômage aux prochaines élections si l'instance suprême du pays ne se bouge même pas le cul pour aller le défendre !

Roof le regarda d'un œil étonné.

— Si vous n'avez pas encore compris que je ne serai pas réélu, Redding, je me demande pourquoi je vous paie… Même ce petit con de Meyer l'avait compris, et il travaillait pour moi depuis à peine deux semaines ! Au fait, on a des nouvelles de lui ?

Luis Redding se dandina d'un pied sur l'autre, cherchant la meilleure façon d'annoncer la nouvelle.

— Il a déserté, Jonathan. J'ai envoyé un de mes assistants le chercher, hier, et son appartement est vide. Il ne reste que de la poussière…

Roof n'eut même pas l'air contrarié. Au contraire, un léger sourire se dessina sur ses lèvres.

— Eh bien… Notre ami Meyer a senti le vent tourner, je crois…

— Vous voulez que je le fasse rechercher ?

— Non, fichez-lui la paix… Par contre, trouvez-moi Curtis Taylor au plus sacrant ! Qu'est-ce qu'elle fout, la GRC ? Elle dort ou quoi ?

— Disons que Taylor n'est sans doute pas la proie la plus facile qu'ils aient chassée. Curtis est le meilleur agent du pays. Faites une croix dessus ; vous ne le retrouverez que s'il le veut bien. En attendant, ne changez pas de sujet, petit premier ministre de mes deux ! Vous devez aller voter !

— OK, OK ! La paix, Redding ! Et je vous garantis que si je dois faire trois heures de route pour me faire huer, vous allez effectivement venir avec moi !

« Moi et ma grande gueule… » pensa Redding, résigné.

Redding était le seul membre du cabinet à entretenir de bonnes relations avec Roof, sans doute parce qu'il était le seul que le *Prime Minister* n'avait jamais menacé. Tous les autres avaient gardé le silence tout au long de la campagne référendaire sur l'ordre de leur patron, qui possédait sur chacun d'entre eux de quoi les faire taire ou encore les faire chanter comme des pinsons.

En arrivant à Magog, à l'école où était installé le bureau de scrutin, Roof grimaça à la vue de la foule rassemblée qui avait commençé à s'agiter en voyant la limousine s'avancer. Ces gens ne semblaient vraiment pas venus lui démontrer leur appui en vue du combat qui prendrait fin à neuf heures ce soir-là, pour le meilleur ou pour le pire. Les cailloux et les tomates commencèrent à pleuvoir au moment même où la limousine se gara. Redding remarqua, amusé :

— L'un d'eux vient de vous lancer un piment vert, Jonathan…

— Quand je vous disais à quel point ils sont cons…

Baissant sa vitre de quelques centimètres, Roof dit à l'un des agents de la GRC qui entourait la voiture :

— Si je reçois le moindre projectile, vous êtes tous au chômage…

« Et puis quoi encore, pauvre con ? pensa l'homme de la GRC. Vire-moi et je serai le premier à me joindre à eux pour te lancer des roches… »

Le chauffeur s'arrêta le plus près possible des portes d'entrée, mais le premier ministre et sa suite durent tout de même franchir une quinzaine de mètres à travers la foule. Roof parvint à entrer dans l'école sans être atteint par la volée de projectiles, mais Luis Redding n'eut pas cette chance. Une pierre l'atteignit à la tempe, le faisant chanceler. Un agent de la GRC l'aida à franchir les derniers mètres en se demandant pourquoi l'assistant du premier ministre n'était pas resté dans la limousine, puisqu'il n'avait pas le droit de vote au Québec, ce que se demanda aussi le principal intéressé, après coup.

Une fois à l'intérieur, Roof reçut un accueil glacial. Plusieurs journalistes l'attendaient, qu'il évita autant que possible, car leurs questions tournaient toutes autour de la tricherie des élections précédentes. Il alla voter rapidement, souriant sous les flashs des caméras, et il fit aussitôt demi-tour pour retourner dans son fief d'Ottawa. D'une porte à l'autre, sa visite à Magog dura moins de dix minutes, et il en repartit avec la certitude qu'il ne se représenterait jamais aux élections, sa vie dût-elle en dépendre. Une fois dans la limousine, il demanda avec un sourire à Redding :

— Satisfait, Luis ?

Redding, qui pressait un mouchoir contre sa tempe pour endiguer le flot de sang, le regarda d'un œil assassin et grommela :

— *Fuck you*, Jonathan…

61

Georges et Louise Normandeau allèrent voter à Anjou, dans leur circonscription, et y furent accueillis en héros. Le premier ministre s'étonnait parfois un peu de cette exubérance, mais il ne détestait pas prendre des poses pour les photographes, ce qui faisait bien rire sa femme. Il considérait que ses chances de gagner étaient fort acceptables, mais en voyant la foule l'applaudir à tout rompre, il sut qu'il se retirerait en pleine gloire, même si son clan perdait. En attendant les résultats du scrutin, dans la soirée, il n'avait d'autre pouvoir que celui de voter. Les résultats des sondages effectués au cours des trois semaines précédentes avaient démontré que le vote des conjoints s'annulait souvent l'un l'autre dans bien des foyers, uniquement par provocation. Au moins, chez les Normandeau, on votait du même bord…

Une fois dans l'isoloir, Georges Normandeau s'attarda et, avant de voter, admira le côté définitif de la question qu'il avait lui-même écrite :

Souhaitez-vous que le Québec soit considéré comme souverain, qu'il soit libéré de toute obligation envers le Canada et qu'il acquière de ce fait les droits inhérents à l'état de nation ?

— Et comment, que je le veux… murmura le premier ministre du Québec.

À sa sortie de l'isoloir, les caméras de télévision déboulèrent de partout, mais il ne leur accorda que peu de temps, soulignant qu'à son avis, tout était dit. Il prit tout de même la peine de rappeler que si voter n'était pas toujours un plaisir évident, c'était par contre un devoir civique, qui prenait d'autant plus d'importance quand il s'agissait de décider de l'avenir d'un pays.

Une fois à l'intérieur de la voiture, en se dirigeant vers le centre-ville, Louise Normandeau demanda :

— Qu'est-ce qui ne va pas, Georges ? Je te connais comme personne d'autre, et tu aurais ramassé Roof à coups de pelle devant les médias, si tu étais en forme…

Le premier ministre regarda longuement sa femme avant de répondre.

— À ce stade-ci, faire chier Jonathan Roof ne pourrait que nous mettre davantage dans le trouble. Si nous gagnons, et il est bien possible que ce soit le cas, la merde va pleuvoir sur le Québec. On ignore encore malheureusement à quel point, mais tout part du premier ministre. Je n'arrive pas à me défaire de l'idée que des gens vont mourir par ma faute.

Louise Normandeau fit alors le dernier geste auquel se serait attendu son politicien de mari : elle lui balança une claque derrière la tête.

— Que je ne t'entende plus jamais dire ça, maudit insignifiant ! C'est toi, peut-être, qui a prévu ces attentats ? C'est toi le salopard qui veut écraser des francophones uniquement pour éradiquer leur langue ? Toi, tu es là pour libérer le monde, Georges Normandeau ! Là pour que ce soit la dernière fois qu'une menace pareille plane sur nous ! Des gens vont mourir, tu as sans doute raison, mais beaucoup de ceux qui resteront debout te devront de ne plus être à genoux !

— Tout de même… grommela Normandeau. Je préférerais que tu partes quelques semaines, Louise. Dans un coin chaud où on ne parle pas trop de politique en ce moment.

— Et puis quoi encore ? N'y pense même pas, Georges... Je vais être ici quand les problèmes vont se pointer, et à moins d'appeler tes nouveaux amis du SG4 pour me flanquer de force dans un avion, tu ne me feras pas bouger d'ici ! Ma place est à côté de toi, et ce serait la même chose si on se retrouvait à la rue demain matin... Tu te rappelles ce que tu me répétais toujours quand tu étais député ? "Il y a la politique. Il y a aussi des gens à aider. Mais avant tout, il y a nous deux."

Louise Normandeau voyait bien que son mari tentait de lui dire quelque chose, mais qu'il cherchait la façon de le faire.

— Louise... Je ne sais pas comment te dire ça, mais la façon la plus directe a toujours été notre préférée, alors voilà : il n'est pas impossible qu'on tente de s'en prendre à moi durant les prochains jours. On n'a pas de preuves, mais on a des indices, et il est possible que Jonathan Roof parvienne à me faire assassiner. Nous ignorons seulement si Roof voudra prendre le risque de faire de moi un martyr de la cause, ce qui nous semble quand même assez improbable pour l'instant.

— Je sais, dit tranquillement sa femme, ce qui fit sursauter le premier ministre.

— Tu sais ? demanda-t-il, incrédule.

— Mes filières de renseignement ne sont peut-être pas aussi étendues que les vôtres, cher monsieur, mais une amie a considéré que cette information devrait me parvenir, après que tu en as pris connaissance. Le même jour, je me suis procuré ceci.

Elle sortit de son sac à main un petit Berretta automatique, ce qui sidéra son mari presque autant que l'air décidé qu'elle affichait.

— Si quelqu'un est décidé à m'enlever un autre membre de ma famille, que Dieu ait pitié de lui !

Normandeau refoula ses larmes, se contentant de caresser le visage de sa femme de la main qui ne tenait pas le volant.

— Tu veux qu'on passe voir ta nièce quelques minutes ? demanda-t-il à sa femme.

Ils grimpèrent les marches menant chez Elizabeth, un peu à bout de souffle, suivis par leurs anges gardiens. Normandeau pensait encore à l'arme que sa femme trimballait maintenant avec elle lorsque Marcus Fontaine ouvrit la porte, ne portant qu'un slip et tenant son pantalon à la main.

Le premier ministre le regarda un long moment, les sourcils froncés, avant de demander :

— Je ne vous ai pas déjà vu, vous ?

62

Lotto Finetti porta son verre de porto à ses lèvres, le temps de laisser ses trois petits-fils digérer ce qu'il venait de dire. Ils avaient tous plus de quarante ans et travaillaient pour leur grand-père depuis qu'ils étaient en âge de le faire, même si le plus vieux avait emprunté parallèlement la voie légale. Ils savaient donc que la commande que venait de passer le parrain représentait un travail titanesque, voire impossible, si l'on comptait demeurer en vie ou en liberté.

Domenico Santori hocha la tête à l'intention de son grand-père. Il s'était attendu à ce que John Roof convoque Erik Martel et le mette rapidement au courant de son plan, mais il semblait plus probable, maintenant, de voir le premier ministre du Canada garder le SG4 comme renfort, ayant confié l'agitation première à certains contractants de la GRC.

Il n'y avait qu'une autre possibilité: celle que Roof, ne pouvant juger du degré de corruption de ses services secrets, ait décidé de les éliminer, tous autant qu'ils étaient. Il ne pouvait se permettre pour le moment de perdre le fleuron de son réseau d'information, mais plus tard, qui sait… Lorsque Domenico évoqua ce scénario, il ne reçut qu'un haussement d'épaule du patriarche.

— Ça, *bambino*, il fallait y penser avant de laisser la famille pour travailler pour le gouvernement. Qu'est-ce que je t'avais dit, quand tu m'as annoncé, il y a dix ans, que tu souhaitais te joindre au SG4 ? Un nid de serpents, voilà ce que je t'ai dit…

— Grand-père, c'est un peu injuste, non ? N'ai-je pas toujours défendu tes intérêts en premier lieu ?

— Je sais, Domenico, et tu n'as pas à t'inquiéter… D'ailleurs, on s'inquiète tous peut-être en vain en attendant les résultats, mais mieux vaut être prêt à faire face. À ton avis, qui enverraient-ils à vos trousses, s'ils devaient tous vous supprimer ? Précisément les gens dont nous nous occuperons d'abord…

— Tous nos hommes ont été rappelés, grand-père, dit Nicholas, le cousin de Domenico, qu'on soupçonnait à ce jour d'avoir trempé dans plus d'une dizaine d'assassinats. Il faudra leur expliquer rapidement, car ils sont tous plutôt anxieux d'être en si grand nombre. Ils sont une cible facile autant pour la police que pour les motards, pour l'instant…

— Vous le ferez dès que vous serez sortis d'ici, dit Finetti à Nicholas et Joseph, le troisième et le plus âgé de ses petits-fils. Ne vous inquiétez pas des motards, dont notre jeune ami Trudeau a rencontré les chefs avant-hier. Nous sommes du même côté, pour l'instant. Idem pour la police. Domenico arrangera le tout avec le chef de la police, M. Morin.

— J'y suis allé avant de passer te voir. Morin vous demande d'agir aussi discrètement que possible, ce qui lui permettrait d'étouffer un moment certaines affaires.

— Qu'est-ce qu'il croit, cet imbécile ? grogna Joseph en se levant. Que personne ne remarquera ce qui se passe ?

Lotto Finetti, qui œuvrait du bon côté de la loi pour la première fois en quatre-vingt-neuf ans, ne répondit pas tout de suite. Il observait le soleil. Il était déjà près de quinze heures, en ce 14 juillet, et dans cette province qui souhaitait devenir pays, les gens votaient bon train.

— Je crois simplement que M. Morin, comme d'ailleurs beaucoup d'autres personnes impliquées dans cette magouille, ne comprend pas encore la portée des ennuis qui risquent de s'abattre sur nous. Ils s'attendent à des escarmouches, voire à quelques combats, mais c'est la guerre qui nous tombera dessus lorsque la nuit viendra, mes enfants…

La guerre.

Le mot était lâché.

63

Le commandant des Forces armées canadiennes et le directeur de la Gendarmerie royale du Canada étaient affalés dans de confortables fauteuils, dans le salon de la magnifique maison de ce dernier. Mark Murphy buvait une boisson gazeuse alors que Jordan avait opté pour un scotch à l'eau. Ils étaient passablement moins enthousiastes, à l'heure actuelle, qu'ils ne l'avaient été trois semaines plus tôt à l'égard des noirs desseins de leur premier ministre. Évidemment, à ce moment-là, l'ennemi n'était pas au courant de la moitié de leurs plans, et l'un de leur pivot n'avait pas déserté en laissant planer les plus grands doutes sur la fidélité de son agence. Murphy eut une fugitive pensée pour Simon Meyer, et pensa qu'il aurait sans doute fait comme lui, s'il n'avait pas eu de famille.

— Sincèrement, Jordan, demanda le grand patron de la GRC, vous en pensez quoi ?

— Un mal nécessaire… répondit le général. Je déplorerai les pertes de civils, s'il y en a, mais ça ne change rien au principe. On ne peut laisser une bande de marginaux scinder notre pays ; c'est en tout cas notre version officielle. Officieusement, on ne pourra se passer de leur argent ; voilà ce que je pense vraiment…

— Ouais, grogna Murphy. Quand on creuse un peu, on finit toujours par tomber sur une question d'argent…

Bethleem Jordan but le reste de son verre en grimaçant et secoua la tête.

— C'est notre plus grosse erreur de jugement, jusqu'ici... Pour eux, dit-il en faisant un geste vague du bras vers les frontières du Québec, ce ne sera jamais une question de *cash*, tu vois ? Ce n'est peut-être pas plus mal que quelques infos aient filtré durant nos préparatifs, car ça leur a laissé l'occasion de reculer, et ils ne l'ont pas fait. Roof se trompe totalement sur au moins un point. Si jamais l'indépendance du Québec est votée ce soir et qu'on passe à l'action, ils ne se mettront pas à genoux en nous demandant de ramener le *statu quo*. Ils vont nous attendre avec une brique et un fanal, prêts à se faire massacrer pour la cause !

— Quelles nouvelles de Valcartier et Bagotville ?

— Aucune, et c'est mauvais, je le crains. Il est impossible de les joindre par téléphone et j'ai bien peur que le colonel Sullivan ait été intercepté. Ils n'ont d'ailleurs aucun besoin de le soupçonner de quoi que ce soit. D'être anglophone suffira. Même chose à Saint-Jean...

Murphy regarda le soleil qui frappait fort, en ce jour de référendum, et déclara :

— La chaleur n'aidera pas. Les esprits s'échaufferont à souhait, cette nuit, quel que soit le résultat du vote.

— *Geez* ! S'ils pouvaient tous voter Non et qu'on n'en parle plus ! Ils me font royalement chier, ces demeurés ! Et Normandeau plus encore ! On devrait descendre ce con ! C'est lui le responsable de tout ça !

Exaspéré, Murphy se servit lui aussi un scotch, sec.

— On parle ici d'un premier ministre, Jordan ! Pas question d'en faire un martyr, *no way* ! Et puis, vous pouvez vous plaindre, vous ! C'est vous qui avez dû assurer le travail que Roof n'ose plus confier au SG4, peut-être ? Avez-vous seulement idée des fous furieux qu'il m'a fallu dénicher pour faire ça ? Je ne peux tout de même pas mettre tous mes agents réguliers là-dessus ! J'ai le reste du pays à faire tourner, puisque personne ne s'en occupe…

— Tu as vérifié les antécédents de tes remplaçants ?

— Mais bien sûr ! J'avais tellement de temps à mettre là-dessus, d'abord ! Les gars de Roof s'occupent de contrôler…

Bethleem demeura songeur un moment, les yeux fixés sur la piscine de taille olympique que Murphy avait fait creuser quelques années auparavant.

— Dis donc, demanda-t-il à celui-ci, ça veut dire quoi, au juste, SG4 ?

Le directeur de la GRC eut un petit rire.

— Leurs bureaux, à l'origine, se situaient tout près de la colline parlementaire, au quatrième étage. Taylor classait la fiche de paie des premiers agents sous la rubrique Services Généraux. SG. J'ignore pourquoi ça leur est resté…

— En parlant de Taylor, tu crois que tu pourras lui mettre la main dessus ?

— S'il ne me tue pas d'abord, peut-être…

64

Le capitaine Mike Sullivan, qui ne verrait jamais s'ajouter à son uniforme les galons de colonel promis par Bethleem Jordan, commençait à s'inquiéter sérieusement. Un cocard noircissait son œil droit et une coupure au front le faisait ressembler aux deux soldats détenus à quelques mètres de sa propre cellule, qui s'étaient affrontés avec quelques verres dans le nez, au début de la soirée. Ses contusions, toutefois, étaient dues à la douceur des hommes venus l'arrêter quelques jours plus tôt, sur les ordres du commandant Denis Marcoux. La réflexion n'était peut-être pas la force de Sullivan, mais longues avaient été les heures depuis son incarcération, et il en était venu à quelques conclusions, toutes plus déplaisantes les unes que les autres.

Il lui manquait la principale donnée pour comprendre la situation dans laquelle il se trouvait, à savoir les intentions de John Roof, mais il savait déjà qu'il l'avait dans l'os si Marcoux avait pris le risque de faire emprisonner un membre de son état-major. Il aurait pu penser à une simple manœuvre politique s'il avait aperçu l'un des autres anglophones de la base, mais aucun d'entre eux n'avait été convoqué. En fait, l'odeur de merde lui était montée aux narines au moment où on lui avait refusé le droit de passer un coup de fil, alors qu'il avait déjà la carte de Jordan en main. De mémoire de militaire, cela n'était jamais arrivé sur une base où il avait travaillé. Il se souvenait même d'un meurtre, survenu dix ans plus tôt en Alberta, où l'assassin, un simple soldat complètement demeuré, discutait au téléphone avec son père moins d'une demi-heure après le crime.

Sullivan ne savait que trop bien que le commandant en chef des Forces armées n'allait pas perdre son temps à sortir du pétrin un officier qu'il n'avait rencontré qu'une fois. Qui sait même si le général ne l'avait pas simplement utilisé comme pigeon ? Il entendit deux des gardiens discuter du fait que plus personne ne parvenait à téléphoner à l'extérieur de la base, et il comprit immédiatement qu'il se tramait quelque chose de moche et que Marcoux avait imposé le *black-out* en attendant les résultats du référendum. Il était déjà plus de cinq heures de l'après-midi et il ne restait que quatre heures à la population pour se prononcer. Ensuite, les choses pourraient se produire très vite.

Si les indépendantistes perdaient, ils seraient très nombreux sur la base à chercher un exutoire à leur colère, et un gradé anglophone soupçonné de trahison ferait tout à fait l'affaire.

Si au contraire ils obtenaient l'indépendance et que le gouvernement fédéral, comme le pensait maintenant Sullivan, leur réservait un sale coup, le résultat serait le même, peut-être pire.

Dans un cas comme dans l'autre, il devenait d'actualité de trouver un moyen de s'évader.

Au plus sacrant.

65

Mathieu Sinclair regarda tous ses collaborateurs réunis autour de la longue table de conférence et fut amusé par l'espoir qu'il voyait briller dans leurs yeux.

— OK ! On fait une pause !

— Après six heures d'affilée, ce n'est pas un luxe, grogna Marianne Mauriceau, l'emmerdeuse qui avait remplacé Émilie et que personne n'appréciait beaucoup.

— Tu veux peut-être qu'on t'apporte un lit et une couverture, Marianne ? demanda Sinclair de façon à ce que toute l'équipe entende. Dans moins de cinq heures, je vais peut-être annoncer la naissance d'un pays, de *notre* pays, et tu te plains parce que tu es fatiguée ?

L'assistante lui jeta un regard noir et prit la direction des toilettes. Après sa sortie, le présentateur de l'*Information* regarda son équipe d'un air sombre.

— Il est possible que les choses se corsent un peu pour nous tous si l'indépendance est votée. Ne me demandez pas d'explications, car je n'en ai pas à vous donner, mais ma fille a de drôles d'amis en ce moment, qui travaillent pour des gens puissants, et le peu que m'en a dit l'un d'eux est assez inquiétant…

— Oh ! dit Léon Provencher, l'un de ses plus vieux amis, j'ai failli oublier ! J'imagine que les amis dont tu parles, c'est le nouveau *chum* de ta fille ? Trudeau ? J'ai reçu des photos de lui revenant de nuit par jet privé à Saint-Hubert. Tu veux qu'on creuse ça ?

— Surtout pas... Si vous souhaitez vous reposer, faites-le maintenant, ou priez pour que le *statu quo* perdure, mes enfants, parce qu'à partir de demain, ça promet d'être du sport ! On se revoit dans quarante-cinq minutes, quinze minutes avant le début de l'émission. Haut les cœurs !

Sinclair alla s'isoler dans son bureau. Il s'apprêtait à faire, en direct, une émission-marathon de quatre heures, la plus suivie chez les francophones en période d'élections ou de référendum. Mathieu était épuisé. Émilie étant absente, il devait endurer cette conne de Mauriceau, guère plus jolie que compétente. Plus que tout, il aurait aimé être chez lui avec sa fille et ses amis à écouter tranquillement les résultats à la télé. Il avait appris avec surprise que la nièce du premier ministre, et accessoirement la journaliste la plus courue du pays, était chez lui, assise dans son salon, à attendre de le voir entrer en ondes. Il allait y avoir de l'action à son retour chez lui, et il ne s'en plaignait pas. L'imprévu chassait chez Sinclair la sensation d'être vieux, alors qu'il n'avait que cinquante-cinq ans.

Son esprit revenait sans cesse sur ce que Trudeau lui avait confié, avant son départ. Le jeune homme, qui savait que les embêtements étaient à leurs portes, avait tracé pour le présentateur les grandes lignes de l'offensive de Jonathan Roof. Il avait tout d'abord tenté de se persuader que Trudeau le menait en bateau. Après tout, il n'avait pas encore vingt ans, alors d'où tenait-il de telles informations ? Naturellement, l'appel du premier ministre, qui souhaitait remercier Benny en personne pour la « tournée de la résistance » qu'il avait effectuée, donna du poids aux propos de l'ancien sans-abri. En entendant la voix de Normandeau au bout du fil, Sinclair s'était demandé si cette journée se terminerait jamais.

Il était temps de changer de branche, mais si ce que lui avait dit Trudeau était vrai, ce n'était pas encore pour demain. Tout cela ne pouvait signifier qu'une chose : Jonathan Roof était fou à lier ! Il pensa brièvement parler de tout ça en ondes, à la fin de la soirée, mais sur quelles preuves pourrait-il s'appuyer pour annoncer une telle énormité, une histoire qu'il n'était pas encore sûr de croire lui-même ? Mieux valait laisser couler pour l'instant. Un détail lui revenait sans cesse à l'esprit quand il le laissait vagabonder. Qui donc le premier ministre comptait-il accuser des événements déclencheurs de son plan si le Québec obtenait l'indépendance ?

Une question dont le Conseil de Westmount n'aurait sans doute pas apprécié de connaître la réponse…

Que non.

66

La dernière personne qui exerça son devoir civique avant la fermeture des bureaux de scrutin le fit à Saint-François-du-Lac, près de Yamaska. Lucienne Joyal, soixante-dix-neuf ans, déposa son bulletin de vote dans l'urne et repartit chez elle attendre les résultats du référendum, s'appuyant sur sa canne pour marcher plus rapidement. Elle ne l'aurait avoué à personne, mais la vieille dame trouvait le sourire de Mathieu Sinclair dévastateur.

Tous les spécialistes s'entendirent sur le fait que le Québec n'avait jamais connu un tel taux de participation, ni à des élections, ni dans l'un des deux précédents référendums. Ils découvriraient plus tard que plus de quatre-vingt-dix pour cent des Québécois possédant le droit de vote l'avaient exercé en ce 14 juillet. D'un côté comme de l'autre, les gens s'étaient sentis concernés.

Malheureusement, tout ne se passa pas sans violence.

À Magog, sans doute déçue de n'avoir atteint qu'un des assistants du premier ministre, la foule s'en prit à un journaliste anglophone de la télévision d'Ottawa venu filmer le passage du premier ministre et lui fit passer un sale moment, ainsi qu'à son caméraman. Le journaliste regarda ce soir-là les résultats dans un hôpital de Montréal, où il se remettait d'un bras et de deux côtes cassés. Le caméraman, qui avait littéralement assommé à coups de poing un badaud qui avait jeté son outil de travail par terre, passa quant à lui la nuit en prison.

À Sherbrooke, une voiture repeinte à l'effigie du drapeau du Québec fut retournée, tout comme les quatre indépendantistes qui y prenaient place, par une douzaine de francophones fédéralistes revenant de voter. L'un d'eux fut coupé par une vitre brisée et le conducteur eut la mâchoire fracturée par le pied de l'un de ses tourmenteurs qui l'envoya au hasard par la fenêtre ouverte et fut fort satisfait du craquement qu'il entendit.

Deux bandes d'adolescents de Trois-Rivières, dont le plus vieux n'avait pas encore seize ans, en vinrent aux mains à cause d'un malentendu. Une fois les fractures réduites, les saignements arrêtés et quelques questions posées, il s'avéra que l'un des anglophones avait simplement demandé à son adversaire où il avait acheté son *skate*, et que celui-ci avait cru qu'il le sommait de le lui donner. Ce qui surprit le plus l'opinion publique, dans cette affaire, fut qu'il restait assez d'anglophones à Trois-Rivières pour permettre à leurs enfants de former un groupe. Après vérification, quatre des cinq belligérants anglophones étaient effectivement frères. Trois-Rivières fut d'ailleurs la ville où la population se rendit le moins aux urnes, ce que Curtis Taylor ne manqua pas de faire remarquer en souriant à Martel, qui en était natif.

Un groupuscule nommé « Liberté du Québec » déclencha une alerte à la bombe dans un immeuble à bureaux de Québec. Après une investigation d'une heure, la police mit la main sur trois illuminés qui devaient totaliser quatre-vingts de QI une fois réunis. John Roof, en les voyant au bulletin de midi, trouva qu'ils étaient assez représentatifs de leurs concitoyens. La justice étant ce qu'elle est, ils furent relâchés durant la soirée, et fêtèrent dignement ce qu'ils considéreraient jusqu'à la fin de leur vie de ratés comme un coup d'éclat.

Peter Burrows, un anglophone de quarante ans, fut attaqué par trois francophones dans une ruelle du centre-ville de Montréal et battu à mort. Avant de crier au crime politique, les journalistes firent une très courte enquête sur le bonhomme, et le découvrirent endetté auprès de gens qu'ils n'auraient pas invités à souper. Les trois agresseurs travaillaient sûrement pour l'un d'eux, qui en avait eu assez d'attendre son dû. Aucun journal télévisé ne relata le fait, bien qu'ils parlèrent d'un indépendantiste trop pressé d'aller voter et dont la voiture avait embouti le mur du centre communautaire où il se rendait pour le faire. Le nez en sang, légèrement hystérique, l'accidenté y alla ensuite d'une déclaration partisane, qui fut coupée en plein milieu quand il vit que la remorqueuse appelée sur les lieux s'en allait avec sa voiture. La journaliste qui l'interrogeait ne put s'empêcher d'éclater de rire.

Les gens des deux camps allèrent voter, de Gaspé à Montréal, pour ce qu'ils croyaient juste, et ils y allèrent en masse. Même les spécialistes et les oracles de la politique ne se risquaient plus à prédire un vainqueur. Lorsque les bureaux de vote fermèrent leurs portes, la tension était à son comble.

Le décompte commença.

67

À 23 h 30, Mathieu Sinclair prit lentement la feuille pliée que lui tendit un de ses assistants en tremblant légèrement. Le résultat final. Toute la soirée, les indépendantistes et leurs adversaires s'étaient tenus coude à coude, avec tout au plus une légère avance pour l'un des clans. Sinclair était épuisé et avait les nerfs à fleur de peau. Il n'ignorait pas non plus que cette séquence allait être, indépendamment du résultat, diffusée à outrance dans les années à venir, et le professionnel en lui souhaitait faire bonne figure. En revenant de la pause, il allait, dans dix secondes, secouer le Québec d'une façon ou d'une autre, et pas qu'un peu... Il regarda l'une de ses assistantes, qui pleurait doucement et sans bruit près de la porte du studio, et déplia enfin la feuille posée devant lui.

Marcus Fontaine, Benjamin Trudeau, Elizabeth Converse et Julie Galipeau étaient penchés en avant, devant l'écran géant du père de cette dernière. Ils avaient passablement festoyé durant la soirée, se ralliant à l'avis de Benny selon lequel ils seraient déjà « en train » s'ils gagnaient et que le choc serait moins dur s'ils avaient déjà un verre ou deux derrière la cravate, en cas de défaite.

— Tu as déjà porté une cravate, toi ? le taquina Fontaine.

— Non, mais je compte sur toi pour nouer la mienne lorsque je serai ton organisateur de campagne, répondit

Benny avec un grand sourire, en coulant un regard à Elizabeth.

Celle-ci disait à Julie Galipeau toute l'admiration qu'elle avait pour les nerfs d'acier de son père.

— Je ne voudrais pas être à sa place pour tout l'or du monde, en ce moment…

— C'est quelqu'un… dit sobrement Julie en souriant au visage de son père, qui venait de revenir à l'écran.

William Andersen et sa famille avaient été invités à passer la soirée chez Paul Fiersen, le directeur du Conseil de Westmount qui n'aurait plus de raison d'être dans quelques minutes, sauf si on les reconduisait dans leurs fonctions municipales. La fille du policier dormait comme une bûche dans l'un des fauteuils du médecin, mais son frère était tout à fait réveillé et suivait aussi attentivement les résultats que les trois adultes présents. Après deux heures à regarder l'émission spéciale sur un canal anglophone, ceux-ci avaient opté pour Sinclair et l'*Information*. Même à un moment aussi critique, Fiersen ne parvenait à se défaire de l'irritation due au fait que Roof, à aucun moment, ne les avait félicités pour l'énorme travail qu'ils avaient accompli, alors que d'autres groupes de moindre importance avaient été cités par le *Prime Minister.* Il recentra son attention, tout comme les Andersen, sur Mathieu Sinclair lorsqu'il revint à l'écran.

Mike Sullivan, quant à lui, attendait avec anxiété le résultat du scrutin. Un de ses gardiens avait obligeamment haussé le volume de la télé pour lui permettre d'entendre.

Seul dans son bureau, à cent mètres de là, le commandant Denis Marcoux attendait encore plus nerveusement les résultats imprimés sur la feuille que tenait Mathieu Sinclair, alors qu'il avait son propre discours entre les mains. Il devrait ou non réunir tous ses hommes et le leur tenir cette nuit. Sinclair allait trancher.

Le nouveau directeur du SG4 et son ancien patron étaient installés sous de faux noms dans le penthouse du Château Frontenac. Curtis Taylor et Erik Martel étaient tombés d'accord sur le fait que les hommes de la GRC envoyés aux trousses du traître auraient mieux à faire que de chasser, cette nuit. Ils ne viendraient pas non plus, le cas échéant, le chercher dans un hôtel où Taylor avait déjà été repéré moins d'une semaine auparavant. Ils avaient peaufiné leurs défenses toute la journée et il ne se passa guère cinq minutes, durant toute la soirée, sans que le téléphone de l'un ou l'autre des agents ne se fasse entendre. Ni l'un ni l'autre n'ayant d'existence officielle dans les registres de l'État, ils ne s'étaient pas approché d'un isoloir depuis une éternité, et ce 14 juillet ne fit pas exception. Erik Martel, pour la première fois depuis 1980, souhaita réellement pouvoir le faire, mais il se fit une raison. Il demanda à Taylor, en voyant revenir Sinclair sur leur téléviseur pour la dernière ligne droite :

— À ton avis ?

— Je n'en sais rien, sincèrement. Combien d'écart entre le Oui et le Non actuellement ?

— Deux pour cent, avec les résultats de cinq circonscriptions à venir. Ils recomptent.

— Dans un cas comme dans l'autre, c'est la Bérézina…

— Je ne te le fais pas dire… dit Erik Martel en soupirant et en reportant son attention sur le présentateur de *L'Information*.

Bethleem Jordan profitait enfin d'un bref répit dans ses préparatifs. Il prit le temps d'appeler son épouse pour la rassurer et lui dire qu'il comptait revenir à la maison quelques heures, cette semaine. La touche d'ironie dans les remerciements de sa femme ne lui échappa pas, mais il n'émit aucune protestation. Il passa de nombreux coups de fil avant de s'installer devant son téléviseur. Jordan n'avait que peu dormi durant la dernière semaine, et les prochains jours s'annonçaient chargés si les indépendantistes obtenaient gain de cause. Au moment où le présentateur annonça les résultats finaux, le commandant en chef des Forces armées se découvrit fort nerveux.

Le directeur du Service de police de Montréal, Réjean Morin, était satisfait. Il avait rempli à merveille la tâche que lui avait confiée son premier ministre, avait doublé et même triplé les effectifs de police dans certains secteurs pour la nuit, et il ne voyait pas ce qu'il aurait pu faire de plus. À l'instar de Benny Trudeau, Morin avait été extrêmement touché par l'appel de Georges Normandeau survenu plus tôt dans la journée. Il s'était découvert, comme beaucoup de gens durant les trois semaines précédentes, une âme d'indépendantiste, alors qu'il aurait hésité à se prononcer sur le sujet à peine deux mois plus tôt. Avec sa femme et sa belle-sœur, dans son salon, il demeura rivé aux lèvres de Mathieu Sinclair toute la soirée, tout particulièrement lorsque celui-ci apparut, vers 23 h 30, tenant fébrilement une feuille que l'on devinait lourde d'espoir ou de déception.

Mark Murphy était assis dans son bureau, dans les locaux de la GRC. Le téléviseur était allumé, mais Mark n'écoutait que d'une oreille, tout à ses pensées. L'idée de ce qu'il devrait faire, si l'indépendance du Québec était votée, lui soulevait l'estomac. Comme il aurait préféré que Curtis Taylor reste en poste et s'en occupe lui-même ! Ce n'était pas son boulot, merde ! La GRC avait su rester relativement propre, au fil des ans, mais il pourrait fermer boutique si la participation de son agence était dévoilée au grand jour, ce qui ne manquerait pas d'arriver. Il leva la tête au moment où les derniers résultats arrivèrent en studio.

Jonathan Roof était entouré de ses partisans lorsque l'heure fatidique tomba, mais il aurait préféré être assis tranquillement chez lui en compagnie de sa femme. Sa fille l'avait bien appelé pour l'encourager durant l'après-midi, mais Maggie Roof ne serait plus à la maison lorsqu'il y reviendrait. Il eut à ce moment un dernier éclair de lucidité, durant lequel il se demanda pourquoi, au nom du ciel, il s'était embêté aussi longtemps à faire de la politique, alors qu'il avait tout ce qu'un homme pouvait désirer. Il pensa aussi à ce qui débuterait cette nuit, en cas de défaite, et eut du mal à croire qu'il était à l'origine d'une telle chose, mais sa nature vindicative reprit le dessus et il chassa ces idées qui lui brouillaient l'esprit. Il adressa un sourire de pure forme à l'une de ses secrétaires qui le dévorait des yeux. Mathieu Sinclair et Lyle Prescott, le présentateur du réseau anglophone, apparaissaient sur plusieurs télés allumées dans la loge du centre Corell. « Enfin parvenus au moment décisif, pensa le premier ministre en s'allumant une cigarette. Au diable l'image de marque… »

Georges Normandeau était assis dans une loge privée du Nouveau Forum, qui avait repris ce nom après avoir été baptisé durant des années du nom de toutes les compagnies inimaginables. L'amphithéâtre était bondé, bien que le rassemblement n'ait été annoncé que durant la matinée, fruit de l'inspiration soudaine d'Aurèle Julien, l'un des principaux collaborateurs de Normandeau. Trois collaborateurs avaient fait passer le mot par les médias et Internet toute la journée. Une énorme conférence de presse avait tout d'abord été prévue à Québec, mais l'idée visait à rapprocher Montréal de la tourmente politique de la capitale pour que les Montréalais se sentent davantage impliqués. Julien s'était appliqué durant la matinée à prévenir tous les journalistes importants pour leur éviter un voyage inutile, ce qui aurait pu se retourner contre eux par la suite. Il devait y avoir trente-cinq mille personnes au Forum, soit près de quatorze mille de plus que pouvait en contenir l'endroit. Georges avait proposé à sa nièce des places en coulisse pour elle et ses amis, mais Elizabeth avait seulement demandé à ce qu'on leur accorde le droit de se faufiler par la porte de service s'ils remportaient la victoire afin de pouvoir venir le féliciter et écouter son discours de remerciements. Il sourit en pensant aux dernières paroles de Beth, avant que le couple Normandeau ne la quitte :

— Je te connais, mon oncle… Si tu perds, tu vas tous les envoyer chier. Essaie de te contrôler en pensant à tous les beaux conseils d'administration où tu vas pouvoir trôner une fois par mois pour une fortune…

Et voilà que le moment était venu. Ici et maintenant. Il se leva et sortit de la petite pièce pour être aussitôt entouré de ses gardes du corps, de ses collaborateurs et de ses amis. Il étira le cou pour voir arriver la seule personne avec qui il tenait réellement à partager ce moment. Louise Normandeau, à cet instant précis, semblait à peine effleurer la cinquantaine de son aile, alors qu'elle n'avait que deux ans de moins que son mari. Le premier ministre la trouva resplendissante et lui tendit son bras.

Il avait fait plusieurs apparitions sur la scène au cours de la soirée, y allant même d'une allocution improvisée très appréciée par ses partisans. Lorsqu'il y posa le pied pour la dernière fois, une énorme ovation s'éleva du public et Louise Normandeau ne put retenir ses larmes. Le premier ministre se revit au centre Claude-Robillard, en train d'applaudir à tout rompre un ancien présentateur télé nommé René Lévesque. Un écran géant, qui aurait fait passer ceux de la Saint-Jean pour des téléviseurs portables, couvrait un mur derrière Normandeau et diffusait l'*Information*. L'ovation, qui dura plusieurs minutes, couvrit le son diffusé par les énormes haut-parleurs, mais le silence se fit subitement lorsque Mathieu Sinclair apparut à l'écran, vers 23 h 30, aussi grand qu'un géant de l'île de Pâques.

Le premier ministre du Québec, Georges Normandeau, tourna le dos à la foule pour regarder l'homme qui annoncerait la naissance d'un pays, ou la mort de l'espoir. Il chercha la main de sa femme à tâtons et la serra très fort lorsqu'il la trouva.

Mathieu Sinclair déplia la feuille de papier et prit connaissance des résultats. Comme il était en ondes, il prit garde de ne trahir aucune émotion. Il regarda l'objectif bien en face et dit:

— Mesdames et messieurs, les résultats définitifs du référendum sur la souveraineté du Québec viennent de nous parvenir. J'annoncerai donc simplement ceux-ci. À la question: "Souhaitez-vous que le Québec soit considéré comme souverain, qu'il soit dégagé de toute obligation envers le Canada et qu'il acquière de ce fait les droits inhérents à l'état de nation?", les Québécois se sont prononcés comme suit:

Oui: 52,6%
Non: 47,4%

«Les Québécois se prononcent donc en faveur de l'indépendance du Québec», dit sobrement Mathieu Sinclair.

Tout débuta à ce moment précis.

DEUXIÈME PARTIE

Tuez-les tous !

1

23 h 45

Georges Normandeau sentit ses genoux plier. Les hurlements de la foule en délire l'empêchant de réagir, Louise Normandeau aida son mari à se rendre jusqu'au micro. Le premier ministre avait les larmes aux yeux, et sa femme pleurait quant à elle ouvertement de fierté et de joie. C'est alors qu'un groupe situé dans les hauteurs de l'amphithéâtre se mit à rugir, bientôt imité par trente-cinq mille personnes :

— Normandeau ! Normandeau ! Normandeau !

Les images du premier ministre Georges Normandeau, écoutant la foule scander son nom, un mince sourire aux lèvres, devinrent célèbres. Elles feraient le tour du monde le lendemain matin, pour annoncer qu'un nouveau pays venait de voir le jour. On en tira des posters et des cartes postales. Il devint un héros.

La foule scanda son nom durant au moins dix minutes, ignorant les deux ou trois tentatives que fit le premier ministre pour prendre la parole. Tous les réseaux de télévision francophones diffuseraient le discours historique qu'il s'apprêtait à prononcer, mais il en avait à peine conscience. Il commençait seulement à réaliser à quel point il avait eu peur de perdre, mais il se pressa de chasser ces pensées. C'était son heure de gloire. Il leva bien haut les mains pour demander le silence à la foule, qui ne le céda qu'à contrecœur, après l'avoir acclamé encore plus fort.

— Vous êtes tous, dès à présent, CITOYENS QUÉBÉCOIS !

Les trente-cinq mille personnes assemblées applaudirent de plus belle.

— Je me suis rappelé, ce soir, la seule fois où j'ai eu l'occasion de réellement discuter avec René Lévesque. Je n'étais qu'un petit député de rien du tout, mais un jour, je suis resté coincé cinq minutes avec lui dans un ascenseur du parlement. Il m'a regardé dans les yeux, et m'a dit : "Mon garçon, votre cravate est épouvantable. Ne la portez plus jamais en public !"

La foule éclata de rire.

— Aujourd'hui, le Québec s'est ouvert les yeux ! Je ne saurais vous dire à quel point vous me rendez fier ! Nous y avons mis le temps, c'est vrai, mais nous avons RÉUSSI ! Le Québec, mes amis, est désormais SOUVERAIN !

Georges Normandeau songea avec un sourire, devant la réaction du public, qu'il devrait peut-être cesser de mettre l'emphase sur certains mots, s'il souhaitait revenir chez lui avant midi, le lendemain, mais il ne pouvait s'en empêcher tant il débordait de fierté devant ce qu'ils avaient accompli tous ensemble.

— Plusieurs diront, devant le mince écart qui sépare les gagnants des perdants, que cette décision est discutable et que ça vaut ce que ça vaut… J'ai des maudites nouvelles pour eux autres ! Le référendum a eu lieu, et nous avons gagné ! La loi 24 est on ne peut plus claire à ce sujet ! Cinquante plus un : c'est tout ce qu'il nous fallait, et nous l'avons obtenu ! Pour ceux à qui cela ne plairait pas, sachez qu'il y a un habitant par 967 km² dans les Territoires du Nord-Ouest, et que les prix des terrains n'y sont pas plus élevés qu'ici ! Je ne passerai certainement pas le reste de mon mandat de premier ministre à justifier notre victoire... Nous avons gagné, et le Québec est maintenant UN PAYS ! Qu'on se le tienne pour dit !

En disant cela, Georges Normandeau pointa un index accusateur vers les caméras de télévision, et tous surent à qui s'adressait cet avertissement : Jonathan Roof. Le premier ministre s'interrogea pendant de longues secondes pour savoir s'il allait avertir son peuple du danger potentiel qui le guettait. Il connaissait grâce à Curtis Taylor les grandes lignes de la vengeance du gouvernement canadien, mais bien peu de détails sur les actions précises que ce dernier comptait entreprendre. Les seules données précises étaient les instructions qu'avait reçu le SG4, mais celles-ci avaient sans doute été changées depuis que le premier ministre du Canada n'accordait plus son entière confiance à l'organisation, à juste titre. Normandeau, Taylor et Martel avait longuement discuté de la pertinence d'un tel avertissement durant le discours de la victoire, et le premier ministre en avait aussi parlé avec Marcus Fontaine et sa nièce, durant l'après-midi lors de sa visite.

Martel était d'avis d'attendre que les premiers signes de désordre apparaissent, et Fontaine tendait à penser comme lui, mais la journaliste et l'ancien directeur du SG4 s'entendaient à dire que si son avertissement servait à sauver une vie, cette nuit, il valait mieux plonger immédiatement. Georges Normandeau le croyait aussi. Il y avait aussi un mince espoir que cela fasse reculer leurs adversaires, même s'il n'y croyait pas trop.

Il se lança, sous le regard approbateur de son épouse, dont l'avis avait été aussi décisif que celui de sa nouvelle équipe de choc.

— Vous savez, nous avons une chance énorme de vivre dans ce coin du monde... Partout ailleurs, une telle indépendance aurait coûté des milliers de vies humaines en combats de toute sorte. Il semblerait pourtant que ce genre de climat se soit sensiblement rapproché de chez nous, ces dernières semaines… Tout porte à croire, et je sais que ça sera dur à avaler pour beaucoup de gens, que nos voisins de palier, les Canadiens, ne soient pas prêts à nous laisser partir ainsi ! Alors que nous faisions encore partie de la Confédération, le premier ministre John Roof complotait déjà contre nous ! Je ne parle pas ici de nous voler notre argent, car ils l'ont toujours fait, ou de magouiller une élection comme à Magog. Ni même de corrompre nos fonctionnaires comme nous l'avons vu récemment. Non ! Je parle de violence ! Je parle d'attentats planifiés par un gouvernement supposément démocratique ! D'attentats contre vous, les gens du peuple ! D'attentats contre moi aussi, d'ailleurs, puisque de persistantes rumeurs au sein des instances gouvernementales chargées anciennement de notre sécurité rapportent qu'on cherchera à m'assassiner…

Un silence de mort se fit au Forum, et partout à travers le pays nouvellement fondé, devant l'énormité de l'accusation. Pour que Georges Normandeau tienne de tels propos lors de son premier discours en tant que premier ministre du pays, il fallait que la situation soit grave… Bien peu de gens, ce soir-là, doutèrent de ses paroles, Jonathan Roof ayant offert plusieurs preuves de sa vilénie durant les semaines précédentes.

— J'aimerais vraiment vous donner plus de détails, mes chers, très chers concitoyens. J'aimerais vous dire ce qui va se passer, mais je l'ignore moi-même. On se croirait dans un roman, je sais, et j'aurais aimé commencer l'histoire de notre pays sur une note plus agréable, mais on ne m'en laissera peut-être pas l'occasion. Je ne crains pas pour ma vie à moi, ou alors si peu, parce que je sais qu'il y aura cent personnes pour prendre ma place et contribuer, aussi bien que moi, à la gloire de notre pays.

Dans les hauteurs, un homme cria d'une voix de stentor « Ça, ça m'étonnerait, Georges ! », ce qui fit sourire Normandeau et applaudir la foule.

— Merci mon ami, c'est bien aimable à toi…, dit Normandeau en saluant dans la direction de son supporteur. Les prochains jours nous diront si nos renseignements sont exacts et si nos adversaires auront assez de couilles pour aller de l'avant, mais j'ai tout lieu de croire dès maintenant que c'est le cas…

Avisant sa nièce et ses trois amis, à l'entrée des coulisses, et ne souhaitant pas effrayer plus qu'il ne le fallait son peuple (« Mon peuple, pensa-t-il, amusé. V'là que je me prend pour Moïse, calice… »), Normandeau décida de conclure. Il leva les bras devant le tumulte grandissant qu'avaient soulevé ses révélations, et dit :

— Sachez que personne, dorénavant, ne menacera le Québec de quoi que ce soit ! Nous avons prouvé aujourd'hui que nous étions une nation qui se tenait debout et qui ne laissait personne décider de son avenir ! S'il arrive quelque chose, les 47 % de la population qui ont voté contre l'indépendance du Québec auront intérêt à rectifier leur tir, parce qu'ils seront victimes du gouvernement qu'ils ont appuyé au même titre que les autres ! J'ai quand même des nouvelles pour M. Roof et ses amis… Nous ne sommes pas sans défense comme ils ont l'air de le penser ! S'ils s'avisent de s'en prendre à nous dans le but de nous faire revenir sur notre décision, ils vont rapidement se rendre compte que nous les attendons de pied ferme !

La foule hurla son appui, et dans les chaumières, des milliers d'hommes et de femmes hochèrent la tête, l'air mauvais. Oh, oui ! Ils trouveraient à qui parler s'ils essayaient seulement...

Normandeau prit une grande inspiration, fit réapparaître son sourire victorieux et hurla dans le micro :

— Nous ne les laisserons toutefois pas gâcher notre victoire de ce soir ! Aujourd'hui, ensemble, nous avons mis au monde un pays ! Nous vivons un jour HISTORIQUE ! Je ne sais pas pour vous, mais j'ai l'intention de fêter ça en grand, cette nuit !

Prenant une bouteille de champagne que Marcus Fontaine avait tenté de venir porter en douce près du podium (déclenchant des applaudissements nourris de la part de milliers de personnes qui l'avaient reconnu), le dirigeant du pays nouvellement créé en fit sauter le bouchon.

— Mes amis, conclut-il dans une sortie qui resterait célèbre, à la bonne vôtre !

Le Québec était désormais indépendant.

2

23 h 45

Lorsque le verdict tomba, John Roof se tenait dans les coulisses de l'énorme scène montée sur ce qui était durant l'hiver la glace des Sénateurs d'Ottawa, au centre Corell. Celle-ci avait d'ailleurs servi très tard cette année, puisque les Sénateurs avaient atteint la finale de la coupe Stanley avant de s'écraser misérablement devant l'Avalanche du Colorado. Roof ne fut pas surpris outre mesure des résultats du référendum, un mauvais pressentiment l'ayant hanté toute la soirée.

Il n'entendit pas en direct, bien sûr, les accusations de son homologue du Québec, mais cela n'avait aucune espèce d'importance, car il s'était préparé depuis la désertion de Curtis Taylor à tout nier en bloc. Il balança aux orties son discours de remerciements d'un geste rageur, et ses collaborateurs s'étonnèrent un peu de voir leur patron monter sur scène sans l'allocution prévue dans l'éventualité d'une défaite. La plupart d'entre eux le connaissaient depuis plusieurs années et ils comprirent que ce n'était pas de bon augure : le *Prime Minister* allait piquer sa crise, et d'un océan à l'autre... Bien peu d'entre eux savaient que Roof ne comptait pas se représenter, mais tous s'entendaient à dire qu'il se ferait laminer sur place s'il tentait le coup.

Le centre Corell pouvait accueillir vingt mille personnes, et il était plein à craquer, mais un silence de mort régnait dans l'amphithéâtre. Lorsque le PM apparut sur scène, quelques salves d'applaudissements crépitèrent, mais bien peu au vu de la foule qui, déjà, commençait à partir. Jonathan Roof paraissait d'une humeur massacrante, mais même celle-ci était simulée, parce qu'il ne pouvait décemment montrer à ses partisans qu'il se foutait éperdument du résultat du vote. Une seule chose l'intéressait désormais : frapper dans le tas...

— Je ne serais pas fier des résultats de ce soir, si j'étais le premier ministre de la PROVINCE de Québec, dit-il d'entrée de jeu, semblant oublier qu'il avait été élu lui-même avec moins de trente pour cent des voix de ses concitoyens. Toute ma vie, j'ai travaillé dans le but de maintenir l'unité canadienne et, en ce qui me concerne, le Québec n'a absolument rien gagné ce soir ! Ce n'est pas ce que j'appellerais une déclaration d'indépendance, quand une personne sur deux refuse de quitter ce magnifique pays qu'est le Canada ! Pour qui se prend donc Georges Normandeau ? Un prophète ? Moïse séparant les eaux pour permettre de traverser la mer Rouge à un peuple qui n'est jamais content de rien, quoi qu'on fasse ? Et puis quoi encore ? Je ne donne, comme chaque habitant de ce pays, absolument aucun crédit à ce référendum...

Il fit une pause pour laisser digérer l'information à son auditoire, puis afficha une mine grave, décidée.

— Les habitants de la province de Québec sont toujours, à l'heure actuelle, citoyens canadiens, et ils seront soumis aux mêmes lois, aux mêmes impôts et aux mêmes contraintes que n'importe qui dans ce pays. Quiconque tentera de passer outre sera soumis aux mêmes sanctions que par le passé, car absolument rien n'a changé ce soir, contrairement à ce que semblent penser près de trois millions de personnes dans la province voisine. Comme l'ont clamé haut et fort plusieurs de mes prédécesseurs, les Québécois n'ont pas le pouvoir de se prononcer, en lieu et place des instances gouvernementales canadiennes, sur un sujet aussi grave que d'imposer la souveraineté contre leur gré à des millions de leurs propres concitoyens, et nous ne laisserons certainement pas tomber ces braves gens qui, ce soir encore, ont démontré leur confiance dans notre pays extraordinaire et dans ses dirigeants, ce dont je souhaite les remercier. Pire encore, j'irai jusqu'à dire que Georges Normandeau a risqué la sécurité des siens en les exposant à la colère des Québécois pro-Canada, que j'appelle au calme même si je comprends leur colère. J'appelle au calme la population québécoise, ce soir, et je leur rappelle que leur gouvernement, le gouvernement du Canada, a à cœur leurs intérêts et leur sécurité. Georges Normandeau pourra dire ce qu'il voudra, le Québec est une province de ce pays, et pas autre chose. Il devrait d'ailleurs s'en réjouir et cesser de s'en plaindre. Ce soir, Georges, dit Roof en fixant l'objectif de la caméra, vous avez non seulement gaspillé l'argent du contribuable, mais mis en péril sa sécurité en exacerbant la colère de tous ceux qui n'ont pas misé sur votre mégalomanie. Vous êtes le premier ministre d'une province, mon vieux… Je suis, quant à moi, le premier ministre de ce pays !

Jonathan Roof sortit de scène sous les acclamations, et les médias dans l'ensemble conclurent que ses arguments avaient du sens, bien que de peu de poids. Plusieurs d'entre eux rapportèrent qu'ils revoyaient enfin le premier ministre des beaux jours. Bien sûr, aucun d'entre eux ne se trouvait en coulisse lorsqu'il sortit son téléphone cellulaire pour appeler Mark Murphy à son domicile, deux minutes plus tard.

— On a fait ce qu'on a pu par les voies légales, Mark. À votre tour de jouer…

Pour sa défense, Jonathan Roof était réellement persuadé d'agir pour l'unité canadienne…

3

23 h 45

Dès que Mathieu Sinclair eut annoncé les résultats, des cris d'allégresse retentirent dans son appartement. Benny Trudeau et Julie Galipeau pleuraient de joie en regardant les résultats s'afficher à l'écran, et leurs amis n'étaient pas loin de les imiter. Ils descendirent rapidement les escaliers et Julie laissa un mot sur la table à l'intention de son père, disant qu'elle l'appellerait plus tard, afin de l'inviter à les rejoindre, où qu'ils soient.

Ils s'entassèrent dans la voiture de Benny et roulèrent à toute vitesse vers le Forum, à travers une ville encore sous le choc des résultats. Un incroyable concert de klaxons résonnait partout dans la métropole. Deux agents du SG4 les reconnurent et les menèrent à travers la foule vers les coulisses, Marcus tenant précieusement le magnum de Dom Pérignon qu'il avait acheté la semaine précédente avec sa première paie du SG4, qu'il avait trouvée presque indécente de générosité.

Fontaine avait cru qu'en tournant la tête vers l'arrière de la scène, il pourrait passer inaperçu en allant porter la bouteille au nouveau dirigeant du pays, mais quelqu'un hurla son nom (« Quelle blague… pensa-t-il alors. Il y a à peine un mois, même mon proprio m'appelait Marc une fois sur deux… ») et des applaudissements nourris naquirent. En approchant de Normandeau, il ressentit l'énergie du bonhomme, tout comme sa détermination, et il se sentit intimidé, d'autant plus qu'il était parent avec sa nouvelle flamme. Une flamme ? Un volcan, oui !

Elizabeth Converse parlait fébrilement dans son enregistreur, consciente du papier démentiel qu'elle allait pondre durant la nuit entre deux verres. Elle n'était pas au tableau pour le lendemain, faveur qu'elle avait elle-même demandée à Raoul Gagnon pour pouvoir souffler un peu, mais la professionnelle en elle, devant un tel spectacle, prenait le dessus. Gagnon râlerait bien un peu, mais Kinky le clown aurait pu remplir les quatre-vingts pages du journal du lendemain sur l'art de souffler les ballons que personne ne le remarquerait. Du moment qu'ils plaçaient Normandeau en couverture, et le titre VICTOIRE, ils en tireraient deux millions et demi d'exemplaires, un tirage qu'ils n'avaient atteint que deux fois depuis le référendum de 1980 : en 1986 et 1993, lorsque la coupe Stanley avait abouti à Montréal. Triste, mais vrai… Elle sourit en voyant Fontaine tenter de passer incognito.

— Étrange époque pour tomber amoureuse… murmura-t-elle.

Benny et Julie avaient la tête de gens qui viennent de gagner à la loterie. Non seulement leur plus grand souhait venait de se voir réalisé, mais ils étaient aux premières loges pour assister au spectacle ! Trudeau pensa à tout ce que Fontaine et lui avaient accompli durant leur court voyage, à tous les hommes qui monteraient aux barricades si cela s'avérait nécessaire, et il envisagea pour la première fois la possibilité qu'on parle un jour de lui dans les livres d'histoire. Il était amoureux, célèbre, et ma foi, presque riche, du moins selon ses standards. Il était citoyen québécois et l'avenir s'ouvrait devant lui. Il secoua la tête, étonné, ce qui fit sourire Julie Galipeau, qui ne perdait toutefois pas un mot du discours du premier ministre.

Marcus Fontaine coula un regard à Benny Trudeau et ils surent qu'ils pensaient exactement la même chose : cette nuit allait être longue, pour bien des raisons…

4

Ce fut effectivement une nuit que personne n'oublia, et qui resta gravée dans les mémoires de ceux qui la vécurent. Mark Murphy avait donné des ordres à ses agents temporaires, qu'il avait disséminés à travers les villes les plus importantes du Québec. Les mercenaires, quatre-vingts hommes dangereux et sans scrupules, déboulèrent dans les rues du Québec, un colis sous le bras.

La première bombe explosa à Montréal, un peu après deux heures du matin. Les bureaux du député d'Anjou, Georges Normandeau, avaient été bourrés d'assez de C-4 pour l'envoyer sur orbite. Deux assistants de longue date du premier ministre et une vingtaine de collaborateurs nouvellement engagés se trouvaient encore sur les lieux à fêter leur victoire. Ils périrent sur le coup, chance que n'eurent pas plusieurs passants qui déambulaient sur le trottoir. Plusieurs personnes furent grièvement blessées, et nombre d'entre elles moururent durant leur transfert à l'hôpital.

Dans le Vieux-Québec, près de la porte Saint-Jean, deux voitures piégées firent près de quinze victimes moins de dix minutes plus tard, sans compter de nombreux blessés. Aucun de ceux qui auraient pu apporter quelque indice sur les auteurs de l'attentat n'échappa à celui-ci. Le fils du maire de Québec, Martin Laurence, perdit son bras droit, fauché par la portière de l'une des voitures. Il ne dut son salut qu'à la rapidité de sa femme, médecin à l'Hôtel-Dieu, qui lui fit un garrot en quatrième vitesse. Ni l'un ni l'autre n'avait rien vu.

À Trois-Rivières, dans le quartier industriel, la seule usine qui fonctionnait encore vingt-quatre heures par jour explosa sur le coup de trois heures du matin. Les employés qui ne furent pas tués par la déflagration furent ensevelis sous les décombres. Il s'agissait, étrangement, de la seule entreprise du secteur appartenant à des intérêts francophones. Aucun des quarante tôliers ne fut retrouvé vivant. Comme partout ailleurs, la police était omniprésente à travers la ville, mais ne pouvait agir qu'après coup par manque d'information.

À Sherbrooke, une bombe incendiaire fut déposée dans les dortoirs du campus universitaire. Une trentaine d'étudiants restèrent coincés par les flammes et périrent asphyxiés, dont la fille du doyen de l'université et celle de l'adjoint du ministre de la Sécurité publique du Québec, qui aurait tué Roof de sang-froid s'il avait pu lui mettre la main au collet. Il était loin d'être le seul postulant à cet insigne honneur.

Le député de Drummondville-Sud trouva la mort avec dix-neuf de ses concitoyens à la fin d'une longue fête organisée pour célébrer l'indépendance. La maison du député fut soufflée par une bombe de forte puissance, placée comme les autres par un homme de Murphy, qui avait exécuté les ordres sans se poser de question, comme ses confrères l'avaient fait.

Alors que les journalistes n'étaient pas encore arrivés sur place, un autre engin explosif fut placé dans un bar de la rue Saint-Charles, à Longueuil. Il explosa trois minutes après qu'un homme eut démarré sur les chapeaux de roue à sa sortie de l'établissement. L'endroit était bondé. Certains des secouristes appelés sur les lieux s'évanouirent à la vue du spectacle qui les attendait. Les gens qui se tenaient le plus près de la piste de danse, où avait été déposée la bombe, avaient été littéralement soufflés par l'explosion. Cinquante-cinq morts furent retrouvés dans les décombres, méconnaissables, et plus d'une cinquantaine d'autres personnes furent blessées.

Entre trois et cinq heures du matin, une centaine de bombes de moindre puissance explosèrent dans autant de villes du Québec, grossissant chacune le bilan catastrophique de la nuit du 14 au 15 juillet, qui passerait à l'histoire sous l'appellation ironique de la « Nuit de la liberté ».

À sept heures du matin, plus de mille deux cents décès avaient été dénombrés, et on continuait de compter…

Lotto Finetti avait eu raison : les autorités s'attendaient bien à quelque chose, mais pas à voir la guerre franchir les continents pour aboutir dans leur havre de paix. Même Curtis Taylor n'avait su prévoir le coup. Personne n'aurait pu croire que Jonathan Roof avait à ce point perdu la raison.

Au moment où celui-ci s'apprêtait à accuser et dénoncer les actes des Québécois pro-Canada, où Georges Normandeau connaissait pour la première fois de sa vie la véritable envie de tuer et où Réjean Morin envisageait sérieusement de demander à son premier ministre la permission d'engager pour une période indéterminée des civils sans formation pour combler le manque d'effectifs dans ses services, Curtis Taylor et Erik Martel tentaient de garder leur sang-froid dans une chambre de l'hôtel Wyndham, à Montréal, où ils s'étaient dirigés sitôt les résultats annoncés.

Ils reçurent alors ce qui fut, pour les initiés, la seule bonne nouvelle de toute cette horrible nuit, exception faite de l'indépendance en soi. L'agent Théodore Donovan, relevé dans la soirée de sa garde des Laverdure, était au bout du fil, et il jubilait.

— Bon matin, patron, dit-il à Taylor, qui se demanda si son subordonné n'avait pas finalement décidé de se bourrer la gueule, comme il le faisait trop souvent ces derniers temps. Un coup de chance inespéré, j'vous dis pas… Je surveillais le parlement à tout hasard, au cas où un comique aurait eu l'idée de nous l'endommager à coups d'explosifs. J'ai bien failli y passer, mais j'en ai coincé un, M. Taylor, et il est encore en vie !

À voir le sourire carnassier qu'échangèrent Taylor et Martel, ce détail serait à réévaluer avant longtemps…

5

Frederick Welby savait que sa chance avait tourné. Fils d'un docteur en philosophie, Welby avait grandi en se ralliant à l'avis paternel sur la question. Vérité acquise en vingt secondes le jour où sa femme avait fait ses valises et disparu avec l'un de ses collègues : la chance ne supporte qu'un certain nombre de conneries et ensuite, c'est la débâcle… Élevé au grain près de Calgary, Welby avait eu un jour le coup de foudre pour les cartes, et depuis, il jouait. Il s'était illustré par un trop grand penchant à la boisson et un casier judiciaire de plus en plus chargé, acceptant des boulots illégaux pour régler ses dettes, au grand dam du Dr Welby.

Coupable de crimes de plus en plus violents, Welby avait un jour été arrêté par le principal adjoint de Mark Murphy, l'un des hommes qu'avait estourbis Curtis Taylor dans le hall du Château Frontenac. Le nom de Welby était demeuré dans leurs fichiers, et il fut engagé pour poser une bombe au parlement. N'aimant pas outre mesure les francophones, et se voyant fort bien payé pour une tâche qui ne causerait que peu de morts, et peut-être pas du tout, il ne se fit pas prier. Il avait vu les résultats des voitures piégées non loin de là, et il n'aurait pas aimé être tenu responsable de ces massacres.

Il n'arrivait pas à croire qu'il avait été pris ! Ce grand con était sorti de nulle part ! Il avait tout juste eu le temps de loger un coup de pied au ventre de l'agent du SG4, ce qui lui avait laissé un court moment pour déposer la bombe. Ce serait quand même un comble si cette saloperie lui explosait dans les mains ! Le temps de se relever, et il était de nouveau étendu par Donovan, cette fois pour le compte. Il ignorait maintenant où il se trouvait, mais il était dans de sales draps !

Attaché à une chaise rivée au sol, Welby était dans l'impossibilité totale de bouger. Ce n'était pas, loin s'en faut, ce qui l'inquiétait le plus. Le sourire sinistre de Theodore Donovan le mettait bien plus mal à l'aise. Il s'était fait coincer à cinq heures et le grand énervé avait appelé peu après sur son portable un nommé Taylor.

Deux heures plus tard, grâce à la puissante voiture d'Erik Martel, Curtis Taylor et son adjoint étaient de retour à Québec et entraient dans la maison d'apparence banale qu'y utilisait le SG4, entre autres planques. Ils avaient fait ce même trajet plus de dix fois durant la semaine et commençaient sérieusement à en avoir marre. À la cave les attendait un homme qu'ils avaient grande envie d'interroger.

À sept heures du matin, plus de mille cadavres, à travers la province, avaient déjà été dénombrés, sans parler des cinq cents blessés graves qui pourraient fort bien les rejoindre dans un proche avenir. Le Québec, ce pays si chèrement conquis, se réveillait dans l'horreur, et les deux premiers ministres révisaient chacun leur discours, qu'ils présenteraient moins d'une heure plus tard pour s'accuser mutuellement de la responsabilité de ces attentats. Le gouvernement fédéral, à l'exception de la dizaine d'hommes situés aux postes clés, était convaincu que ces attentats étaient le fait d'une nouvelle faction québécoise pro-Canada qui n'acceptait pas l'indépendance du Québec. Certains regards commencèrent à se tourner vers le Conseil de Westmount, dont le nom avait été murmuré aux oreilles adéquates.

Taylor et Martel terrifièrent Welby bien avant qu'il n'ait pu discerner la lueur dans leurs regards. Ils étaient terrifiants par leur banalité. Curtis tout particulièrement, car la stature athlétique d'Erik Martel était parfois difficile à camoufler. Dans leurs costumes bien coupés, vous auriez pu les rencontrer dans les bureaux d'une banque ou d'une compagnie d'assurance et n'y voir que du feu.

Difficile d'imaginer, en les regardant, qu'ils avaient un jour exécuté à eux deux vingt-sept personnes qui leur avaient tendu un piège. Martel gardait d'ailleurs un souvenir très précis de ce jour, et n'avait jamais plus mis en doute la parole de quelqu'un qui parlait de miracle.

Fred Welby n'entendit pas la porte s'ouvrir au premier étage, car la pièce où le retenait Donovan avait été insonorisée par un paranoïaque, comme le lui avait expliqué son geôlier avec un sourire mauvais qui rappelait beaucoup celui de Martel. La seule chose qui attesta de l'arrivée du nouveau directeur du SG4 et de l'homme sur qui il devait absolument mettre la main fut la discrète sonnerie de l'iPhone de Donovan, qui se leva pour aller leur ouvrir la porte, sous le regard de plus en plus terrifié de Welby. Au nom du ciel, comment avait-il pu croire qu'il s'en sortirait ?

Taylor et Martel entrèrent d'un pas décidé dans la cave où se trouvait Welby, modérant leur allure à l'approche du suspect, pleinement conscients que la moitié de leur travail consistait en cette première impression. Pas de scénario du bon et du mauvais flic, en ce qui les concernait. Pourquoi chercher la complication quand on peut jouer deux mauvais flics ?

— Monsieur Welby, dit Curtis Taylor de sa voix la plus suave, on se rencontre enfin… Nous avons un dossier épais comme ça sur vous, au bureau. J'aurais dû me douter que vous seriez du lot. Ainsi donc, notre ami Murphy a opté pour la racaille, le fond du baril...

— Faudrait pas charrier… répondit Welby, piqué au vif.

— Mon ami, dit Erik Martel en posant la main sur l'épaule de leur suspect, tu n'as aucune, mais alors là aucune idée de la merde dans laquelle tu es allé te fourrer…

Welby comprit alors que sa pire crainte, celle de se voir accusé d'avoir participé aux attentats, venait d'être reléguée au rang de petit désagrément. Ces deux hommes n'avaient aucunement l'intention de le livrer aux autorités. Ils étaient eux-mêmes hors-la-loi, et pour le fils du Dr Welby, la partie était simplement terminée. Il ne broncha même pas lorsque Donovan fit rouler près de Martel ce qui avait toutes les apparences d'une batterie de voiture, à laquelle étaient reliées des électrodes.

Taylor, qui malgré ses vingt ans d'expérience dans les services secrets n'avait jamais appris à se désensibiliser devant la torture, inspira profondément et dit d'une voix glaciale :

— Rendez-vous service, M. Welby… Parlez rapidement.

Le reste se situa au-delà des mots.

6

Paul Fiersen regardait William Andersen comme si ce dernier lui avait parlé dans une langue étrangère. Fiersen avait quitté les Andersen dès les résultats annoncés et s'était endormi, désespéré, dès que sa tête s'était posée sur l'oreiller. Il avait été réveillé dix minutes plus tôt par le policier qui s'inquiétait de ne pas trouver de réponse à ses appels, que le chef du Conseil de Westmount n'entendait pas du fond de son profond sommeil. Des explosions ? Des centaines de morts, si ce n'est des milliers ? Mais qu'est-ce que c'était que cette histoire ? Andersen ne pouvait être sérieux. Allons...

— C'est comme je te le dis, Paul... Une bande de salopards a laissé des pétards un peu partout à travers toute la province. Une voiture a explosé à tout juste cinq minutes d'ici, d'ailleurs. Ton sommeil tient du coma...

— Est-ce que tu vois où ils veulent en venir, Will ? Comprends-tu qui a posé ces bombes, et pourquoi ? demanda Fiersen d'un air las. Tu ne crois quand même pas...

Andersen, s'il n'avait pas le cerveau du médecin, était quand même loin d'être un con. Il démarra au quart de tour.

— C'est que tu es allé te coucher avant la rediffusion du discours de leur premier ministre, qui accusait Roof de fomenter des attentats contre les Québécois. *Check* ça !

cria-t-il en désignant la télévision qu'il venait d'allumer et où d'horribles images qui auraient pu provenir de Beyrouth occupaient chaque canal.

— *Shit!* Normandeau n'aurait pas pu les mettre en œuvre pour accuser Roof?

— Et dans quel but? Il avait gagné! En plus, tu connais l'homme… Il a peut-être des idées stupides, mais tu le vois, toi, sacrifiant des milliers de ses concitoyens? Moi pas. Je crois au contraire que Roof tente de convaincre la masse de revenir ramper à ses pieds avant que l'indépendance ne soit officielle. *Geez!* Faudrait être con, et pas qu'un peu, pour croire qu'ils vont revenir vers lui!

— Et Roof? Il lui faudra bien accuser quelqu'un de tous ces attentats, non?

— Ça, c'est la mauvaise nouvelle, dit Andersen en regardant le bout de ses chaussures. Certains médias ont déjà prononcé le nom du Conseil de Westmount, parce que Roof nous a coupé les vivres. D'un groupement politique se préoccupant du bien-être de ses concitoyens, nous voilà devenus un groupuscule extrémiste!

Le médecin accusa le coup, chancelant légèrement sur ses jambes. Après quelques secondes de complète incrédulité, Fiersen étira la tête pour voir par-dessus l'épaule du policier, qui était beaucoup plus grand que lui. Andersen se retourna et regarda sa propre voiture, vide, qui semblait attirer l'attention du médecin.

— William, dit Paul d'une voix douce, dis-moi que tu n'as pas laissé ta femme et tes enfants chez toi alors que le nom du Conseil a été associé à cette tuerie?…

Dix minutes plus tard, alors qu'ils fonçaient tous les deux à travers les rues désertes vers la maison du policier, un homme nommé Richard Moore entra sans attirer l'attention dans la résidence du médecin. La trouvant vide, il s'installa confortablement dans le salon afin d'attendre le retour du maître des lieux, comme le lui avait ordonné ce type de la GRC.

Il n'était pas pressé.

Il n'avait plus que Fiersen à tuer, ce jour-là…

7

Marcus Fontaine tentait de se calmer en respirant profondément. Sa main serrait si fort le téléphone que ses phalanges blanchissaient. Sa mère avait été blessée dans une émeute qui avait éclaté sur le coup de cinq heures du matin, après l'explosion d'une voiture dans le quartier de Sherbrooke où elle travaillait de nuit, une semaine sur quatre. Une bande d'excités, de plus en plus nombreux, s'étaient mis à la recherche du coupable dans les rues. Plusieurs étaient armés et c'est une balle perdue qui avait touché Lise Fontaine à sa sortie du travail. Sa vie n'était pas en danger, mais son père était tout simplement enragé.

— À quoi ça rime tout ça, Marcus ? À qui ça sert ? Excuse-moi, je ne voulais pas crier. J'ai réalisé que je vieillissais quand j'ai vu que mon premier réflexe, une fois ta mère à l'hôpital, avait été de t'appeler pour m'en remettre à toi…

— Du calme, papa… Tu n'as pas dormi depuis un moment, et c'est pour ça que tout semble compliqué.

— Tu travailles toujours pour ces étranges personnes, mon garçon ? Tu fais bien partie du clan des gentils, non ?

— Bien entendu, papa ! Sois assuré d'une chose ; les journaux n'en parleront pas, mais nous mettrons la main sur tous ceux qui ont trempé dans ce qui s'est passé cette nuit. Ils paieront tous… Dis à maman que je l'appellerai dès qu'elle pourra recevoir un appel, d'accord ?

— Oui. Par tous les saints du ciel, Marcus, fais attention où tu mets les pieds, et ne te surestime pas inutilement. J'ai élevé un écrivain, moi, pas un soldat.

— Dostoïevski a dit : "J'ai tout fait ; j'ai même tué un homme", dit Marcus avant de raccrocher.

Benny Trudeau s'avança derrière lui, Julie Galipeau dans son sillage. Il était sept heures et aucun d'entre eux ne s'était encore couché. Tout le monde avait été appelé d'urgence au journal, naturellement. Mathieu Sinclair, quant à lui, avait tenu le coup presque aussi longtemps que son premier ministre, alors qu'ils fêtaient cette victoire dans la suite de Normandeau, au Hilton. Les deux hommes s'étaient retirés, euphoriques et affligés à la fois, vers quatre heures du matin. Sinclair avait répondu un non catégorique à son patron qui avait suggéré qu'il revienne au bureau durant la nuit pour préparer les bulletins spéciaux :

— Sacrament ! Je ne suis pas tout seul à travailler devant le kodak ! Imagine-toi donc qu'il y a une vie en dehors de la station !

Trudeau posa la main sur l'épaule de son ami.

— Ça va, vieux ?

— Mouais… Ma mère s'est prise une balle dans la cuisse… On se croirait au Moyen-Orient, cette nuit… Tabarnac !

— Et rien n'indique qu'il ne s'agira que de cette nuit, souligna Julie, ce qui figea les deux hommes dans leur élan.

— Tu crois qu'ils vont remettre ça ? demanda son amoureux.

— Je ne suis pas comme vous dans le secret des dieux, mais ça me semble plausible, si personne ne les arrête…

— Pour ça, je ne suis pas inquiet, dit Fontaine en repensant au vieux parrain dans sa forteresse.

Benny fit mine de faire chauffer de l'eau pour se faire un café, mais il jugea plus simple d'étirer le bras vers la caisse de bières qui trônait sur la table. Il ne l'aimait pas spécialement « tablette », mais plus d'un millier de personne étaient mortes cette nuit, dont l'homme qui lui avait vendu la bière, et il ne se voyait pas faire le difficile. Ils avaient été attristés, Marcus et lui, de trouver la devanture du dépanneur de Shuan Lee dévastée en revenant de Montréal, et plus encore d'apprendre que le petit homme avait trouvé la mort dans l'explosion qui visait les bureaux du Parti québécois jouxtant son commerce. Sa femme Grace, selon la voisine dont l'appartement avait aussi été durement touché, avait été amenée, en pleine crise de nerfs, dans l'ambulance où allait mourir son mari. Benny se demanda fugitivement, et il ne fut pas le seul ce jour-là, si le jeu en valait réellement la chandelle. Marcus, quant à lui, craignait surtout qu'il ne s'agisse que d'un commencement. Il n'avait pas eu de nouvelles de Martel depuis une heure du matin, et il s'inquiétait aussi pour l'agent qu'il s'était surpris à trouver sympathique avec le temps, surtout depuis que Benny et lui conduisaient des BMW.

Julie Galipeau était au bord de l'effondrement. Sa tête dodelinait alors qu'ils regardaient les dernières nouvelles, toutes plus atroces les unes que les autres, apparaître à l'écran. Depuis quatre heures du matin, une trentaine d'anglophones avaient été l'objet d'agressions à travers le pays nouvellement constitué. Les images se succédaient rapidement, montrant des débuts d'émeute, des familles anglophones prises à parti dans la rue. Tout cela alors que le soleil se levait à peine, après une seule nuit d'indépendance. Un visage familier, hurlant et se débattant dans une foule, attira l'attention de Marcus. Il donna un coup de coude à son ami en demandant :

— Ce n'est pas Andersen, du Conseil de Westmount ?

— J'ai bien peur que oui.

8

Le capitaine Mike Sullivan sut que le moment était venu de tenter le tout pour le tout. Denis Marcoux, qui avait convoqué un rassemblement sur le coup de minuit, dès les résultats connus, s'était adressé brièvement aux troupes et leur avait ordonné de se réunir douze heures plus tard, en espérant intérieurement que Georges Normandeau, qui aurait dû l'appeler dès la fin de son discours, l'ait fait d'ici là. Sullivan avait entendu l'essentiel du discours de son supérieur, principalement une préparation de ses effectifs à la trahison. Ces cons pouvaient clamer haut et fort leur bêtise, mais Michael Richmond Sullivan était en ce moment emprisonné en terre canadienne, merci beaucoup!

Le problème, du point de vue du capitaine, c'est qu'il s'en était passé des choses depuis minuit, et que ces explosions dont il entendait les résumés sur le poste de télé des gardes foutaient en l'air ses chances de gagner le grand prix de la popularité, s'il en avait jamais eues… Tous ces bouffeurs de grenouilles allaient nécessairement chercher à se venger, et il était coincé dans cette saleté de cellule, de quoi amoindrir légèrement ses options…

Un des gardiens de Sullivan le regardait depuis quelques heures d'un air de moins en moins amène, et Mike décida qu'il ne souhaitait pas savoir de quel accident il pourrait bien mourir avant que Denis Marcoux ne convoque de nouveau ses hommes, lorsque le soleil atteindrait son zénith. Il se laissa tomber lourdement par terre et mit à profit le seul réel talent que Dieu avait jugé bon d'octroyer à Mike Sullivan ; un don que plus personne n'avait observé depuis les amis d'enfance du capitaine, et qui avait le chic de mettre sa mère dans des colères noires : celui de mimer à la perfection une crise d'épilepsie.

Ne laissant apparaître que le blanc des yeux, Sullivan se mit à produire des bruits d'étranglement fort réalistes, de plus en plus fort. Il entendit la télévision s'éteindre au poste de garde, puis les bruits d'une cavalcade rapide, au moment où il augmenta le volume de ses gémissements en se tordant frénétiquement sur le plancher, sous le regard hébété du pensionnaire de la cellule d'en face. Le jeune homme, qui arborait des galons de caporal, s'était levé d'un coup sec de son grabat.

Ironiquement, il s'agissait du caporal que Mike avait fait dégrader une semaine plus tôt après qu'il eut tabassé, à l'aide de deux recrues, un des anglophones de la base qui avaient porté Roof aux nues.

— Gardien ! cria-t-il. Il fait une crise, vite ! Renaud, hostie, il est en train de crever ! Grouille !

Sullivan, qui pouvait percevoir la moindre nuance de mensonge dans une affirmation, réalisa avec stupeur que le jeune homme savait parfaitement qu'il simulait, et qu'il souhaitait l'aider à sortir ! Il en fut si surpris qu'il faillit presque oublier un instant de feindre la crise, au moment même où son gardien arrivait devant sa cellule. Ce dernier n'hésita pas une fraction de seconde à venir en aide à Sullivan, et il jugea après coup que c'était probablement la raison pour laquelle le capitaine lui avait laissé la vie sauve.

Oubliant la plus élémentaire des règles de sécurité d'une prison, il s'approcha sans se méfier et se pencha au-dessus du prisonnier. D'un mouvement félin, Sullivan agrippa la vareuse du dénommé Renaud et lui enfonça dans le même mouvement ses pieds dans l'estomac. Se laissant retomber sur le dos, il entraîna avec lui son geôlier et l'envoya d'une formidable détente des jambes percuter le mur, en un vol plané que n'aurait pas renié un pilote aguerri.

Mike se releva et fut en un instant sur le dos du soldat Renaud, qui couinait encore de surprise. Il lui attacha les mains dans le dos à l'aide de sa propre cravate et enfonça la sienne dans la bouche du jeune homme pour l'empêcher d'appeler à l'aide. Récupérer les clés fut l'affaire d'une seconde, mais sa porte à lui était ouverte, de toute façon.

Il s'approcha du caporal et fit mine de chercher la clé correspondant à la cellule de celui-ci. Le jeune homme eut une mimique horrifiée, et dit en anglais à Sullivan :

— Pour qu'ils me tirent dessus dès que je sortirai en votre compagnie ? Merci, mais je sors dans quinze jours.

— Vous vous appelez comment, caporal ?

— Je suis simple soldat, maintenant, dit le jeune homme en souriant. Vous m'avez dégradé. Je m'appelle Therrien, et vous devriez partir, capitaine. Les sangs s'échauffent, dehors.

Sullivan jeta un œil par la fenêtre et se rallia à l'avis du détenu. À la dernière seconde, il se tourna vers le francophone, en jetant auparavant un coup d'œil à sa vareuse de laquelle on avait arraché les galons :

— En fait, je suis simple soldat aussi, maintenant… Merci à vous, monsieur.

— Bonne route, Sullivan, répondit l'homme en anglais. Ne vous laissez pas prendre.

Un excellent conseil.

9

À neuf heures du matin, le 15 juillet, tous les réseaux de télévision du pays cessèrent de diffuser leur programmation habituelle pour céder l'antenne au premier ministre de ce qu'ils considéraient encore comme la province de Québec. Même les propriétaires de stations anglophones avaient dû s'y mettre, car les résultats du référendum et les images des attentats faisaient le tour de la planète depuis cinq heures du matin. Avec mille cinq cents morts sur une liste que l'on n'osait encore déclarer finale, le contraire eût été étonnant.

Georges Normandeau avait les traits tirés. Il n'arborait plus son sourire victorieux de la veille, dans le hall de l'hôtel où il improvisait sa conférence de presse. Son visage exprimait plutôt une rage sourde, comme en ressentaient des millions de ses concitoyens ce matin. On s'en était pris à eux après qu'ils eurent exercé leur droit de choisir, comme le leur permettait la constitution du pays qui les avait agressés !

Jonathan Roof était apparu en ondes une heure plus tôt pour accuser et inciter au calme les Québécois pro-Canada, toujours sans nommer personne, bien que plusieurs journaux aient rapporté l'abandon de l'aide financière au Conseil de Westmount. Après les avertissements de la veille du premier ministre du Québec, bien peu de ses propres électeurs gobèrent les explications de Roof, qui promit toute l'aide nécessaire et descendit du podium plus rapidement encore qu'il n'y était monté. Normandeau, quant à lui, avait cessé depuis quelques heures de croire à la censure, pour peu qu'il y ait jamais cru.

— Citoyens du Québec… C'est un jour sombre que celui-ci… Comme je vous en ai parlé il y a à peine quelques heures, le gouvernement canadien, ou plus précisément John Roof, et la Gendarmerie royale du Canada, en la personne de Mark Edward Murphy, ont fomenté des attentats contre la population du Québec, pays indépendant, qui ne les avait absolument pas provoqués. C'est un acte de guerre !

Pour des millions de personnes, qui n'arrivaient toujours pas à concevoir l'horreur de la nuit qui venait de se terminer malgré les abondantes images qui défilaient sans interruption, le discours de Georges Normandeau fut le déclencheur d'une haine innommable envers John Roof et le Canada, parmi les indépendantistes, et d'une sérieuse remise en question chez les partisans d'un Canada uni qui ne mordaient pas au leurre du Conseil de Westmount. Comme le dit le présentateur d'un bulletin de nouvelles improvisé, à Télé-Québec, Georges Normandeau avait « l'air très, euh… très fâché, oui ! ».

— Je vous en ai parlé hier, mais, pourtant, une part de moi n'y croyait tout simplement pas. C'est cette petite voix qui hurle, ce matin… Jonathan Roof, le premier ministre du Canada, est directement responsable des massacres de cette nuit ! Il a ordonné la mort de civils innocents, dans le seul but de vous voir revenir en mendiant le *statu quo* avant que l'indépendance ne soit officiellement ratifiée. La GRC a envoyé dans nos rues des meurtriers payés à même nos propres taxes ! L'indépendance est désormais un fait ! Je l'officialise avec ce seul discours ! Nous n'avons pas à demander la permission à quiconque, puisque la population est derrière nous ! Désormais, le Québec est libre de toute contrainte envers le Canada ! Cette nuit, alors que nos gens mouraient partout à travers notre pays, les effectifs militaires de Bagotville se sont dispersés aux principales frontières afin d'installer des postes de douanes provisoires, qui deviendront permanents avant longtemps. N'entreront au Québec que les citoyens pouvant fournir une preuve de résidence de notre pays. Dans le même ordre d'idée, tout citoyen canadien est prié de quitter le territoire du Québec avant quarante-huit heures, pour sa propre sécurité. Nous ne pourrons être tenus responsables de ce qui pourrait arriver aux ressortissants canadiens qui seront toujours en terre québécoise dans trois jours. Le Québec n'est pas en guerre avec le Canada, pour l'excellente raison que le Canada ne peut être tenu responsable des attentats commis cette nuit. Roof, Murphy et j'ajouterai Bethleem Jordan, bien que sa participation demeure pour l'instant nébuleuse, en seront tenus responsables… Même si c'est la dernière chose que je fais avant de crever, je les traînerai devant un tribunal ! Et qu'il soit clair que si le Canada a amendé la peine de mort, le Québec peut désormais remanier comme bon lui semble son système judiciaire. Ces trois hommes ont comploté, AVANT le référendum, contre une partie de leur propre pays et se sont donc rendus coupables de haute trahison, un crime qui, de tout temps et en tout lieu, n'a jamais connu qu'une seule sentence : la mort. Pour l'instant, nous pansons nos plaies et nous enquêtons, mais qu'il soit limpide pour ces traîtres que s'ils s'avisent de poser le pied en sol québécois, ils seront immédiatement arrêtés et fusillés !

Le premier ministre prit une feuille de papier qu'il mit bien en évidence devant la caméra.

— Jonathan Roof résidait jusqu'à minuit à Magog, en sol québécois. Votre maison a été saisie il y a une heure, Roof, comme tous vos biens se trouvant à l'intérieur de nos frontières. Naturellement, ça exclut tout votre argent, puisque votre patrimoine se chauffe au soleil des paradis fiscaux… Quant à ceci, dit Normandeau en désignant une feuille à l'allure officielle, il s'agit de la nationalité québécoise à laquelle vous auriez malgré tout eu droit à nos yeux.

Il la déchira avec un sourire carnassier.

Normandeau eut l'air de méditer un instant sur le danger de prononcer ce qui allait suivre, se demandant fugitivement comment cela serait perçu dans le reste du monde, puis, en pensant à tous ses collaborateurs qui avaient peiné pour lui et qui étaient morts durant la nuit, il se lança :

— Ce qui suit pourrait sembler un avertissement, mais que les principaux intéressés ne le voient que comme le conseil d'un homme qui trouve que le sang n'a déjà que trop coulé… Si j'étais unilingue anglophone, je crois que j'irais voir si l'air ne serait pas plus sain ailleurs… J'aurai beau appeler au calme jusqu'à en perdre la voix, nous traversons des temps incertains, et je ne saurais pour l'instant garantir que la sécurité de mon peuple. Je serais bien hypocrite de dire que je considère un anglophone, quel qu'il soit, comme en faisant partie.

Les journalistes prenaient des notes à toute vitesse, jonglant intérieurement avec vingt déclarations de ce discours qui pourraient toutes figurer à la une. Beth Converse, qui avait, à l'instar de Curtis Taylor, une mémoire tout à fait prodigieuse, fixait son oncle en songeant qu'elle n'aurait pas voulu se trouver à sa place pour tout l'or du monde. Il convenait d'agir rapidement pour éviter le chaos, mais des représailles trop vives pourraient envenimer la situation, quoiqu'il fût clair pour le premier ministre et son entourage que toute nouvelle calamité à s'abattre sur eux ferait nécessairement partie du plan de Roof.

Georges Normandeau n'en avait naturellement pas soufflé mot, mais la participation de Bethleem Jordan se clarifiait de plus en plus. Ils ne pouvaient qu'espérer se tromper, tout en planifiant une défense avec le commandant Marcoux, à Valcartier.

— J'aimerais vous assurer, en terminant, que le maintien de l'ordre est notre priorité. Tous les effectifs de police du pays sont parés à faire face à tout trouble sur la voie publique. Les coupables ne resteront pas impunis, soyez-en assurés ! Au Québec, il n'y aura plus de sentence bonbon pour personne. Personne ! Si vous enfreignez la loi, vous en paierez le prix, point !

10

Mike Sullivan se terrait dans un trou boueux. Il avait beaucoup plu durant la matinée, mais l'ancien capitaine des Forces terrestres canadiennes s'en foutait comme d'une guigne. Il était encore vivant, et cela lui suffisait. Ce salopard de Jordan ! L'exposer ainsi au danger sans rien lui expliquer ! Alors qu'il se cachait derrière l'un des baraquements une demi-heure heure plus tôt, il avait entendu un compte rendu complet des attaques menées durant la nuit, et il en avait eu la nausée. Sullivan n'aimait pas les Québécois, ni d'ailleurs les francophones des autres provinces pour qui cela chauffait aussi depuis quelques jours, mais s'attaquer à des civils… *Shit!*

Jordan et Murphy n'auraient jamais pris la liberté d'ordonner de telles attaques sans l'aval du premier ministre. En fait, Sullivan était prêt à parier que cette idée ne leur serait même jamais venue à l'esprit. Dans l'enceinte de la base, la rumeur devait déjà se répandre que Sullivan avait été emprisonné pour avoir été en contact avec Jordan. S'il était pris, il n'avait aucune chance de s'en sortir. Aucune.

Marcoux avait remis son discours de midi à plus tard, en attendant la ligne de conduite de Georges Normandeau. Les hommes étaient donc désœuvrés et enragés. Les rares anglophones de la base avaient détalé dès que Normandeau avait donné l'ordre aux résidents canadiens de quitter le Québec, remerciant tous intérieurement le ciel qu'il soit venu une telle idée au politicien. Les quatre hommes coururent si rapidement vers la sortie, où les attendait un véhicule, que les hommes de la police militaire censés les escorter avaient eu un mal fou à les suivre.

Sullivan avait remarqué à temps que les patrouilles avaient été doublées, alors qu'il tentait de passer sous une clôture électrifiée qui bordait la face nord de la base. En voyant passer deux gardes, qui ne devraient pas revenir avant une dizaine de minutes, il avait commencé à ramper sous l'obstacle, mais avait vite rebroussé chemin en entendant la patrouille suivante, qui passa moins de trois minutes plus tard. Heureusement, les deux hommes observaient une manœuvre, à l'ouest, et l'un d'eux posa le pied à moins de dix centimètres de la main du soldat. Sullivan était donc revenu se cacher à l'ombre d'un bâtiment en attendant une occasion plus propice, douloureusement conscient que chaque seconde s'écoulant jouait contre lui.

En tournant la tête, il vit un homme s'introduire dans la prison militaire. Il porta la main à la crosse de l'arme qu'il avait volée à son geôlier. C'était ce qu'il redoutait depuis qu'il avait vu qu'il ne pourrait pas quitter aussi facilement la base qu'il l'aurait voulu. Moins de trente secondes plus tard, le sergent ressortit en trombe de la prison.

— Alerte ! Alerte ! Sullivan s'est évadé ! Trouvez-moi cet espèce de trou-de-cul ! Vite ! Mort ou vif, je m'en fous !

— Ouais, ça promet… grommela Sullivan en suivant le bâtiment sur toute sa longueur, cherchant à repérer la patrouille de l'autre côté de la clôture. Il devait absolument filer, maintenant. Dans cinq minutes, la base grouillerait d'hommes que l'état-major ne parviendrait pas à maîtriser s'il était attrapé, à supposer même qu'il en ait envie.

Il entendit une porte s'ouvrir derrière lui, alors qu'il la croyait condamnée (elle l'était en tout cas dans le dernier rapport d'inspection, ce qui prouvait encore une fois que ces bouffeurs de grenouilles ne faisaient rien correctement). Il fit volte-face en sortant son arme, décidé à ne tirer qu'en dernier recours pour ne pas dévoiler sa position. Par chance, le soldat était sorti en courant et lui tournait maintenant le dos. Il l'assomma d'un coup de crosse. Il décida de tenter le même coup avec la patrouille avant qu'il ne soit trop tard, et retrouva le trou de boue qui lui avait servi de cachette quand il avait tenté de passer sous la clôture.

Il cacha le soldat assommé derrière un bosquet malingre qui avait poussé en bordure de la clôture et sut au premier coup d'œil que le subterfuge ne résisterait pas à un examen attentif. En entendant venir les deux hommes qui patrouillaient à l'extérieur du périmètre, Sullivan se rendit compte qu'il n'aurait pas le temps de se glisser de l'autre côté et qu'il serait tout de même vu s'il demeurait sur place, maintenant que la base était en état d'alerte.

L'addition de ces deux facteurs lui fit prendre conscience qu'il était perdu.

Il n'entendit même pas le commandant Marcoux organiser les recherches en criant dans un mégaphone. Il entendait parfaitement, par contre, les cris de ses anciens subordonnés, qui hurlaient vengeance qu'ils avaient sous la main un bouc émissaire tout désigné.

Deux sections complètes couraient maintenant dans sa direction, à l'extérieur du périmètre. Personne ne l'avait encore aperçu, mais il ne disposait que d'une quinzaine de secondes avant que ce fait ne soit remis en question.

Michael Richmond Sullivan, de toute sa vie, n'avait jamais reculé.

Il n'allait pas commencer maintenant.

Il chargea.

11

Paul Fiersen avait l'air d'un homme s'attendant à se réveiller d'un cauchemar sans nom. Il ne comprit qu'en touchant son visage qu'il pleurait abondamment, et que les spasmes qui secouaient sa poitrine n'étaient pas dus qu'à la fumée qui avait envahi une bonne partie du quartier de Westmount.

Fiersen était couvert de sang, mais il était au-delà de ce genre de détail depuis une heure. Difficile d'imaginer que soixante minutes auparavant, il se tenait sur le pas de sa porte à discuter avec Andersen. À peine huit heures plus tôt, il regardait en buvant un whisky Mathieu Sinclair annoncer les résultats du référendum. Comment diable les choses avaient-elles pu s'envenimer à ce point en si peu de temps ? Que soient remerciées toutes les divinités existantes, William avait sur lui son arme de service… Qu'est-ce qui se serait passé autrement ? *Geez !* Il serait mort…

Le médecin et le policier, en se dirigeant vers la maison de ce dernier, essayaient de se rassurer entre eux, mais ils ne pouvaient guère se mentir sur les funestes pressentiments qui les tenaillaient. Andersen s'était dit au moment de partir, en verrouillant la porte, que sa famille ne risquait rien puisqu'il partait pour à peine vingt minutes, le temps d'aller s'assurer qu'il n'était rien arrivé de fâcheux à son ami.

À ce moment, aussi incroyable que cela puisse paraître, il avait oublié l'allusion au Conseil, sous l'afflux d'images, de commentaires et de peine qu'avaient causés les événements de la nuit. L'un de ses amis avait été agressé par une bande de jeunes quelques heures plus tôt. Sa femme avait appelé peu de temps avant le départ de William pour annoncer son décès.

Quand Fiersen lui avait demandé d'un air ahuri où était sa famille, son sang n'avait fait qu'un tour.

Lorsqu'ils arrivèrent chez William, il était déjà trop tard. Le flic vit les flammes, à cent mètres de chez lui. Un groupe de badauds enragés, comme il s'en formait beaucoup dans les rues ce matin-là, avait capté l'insidieuse information à propos du Conseil de Westmount. Sans grande surprise, il constata, en garant sa voiture à travers le trottoir, que le désagréable bonhomme avec qui il avait eu maille à partir à l'école de sa fille était à la tête du groupe. L'enquête démontrerait plus tard qu'il n'avait rien à voir avec l'incendie, mais Andersen l'ignorait encore.

Avant même de descendre de voiture, il vit sa femme, qui avait une vilaine brûlure à la joue, et son fils, qui paraissait indemne, mais visiblement en état de choc, prostré contre une voiture. Il chercha sa fille des yeux, mais ne la vit pas. Lorsque William croisa le regard de Lisa, il cessa de chercher.

— MARIAAAANNE !

Fiersen, à ses côtés, n'existait plus. La foule qui grossissait à une vitesse phénoménale, non plus. Même Jackson et sa mère pouvaient attendre jusqu'à ce qu'il ait tué ce gros enfoiré qui venait de brûler vive sa petite fille de neuf ans. La maison était un brasier infernal, et sa fillette y mourait !

Il sortit son arme de service et vérifia le chargeur. Fiersen amorça un mouvement pour s'emparer de l'arme dans l'habitacle restreint de la voiture, puis il vit le fils de son ami, à genoux et en larmes, et reposa sa main sur le tableau de bord. Qu'il le tue, ce gros *fucker* !

L'homme qui avait entraîné ses voisins à venir crier leur hargne devant la résidence de l'un des responsables du massacre de la nuit ne comprit pas immédiatement que William Andersen se dirigeait vers lui. Il déplorait tout comme le reste de l'assistance la mort de la petite Marianne et personne ne scandait plus de slogans depuis que l'incendie s'était déclaré. Le feu avait été allumé, comme on le découvrirait plus tard, par trois imbéciles qui avaient incendié une dizaine de résidences de Westmount ce matin-là, causant six morts et trois blessés.

William avança vers lui, aveuglé par la rage. Son raisonnement avait pris le champ, tout comme celui de Fiersen et de tous les proches de Marianne Andersen, martyre d'une cause dont elle ignorait tout. Le médecin contourna deux pompiers pour aller chercher Lisa, qu'un ambulancier était en train de soigner. Comme un somnambule, Jackson suivit sa mère et le président du défunt Conseil vers la voiture familiale. Fiersen se hâta de rejoindre son ami, car plus de cent francophones les entouraient maintenant, dont beaucoup ignoraient la mort de la gamine. En ce matin du 15 juillet, toute occasion de faire sortir sa rage était la bienvenue, et l'Anglais qui venait de hurler comme un goret qu'on égorge avait un pistolet à la main, et pas spécialement l'air en contrôle de ses nerfs…

Quand l'homme qui lui avait un jour fait la remarque qu'il devrait envoyer sa petite dans une école « spéciale » s'aperçut qu'Andersen fonçait bille en tête sur lui avec une arme à la main, il était déjà trop tard. Il n'y eut pas de grandes phrases sur l'honneur et la vengeance, ce matin-là. À quoi bon parler à un mort en sursis ? Andersen leva simplement son arme et lui tira une balle dans le ventre.

Une surprise indicible se peignit sur les traits de la victime, qui avait eu le malheur de se trouver au mauvais endroit, au mauvais moment. Des cris de rage éclatèrent parmi les badauds, dont plusieurs tentèrent de se saisir du policier. Fiersen roula sur les pieds d'une grosse femme en approchant la voiture, alors que Lisa ouvrait déjà la portière. Andersen reçut en plein visage le poing d'une personne qu'il n'eut pas le temps de voir, tant sa femme tira vigoureusement sur ses vêtements pour le mettre à l'abri. Un adolescent grimaçant (qui, chose étrange, les insulta dans un anglais impeccable, à l'accent oxfordien) tenta de se placer sur le chemin de la luxueuse voiture, mais mal lui en prit. Bien qu'il ne roulât encore que très lentement, l'homme qui était considéré comme le meilleur médecin du coin le faucha, l'envoyant voler dans un massif de fleurs séchées et racornies par la chaleur de l'incendie. Il eut la jambe cassée, et cela n'intéressa personne…

Fiersen déposa William et sa famille à l'hôpital, puis alla raconter en personne à Réjean Morin les événements de la dernière heure, lui demandant de fournir une escorte à la famille du policier jusqu'à Ottawa, chez la mère de Lisa. Il lui demanda finalement de rapatrier le corps de la petite Marianne là-bas, bien qu'il n'ait pas eu l'occasion d'en discuter avec son ami. Il présuma que la famille Andersen ne souhaiterait pas demeurer à Montréal après cette tragédie.

Pour ce qui était de l'accusation contre William, on verrait en temps et lieu, car on recensait déjà une trentaine de meurtres, à Montréal seulement, au cours des trois dernières heures. Impossible de dire qui avait tué qui en état de légitime défense, mais certains cas ne laissaient guère de doute. À Granby, une famille anglophone avait trouvé la mort dans l'incendie de sa résidence. Des feuilles de contre-plaqué avaient été clouées sur les portes et les fenêtres par les pyromanes.

Paul se sentait nauséeux. Il avait plus de quarante ans, et il prit soudain conscience de son extrême fatigue. Il avait adoré la fillette de son ami, qu'il soignait depuis sa naissance, et en retournant à pied chez lui, il la pleura sans bruit. Fiersen ne se sentait plus en état de conduire son véhicule, et c'est sans doute ce qui lui sauva la vie.

Il passa le seuil de sa maison sans qu'aucun bruit de voiture ne l'ait annoncé. L'odeur de cigarette le mit en état d'alerte rouge. Il ne fumait que le cigare, et très rarement encore. L'homme qui était venu pour le tuer venait de perdre l'avantage de la surprise.

Quand l'assassin sortit de la salle de bain et vit sa future victime debout dans le salon, couverte du sang du couple Andersen (en plus de sa brûlure au visage, Lisa s'était salement ouvert le genou gauche en tombant sur du verre brisé, et William avait le nez cassé), il porta la main à sa ceinture dans l'intention évidente de se saisir de son revolver, mais Fiersen lui lança un lourd cendrier en verre qui l'atteignit à la tempe, mais ne le ralentit guère.

Le médecin, qui s'était battu pour la dernière fois à l'école primaire, décocha un improbable coup de pied qui frappa sèchement le menton de son adversaire avec plus de succès. Le mercenaire en eut alors assez et fonça promptement sur Paul, le soulevant de terre aussi facilement qu'on le ferait d'un oreiller, avant de le plaquer au sol. Il immobilisa sa victime à l'aide de son genou appuyé sur sa gorge pendant qu'il vissait un silencieux au canon de son arme. Paul ne montra pas sa peur à son rival une seule fois, une prouesse que même son meurtrier apprécia à sa juste valeur. Le monde est tellement rempli de froussards...

Fiersen en aurait été étonné, mais il répugnait à son bourreau de l'abattre, car il savait le Conseil de Westmount hors du coup en ce qui concernait les attentats. Dame ! Il avait lui-même fait exploser une discothèque à Longueuil, six heures plus tôt !

— *Money is money*… dit-il en haussant les épaules à l'intention du médecin, pour lui signifier qu'il n'y pouvait rien. Il appuya son arme sous le menton de sa victime.

Lorsqu'il entendit le coup de feu, Paul Fiersen attendit la douleur et se pissa dessus de peur, achevant un costume qui n'avait déjà que très peu de chances d'être porté de nouveau. La mort n'était pas si douloureuse, finalement…

Le corps sans vie de l'homme de la GRC s'écrasa sur lui de tout son poids. Il le repoussa maladroitement et tenta de se relever, euphorique d'être toujours en vie mais n'y comprenant rien. Il trouva William Andersen dans l'encadrement de la porte, son arme de service, fumante, à la main. Il était visible que le policier avait beaucoup pleuré, mais il hasarda un triste sourire à l'intention de son ami :

— Je me suis dit qu'un seul meurtre dans la matinée, ça ne faisait pas sérieux…

12

11 h

Dans un entrepôt du port de Montréal se tenait une assemblée tout à fait exceptionnelle. Plus de mille hommes étaient devant une petite estrade, dans l'attente de l'orateur. Leurs costumes, n'eût été de l'endroit, auraient pu faire croire à une réunion d'hommes d'affaires, mais il y avait bien assez d'armes dans le bâtiment pour soutenir un siège d'un mois. En commun, depuis vingt ans, ils avaient fait plus de victimes que les événements de la nuit. Bien plus.

Domenico Santori était nerveux, malgré l'assurance de Réjean Morin que la police n'interviendrait en aucun cas dans leurs affaires pendant quelques jours. Il n'avait aucune assurance en ce qui concernait Roof et ne pouvait se permettre de le prendre à la légère. La moitié des hommes travaillant pour la famille étaient présents ce soir, malgré le danger d'être réunis et l'envie pressante de quitter le Québec qui, pays ou pas, n'avait rien de très accueillant depuis douze heures. Venant des États-Unis et du Canada, ils étaient là pour rendre au parrain un peu de ce qu'ils lui devaient.

Lotto Finetti grimpa les quelques marches de l'estrade d'un pas leste, alors que Domenico sortait en douce rejoindre un collègue du SG4 qui devait le mener à Erik

Martel. Le vieil homme se sentait en pleine forme, malgré la nuit blanche qu'il venait de passer.

— Messieurs, je ne vous ferai pas perdre de temps inutilement. C'est une guerre que nous amorçons et le temps est venu de nous battre pour un peu de justice. Des femmes et des enfants sont morts cette nuit… Des femmes et des enfants ! Les membres arrachés par des explosions, brûlés vifs dans des maisons, blessés par des balles perdues ! Je ne peux fermer les yeux sur ce genre de spectacle ! Si vous êtes mes amis, vous ne le pouvez pas non plus ! Les lâches qui ont posé des bombes ont été engagés et payés par l'homme qui dirige la GRC, M. Mark Murphy, un trou-de-cul comme vous en verrez peu dans votre vie… Nous n'avons pas à nous préoccuper de lui, pour l'instant. Tout le pays est à ses trousses, même s'il n'a pas bougé de son siège à Ottawa. L'idée de ces attentats, après tout, provient de Roof, et la nuit prochaine, nous crierons vengeance. La nuit prochaine, nous agirons, pour que le Québec ne revive plus jamais une nuit pareille…

Finetti sortit de sa poche de veston une liste d'une centaine de noms, alors que plusieurs des hommes du cousin de Domenico, Joseph, en faisaient passer des copies à la troupe.

— La nuit prochaine, nous les mettrons en pièces !

Un grognement d'approbation s'éleva de la foule. Il leur tardait déjà de se mettre au travail, car ils avaient tous regardé la télévision dans leurs chambres d'hôtel. Plusieurs d'entre eux connaissaient des gens qui souffraient de ces attentats. Finetti grimaça un mince sourire et dit d'une voix onctueuse :

— Tuez-les tous ! Dieu reconnaîtra les siens !

Il n'en fallait pas plus…

13

— Mais monsieur le premier ministre ! Jonathan !

— La ferme, Murphy ! Vous ne discuterez au grand jamais de cela en public, mais si ça peut alléger votre conscience, vous n'avez qu'obéi à mes ordres ! Si vous ne l'aviez pas fait, vous croupiriez en prison ! Pour vous sortir un autre cliché, souffrez d'apprendre qu'en temps de guerre meurent aussi des civils. C'est comme ça. N'appelez plus que si vous avez un problème urgent !

Clic.

Murphy examina stupidement le combiné avant de le reposer sur son socle. Il regarda d'un air hébété les images qui n'avaient cessé de défiler à l'écran depuis le matin. Mark se dit alors qu'il devrait éteindre, mais il considérait qu'il devait boire le calice jusqu'à la lie, et augmenta plutôt le volume. À midi, plus de mille cinq cents décès étaient déplorés, sans qu'on ait pu pour autant, loin de là, découvrir l'identité de toutes les victimes. C'est la raison pour laquelle les légistes détestent les bombes : ça fout un désordre pas possible…

Qu'est-ce qu'il avait fait ? Au nom du Christ, mais qu'est-ce qu'ils avaient fait ? Il se rappela douloureusement le soir, trois semaines plus tôt, où Jordan et lui étaient revenus après le départ de Taylor, pour s'enthousiasmer avec Roof de ce plan de bataille. Comme cela paraissait sans conséquences, alors ! Même hier soir, alors qu'ils préparaient les ordres de mission pour ses mercenaires, tout cela ne ressemblait qu'à une tactique électorale. Quand Sinclair avait annoncé que le Québec était devenu un pays, tout avait semblé beaucoup plus sérieux, d'un seul coup. Il ne s'était pas rendu compte qu'en se concertant avec Bethleem Jordan, hier soir, ils auraient pu achever cette barbarie avant même qu'elle ne commence. De ce manque de courage résulterait la période la plus sanglante de l'histoire du Québec, et il le savait.

Il pouvait toujours se sauver, mais Roof, en cas d'échec, lui mettrait toute la responsabilité de l'affaire sur le dos, si le moindre embryon de preuve apparaissait dans les journaux. Il demeurait donc en place, malade de dégoût et de mépris envers lui-même. Il ne serait plus en sécurité nulle part, alors son bureau lui paraissait aussi sécuritaire que bien des endroits.

Il avait tenté de faire revenir Jordan à la raison, mais trente années dans l'armée avaient appris au soldat à obéir, quels que soient les doutes qui l'accablaient. Jordan n'avait pas du tout aimé ce qu'il avait vu se produire au Québec, lui non plus, mais il continuait de suivre Roof.

— Il n'a plus toute sa tête, Jordan ! Vous êtes assez intelligent pour le comprendre, non ? Nous ne l'avions plus, nous non plus !

— Désolé, Murphy. Je sais que la nuit a été dure pour vous…

Seul, Murphy ne pouvait s'opposer à son premier ministre sans dévoiler intégralement sa participation. Les journalistes comprendraient avant longtemps. Il ne pouvait décemment impliquer la GRC plus qu'elle ne l'était déjà, et deux de ses envoyés de la nuit, celui du parlement et l'homme expédié chez Paul Fiersen, n'avaient pas rappelé leur supérieur comme convenu. Si l'un des deux avait été capturé vivant et filmé alors qu'il passait aux aveux…

Murphy s'était vigoureusement opposé à l'emploi des agents volants pour commettre les attentats, mais il savait, comme son patron, que le SG4 n'était plus sûr, et son nouveau directeur moins que quiconque. Le directeur de la GRC croyait autant aux rumeurs de désaccord que Martel avait laissé filtrer qu'à la légende de l'Atlantide. Cet homme était l'âme damnée de Curtis Taylor, merde ! Taylor inspirait un profond respect à ses pairs et aucun ne l'aurait trahi de la sorte, son seul ami encore moins qu'un autre ! Que Roof ait pu croire Martel prouvait déjà que le bonhomme commençait à en perdre des bouts.

Le SG4 infiltré. La GRC paralysée. Le PM fou à lier. Sa tête mise à prix. Que pouvait-il arriver de pire ?

La réponse vint trente secondes plus tard.

La maison mère de la GRC, située à Ottawa, était considérée comme un château fort imprenable. L'agence avait des bureaux bien décorés, aérés et spacieux quelques rues plus loin pour le public, mais le véritable travail s'effectuait dans cet immeuble de trois étages, entouré de vigiles à l'air anodin qui étaient en fait des agents surentraînés, la fine fleur de la protection de l'agence. Des caméras quadrillaient tout le secteur, extérieur comme intérieur. Un système d'alarme, déclenché par toute pression supérieure à dix kilogrammes, était encastré dans le haut mur qui faisait le tour complet de la propriété. Finalement, tout le personnel était armé, car on y gardait les secrets les plus précieux du pays. Un statisticien vous aurait dit que vos chances de parvenir à y entrer avoisinaient celles de recevoir sur la tête un Steinway à queue en provenance du ciel. Un Steinway et son pianiste, disons…

Mark Murphy, qui n'avait pas dormi de la nuit, s'étira dans son fauteuil et ferma les yeux quelques secondes. Il sentit alors un courant d'air sur son visage, comme le souffle d'un gros objet déplacé rapidement. Une fraction de seconde plus tard, le choc sourd de quelque chose tombant au sol se fit entendre. « Pas un choc... », eut-il le temps de penser en ouvrant les yeux.

Pas un choc mais deux, très rapprochés...

Murphy s'en voulut plus tard de leur avoir donné cette satisfaction, mais ne put tout simplement pas se retenir de le faire.

Il hurla à pleins poumons dans son magnifique bureau insonorisé dont la porte était verrouillée de l'intérieur.

— Faut apprendre à contrôler vos nerfs, Mark, dit Curtis Taylor en souriant largement.

— Ne vous donnez pas cette peine, murmura Erik Martel dans son oreille. Ce sera bientôt fini...

14

Gregory Wilson était inquiet.

Il avait depuis un moment déjà dépassé le stade de la contrariété qu'il avait ressentie en regardant les deux premiers ministres se battre comme des chiffonniers durant la campagne référendaire. Wilson était diplômé en droit d'une obscure université de la Saskatchewan, mais même l'avocat en lui trouvait que les apparitions publiques des deux hommes d'État avaient causé plus de préjudices au Canada lors des trois dernières semaines que les trente dernières années n'avaient pu le faire. Jusqu'ici, il n'avait pas encore ouvert la bouche pour émettre une opinion sur la question puisqu'on ne lui avait rien demandé. Son patron le traitait comme un sous-fifre, malgré toutes ses années d'expérience.

Il grimaça en lisant l'article d'une dénommée Converse dans le principal quotidien du Québec, où elle accusait Jonathan Roof d'attentat terroriste. Elle écrivait bien, la petite, et même Wilson eut du mal à ne pas croire à ce qu'elle écrivait. Si c'était vrai, Seigneur !

Wilson était natif d'une petite ville de l'Ohio. En 1971, peu doué pour les études, il avait quitté l'école et trouvé un boulot de pompiste, une décision à laquelle il aurait probablement réfléchi s'il avait su que son numéro serait tiré pour un voyage tous frais payés au Vietnam. Il y avait servi durant deux ans, dans la boue et la rage de devoir combattre sans réellement savoir pourquoi. Il s'était bravement battu, mais il n'avait reçu aucune distinction particulière. Ceux qui en reviennent savent bien que cela n'a aucune importance…

Dégoûté du mépris que son propre pays avait pour ceux qui l'avaient défendu, Gregory n'était jamais rentré chez lui. Il était parti pour le Canada à vingt ans, où il avait pu retourner aux études grâce au GI Bill. Nul n'avait été plus surpris que lui le jour où il reçut son diplôme.

Il ne reconnaissait plus le pays dans lequel il avait été heureux de vivre ces trente dernières années. Pourquoi donc s'acharner à refuser à ce peuple leur autonomie, puisqu'ils la souhaitaient à ce point ?

Wilson avait toujours été mitigé sur la question de l'indépendance. Il ne pensait pas que le Québec possédait une assez bonne structure économique pour survivre seul, mais était d'avis qu'en cas de victoire, le Canada n'avait guère d'autre choix que de les laisser essayer. Et voilà que cette indépendance engendrait maintenant un désastre ! S'il fallait que le gouvernement et la GRC soient réellement impliqués, on risquait la guerre civile ! Le Canada pouvait vivre sans les revenus du Québec, mais pas avec la réputation d'un pays barbare qui réprimait les droits fondamentaux de ses citoyens !

Il entendit sa femme entrer et se diriger vers la cuisine. Heureusement, Kathy gagnait un salaire faramineux dans l'industrie pharmaceutique, car ses revenus à lui avaient bien diminué depuis qu'il refusait systématiquement les clients, les référant à ses confrères. Il se demanda de nouveau comment son épouse pouvait avoir l'air si jeune alors qu'elle était son aînée. Il se sentait parfois vieux et décati depuis qu'il avait eu cinquante ans. Elle lui sourit en passant près de lui.

— Tu n'avais pas une réunion? demanda-t-elle.
— À quatorze heures seulement.
— Des steaks sur le grill ce soir?
— Volontiers. Merci.

Ils n'avaient jamais pu avoir d'enfants et avaient compensé par une furieuse envie de voir le monde. Son travail l'avait déjà amené en de nombreux pays, mais le plaisir n'était valable que partagé avec Kathy. Elle projetait de le ramener en Asie l'année suivante, ce à quoi il s'opposait obstinément, lui qui n'y avait pas mis le pied depuis la guerre. Chaque fois que son patron avait proposé de l'envoyer là-bas, il avait délégué à un subordonné ravi par l'aubaine, les notes de frais étant absolument somptueuses pour les voyages à l'étranger.

Le matin même, il avait regardé, abasourdi, les images en provenance du Québec et il avait frémi, lui qui avait pourtant été témoin des pires horreurs. Il n'arrivait tout simplement pas à y croire. Il avait pris les avertissements de la veille de Georges Normandeau pour une assurance contre les méfaits qu'une foule imbibée et déchaînée pourrait provoquer durant la nuit. Comme il s'était trompé!

Il était clair maintenant que le petit homme d'État avait eu vent des attentats, sans pouvoir y remédier, faute d'informations valables. D'ailleurs, de quelles sources pouvaient bien provenir de telles informations?

Puisque son patron n'avait de toute évidence aucune intention de le mettre dans le secret des dieux, peut-être aurait-il intérêt à communiquer avec Normandeau lui-même? Il pensait pouvoir le joindre et estimait à une chance sur deux les probabilités que le dirigeant du Québec accepte de lui parler.

Gregory Wilson, vice-premier ministre du Canada, décrocha le téléphone.

15

Mathieu Sinclair n'avait jamais été aussi fatigué de sa vie. Il avait travaillé durant toute la journée du référendum et n'avait pris de repos que durant les quelques heures pendant lesquelles il avait célébré avec sa fille, ses étonnants amis et son premier ministre, maintenant leader du pays. Il avait été journaliste toute sa vie, qu'il avait passée à chercher des contacts pour son travail. Il sourit à l'idée que sa fille, en moins de trois semaines, était devenue la blonde et l'amie de deux des principales têtes d'affiche souverainistes, sans parler de la journaliste la plus courue du pays, nièce du PM de surcroît. Comme il regrettait maintenant de ne pas avoir pris sa retraite trois mois auparavant, quand l'idée avait commencé à faire son chemin !

Il venait de terminer un marathon de six heures en direct sur les horreurs de la nuit, sans parler de celui de la veille qui n'avait duré que quelques heures de moins, et qui s'était soldé par la création d'un pays. Sa fille était partie à Longueuil avec Benny Trudeau pour dormir un peu, alors que Marcus avait déjà placé plus de soixante appels depuis le début de la matinée afin de rappeler aux principaux intéressés l'accord qu'ils avaient conclu quelques jours auparavant. Le premier ministre en avait touché deux mots au présentateur durant la nuit. Avec un sourire désabusé, il avait avalé le fond de son bourbon et dit à Sinclair :

— N'est-il pas étonnant que nous n'ayons pas réussi, en trente ans, à faire reconnaître notre statut distinct alors qu'il nous a suffi de deux semaines pour conclure une alliance entre la police, les motards, les services secrets canadiens et la mafia ?

Les deux hommes s'entendaient comme larrons en foire depuis le début de la soirée. Le charme de Normandeau tenait à ce qu'il ne prenait jamais personne de haut. Il n'y avait pas si longtemps, le petit député d'Anjou aurait été fier de participer à l'émission de Sinclair.

Qu'allait-il se passer ? Comment réagirait la population au cours des prochaines heures ? Quel sale coup leur réservait encore Jonathan Roof ? Sinclair devait fournir au moins un embryon de réponse à son public, mais que dire qui ne les effraierait pas ? Qu'on avait découvert que des terrains encerclant la province avaient été achetés par le gouvernement canadien ? Que si la mafia échouait, la nuit prochaine pourrait être pire que la précédente, et qu'il ne s'agissait peut-être que d'un coup de semonce ? Calvaire ! Mieux valait encore se taire…

16

L'effroyable journée du 15 juillet s'acheva dans un tumulte à peine moins grand que celui dans lequel elle avait commencé. Le bilan des morts était catastrophique : à travers la province, les attentats avaient causé plus de deux mille morts, sans parler des trois cents assassinats perpétrés durant la journée. Les victimes de ceux-ci étant majoritairement anglophones, la presse les passa presque tous sous silence, les sujets à aborder ne manquant décidément pas. Même les éditions spéciales de deux heures de toutes les émissions d'information ne purent qu'entamer le sujet.

Jean-Marc Thériot se reposait dans la cour arrière de sa maison de Brossard. Il avait profité de l'après-midi pour rattraper son sommeil en retard, affalé dans un hamac, à l'ombre d'un gros orme. Il n'avait pas allumé la télévision de la journée. Il ne tenait pas à regarder les images des carnages qui défilaient sans interruption. N'eût été des pleurs et des cris provenant de chez son voisin, qui avait perdu son fils dans l'explosion des bureaux de Georges Normandeau, il se serait senti tout à fait bien, mais ceux-ci l'empêchaient de se reposer convenablement.

En un mot comme en cent, Thériot était un minable. Criminel de peu d'envergure, il vivait d'un petit réseau de prostitution qu'il avait monté quelques années auparavant et qu'il devait renouveler sans cesse, par la force des choses.

Sa gagneuse la plus agée avait dix-sept ans et s'apprêtait à pointer au chômage, vu les goûts spécifiques de sa clientèle. Sa plus jeune venait de fêter ses treize ans et son propre père touchait le peu d'argent restant, après la ponction du pourcentage du maquereau.

Jean-Marc avait été un moment dans le collimateur de Percy Marshall, l'un des adjoints de Mark Murphy. Ce dernier lui avait lâché la grappe en échange de renseignements et de menus services que le souteneur n'avait guère le choix de rendre. Ce genre d'arrangement était fréquent avec les minables comme Thériot, et lorsque Marshall s'était pointé chez lui, la veille, avec deux engins explosifs de forte puissance, ce dernier n'avait pas tressailli. Après tout, il allait toucher près de cinquante mille dollars pour poser les bombes, alors qu'il n'était que rarement rémunéré, la GRC considérant que sa liberté valait amplement le peu qu'on lui demandait.

Avec un autre contractant qu'il connaissait de nom, il avait piégé les collaborateurs de Normandeau qui étaient morts dans ses locaux de campagne. Il trouvait assez ironique que le père d'une de ses victimes habite la maison d'à côté, mais à tout prendre, il s'en fichait complètement.

Les yeux mi-clos, il profitait des derniers rayons du couchant en somnolant, preuve supplémentaire de son manque de remords, lorsqu'il entendit la porte de la clôture de la cour s'ouvrir. S'attendant à voir arriver Marshall et son argent, il ne fit même pas mine de se lever. Deux hommes, dont l'un tenait un attaché-case, firent irruption dans son champ de vision. C'était bien l'argent, et Marshall devait être occupé à gérer le ramdam qu'il avait créé… Tous les officiels du pays se démenaient comme des diables depuis le matin pour éviter la guerre civile. De plus en plus de rapports faisaient état de groupes armés, selon la radio de l'un de ses voisins qu'il pouvait entendre d'où il se reposait.

L'un des hommes se dressa au-dessus du hamac et demanda :

— Thériot ?

— En personne. Déposez l'argent et passez une bonne soirée, messieurs.

— Quel argent ? demanda le deuxième homme avec un accent italien à couper au couteau.

« Oh, merde ! »

Thériot gardait bien une arme chez lui, mais il n'était pas assez rapide pour y courir. Il décida donc de la jouer relax, ce qui ne trompa nullement les deux envoyés de Lotto Finetti. Ils saisirent chacun un bout du hamac et firent tomber le proxénète sans ménagement sur le sol dallé de la cour. On entendit nettement un craquement lorsque Jean-Marc se reçut sur le bras droit.

— Oooh, si c'est pas dommage ! lança le cousin de Domenico Santori en voyant l'autre se tordre de douleur, ce qui fit rire son comparse.

Ils en étaient à leur septième visite de la soirée, le parrain ayant rajouté à la dernière minute près de deux cents noms sur la liste qu'il avait remise à ses hommes. Il lui avait semblé plus prudent d'éliminer immédiatement ceux qui auraient pu remplacer les assassins de la nuit précédente, qui seraient très peu à voir le soleil se lever sur la journée du 16. Finetti avait d'ailleurs piraté lui-même les dossiers de Murphy, qui n'était guère en position de le remarquer à l'heure qu'il était, occupé à survivre aux tortures de Martel et Taylor. Le vieillard avait d'ailleurs beaucoup impressionné ses petits-fils, qui n'étaient pas très versés en informatique. À quatre-vingt-neuf ans, le parrain avait engagé un pirate de talent et lui avait demandé de tout lui apprendre, à partir de zéro.

— Comme ça, mon christ, on fait de l'*overtime* pour la GRC ? demanda Joseph.

— On pose des bombes dans les bureaux de comté ? ajouta le deuxième homme.

Ils furent interrompus par un cri de désespoir poignant du voisin de Thériot, qui venait de voir à la télévision des images de l'endroit où avait été pulvérisé son fils de vingt-huit ans.

— Va voir de quoi il s'agit, dit Joseph.

Lorsque son collègue fut parti, l'homme de la mafia releva brutalement Thériot et lui balança son pied dans les testicules avant de le laisser retomber au sol, hors d'haleine. La tête du souteneur percuta durement le béton.

— Je sais qu'on ne le dirait pas de ton point de vue, mais tu serais surpris du bien que ça peut me faire chaque fois, dit Joseph avant d'envoyer son pied chaussé de Gucci dans la mâchoire du proxénète, la brisant sur le coup.

En entendant revenir son ami, Joseph demanda :

— Alors, c'était quoi, ces cris de…

Il s'arrêta net en voyant un homme qu'il ne connaissait pas aux côtés de son ami. La rage qui se lisait sur son visage de celui-ci était impressionnante, même pour un homme habitué à la violence comme l'était Joseph Finetti. Un rictus furieux lui barrait la figure et même Jean-Marc, dont les couilles enflaient à vue d'œil, eut de la peine à reconnaître son voisin. Joseph haussa un sourcil à l'intention de son subordonné.

— Joseph, je te présente Pierre Meilleur… Quand M. Meilleur m'a expliqué que son fils était mort dans l'explosion d'Anjou, j'ai cru juste de lui présenter le lâche qui avait posé la bombe.

— Vous oublierez que vous nous avez rencontrés, n'est-ce pas, Pierre ?

— Oui, monsieur, répondit le voisin d'une voix que la rage faisait vibrer, sans même porter le regard sur le principal lieutenant de Finetti. Rencontré qui, d'ailleurs ? Je ne vous ai jamais vus.

Joseph sourit, en pensant que cet homme avait une force de caractère peu commune. Alors qu'il allait ajouter quelque chose, Meilleur se jeta sur Thériot d'un élan prodigieux et donna libre cours à sa fureur. Les deux mafiosis inspectèrent la cour entourée d'une haute clôture qui l'isolait des voisins. Le seul qui aurait pu les voir frappait de toutes ses forces sur l'ordure qui gisait à leurs pieds. Après une ou deux minutes, ils saisirent Meilleur par les épaules et le remirent debout. Thériot saignait d'une douzaine de coupures au visage et il y avait fort à parier que ses pouliches pourraient dormir en paix jusqu'à leur majorité. Meilleur semblait dépité de ne pouvoir le faire souffrir davantage, jusqu'à ce que Joseph sorte de son costume un Beretta équipé d'un silencieux.

— Je peux ?… demanda le voisin avec espoir.

— Seulement si vous le souhaitez. Si on vous suspectait…

— … j'ai acheté l'arme au marché noir et je l'ai jetée dans une grille d'égout à l'autre bout de la ville parce que j'étais paniqué…

Joseph hésita encore un court instant, mais il savait que le parrain lui-même aurait laissé Pierre Meilleur venger son fils. Il tendit l'arme au petit homme décharné. Les yeux de Thériot s'agrandirent une dernière fois de terreur lorsque son voisin demanda à l'acolyte de Joseph :

— Où est-ce que c'est le plus douloureux ?

— Dans le ventre, répondirent à l'unisson les deux hommes de Finetti.

On entendit à peine les coups de feu dans la nuit qui venait de tomber.

17

Jonathan Roof fixait le mur qui faisait face à son bureau d'une expression vide, effrayante. Une télévision, dans le coin de la pièce, lui montrait depuis des heures les conséquences directes de ses actes. Le premier ministre du Canada ne se cachait pas la tête dans le sable. Il savait ce qu'il avait fait.

Ses propres amis auraient été sidérés d'apprendre à quel point Roof était croyant. Il avait accompagné ses parents à l'église chaque dimanche durant toute son enfance et savait parfaitement faire la différence entre le Bien et le Mal. Une grande pièce, dans la maison de la rue Sussex, était toujours restée fermée à sa femme. Jusqu'à ce qu'elle parte quelques jours plus tôt, elle avait cru que son mari y avait installé un quartier général, l'équivalent de la *situation room* sise au sous-sol de la Maison-Blanche. Un appel en provenance de cette dernière avait d'ailleurs abouti dans le bureau du PM dans l'après-midi, et Roof n'avait pas tellement été surpris d'entendre la voix du nouveau président des États-Unis lui gueuler :

— *What's wrong with you, Jonathan ? What are you doing in Quebec, crazy lunatic ?*

Il avait simplement raccroché, sans répondre.

Alors qu'il ressassait les événements des deux derniers jours, Jonathan s'aperçut qu'il avait quitté son bureau en pilote automatique pour se retrouver devant la porte fermée à clé de sa pièce privée. Il sortit son trousseau, la déverrouilla, et celle-ci s'ouvrit sur une petite, mais magnifique chapelle. L'effet qu'il ressentait, en passant de la salle de conférence où s'étaient réunis tous ses ministres, trois semaines plus tôt, à cette pièce qui paraissait si incongrue en ces lieux, lui mettait toujours du baume au cœur. Il sortit son téléphone avant d'y entrer et réveilla sa secrétaire pour lui demander de convoquer le père Johnston, qui venait de temps à autre y célébrer une courte messe et l'entendre en confession.

Le dilemme de Roof tenait au fait qu'il croyait sincèrement que ses actes étaient indispensables à l'unité du pays. Il croyait encore, à cet instant précis (étant probablement le seul citoyen canadien à y croire) que le Québec et ses dirigeants reviendraient sur leur décision. Ces imbéciles ne pouvaient tout simplement pas scinder son pays comme ça ! Il détestait plus que jamais les Québécois de l'avoir placé dans cette situation intenable. Elle l'était d'autant plus, maintenant, que des milices civiles, qu'il soupçonnait fort d'avoir été créées par Normandeau, sillonnaient les rues pour éviter que le scénario de la nuit précédente ne se reproduise. À leur décharge, les volontaires tançaient aussi bien les francophones fauteurs de troubles que les Canadiens qu'ils expulsaient *manu militari* à l'extérieur des frontières du nouveau pays, par autobus entiers. Une surprise de taille les attendrait cette nuit-là, s'ils ne rentraient pas sagement à la maison.

Jordan était prêt à passer à l'action. Roof savait que le vieux militaire avait des scrupules, mais qu'il obéirait aux ordres. Il savait aussi qu'il n'avait guère le choix de donner ces ordres, après les millions qu'avait coûtés l'opération. De plus, cela éteindrait en partie le feu allumé par son homologue du Québec qui l'avait accusé d'avoir prémédité les attentats. Il s'était demandé pourquoi cette intervention l'avait tellement outré, puisque ce gros con avait totalement raison, pour une fois.

Son majordome toussa discrètement derrière lui. Il précédait un vieillard chenu qui avait visiblement été tiré du lit sans en paraître contrarié. Une fois seul avec le premier ministre, il le suivit dans la chapelle, s'émerveillant comme chaque fois de sa beauté. Son visage, par contre, était devenu un bloc de marbre, ce qui n'échappa pas très longtemps à Jonathan Roof.

— Comment allez-vous, père Johnston ?

— Pour un homme qui a perdu une nièce dans l'explosion d'une discothèque la nuit dernière, je me porte comme un charme, John…

Le prêtre ne lui avait jamais donné autre chose que du « monsieur le premier ministre » depuis son élection. Le visage de Roof se décomposa.

— Toutes mes sympathies…

— Va chier !

— Mon père…

— Vous êtes à l'origine de tout cela, n'est-ce pas ?

— Je n'ai pas pu faire autr… Oui, mon père, dit simplement le PM.

— Souhaitez-vous être entendu en confession ?

— Vous le feriez quand même ?

— Oui, comme j'aurais confessé Hitler, Napoléon ou Staline s'ils me l'avaient demandé…

— *Come on !* Je ne suis pas à mettre dans la même catégorie, et je n'ai pas décidé des cibles, vous savez… C'est Mark Murphy qui…

— Comme si ça faisait une différence ! Et ce sac à merde, vous en avez fait quoi ? Mort aussi ?

Choqué d'entendre le curé qu'il connaissait depuis plus de quarante ans parler de cette façon, Roof baissa la tête.

— Je ne sais même pas, en fait… J'ai tenté de le joindre ce soir, et il n'a répondu à aucun de ses cinq numéros.

— Il s'est peut-être pendu, dit le prêtre avec un sourire lugubre. Il aura eu des remords, lui…

Avant que le premier ministre ne réponde, le père Johnston reprit :

— Je vous ai assez harcelé comme ça. La fonction passe avant l'homme, dans mon cas comme dans le vôtre, et je me dois de vous entendre en confession, puisque vous le demandez, même si j'ai l'impression d'avoir élevé un cafard en mon sein depuis quarante ans. Entrez dans le confessionnal, John… Entrez-y avant que je ne change d'avis et que je vous étrangle de mes propres mains…

Jonathan Roof, sans un mot, obéit.

18

Mike Sullivan priait aussi. Il ne se souvenait plus de la dernière fois où il avait eu l'occasion de le faire. Il avait prié à la mort de sa sœur, des années auparavant, et croyait bien ne pas avoir renouvelé l'expérience depuis. Il trouvait hypocrite de s'adresser à un Dieu qu'il méprisait pour toutes les souffrances qu'il imposait au monde, et cet anglophone pure laine aurait été surpris d'apprendre qu'un auteur on ne peut plus français, à savoir Camus, partageait ses vues sur la question. Naturellement, Camus était mort de mort naturelle, alors que Sullivan, qui n'avait fait toute sa vie qu'obéir aux ordres, allait être froidement exécuté, et pas de la façon la plus agréable qui soit.

L'ancien capitaine de l'armée canadienne, en état de légitime défense, avait abattu quatre soldats francophones lorsque la base entière s'était lancée dans l'hallali dont il était le gibier. Avec l'arme du soldat qu'il avait assommé, il n'avait tiré qu'en dernier recours, pour sauver sa peau, ce qu'il n'était pas parvenu à faire. Lorsqu'il s'était trouvé à court de munitions, ils lui étaient tombés dessus comme la vérole sur le bas clergé.

Le commandant Marcoux regrettait amèrement, en voyant ses hommes entraîner Mike jusqu'au terrain de manœuvre, qu'ils ne l'aient pas simplement descendu sans autre forme de procès. Au moins, il n'aurait pas eu sa mort sur la conscience. S'il tentait d'extraire le traître de cette fâcheuse situation, il risquait la mutinerie. Avec son état-major, il était presque persuadé qu'il y serait parvenu, mais certains des gradés en faisant partie n'avaient aucune envie de venir en aide à l'homme choisi par Bethleem Jordan. De plus, en ces temps troublés, il pourrait aussi bien recevoir une balle dans le dos en tentant simplement de rétablir le calme.

Marcoux n'avait pas peur de mourir, mais il avait besoin de ses hommes, unis, pour affronter ce qui allait inévitablement survenir. Ses effectifs, de même que ceux de Bagotville et de Saint-Jean-sur-Richelieu, avaient déjà été amputés d'un nombre important de soldats destinés à garder les frontières. Que Dieu lui pardonne, mais il ne pouvait intervenir en ce qui concernait Sullivan. Il n'en avait plus le temps, de toute façon…

Un sergent nommé Boudreau, affecté aux cuisines en temps normal, s'avança vers l'homme de Jordan, un sourire aux lèvres. Il tenait à la main une corde de chanvre qu'il balança par-dessus la potence improvisée rapidement par le charpentier de la base. Pratiquement tous les hommes encore présents dans le périmètre y étaient. Boudreau fit taire d'un seul regard les quelques hommes qui insultaient encore Sullivan, protégés par l'immunité de la foule, tandis qu'il confectionnait un nœud coulant.

Le supplicié avait les poignets et les chevilles entravés par des chaînes, mais il ne se débattait pas beaucoup. L'esprit clair et aussi serein que possible, il priait Dieu de l'accueillir au ciel malgré plusieurs actions commises durant la guerre du Golfe, sur les ordres de ses supérieurs. Il avait les yeux grands ouverts et fixait la foule sans animosité. Alors qu'un silence de mort planait sur Valcartier, Mike dit simplement, d'une voix qui portait :

— Si la situation avait été inversée, vous en auriez fait autant. Sachez que je n'ai rien fait du tout, mais j'aurais obéi aux ordres si j'en avais eu l'occasion.

Il n'y avait pas de gibet. Un simple banc de bois avait été placé sous la potence, et la corde, menaçante, semblait provoquer Sullivan, le défier d'affronter la mort. Il fut surpris de constater qu'effectivement, il s'en sentait capable.

Il refusa la cagoule qu'un soldat lui proposa, et ébahit la foule en grimpant de lui-même sur le tabouret, où on lui passa la corde au cou. Un capitaine, qui avait siégé à l'état-major avec Mike depuis son arrivée, dit d'une voix forte :

— Mike Sullivan, vous êtes coupable de haute trahison, et du meurtre des soldats Frédéric Dandenault, Philippe Séguin, Catherine Therrien et Luc Martinault. En temps de guerre, un seul châtiment peut vous être infligé : la peine de mort !

Sullivan lui jeta un regard qui en disait long. À quoi aurait-il pu être condamné, debout sur un banc et la corde au cou ? Aux corvées de latrines ? Il dit d'une voix égale :

— Je ne vous déteste pas. J'ai même acquis pour les francophones une sorte de respect depuis que ce bordel a commencé. Je ne vous aime assurément pas, mais je n'ai aucune haine. Par contre, vous me tuez pour affirmer qui vous êtes, et je trouve cela ridicule. Vous n'avez rien à foutre de vos amis ; je me soucie probablement plus des quatre soldats que j'ai tués que vous… Seulement, vous ne pouvez digérer que je sois un type bien tout en étant anglophone. Tout comme on ne pouvait accepter, il y a soixante ans, qu'un Noir soit une personne de valeur. Tuez-moi si ça vous chante… Vous me traitez de traître ? Non… C'est moi qui ai été trahi par mon gouvernement. Une dernière chose… *Go fuck yourself!*

À la consternation générale, tous virent Sullivan sauter de lui-même du tabouret.

Il mourut plus rapidement que les hommes de Valcartier ne trouvèrent le sommeil ce soir-là.

Une heure après la mort de Mike Sullivan, le commandant Marcoux déclarait l'état d'alerte et ordonnait le rassemblement de ses troupes.

19

— Arrêtez ! Arrêtez, je vous en supplie ! hurla Mark Murphy

— Prêt à jaser, maintenant ? demanda Curtis Taylor d'une voix qu'il voulait assurée, mais qui frôlait la fatigue extrême.

Taylor ne s'était jamais fait à la torture, et cette séance figurerait probablement au top cinq des plus affreuses qu'il avait eu à mener personnellement. Même Martel, dont l'insensibilité avait entretenu la légende, paraissait écœuré. Pour un homme qui avait hurlé comme une fillette à leur apparition, Mark Murphy s'était révélé être l'un des enfoirés les plus coriaces qu'ils aient eu à affronter. Quatre heures ! Quatre heures à endurer les supplices les plus tordus !

Murphy faisait pitié à voir. D'un individu passablement présentable dans la matinée, il était devenu une véritable loque humaine. Son visage avait pris les couleurs de l'arc-en-ciel, et ses deux yeux, qu'il ne pouvait plus ouvrir depuis plusieurs heures déjà, étaient noirs comme une nuit sans lune. Les doigts et les orteils cassés, Murphy ne voulait qu'une chose, que ses bourreaux lui refusaient : mourir.

Les deux agents du SG4, pour ne pas flancher, devaient se répéter sans arrêt qu'ils avaient devant eux le responsable de deux mille morts. Le planificateur, à tout le moins… Ce salopard avait tenu le coup, même après que Martel eut placé les électrodes sur ses couilles. Ils avaient dû cesser le manège au troisième évanouissement du directeur de la GRC, quand Curtis avait laissé entendre qu'ils ne seraient pas plus avancés s'il leur claquait dans les mains. « Étonnant, d'ailleurs, que ce ne soit pas encore arrivé », avait-il murmuré à l'oreille de son collègue. Heureusement, Murphy avait tenu le coup, car ils avaient besoin de lui en vie ! Autrement, beaucoup de gens allaient mourir… Qu'importe ! Il existe tant de moyens de faire souffrir quelqu'un…

Ils en furent pour leur frais. Même s'ils parvenaient à faire cracher le morceau à leur prisonnier, ils savaient tous les deux qu'ils ne pourraient contrer les plans de Roof s'il avait l'intention d'agir cette nuit. Cela concernait l'armée, mais de quelle façon ? Que comptait faire Bethleem Jordan de si important pour que le directeur de la GRC accepte d'endurer tout cela pour le couvrir ? Ils devaient maintenant se résoudre à employer la technique la plus barbare qui soit : Taylor devrait torturer la fille de Murphy devant lui pour le faire parler, quelque chose qu'il ne se pardonnerait jamais d'avoir fait. Il était sur le point de donner l'ordre d'aller la chercher lorsque Martel, de guerre lasse, avait simplement flanqué son poing dans la figure de l'homme de la GRC. C'était la goutte d'eau, semble-t-il, car ils avaient enfin entendu les mots magiques :

— Je n'en peux plus… Je vais parler ! Je vais parler, maudite bande de dégueulasses !

Une heure plus tard, lorsque Mark Murphy s'était enfin tu, les deux hommes avaient compris qu'ils avaient gaspillé quatre heures en pure perte : ils ne pourraient pas contrer Roof de toute façon.

— Achève ce pauvre diable, dit Curtis Taylor.

— Merci mon Dieu… murmura Mark Murphy.

20

Benny Trudeau sirotait sa troisième bière de la soirée lorsque Murphy craqua. Il était étendu sur le divan de l'appartement de Marcus (de *leur* appartement ! il avait maintenant de quoi payer le loyer !), la tête appuyée sur les cuisses de Julie Galipeau. Cette dernière regardait son père qui donnait une entrevue à l'un de ses collègues ayant appris qu'il avait fêté l'indépendance avec le premier ministre lui-même. Elle dit à son amoureux, en souriant :

— Il passe drôlement bien à l'écran, non ?

— Ouais… Il a de la classe.

La jeune fille avait subi une telle transformation ces dernières semaines que même Benny s'en étonnait parfois. La passion lui avait donné une toute nouvelle beauté, et elle n'avait plus beaucoup de choses en commun, physiquement, avec la jeune femme qui avait menotté les contestataires à des lampadaires, moins de trois semaines plus tôt. « Trois semaines ? pensa Trudeau, incrédule. Un siècle, oui ! »

Il l'avait toujours trouvée belle, et ce changement n'en était pas un pour lui. Il aurait été étonné qu'on le lui fasse remarquer, mais Benjamin Trudeau avait toujours su jauger l'âme des gens, et la beauté de celle-ci. Celle de la fille de Mathieu Sinclair était pure et droite, et son enveloppe charnelle suivait maintenant le mouvement.

Trudeau ne savait presque rien des plans de Bethleem Jordan, mais il était inquiet. Une inquiétude sourde qui ne lui laissait pas de répit depuis qu'il avait été réveillé par les explosions la nuit précédente. Même sans menace supplémentaire, il y avait déjà de quoi s'inquiéter au Québec, par les temps qui couraient.

Il avait parlé plus tôt avec Réjean Morin, qui était devenu officiellement le chef de la police du pays, et le petit moins-que-rien de Longueuil s'était entendu donner du M. Trudeau par le grand homme, ce qui avait fini par le convaincre qu'il était désormais quelqu'un. Morin songeait à engager une grande partie des effectifs des agences de sécurité du Québec, sans parler de nombreux civils recommandés par ses hommes, pour contenir les émeutes qui pourraient encore éclater.

Depuis le bulletin de Sinclair, quatre heures plus tôt, une autre douzaine d'anglophones avaient été tués dans la métropole seulement. On avait retrouvé le dernier pendu à un lampadaire de Westmount, qui avait maintenant tout d'une ville-fantôme. Ce qui intriguait le plus le chef de la police était comment diable ils s'y étaient pris pour l'accrocher là-haut… Après avoir vu tant de braves gens mourir pour rien la nuit précédente, la mort d'un anglophone n'impressionnait pas spécialement Benny. Mais il n'approuvait pas.

En raccrochant, Réjean Morin avait touché Benny au cœur en disant simplement, d'une voix lasse :

— Merci encore de ce que vous avez fait pour nous, M. Trudeau.

— Merci de me faire confiance, avait répondu Trudeau, la gorge nouée par l'émotion.

Il n'avait pas vu Marcus depuis la veille. Il ignorait où se trouvait son ami et s'en inquiétait un peu, car Fontaine ne répondait pas lorsqu'il l'appelait sur son téléphone cellulaire. Il savait qu'il n'était pas avec Elizabeth, puisque celle-ci avait été interviewée un peu avant Sinclair, sur la série d'articles qu'elle avait pondus depuis une semaine et qui avaient été repris un peu partout à travers le monde. Elle était devenue une célébrité instantanée, et sa beauté en faisait la cible des journalistes de la télévision. Marcus et elle s'étaient très rapidement liés l'un à l'autre, ce qui n'était pas passé inaperçu.

Julie Galipeau s'endormit peu après, mais le sommeil fuyait Benny. Sa frêle silhouette se découpant dans le cadre de la fenêtre, il observait la rue, ne sachant pas très bien ce qu'il attendait, mais attendant néanmoins.

Quoi que ce soit, cela viendrait bien assez tôt.

21

Phillibert Maynard tirait une tête d'enterrement. Ce géant de près de deux mètres, aux façons brutales, cachait une intelligence de toute première classe. Raison pour laquelle il avait, au fil des ans, gravi les échelons des Desperados pour en devenir le chef. Ce qui était jusqu'alors une bande de motards locale de Montréal devint un groupe organisé connu dans tout le pays, même si la plupart de leurs activités étaient cantonnées au Québec. Benny Trudeau l'avait rencontré trois jours plus tôt dans le cadre de la tournée organisée par Martel. Maynard regardait tour à tour le téléphone qu'il venait de raccrocher et ses principaux adjoints. Il avala d'une traite le gin qu'il avait à la main, grimaça et dit :

— Pas de chance, messieurs... Il semblerait que nous venions de passer du côté de la loi...

Tous surent de quoi parlait Maynard, et les figures s'allongèrent. Ils ne savaient pas en quoi consisterait leur participation, ou si peu, mais ils se doutaient bien que, pour une fois, ils n'auraient pas l'avantage du nombre ni même des armes. La sœur d'un des hommes assis à cette table avait été frappée de plein fouet la nuit d'avant par la roue d'une voiture piégée, et elle était dans le coma. Aucun d'entre eux ne reculerait, même s'ils savaient qu'il était peu probable qu'ils soient tous réunis à la même table, la semaine suivante. Plusieurs d'entre eux allaient vraisemblablement mourir, mais ils travaillaient dans un milieu où les chances de vivre vieux étaient assez minces…

Maynard, qui ne l'aurait pas avoué sous la torture, possédait un doctorat en philosophie. Il s'était battu dans nombre de guerres entre les clubs, contre la police, les triades et la mafia. Il venait d'apprendre qu'outre les triades, qui s'abstiendraient, son gang devrait maintenant faire équipe avec tous ses anciens ennemis.

Fontaine, le type qui venait d'appeler et qu'il avait vu sans arrêt aux informations (qu'est-ce qu'il lui avait mis à ce con, au parc Lafontaine !), l'avait prévenu qu'un de leurs alliés était en route vers leur repaire, pour leur donner le peu d'infos qu'ils possédaient maintenant grâce à Curtis Taylor.

— Et comment je le reconnaîtrai ?

— Ne vous inquiétez pas, avait conclu Marcus avec un sourire dans la voix. Vous le reconnaîtrez…

Quelques minutes plus tard, un homme prévenait Maynard que Lotto Finetti était à leurs portes.

Phil n'avait rencontré le parrain qu'à trois ou quatre occasions, et il avait dû se faire violence pour cacher le respect que le vieil homme lui inspirait, même s'il avait son organisation en horreur. Le chef des Desperados redoutait le jour où celui-ci laisserait le pouvoir à ses petits-fils, ignorant qu'il était de la dissolution décidée par Finetti. Le petit homme, tiré à quatre épingles malgré l'heure tardive, l'attendait devant la porte. Seul. Maynard regarda autour de lui à la recherche d'hommes de main, mais le mafioso lui évita cette peine d'un geste de la main.

— Ne vous fatiguez pas, M. Maynard… Je suis venu seul, comme vous allez me suivre seul. Nous avons une longue nuit de travail devant nous, et quelques autres associés à rejoindre. Nous allons prendre mon hélicoptère…

— Et puis quoi encore ? grogna Phillibert. Je vous suis, seul, et dès qu'on a tourné le coin de la rue, une douzaine de vos hommes apparaissent et éliminent votre principal concurrent ?

Finetti eut une moue méprisante.

— Souffrez d'apprendre, mon jeune ami, que les triades sont mon principal concurrent, parce qu'ils passent plus de temps à faire des affaires que de la motocyclette, et qu'ils ne sèment pas les cadavres derrière eux.

— J'veux ben, moi, mais vous avouerez que toute c't'histoire sent vraiment pas bon. Les motards, la mafia, la police et les services de renseignement canadiens par-dessus le marché... Pour combattre une armée ? Ce n'est pas seulement étrange, c'est crissement pas possible ! Et qui c'est qui vient m'annoncer ça ? Une vedette-minute de la télé !

Lotto Finetti sortit son téléphone cellulaire de la poche de son veston et composa un numéro. Après avoir échangé quelques phrases à mi-voix, il le tendit à Phillibert Maynard en disant simplement :

— Pour vous...

Maynard se saisit prudemment du combiné, comme s'il avait pu être piégé.

— Allô ?

— Bonsoir, M. Maynard. Ici le premier ministre...

Maynard se redressa d'un coup, comme secoué par une décharge électrique.

— Oui, monsieur le premier ministre !

— Je n'irai pas par quatre chemins, Phillibert, et je ne vous raconterai pas de conneries. On a besoin de vous et de vos hommes sur ce coup. Nous ne serons pas assez nombreux et nous savons à peine ce que nous aurons à combattre. Nous ignorons même si nous aurons à le faire. Vous avez l'occasion aujourd'hui de rendre un peu de ce que vous avez pris au fil des ans. Nous aiderez-vous ?

Maynard regarda Lotto Finetti, qui haussa les épaules avec l'air de dire : avons-nous vraiment le choix ?

— Oui, monsieur, répondit Maynard.

— Merci Phillibert, dit George Normandeau. Suivez M. Finetti ce soir. Vous êtes sur le point de fonder un état-major qui passera à l'histoire, fit le premier ministre avec un petit rire.

— Oui monsieur, dit Maynard, qui se sentait incapable d'articuler autre chose.

Après avoir récupéré son téléphone, le parrain demanda :

— Convaincu, petit ?

— Difficile de faire autrement, dit le chef des Desperados en lui emboîtant le pas.

22

Bethleem Jordan profitait du calme avant la tempête. En regardant par la fenêtre, il ressentit encore une fois un choc en voyant autant de ses hommes réunis au même endroit, car c'était assez peu fréquent. Il regarda les immenses enceintes accoustiques installées tout autour de l'impressionnante superficie couverte par les soldats. Vingt mille hommes en tenue de combat se tenaient devant l'édifice à deux étages qui avait jadis été le centre sportif d'une petite ville de l'Ontario, avant que le principal avocat de Jonathan Roof n'oblige le propriétaire à vendre ses terres à perte au gouvernement canadien. En plus de ce terrain, il avait dû en céder plusieurs autres qui jouxtaient la frontière du Québec, nouvellement protégée par les effectifs de Bagotville.

Curtis Taylor aurait été atterré d'apprendre que le chantage perpétré contre l'ancien propriétaire pour acquérir ses terres n'aurait pu être possible sans lui. Il avait découvert, quelques années auparavant, alors que l'homme était ministre des Transports, qu'il avait une préférence nettement marquée pour les jeunes garçons. Après les négociations, où il s'était fait voler comme au coin du bois, l'ancien ministre avait tout bonnement disparu à l'étranger, selon les registres de l'immigration. Peu d'hommes savaient qu'il se trouvait en fait sous six pieds de terre et, pour le moment du moins, sous vingt mille soldats qui attendaient le discours du chef des armées. Rangés aux limites du terrain, plusieurs dizaines de tanks attendaient leurs occupants, tout comme cinq cents camions servant au transport des hommes de troupe.

Jordan était conscient qu'il allait faire le discours le plus important de sa carrière, un discours qu'il avait dû préparer seul, sans aucun de ses assistants, pour garder le secret le plus longtemps possible. Un secret qui en était maintenant un de polichinelle, même si les quelques membres de la presse en possession d'une partie de l'information ignoraient s'ils devaient la divulguer et créer la panique. Grâce à Curtis Taylor, le premier ministre savait aussi, de même que son état-major. Parmi les troupes, d'un côté comme de l'autre, on savait à quoi s'attendre.

Jordan savait aussi qu'en mettant le pied sur l'estrade, il signerait son propre arrêt de mort, mais il était surpris de n'en être pas plus bouleversé. Cinq minutes auparavant, il avait soulevé le combiné de son téléphone et entendu la voix glaciale de Curtis Taylor.

— Alors, Bethleem, on s'apprête à causer des milliers de morts de plus ?

— Vous êtes malade, Taylor ! Dois-je vous rappeler que nous allons faire régner l'ordre, et ce ne sera pas un luxe si j'en crois ce que je vois à la télévision !

Taylor faillit s'étouffer de rage devant tant de mauvaise foi.

— La faute à qui, hein ? Espèce de grand con sans cervelle ! Êtes-vous aveugle au point de ne pas voir ce que vous allez déclencher, merde ?

— Épargnez-moi ce discours, Taylor. J'ai eu la même conversation avec notre ami de la GRC. À croire que la trahison est contagieuse…

— J'espère que vous en avez profité, car c'est la dernière conversation que vous aurez eue avec M. Murphy… Votre collègue est mort, Jordan, après ce qui aura été, sans conteste, la pire journée de sa vie.

Jordan comprit pourquoi il n'avait pu joindre Mark en début de soirée.

— Espèce de salopard!

— Si vous vous adressez aux troupes, si une seule division franchit les frontières de mon pays, vous serez mort avant la fin de la semaine. Vous me connaissez bien assez pour savoir que je tiens toujours mes promesses.

Et la ligne avait été coupée.

« Et puis merde! J'ai plus de soixante ans, pratiquement pas un rond de côté et ma femme me fait chier! », se dit le chef des armées en mettant le pied sur la première marche du podium, devant un auditoire soudainement beaucoup plus calme.

Paraphrasant le cri de ce capitaine inconnu, qui revenait à chaque guerre, il marmonna:

— En avant, feignant! Tu pensais vivre éternellement?

Il prit le temps d'admirer les troupes présentes devant lui. En isolant mentalement la moitié des soldats qui attendaient ses premiers mots, il se fit une juste idée des effectifs demeurés au Québec et fort probablement perdus à ses yeux. Jordan savait qu'il y aurait beaucoup plus d'hommes affectés à la défense du Québec que ces dix mille soldats félons; on pouvait compter sur Curtis Taylor pour y veiller, spécialement s'il avait trahi dès le départ et avait eu trois semaines à sa disposition pour s'organiser. S'il ne pouvait être qualifié de lumière de la Création, Bethleem Jordan était loin d'être idiot, et il était probable qu'il ait une bien meilleure appréciation du foutoir dans lequel il allait se lancer que Jonathan Roof lui-même. Depuis sa désastreuse apparition à Magog, Roof n'avait pas remis les pieds au Québec. Le chef des armées y était encore la veille, au risque de sa propre vie. Il est vrai qu'en tenue de ville, peu de gens remarquaient ce vieil homme que rien ne distinguait de ses semblables.

S'approchant du micro, Bethleem Jordan inspira profondément, regarda ses hommes d'un air décidé, et déclencha la période la plus noire qu'ait jamais connue le Québec…

TROISIÈME PARTIE

« Va savoir combien de millions d'années d'évolution pour en arriver là… »

1

Georges Normandeau, en ce soir du 15 juillet, réfléchissait. Il se sentait impuissant et inutile, et ne savait comment y remédier dans l'immédiat. Il regarda avec dégoût le téléphone qu'il tenait à la main et le balança avec rage à travers la pièce, non sans s'être d'abord assuré que sa femme se trouvait bien derrière lui. Une dizaine d'années avant que Philippe Martin ne fasse de lui son bras droit, alors qu'il croyait être sur le point de perdre son siège de député devant son adversaire, il avait lancé de la même façon la télécommande de la télévision et avait manqué de peu Louise qui sortait de la salle de bain.

En ces heures tragiques, des années plus tard, Louise était toujours là, et elle se leva sans un mot pour ramasser le téléphone volant et le remettre à la portée de son politicien de mari. Il se mit à sonner aussitôt, ce qui leur arracha un sourire. Réjean Morin était en ligne.

— Bonsoir, monsieur le premier ministre.

— Bonsoir, Morin. Du nouveau ?

— On devrait se mettre à recenser les trucs qui tournent rond ou qui n'ont simplement pas changé. Ce serait plus encourageant. Et moins long ! C'est la pagaille ici, monsieur le pre…

— Appelez-moi donc Georges…

Réjean Morin sembla très touché, ce qui arrachait toujours un air perplexe au chef de la nation qui se rappelait des années où ses administrés lui criaient, d'un côté à l'autre des rues et boulevards d'Anjou :

— Salut Georges ! Comment ça va, M. Normandeau ? La p'tite dame va ben, toujours ?

— Des meurtres et des agressions, Georges. Ça a diminué, depuis deux ou trois heures, mais calice que ça va mal ! fit Morin d'un ton dépité.

La franchise de son futur ministre de la Justice (ce qu'ignorait encore le principal intéressé) fit naître un mince sourire sur les lèvres du leader du Québec.

— Et vos nouveaux effectifs ?

— Ça prend quand même un moment d'orchestrer le transfert des agents de sécurité et des civils recommandés par mes hommes. Il y a quatre fois plus de policiers dans les rues en ce moment qu'en temps normal. J'ai un autre problème maintenant. Je manque d'uniformes, calvaire ! Et malgré ce dont on a parlé, je ne compte pas les armer. Des matraques, mais pas plus. Il y a déjà assez de civils qui se baladent armés sans que je les fournisse moi-même ! S'ils sont bien décidés, ils pourront faire la job avec leur matraque !

Cette fois, Normandeau s'esclaffa carrément. Il aimait le style de Réjean Morin. Encadré de Curtis Taylor, d'Erik Martel et de Réjean Morin, il se serait aventuré n'importe où. Et ce petit nouveau là, qu'il avait trouvé à moitié nu chez sa nièce. Il assurait, le jeune ! Il était taillé pour la politique, si personne ne le tuait avant…

— Mark Murphy est mort, Réjean…

— Merde… J'irais pas jusqu'à dire que ça me fait de quoi, mais c'est vraiment con, tout ça…

— Et comment ! Mais nous avons été attaqués et nous nous défendons, maintenant. Et le SG4 est de notre côté, désormais, dit l'homme d'État d'une voix amusée.

— Hein ? fit Morin, ignorant qu'il était de la connexion établie avec Curtis Taylor, bien que Normandeau lui ait parlé d'un ami haut placé dans les services secrets.

Le visage même de Taylor lui était inconnu, et il l'avait rencontré une fois en compagnie du PM, sans le savoir. Le SG4 !

— On parle de l'ennemi, là, monsieur !

— Non. On parle de ceux qui nous ont tenu informés tout au long de l'opération. On parle des agents les mieux formés du pays par un homme absolument brillant. Notre pays, vieux d'un jour, a maintenant un réseau d'espionnage à la fine pointe de la technologie, et installé d'ores et déjà en plein territoire ennemi. Merci, mon Dieu d'avoir laissé traîner Curtis Taylor du côté des gentils…

— Plus rien ne me surprend, je crois… dit Morin d'un ton las. Je vous appelle demain matin, Georges, pour savoir où on en est. Ça va être une sale nuit. Je dois dormir un peu.

— C'est vrai, Réjean. Dites à vos hommes de faire attention.

Au moment exact où le premier ministre reposa le combiné du téléphone, l'armée canadienne envahissait le Québec.

2

Curtis Taylor faisait les cent pas. Son adjoint et lui s'étaient déplacés en tant d'endroits depuis trois semaines qu'ils savaient tout juste où ils se trouvaient. Le directeur des services secrets jugeait cela fort pénible. Quant à Erik Martel, il vivait ainsi depuis des années. Trop d'années.

Martel leva les yeux vers Curtis, et le directeur du nouveau SG4 vit la fatigue au fond de ceux-ci. Cet homme complexe, chez qui se rencontraient un homme de principe sympathique et une machine de mort, était à bout de force.

— Depuis quand n'as-tu pas dormi, Erik?

— Deux ou trois jours, je dirais, mais ce ne sera pas pour cette nuit non plus.

— Amphétamines?

— Oui, mais je vais devoir dormir quelques heures au lever du soleil. Y a des limites…

— Je sais. J'en expérimente quelques-unes en ce moment…

Martel eut un petit rire. Il dit à mi-voix, en détaillant la chambre d'hôtel où ils avaient fait halte en revenant d'Ottawa:

— Tu vas vraiment te retirer, Curtis?

— Oui.

— Tu seras capable de tout larguer comme ça? Tout ce que tu as bâti? Qu'as-tu d'autre?

— J'ai mon ex-femme et je t'ai, toi, dit Curtis en le regardant du lit où il était assis. On est bien amis, non ?

L'adjoint parut désarçonné un court instant, Curtis n'abordant que rarement sa vie personnelle, dont Martel, malgré leurs liens étroits, n'avait jamais été certain de faire partie.

— Sûr, Curtis... dit calmement Erik. Tu es mon seul ami ! Seulement, tu as l'air tellement serein à propos de ça...

— J'ai tué trop de gens... Des interrogatoires comme celui d'aujourd'hui, j'en ai menés beaucoup trop. Je ne changerai jamais d'avis sur l'utilité de nos services, car il faut que quelqu'un fasse le sale travail, mais je ne vois plus de raison à ce que ça soit moi. Je suis riche et j'en ai plein le dos ; ça se résume à ça...

Il eut un regard amusé vers son adjoint.

— Je ne t'apprends rien, puisque tu pars aussi... Tu as réglé de sales dossiers, où des tas de gens ont dû être effacés. Tu as tué de sang-froid pour éviter que des milliers d'autres soient tués. Il fallait le faire, mais ce n'est jamais gratifiant...

— Cent quarante-quatre, dit Erik Martel sur le ton de la conversation. J'ai tué cent quarante-quatre personnes depuis que je fais ce job. Je parierais que j'en aurai tué le double avant que tout ça ne soit fini...

Un silence pesant tomba durant quelques instants.

— Tu as fait le compte ? demanda Taylor en haussant un sourcil.

— Oui, et toi aussi, Curtis. C'est la différence entre les gentils et les psychotiques, dans notre branche. Les gentils se souviennent même des pourris qu'ils ont tués et se sentent concernés. Pas nécessairement de regrets, mais on se sent concernés. Tu tiens le compte aussi, non ?

— Oui, avoua Taylor en regardant par terre. Un peu plus de quatre cents, si je compte ceux dont j'ai ordonné l'exécution. Quatre cents, et je travaillais dans un bureau la plupart du temps !

Les deux hommes gardèrent le silence un moment, et seul le bruit de la pluie tambourinant sur la fenêtre de la chambre était audible. Leur hôtel était situé près de l'autoroute, à mi-chemin entre Québec et Montréal, à la sortie de Drummondville. Ils y étaient descendus en se rendant compte que la conduite de Martel devenait erratique par manque de sommeil. L'architecture laissait supposer un manoir anglais, impression réduite à néant par l'autoroute 20, quelques dizaines de mètres plus loin. Ils entendirent les tanks passer par là avant de se lever pour les voir.

Une fois debout, regardant la longue colonne défiler à pas de tortue, bloquant la fluide circulation de ce début de nuit, Martel ne put s'empêcher de frissonner. Il avait cessé de compter les camions couverts transportant la multitude de soldats nécessaires à la soi-disant application de la loi martiale prévue depuis le début par Jonathan Roof.

Les deux hommes, épaule contre épaule, profitèrent du spectacle durant les vingt minutes suivantes et ne furent pas sans remarquer que les trois derniers camions avaient emprunté la sortie de Drummondville sans ressortir par la suite.

Dans la pénombre de la chambre, uniquement éclairée par les lampadaires extérieurs, Curtis Taylor demanda :

— Tu crois que tu vas t'en tirer vivant, encore une fois ?

Avant qu'Erik n'ait eu le temps de répondre, la porte de leur chambre s'ouvrit à la volée, livrant passage à deux hommes armés de pistolets que Curtis ne reconnut que trop bien. Ils étaient bien décidés à venger l'humiliation que leur avait infligée Taylor dans le couloir du Château Frontenac et la mort de leur patron, dont ils avaient été informés.

À une vitesse étourdissante, et avec un synchronisme parfait, Martel et Taylor se jetèrent à plat ventre en sortant d'un même mouvement leur arme de service. Leurs agresseurs ne tirèrent à eux deux qu'une seule balle avant de tomber morts sous celles des agents secrets.

Martel et Taylor se relevèrent, le cœur battant la chamade. Curtis jeta un coup d'œil à la pendule. Ils s'étaient reposés une heure au lieu d'une nuit et devaient maintenant repartir. Martel brossa son costume d'un revers de la main négligeant en contemplant les cadavres. En imitant son patron qui se préparait à partir, il dit :

— Faut dire une chose de ces hosties-là : ils te tiennent bien réveillés ! Je n'ai plus du tout envie de dormir…

Taylor sortit de la chambre sans un regard derrière lui. Erik, en refermant la porte, regarda sans aménité l'homme venu pour le tuer. Il murmura doucement :

— Cent quarante-cinq…

3

Gregory Wilson ne parvenait plus à dissimuler ses inquiétudes à sa femme. Le vice-premier ministre du Canada se sentait tiraillé entre un profond désespoir et une rage sans nom. « Mon Dieu, pensa Wilson, inconscient qu'il priait pour la première fois depuis son retour du Vietnam, mais qu'ont-ils fait ? Comment ont-ils osé faire ça, au mépris de toute décence humaine ? » Alors que Georges Normandeau en était encore à s'interroger sur le degré de folie du premier ministre, Wilson avait établi un diagnostic définitif : Roof était fou à lier !

Bien qu'ayant peiné à terminer le *high school*, Gregory était loin d'être un idiot. Au fil des ans, alors qu'il grimpait laborieusement les échelons de la scène politique, il avait collectionné les contacts, voire certaines amitiés, dans toutes les sphères de l'activité gouvernementale, du plus bas sous-traitant à l'Environnement jusqu'aux services secrets. Les émeutes avaient semblé organisées à Wilson, et le discours de Normandeau, le soir où le Québec était devenu démocratiquement un pays, lui avait bien sûr mis la puce à l'oreille, mais il était loin de se douter de l'implication réelle de son gouvernement.

Un des contacts de Wilson était l'un des assistants personnels de Roof, qui avait rapporté le peu qu'il savait de l'histoire. Son homme au SG4, qui l'avait d'ailleurs bien averti que c'était le dernier service qu'il lui rendait, confirma le reste de ses craintes. Un communiqué de presse envoyé tardivement aux journaux annonçait simplement la formation d'un service d'intervention spécialisé, dont le nom resterait officieusement SG4, en complément des modifications apportées par Réjean Morin aux services de police de la province. Gregory comprit l'avertissement de l'agent.

Le PM en second s'interrogeait sur la marche à suivre. Que pouvait-il faire ? Roof entendrait parler de la moindre initiative provenant de son bureau, et les hommes de la GRC censés le protéger devaient rapporter chacun de ses mouvements. Il n'était pas parvenu à joindre Normandeau, qui avait refusé de prendre l'appel. Il ne pouvait l'en blâmer, même s'il pensait qu'il changerait bientôt d'avis. Le problème résidait surtout dans le fait que les deux hommes ne s'étaient rencontrés qu'en de très rares occasions et ne se connaissaient guère.

Ils devaient convenir d'une marche à suivre pour sauvegarder autant la population que l'image de leurs deux nations. Il devait insister sur le fait qu'il reconnaissait l'indépendance du Québec ! Son seul pouvoir se situait à un niveau secret, un vice-premier ministre sans ministère n'ayant vraiment que très peu d'influence dans les négociations à ciel ouvert. Il n'avait toujours pas digéré que Roof lui retire les Finances lors d'un remaniement ministériel deux mois plus tôt. Il ne devait le fait d'être encore vice-premier ministre qu'à une tracasserie bureaucratique. Autant s'en servir…

S'il devait vraiment en arriver là, et ainsi saborder l'image non seulement de son parti, mais aussi celle de son pays, Gregory Wilson était prêt à tout déballer en ondes. Il répugnait à le faire, toutefois, car il savait que Jonathan Roof s'en sortirait en criant au dépit d'un ministre largué profitant bassement de la situation critique de la province de Québec.

Il passait en revue chaque membre de son personnel, les cataloguant selon la confiance qu'on pouvait leur accorder. Quatre de ses assistants avaient travaillé avec le PM à un moment ou un autre. Il les confina gentiment sur une voie de garage, sans attirer l'attention, les obligations d'un vice-premier ministre étant de toute façon, par définition, d'un ennui affligeant.

Étirant le cou par-dessus le dossier de son fauteuil, il aperçut à l'extérieur l'un de ses gardes du corps, ce qui lui rappela ce qu'il avait à faire. Alors que les tanks, les camions et les hélicoptères étaient à dix kilomètres de Montréal, il appela Réjean Morin chez lui.

— Monsieur Morin ? Je suis Gregory Wilson, dit l'ancien combattant devenu homme politique.

— …

— Je me demandais si vous sauriez m'indiquer le moyen d'obtenir une protection sûre. Je n'ai guère confiance en mon escorte…

— Pourquoi m'appeler, moi ?

— Parce que je crains que l'on ne tente très bientôt d'attenter à ma vie, et parce que je dois parler à la licorne des services secrets. Je dois parler à Taylor !

4

Elizabeth Converse émergea du sommeil comme un sous-marin, par étapes successives. Elle avait conscience de la présence de Marcus à ses côtés, mais n'était pas assez alerte pour décider si elle rêvait encore, car d'étranges bruits entraient par la fenêtre de son appartement, alors que le cadran numérique de son réveil indiquait trois heures trente du matin.

Abruti de sommeil, son cerveau tentait d'établir le lien entre ce bruit et de vieux films d'actualités qu'elle avait visionnés récemment dans les archives de la télévision d'État. « Pourquoi est-ce que ces films me reviennent soudain en mémoire ? », se demanda Beth en se relevant sur un coude, laissant traîner sa main sur l'épaule de son nouvel amour. Ses yeux s'ouvrirent d'un seul coup. Les vidéos qu'elle avait trouvées par hasard portaient toutes sur la Deuxième Guerre mondiale, et particulièrement sur le Troisième Reich. L'invasion de la Pologne lui avait presque fait peur, rétrospectivement. Le bruit des troupes s'avançant vers leur but, ce terrifiant synchronisme dans le son des pas de ces milliers d'hommes, l'avait fait frémir, sans trop savoir pourquoi.

Ce bruit qu'elle entendait maintenant par la fenêtre, à échelle réduite…

Elle se dressa complètement dans son lit, puis passa le buste par la fenêtre pour voir les troupes marcher. La rue

Saint-Denis était occupée sur toute sa largeur par des soldats en armes. Elizabeth fixait l'armée avec stupeur, bien qu'elle ait été prévenue avant bien d'autres de son arrivée. Elle comprit alors que jusqu'ici, elle n'y avait tout simplement pas cru. On allait quand même pas se faire le *remake* de la Crise d'octobre ! Les explosions, c'était du concret auquel Elizabeth avait pu se raccrocher, mais là, ça devenait un cauchemar ! Elle proposerait d'ailleurs cette ligne comme *front* pour le journal du lendemain, puisque celui du jour était déjà bouclé.

Elle l'ignorait encore, mais la 113e escouade, au moment où elle se réveillait, effectuait une saisie dans les locaux du *Provincial* et repartait avec tous les exemplaires qui n'avaient pas encore été acheminés vers leur destination, soit près du quart des deux millions prévus pour la journée. La saisie était illégale, même sous le couvert de la loi martiale qui n'avait pas encore été décrétée officiellement, mais comme l'application de la loi elle-même l'était, c'était bonnet blanc et blanc bonnet pour la majorité de la population, qui n'avait pas encore conscience d'avoir été envahie.

Le téléphone de Beth sonna à ce moment-là, réveillant Marcus qui se dressa d'un bond, pratiquement en position de combat. Il se laissa retomber sur le lit et jeta un coup d'œil par la fenêtre. Le premier mot qu'entendit donc Raoul Gagnon, le rédacteur en chef, fut :

— Tabarnac !

— Pourquoi est-ce que la voix qui vient de sacrer me semble familière, Beth ?

— Je t'expliquerai, patron. Tu ne m'appelles pas au beau milieu de la nuit pour me parler de mon chum, non ?

— Des problèmes aux frontières. De gros problèmes. Je ne suis pas à l'aise de te demander ça, mais…

— … mais tu veux que j'y aille ?

— T'es pas malade, non ? s'exclama Gagnon d'une voix où perçait l'incrédulité. Il y a des morts, ma grande, et ce n'est que le commencement. On vient de perdre le dixième de nos forces, et je ne vais certainement pas envoyer un de mes hommes, et moins encore ma meilleure journaliste au milieu d'une boucherie !

— Qu'est-ce que tu veux, Raoul ?

— Ma mère habite à dix kilomètres des frontières de l'Ontario, en plein sur la route qu'ils ont empruntée. C'est une vieille entêtée, et j'ai entendu dire que les troupes avaient fait du grabuge chez des particuliers. La ligne est en dérangement. Je ne sais pas quoi faire... Tu connais beaucoup de gens, alors je me suis dit que…

Beth griffonna sur un calepin, à l'intention de Marcus : *Le SG4 a-t-il quelqu'un près des frontières, près du passage de Wilmington ?*

Marcus prit son téléphone portable et composa le numéro de Martel, qu'il trouva en route pour Montréal. Il posa la question, et répondit par l'affirmative à Elizabeth, qui dit simplement à son mentor :

— Considère que c'est chose faite. Quelqu'un va te ramener ta mère dans la journée, et j'espère que tu ne t'opposes pas au transfert du SG4 au Québec dans l'édition d'aujourd'hui, parce que c'est eux qui s'y collent !

— L'info sur le SG4 ? À trois pages des nécros, si je me souviens bien. Juste après les horoscopes de Mme Lune. Cette hostie de conne-là a prédit plein de bonnes affaires à tout le monde, il paraît. Elle doit envoyer ça par e-mail de Fort Lauderdale !

Il fit une pause et dit :

— Je t'en devrai une, Beth. Merci énormément.

— Tout pour satisfaire le client, dit Converse en raccrochant, avant d'attirer Marcus vers elle pour observer le manège des soldats.

Les troupes ne faisaient pas dans la dentelle, se payant la traite avant que la population se lève et que John Roof fasse son discours. Ils auraient peut-être à paraître plus officiels, après ça... Les rares piétons qui étaient encore dehors une demi-heure plus tôt avaient été remplacés par la foule bruyante qui sortait des bars. Patriotes et complètement saouls, plusieurs se dirigèrent vers les soldats, sans pour autant paraître belliqueux.

— Au moins, dit Elizabeth sans conviction, ils n'essaient pas de les attaquer...

— Attends, répondit Marcus. Va-t'en faire la différence entre un soldat québécois et un soldat canadien, en pleine nuit... Attends que le premier soldat leur crie quelque chose en anglais. Merde ! On aurait dû penser à fermer les bars à minuit !

Avant même que Fontaine n'ait saisi son téléphone, ses prédictions s'avérèrent justes. On entendit un des hommes crier :

— Ah ben, calice ! C'est pas notre armée ! C'est des hosties de Canadiens !

Les deux amants retournèrent en courant devant la fenêtre, bien assez vite pour voir l'armée ennemie faire ses premières victimes.

Une centaine de soldats et un char d'assaut (surtout présent, comme le soulignerait un éditorialiste, pour permettre à trois soldats de rester planqués à l'intérieur et ainsi de rentrer vivants pour raconter ce qui s'était passé à leurs supérieurs) avaient été envoyés au centre-ville. Les ordres avaient été suivis : pas de groupe de moins de dix hommes, ce qui ferait courir un trop grand risque aux soldats. Ils devaient surtout, en cette première heure, faire sentir leur présence ; bien imprégner l'imaginaire collectif de leur réalité, pour préparer le terrain au discours du PM.

Les hommes qui se tenaient sous les fenêtres du couple étaient, comme leurs camarades, lourdement armés. Outre les M-16, rachetés l'an dernier aux Américains, chaque groupe disposait de quelques grenades et d'aiguillons électriques qui ne figuraient pas sur les listes d'équipement officielles de l'armée. Ils avaient été livrés le jour du référendum, sur des terrains appartenant au gouvernement canadien et encerclant proprement le pays nouvellement formé. Terrains présentement occupés par des troupes venues de tout le pays. Le Québec l'ignorait encore, mais il était cerné. Pour sa protection…

Déjà, diverses engueulades avaient éclaté entre les civils et les soldats. Un type de Longueuil venu fêter une promotion dans la métropole s'approcha un peu trop au goût du soldat vers lequel il se dirigeait. Le caporal Swanson, habituellement basé au Manitoba, sortit son aiguillon électrique et le garda à la main, espérant ainsi décourager le contestataire sur sa lancée. Chou blanc. Le Longueuillois ne s'étant jamais approché d'un aiguillon de sa vie, il prit l'objet pour une vulgaire matraque et poussa Swanson à l'épaule.

Quand il fut évident qu'il allait devoir électrocuter le fêtard, Elizabeth détourna le regard. Marcus avait lui aussi envie de se cacher les yeux comme un enfant. Il avait entendu parler de ces saletés. Même réglées à mi-puissance, elles pouvaient tuer si elles étaient appliquées au mauvais endroit.

L'homme de la Rive-Sud poussa bien un hurlement, mais la note de surprise qui prédominait fit sursauter les amants. Au même moment, plusieurs cris de douleur, d'une douleur sans nom, résonnèrent dans la rue. Fontaine n'aurait pu en jurer, mais il était persuadé d'en entendre d'autres, quelques rues plus loin. Ils regardèrent tous deux vers la rue et y découvrirent un bien étrange spectacle.

Swanson, en se voyant malmené, prit immédiatement son aiguillon et le régla sur la puissance minimale, dans le simple but de secouer l'homme qui ne voulait rien comprendre à rien, et certainement pas que les soldats étaient là pour assurer leur sécurité. Le caporal le braqua contre la poitrine de l'homme et appuya sur la mise en marche. Une décharge fulgurante lui remonta de la main jusqu'à l'épaule, avant de descendre jusqu'à ses testicules, ce qui le fit hurler. Il enregistra sur le mode mineur que trois de ses compagnons éprouvaient les même difficultés, mais il n'était pas à même d'avoir une pensée cohérente et encore moins altruiste. La douleur la plus pénible de sa vie brouillait tout. La foule de badauds grossissait autour d'eux, passant de vingt à cent, contre dix soldats dont trois hors circuit, mais il s'en foutait. Si ce courant ne s'arrêtait pas immédiatement, il envisagerait très sérieusement de se tirer une balle de l'autre main, puisque ledit courant crispait sa main valide sur le manche de l'aiguillon trafiqué. Les trois hommes s'évanouirent.

Marcus Fontaine avait été utile au SG4, mais n'avait pas été mis au courant de tout. Comme du fait, entre autres, que l'entreprise de transport qui avait acheminé les aiguillons électriques appartenait en sous-main à Lotto Finetti. Le voyage, allez savoir pourquoi, était arrivé en retard de trois heures... Marcus poussa un cri de victoire qui fit méchamment sursauter Beth.

— Ça va pas, non ?

Peu d'autres patrouilles se virent encerclées ainsi en ce début de nuit, les bars se trouvant presque tous dans les mêmes secteurs, mais cette information n'était d'aucun secours aux sept soldats qui se saisirent de leur M-16, bien décidés à ne s'en servir qu'en dernière extrémité, car ce n'était pas exactement l'outil idéal pour préparer le terrain.

La foule, mal informée, ayant entendu des cris et voyant des soldats à chaque coin de rue, s'avança vers les sept hommes avec un regard mauvais. En définitive, les soldats n'eurent pas le choix, se voyant contraints de se défendre s'ils ne voulaient pas finir pendus à un lampadaire. Ils ouvrirent le feu.

Ce fut un épouvantable carnage dont Elizabeth et Marcus furent témoins. La journaliste en elle tendit la main vers le caméscope portatif qu'elle apportait partout avec elle. Les corps des civils tombaient comme des mouches, créant des rigoles de sang sur les trottoirs et dans la rue. Une femme, dont le seul crime avait été de souffrir d'insomnie, sortit d'une ruelle à ce moment précis et reçut une balle dans la gorge. Elle mourut avec une expression interrogative sur le visage. Un vieil homme, passablement bourré, mourut d'un arrêt cardiaque et reçut en prime deux balles avant que son corps ne touche le sol.

Dans un appartement, à une vingtaine de mètres d'eux, un gamin d'une dizaine d'années passa la tête par la fenêtre pour voir ce qui se passait et reçut une balle. Son torse pendit durant une heure par la fenêtre jusqu'à ce que quelqu'un avise la mère, qui revenait de travailler et qui l'avait laissé seul.

Une trentaine de personnes périrent sous les balles avant que la masse ne s'abatte sur les meurtriers. Ils furent traînés par la foule qui voulait les lyncher, mais les policiers, arrivés depuis sur les lieux, arrachèrent les prisonniers à la populace, et les collèrent contre un mur, les évanouis comme les autres.

Personne ne leur demanda s'ils souhaitaient un verre de rhum ou une cigarette. Les rares témoins qui se manifestèrent le lendemain attestèrent que la police avait descendu les soldats alors qu'ils tiraient dans leur direction.

Les deux amoureux virent toute la scène et décidèrent qu'ils devaient rejoindre Taylor et Normandeau pour les en informer. Beth ouvrit le tiroir de sa table de nuit et se saisit du pistolet offert par son père. Marcus vérifia le chargeur du sien avant d'enlever le cran de sûreté.

Si un soldat s'approchait à moins de dix mètres d'eux, Marcus le descendrait et poserait ensuite ses questions.

Le temps de la discussion était terminé.

5

Un soldat se trouvait à moins de dix mètres de Benny Trudeau.

Benjamin Trudeau n'eut conscience de la présence de l'armée à Longueuil qu'une heure après son arrivée. Son corps, poussé à ses extrémités et refusant d'en faire plus, avait réclamé une heure de sommeil, même dans l'état de tension où il se trouvait. Julie avait la tête posée sur ses genoux et ronflait doucement. Elle ouvrit les yeux au moment où il la regardait et demanda :

— Tu n'es pas fatigué ?

— Je suis mort, mais il y a de drôles de bruits dans la rue Saint-Charles. Ça m'a réveillé.

Julie tendit l'oreille.

— Des drôles de bruits ? Je n'entends rien de spécial… Juste la circulation…

— Justement. De la circulation, au point qu'on l'entende, à trois heures du matin ? En plus, je suis pratiquement sûr que ce sont des camions. Autrement, ça ne m'aurait pas réveillé. Je vais aller voir ce que c'est, même si je le sais déjà…

— Pas sans moi ; ça c'est sûr !

— Sans toi, oui. Ce n'est plus un jeu, Julie. On ne brasse plus de pancartes pour obtenir quelque chose ! Je ne te laisserai pas risquer ta vie… Si c'est important, je dois y aller et rapporter ce que je vois. Ton boulot à toi, c'est le droit et l'université, et d'être encore là pour m'aimer quand tout sera fini. Je ne serai pas long. Je dois seulement m'assurer qu'on est toujours en sécurité. C'est probablement déjà l'armée, et je ne veux pas te savoir dehors.

Il l'embrassa tendrement et sortit sans plus de cérémonie.

Les rues étaient sombres et l'éclairage distribué avec parcimonie, rue Grant. Trudeau entendit au loin des éclats de voix, et il vérifia la présence de son arme dans la poche de son manteau. Il ne s'en servirait qu'en cas d'extrême nécessité, et ne pensait pas en avoir besoin cette nuit, mais les soldats canadiens, sans le moindre avertissement, venaient d'être catapultés en territoire ennemi, et ils devaient être nerveux.

De plus, il lui fallait garder à l'esprit qu'il était un personnage public et donc une cible primée. Il avait entendu à la radio que des soldats avaient ouvert le feu à Montréal. L'animateur avait un ton hystérique en rapportant les faits. Les choses se dégradaient rapidement.

Il fit halte dans le stationnement d'un immeuble à logements semblable au sien, et prit son téléphone portable. Il ignorait qui réglait la facture, mais elle serait salée à souhait ce mois-ci. On répondit après trois sonneries.

— Ouais… fit Marcus d'une voix éteinte. Quoi encore, calice ?

— C'est moi, vieux… Ça ne va pas ? Je t'ai réveillé ? Dis donc, c'est Elizabeth qui pleure comme ça ?

— Oui. C'était une boucherie, Benny... Ils les ont découpés en pièces, dit Marcus de la même voix atone. Ils n'avaient pas la moindre chance.

Trudeau se redressa d'un bond.

— Alors, c'est vrai ? L'armée a tué des civils ? Les hosties !

— Écoute, Benny, il faut qu'on y aille. On doit voir l'oncle de ma blonde.

— Je vous conseille les petites rues. Les grosses artères sont un peu encombrées, actuellement…

Au même moment, quelqu'un aboya quelque chose en anglais à cinq mètres du conteneur à déchets derrière lequel se tenait Benny. Son anglais était médiocre, mais il savait reconnaître un ordre quand il en entendait un. Il demeura immobile alors que la patrouille, composée seulement de trois hommes, étrangement, le dépassait. Quand ils furent hors de vue, l'ancien SDF se releva et grommela :

— Ça finit plus…

Il contourna rapidement le conteneur et tomba nez à nez avec un caporal retardataire. Il crut que son cœur avait cessé de battre, alors qu'il tentait de sortir son arme, domaine dans lequel il était loin d'avoir la rapidité de ses mentors. Le caporal prit à sa ceinture un aiguillon électrique qui effraya Benny par son seul aspect. Pas plus que le caporal, il n'avait entendu parler des déboires des premières patrouilles qui l'avaient utilisé dans la métropole, l'ordre d'abandonner le gadget s'étant perdu dans la confusion du massacre. Ils furent donc aussi surpris l'un que l'autre, la surprise accompagnant une terrible douleur du côté du militaire. Trudeau, quant à lui, éclata de rire. Il savait que ce n'était guère chrétien, mais comme il ne l'était pas non plus… Ce trou du cul avait voulu le griller, et il le regrettait maintenant, oh que oui !

— Pas de chance, tordu ! Ce sera pour une prochaine fois ! cria Benny en s'enfuyant, encore secoué par son rire.

Plusieurs patrouilles de quelques hommes avaient été laissées ici et là, souvent accompagnées de camions barrant les rues. Longueuil était un vaste territoire à couvrir et Jordan, qui n'y avait jamais mis les pieds, n'avait pas compris qu'on parlait là de la deuxième plus grande ville du Québec. Il n'avait pas dépêché assez d'hommes de troupe, une situation qu'il arrangerait le lendemain après l'appel désespéré d'un de ses capitaines qui peinait à maintenir l'ordre. Plusieurs soldats auraient payé d'ici là de leur vie cette erreur. Plusieurs civils francophones aussi.

Le gros de la troupe déployée à Longueuil prit son poste aux intersections pendant que Benny faisait connaissance avec la haute technologie militaire en matière d'aiguillons électriques. Il se trouva coupé du chemin qu'il avait parcouru depuis chez lui par une autre patrouille, sans compter celle qui l'avait dépassé et qui devait avoir retrouvé l'agonisant à l'heure qu'il était. Au même instant, il entendit des cris furieux dans la ruelle qu'il venait de quitter et grimpa dans l'escalier métallique d'un bloc à logements où il s'aplatit derrière des sacs d'ordures.

D'autres hommes, ayant constaté la mort du caporal (qui avait réglé son gadget sur la puissance maximale, *sorry*...) et n'y comprenant visiblement rien, se déployèrent dans le secteur, plaçant Benny en fâcheuse situation. Il entendit du bruit à une quinzaine de mètres de lui et vit s'avancer un quidam dans un tel état d'ébriété qu'il ne se rendait absolument pas compte vers quoi il se dirigeait. Les soldats allaient assurément le prendre pour l'agresseur ou en faire leur bouc émissaire. Comme il ne pouvait parler et révéler ainsi sa présence à la troupe, Trudeau fit la première chose qui lui vint à l'esprit : il enleva un des lourds Doc Martens qu'il portait, se releva et le lança à la tête du poivrot qui s'était entre-temps rapproché. Il l'atteignit entre les deux yeux et l'homme s'effondra sans grâce.

— Toi, tu vas me remercier demain matin, mon chum...

Une minute plus tard, deux soldats s'approchèrent. Ils regardèrent l'homme effondré, respirèrent les vapeurs de bourbon qui en émanaient et continuèrent leur route. Benny décida d'en faire autant quand il ne les vit plus. Il descendit l'escalier sans faire de bruit et tendit l'oreille. Aucun son ne lui parvenait de la rue. Plus loin, un coup de feu se fit entendre, suivi du cri de douleur d'une femme. L'armée n'y allait pas de main morte. Benny s'élança en courant, traversa la rue vers son appartement et commença à respirer plus à son aise. C'est alors qu'il tomba sur six soldats armés.

Cette fois, son cœur s'arrêta réellement. À l'air qu'ils affichaient, il sut qu'il ne s'en tirerait pas aussi aisément que le soûlon. Ils l'avaient reconnu. Il prit la fuite en quatrième vitesse.

Il entendit des coups de feu et sentit une balle frôler sa tête. « Ils me tirent dessus, ces hosties-là ! », pensa-t-il, incrédule. Ce n'était plus un jeu, comme il l'avait dit à sa blonde, mais il ne le comprenait que maintenant ! Il s'était déjà fait tabasser dans le parc, par une bande de skins, mais ils n'avaient pas de *guns* ! Et pas de radios pour prévenir les gars du carrefour suivant de tirer à vue ! Il ne pourrait pas courir éternellement, et certainement pas plus vite qu'une balle !

Il ne lui servirait à rien d'appeler qui que ce soit ; c'était ça le pire. Personne ne pourrait arriver à temps pour le sauver, et il ne voulait pas prendre le risque de tenter de rentrer chez lui. Il ne voulait pas que Julie soit blessée, ou qu'elle soit témoin de sa mort. Il traversa en courant un parc en gloussant malgré sa terreur ; il dormait ici à peine trois semaines auparavant ! Il vit d'ailleurs sa vieille couverture traîner dans un coin où il l'avait abandonnée le soir de son premier discours. Deux soldats couraient derrière lui, mais Benny les distançait lentement. Trop lentement. De plus, il pouvait en surgir de partout, cette nuit. Il était foutu, tout simplement. Le plus étonnant dans tout cela ? Il ne regrettait strictement rien. Il avait vécu durant les trois semaines précédentes plus que dans toute sa vie.

Il était à bout de souffle, tout comme ses poursuivants. Il s'arrêta un instant et s'appuya contre une voiture pour récupérer. Il se tourna vers les soldats qui arrivaient vers lui et en aperçut trois autres qui s'amenaient d'une rue transversale. Il n'en pouvait plus de courir, alors il sortit son pistolet, qu'il garda dissimulé. Il en descendrait un maximum s'il ne pouvait s'en sortir !

Alors qu'il délaissait l'appui de la voiture pour se remettre sur ses pieds, la portière de celle-ci s'ouvrit. Il eut un mouvement de recul, mais un bras puissant saisit sa chemise et le tira à l'intérieur. La puissante Porsche démarra en trombe.

À l'intérieur, Benny tendit à l'aveuglette le bras qui tenait son arme, mais elle lui fut arrachée aussi aisément qu'à un nouveau-né. Ce n'est que lorsque l'homme assis sur le siège du passager s'adressa à lui que Trudeau reprit ses esprit.

— Alors, M. Trudeau, on se balade la nuit ? demanda Erik Martel avec son demi-sourire habituel. Heureusement que le téléphone qu'on vous a fourni était équipé d'une puce de repérage…

Le conducteur fit un signe de tête vers Julie Galipeau, que Benny remarqua enfin, assise à côté de lui.

— Quand même, dit Curtis Taylor, je continue de penser qu'on devrait l'engager…

6

Jonathan Roof était furieux. Susan Sterling, la femme qui remplaçait depuis douze heures le très peu regretté Mark Murphy, restait de marbre.

— Des morts ! gueula Roof à travers la résidence de la rue Sussex, se félicitant finalement que sa femme soit partie. Des morts, alors que je vais leur annoncer que l'armée est là pour les protéger !

— Dois-je te rappeler, Jonathan, que je ne suis que le messager ? Et que j'ai été nommée à ce poste aujourd'hui ? Le cadavre de mon prédécesseur refroidit encore, à l'heure qu'il est, alors modère tes transports ! Tu étais dans la merde bien avant ça, John, et pour une bonne raison : tes subordonnés ont été trop lâches pour te dire que ton plan était on ne peut plus foireux ! Maintenant, c'est trop tard, alors tu vas réellement remettre de l'ordre au Québec. Vous y êtes déjà, alors autant essayer…

— Tu ne comprends toujours pas, hein, Susan ? Pour plus de six millions de personnes de ce pays, nous n'en avons même plus le droit ! Cette province nous est interdite ! Il faut accuser des groupes de Québécois hostiles à la souveraineté du désordre des dernières heures !

— V'là autre chose… Ça a drôlement bien marché avec le Conseil de Westmount… Le policier a tué un civil et un de nos agents. Ils ont disparu de la carte avec la bénédiction du chef de la police… À n'y rien comprendre. Quant à Fiersen, disparu dans la nature ! Il y a une vingtaine de personnes jour et nuit devant chez lui pour lui crier des noms, même s'il n'y a personne. Vraiment efficace, John…

— Misons plutôt sur le rôle de civils qui ne font pas nécessairement partie d'un groupe ciblé. Après tout, monsieur Tout-le-monde peut péter les plombs.

— Ah, *come on*… C'est totalement ridicule. Je ne peux faire que du *damage control*, rendue là… Tout passe par Jordan, et je ne lui ai même pas encore parlé. Je t'ai aussi préparé un plan de sortie.

Roof, qui s'était levé pour lui signifier son congé, demanda sèchement :

— Pardon ?

— Jonathan… Si tout n'est pas réglé rapidement, si les Québécois ne font pas volte-face sur la souveraineté, il y aura beaucoup de morts. Tu ne pourras pas rester en poste sans risquer ta vie chaque seconde. Si quelqu'un est prêt à échanger sa vie contre la tienne, tu seras mort avant même que mes hommes aient repéré ton agresseur. Un fusil à longue portée, voire un type qui passera à vingt mètres de votre cortège et se fera exploser… L'extrémisme n'est pas circonscrit au Moyen-Orient, tu sais… Je t'ai donc préparé un plan de sortie, en espérant que tu sauras toi-même saisir la chance. Si je te dis qu'il vous faut partir, tu devras le faire, Jonathan. Abandonner mes parts chez Goldman's, accepter ce poste au pire moment possible et te sauver la mise, c'est le maximum que je puisse faire pour un type qui m'a plaquée pour ma meilleure amie, monsieur le premier ministre.

— Parlant de Maggie, dit Roof en reconduisant la directrice de la GRC jusqu'à sa voiture, tu sais où elle est ?

— Oui, mais toi, tu ne le sauras pas… Bonne nuit, Jonathan.

En rentrant, escorté par ses agents, Roof se repassa en mémoire le discours qu'il allait présenter au matin. Avec les accidents de la nuit, il devrait d'ailleurs le prononcer plus tôt. Il réveilla son secrétaire de presse pour régler les détails. Son garde du corps favori déposa à côté de lui un café bien fort.

Pour la première fois depuis qu'il avait appris la nouvelle, le premier ministre repensa à Mark Murphy. Il eut honte de la façon dont il l'avait traité la veille. Murphy n'était pas qu'un directeur d'agence. C'était son ami depuis plus de quinze ans. Ils avaient été voisins durant des années, et le garçon de Mark avait même fréquenté sa fille quelques mois, ce qu'ils n'avaient apprécié ni l'un ni l'autre, au grand amusement de leur progéniture. Maintenant, il était mort, et quelqu'un devrait l'annoncer à sa femme, puisque personne ne le savait encore, mis à part Susan et les deux adjoints qui avaient découvert le corps. Quelqu'un du SG4 avait fait le coup, il en aurait mis sa main au feu. Peut-être même quelqu'un de haut placé.

Il s'assit lourdement dans un fauteuil et prit le téléphone. Ça promettait d'être un dur moment, surtout si Thérésa lui demandait comment son mari était mort. Roof avait toujours eu beaucoup d'affection pour elle. Il maudit intérieurement les responsables de la mort de Mark. Il ne lui vint pas à l'esprit que la faute lui en incombait.

— Sale nuit, grommela-t-il en composant le numéro.

7

— Cela vous semble possible, M. Maynard? demanda Lotto Finetti d'une voix douce.

Phillibert fit le tour de la table du regard. Outre le parrain étaient présents les deux chefs des gangs de rue les plus puissants de Montréal. À l'extérieur de la pièce attendaient leurs principaux hommes de main, qu'on avait fait venir après le début de la réunion. Chacun des hommes présents était l'ennemi des trois autres, mais les armes étaient demeurées dans leurs étuis et la conversation allait bon train depuis une heure. Dans un coin de la pièce, Domenico Santori jaugeait la situation sans s'en mêler. Il n'avait pas ouvert la bouche depuis leur arrivée.

— Ouais… fit Maynard d'un air qu'on n'aurait su qualifier d'enjoué. Je dirais que oui, M. Finetti, mais vous devez comprendre que rien de tel n'a jamais été tenté, du moins par une bande comme la nôtre. On va nettoyer le plus possible, mais il est impossible de faire place nette… Même avec vos hommes et ceux de ces messieurs, ce serait difficile, mais ils en enverront d'autres demain, et le jour suivant, et nous ne serons pas plus nombreux pour autant. On sera même crissement moins…

— Ne vous inquiétez pas pour demain, Phillibert… Le jour qui se lève en est un sans lendemain. Toutefois, si le soleil devait se lever de nouveau le jour suivant et que l'armée soit encore ici, vous aurez tous les gens qu'il vous faudra.

Maynard semblait perplexe, mais un des chefs de gang, un Latino d'une trentaine d'années, lui dit :

— Les gens sortiront. Il viendra un moment où la présence de l'armée les enragera plus qu'elle ne leur fera peur. À ce moment-là, ils se joindront à tout mouvement de contestation possible.

Le parrain fit un geste éloquent de la main pour souligner au motard la justesse du propos.

— Il faut commencer cette nuit, dit le quatrième homme sans broncher. Le premier ministre a clairement déclaré tout citoyen canadien *persona non grata* sur notre territoire. John Roof le savait. L'armée le savait. C'est de la provocation, et on ne peut laisser passer ça. Je n'ai pas spécialement la fibre humanitaire, mais la présence de l'armée est désastreuse pour mes affaires. Je ne suis ni Canadien ni Québécois, mais on ne peut laisser les gens se faire traiter comme des bêtes. Nous n'avons pas besoin d'être gardés par qui que ce soit.

— Le commandant Denis Marcoux et les effectifs de Valcartier sont bloqués aux frontières dans un bras de fer avec les troupes de Jordan qui devaient être les dernières à pénétrer au Québec, dit Santori qui s'exprimait pour la première fois. La liste des terrains achetés par l'armée a grandement aidé. Ils leur sont tombés dessus de partout. Il y a eu des morts. En ce moment, ils se font face et n'osent pas trop bouger, de peur que l'adversaire interprète mal leurs mouvements. Deux mille hommes de chaque côté, sur chacune de leurs bases provisoires. Les autres soldats canadiens avaient eu le temps de passer. Les affronter, avec cinq mille hommes, aurait de toute manière tenu du suicide collectif. On ne se demandait qu'une chose : s'ils allaient oser tirer. Nous savons maintenant qu'ils ne se contenteront pas, comme en 1970, de mettre tout ce qui porte une chemise à carreaux en prison. Notre réponse sera donc interprétée par le monde comme de la légitime défense, malgré nos tactiques. Un de nos hommes est parti à Washington plaider notre cause, ou au moins obtenir une promesse de non-ingérence. Ce n'est pas gagné.

Un silence chargé régna sur la salle un moment, puis le parrain dit :

— On ne parlera sans doute jamais de nous dans les livres d'histoire, mes enfants, mais nous allons cette nuit influer sur le destin de notre pays. C'est pas beau, ça ?

Il eut une moue dubitative, puis ajouta :

— Ou en tous cas, on va essayer…

Finetti avait tort sur un point : les livres d'histoire parleraient de cette réunion comme du « Conseil des quatre » et s'entendraient à dire que la révolte civile avait débuté grâce à eux.

8

Paul Fiersen décida que trop, c'était trop. Enfui, le jeune médecin sorti de McGill. Disparu, l'homme du monde qui recevait chez lui la bonne société de Westmount au moins deux fois par an. Ne demeurait que le fiston à Mme Fiersen, et il en avait plein le dos.

Il était trois heures du matin, en cette nuit d'invasion, et il venait d'être réveillé par la sonnette de la porte d'entrée. Il s'était emparé du revolver personnel d'Andersen, qui le lui avait laissé, mais il était persuadé que ce n'était qu'un excité de plus qui voulait régler son cas au grand méchant Fiersen, président de l'odieux Conseil qui avait organisé les attentats. Il avait fait le mort depuis le matin, aux coups de sonnette et de téléphone.

Une fois la porte ouverte, il se sentit parfaitement réveillé. À la vision d'un adolescent s'enfuyant à toutes jambes se substitua celle de cinq soldats armés jusqu'aux dents, dont quatre semblaient s'ennuyer ferme, ce qui ne les empêchait nullement de le tenir en joue. Le cinquième était un lieutenant qui avait apparemment une très haute estime de lui-même, estime évidemment confirmée par la mission suprême d'aller arrêter le dirigeant de la faction terroriste procanadienne qui avait mis la province à feu et à sang. S'il avait réfléchi ne serait-ce que cinq minutes, ce qu'avait fait le reste de son groupe, il aurait nécessairement compris que tout ça n'était que du pipeau. Cinq hommes pour arrêter le responsable de deux mille morts ? Même le troufion le moins gradé du groupe avait sa petite idée sur le véritable responsable des explosions.

Fiersen saisit en une fraction de seconde. Jonathan Roof voulait exhiber son scalp à la conférence où il annoncerait la mise en vigueur de la *Loi des mesures de guerre*. Il voulait montrer à la population qu'il n'était pas l'agresseur, mais le régulateur.

— Paul Fiersen, dit le lieutenant avec grandiloquence, vous êtes en état d'arrestation. Lâchez immédiatement cette arme ! s'écria-t-il en apercevant tout à coup le Magnum 45 du médecin, pourtant difficile à manquer. Immédiatement !

Fiersen eut la vision très nette de ce jeune lieutenant, quinze ans auparavant, trépignant devant le comptoir à bonbons de l'épicerie et criant à sa mère qu'il voulait des réglisses, et qu'il les voulait IMMÉDIATEMENT ! Il éclata de rire, ce qui réduisit d'un brin la superbe du lieutenant. Il tendit son arme par la crosse au soldat qui se trouvait le plus près de lui, puis, s'adressant à son chef :

— Pas la peine de faire dans votre froc, soldat ! Je ne suis que médecin.

Le gradé perdit alors son calme, mais garda l'attitude infantile qui le caractérisait maintenant aux yeux du chef du défunt Conseil de Westmount :

— Je ne suis pas soldat ! Je suis lieutenant !

Fiersen ne put cacher son exaspération :

— *I don't give a damn! Wake up, fuckin' moron!* Des gens meurent par milliers, depuis deux jours, et vous vous inquiétez de votre rang ? Je suis de votre côté, moi ! Qu'est-ce que vous imaginez qu'ils sont en train de faire, chez nos adversaires ? Regarder pousser l'herbe en attendant de se faire mitrailler ? Ils planifient votre castration publique, pauvre con !

Le lieutenant Howard Packard n'avait pas reçu l'ordre de ramener Paul en vie coûte que coûte. Il avait reçu l'ordre de le ramener, point, et ce médecin arrogant commençait à lui échauffer les oreilles. On lui avait tiré dessus plusieurs fois cette nuit, et il avait dû abattre un homme armé qui avançait vers lui sans se soucier de ses avertissements. Fiersen n'était pas le seul à en avoir sa claque. Il baissa la main vers son étui, les officiers ne portant pas de M-16, dans un geste dont le manque de subtilité allait lui coûter cher.

Fiersen le vit et comprit ses intentions avant que Packard n'ait décidé s'il allait lui tirer dessus ou l'assommer d'un coup de crosse. Fiersen ne comptait pas lui laisser le temps de faire l'un ou l'autre. Il ne se faisait pas d'idée sur ce qui l'attendait s'ils l'embarquaient. Sa vie était dès à présent finie, mais il avait encore le choix de sa propre mort, un choix qui ne serait pas donné à beaucoup de gens dans les heures à venir.

L'homme de science, qui avait toujours rêvé d'être un homme d'action, se vit comme dans un rêve arracher le M-16 du soldat à qui il avait remis son revolver. Ce dernier émit un glapissement de surprise, mais ne réagit guère par ailleurs. Alors que Packard venait à bout de l'attache de l'étui et qu'il s'emparait de la crosse de son pistolet, Fiersen relevait l'arme d'assaut et la pointait en sa direction, pensant à toute vitesse que si le cran de sûreté était mis, il n'aurait pas de chance de se rattrapper. L'arme du lieutenant arriva à l'horizontale au moment même où un éclair de compréhension s'imprimait sur ses traits à la vue de l'air décidé qu'affichait le médecin. La scène ayant duré moins de deux secondes, aucun des autres soldats ne tenta même un geste vers lui.

Le bruit que fit l'arme à répétition parut insignifiant à Paul. Il savait qu'il était à quelques fractions de seconde de recevoir son propre aller simple pour la mort. Avant qu'il n'ait pu relâcher la gâchette, cinq projectiles avaient atteint la poitrine du lieutenant canadien. Ce dernier fut soulevé du sol et retomba sur le dos dans la rue, trois mètres plus loin. Quand Fiersen réalisa, les yeux fermés, qu'il entendait toujours les râles de l'agonisant, un infime espoir nàquit en lui. Il ouvrit lentement les paupières et vit Packard, la vie fuyant son corps, qui tentait encore de reprendre son pistolet pour le descendre. Aucun des quatre soldats ne le regardait. Ils avaient tous le regard fixé sur Paul. Alors que Packard expirait, l'homme à qui Fiersen avait volé son arme lui dit :

— On sait que vous n'avez rien fait. On est tous de Montréal, mais le lieutenant était d'Oak Bay, en Colombie-Britannique. Il ne voulait pas comprendre ni croire que le gouvernement avait fait ça. Fuyez, docteur ! Vous avez assez payé de votre personne pour vous permettre des petites vacances, non ?

« Et comment ! », pensa Paul Fiersen en détalant comme un lapin.

Loin, très loin…

9

Le commandant Denis Marcoux jugea qu'il s'agissait de la nuit idéale pour repiquer à la cigarette. Il en subtilisa une dans un paquet resté ouvert sur une table que ses subordonnés avaient installée au milieu d'un champ, à la frontière de l'Ontario. La scène avait quelque chose de surréaliste. Cette table, seule au milieu du champ que gardaient deux mille hommes à l'air mauvais. Il apercevait, à trois cents mètres de lui, installé de façon tout aussi provisoire, le major qui commandait les deux mille deux cents soldats canadiens qui avaient été pris de vitesse sur l'un des terrains dont l'existence avait été dévoilée trois semaines plus tôt par Lucien Laverdure, au péril de sa vie. Cette action payait maintenant pleinement.

En six autres endroits, le long de la nouvelle frontière, dix mille fantassins étaient bloqués par la totalité des effectifs de Bagotville, et une bonne partie de ceux de la base de Saint-Jean-sur-Richelieu, partis sur le sentier de la guerre avant même que Jordan ne prononce le discours qui lui vaudrait les menaces de mort de Curtis Taylor. La surprise avait été totale. Bien qu'appréhendant des incidents mineurs, vu les informations volées, le commandant en chef des Forces armées canadiennes était loin de soupçonner un mouvement aussi concerté.

Là où le bât blessait, c'est qu'une douzaine de ces bases provisoires alimentaient le débarquement au Québec des soldats canadiens. Envoyer moins d'hommes pour couvrir chaque front aurait été du suicide. Ils avaient dû se résoudre à ne pas intervenir sur les bases les moins importantes, par où transitèrent tout de même dix mille hommes durant cette première nuit. L'état-major québécois ne se faisait d'ailleurs guère d'illusions, même avant le débarquement; les bases militaires québécoises étaient sous surveillance, et il faudrait composer avec ce problème de plus.

La solution vint du soldat de troisième classe Johnson, basé à Bagotville, et affecté temporairement au récurage des latrines. Son nom passa comme tant d'autres à l'histoire, mais pour différentes raisons. Après le discours du premier ministre, la veille, Rafaël Johnson avait été expulsé *manu militari* de la base, avec onze autres anglophones nés en Ontario. Ralf était toutefois profondément attaché au Québec et se débattit pour rester, allant même jusqu'à plaider sa cause dans un français fort acceptable pour un homme qui avait débarqué de la Saskatchewan neuf mois plus tôt. Un caporal l'envoya bouler hors du périmètre de la base sans ménagement. Alors que ses camarades retournaient chez eux, trop heureux de s'en être sortis vivants, Johnson assomma d'un coup de poing le garde de la police militaire qui gardait l'entrée ouest de la base et retourna calmement reprendre sa place dans les rangs. Il fut expulsé derechef, plus vivement encore. Le lendemain matin, à leur réveil, ils trouvèrent Ralf dans son lit comme à l'habitude, et décidèrent sans en parler de le laisser rester. Il fit le jour même une demande de citoyenneté, la première formulée dans ce Québec nouveau.

L'homme qui devait un jour devenir le premier général anglophone de l'armée du Québec était agenouillé près d'une cuvette lorsqu'il aperçut son capitaine, occupé à se soulager. Il lui fit part de son idée, et un drôle de sourire apparut sur les lèvres de son supérieur. Il se lava ensuite les mains en vitesse, et disparut à toutes jambes.

Convenablement habillés, armés de M-16 vides et encadrés d'une cinquantaine de surveillants, les clochards ramassés jusqu'à Montréal furent dirigés vers les bases qui se vidaient peu à peu. Les nombreux agents qui surveillaient celles-ci notèrent bien les mouvements des camions entrant et sortant, mais ne les signalèrent pas. Après tout, en cette période de crise, il était normal de voir un peu d'agitation, et le nombre de soldats dans le périmètre ne changeait guère, de toute façon.

Le soldat de troisième classe Johnson devint donc, moins de quarante-huit heures après avoir été expulsé de Valcartier, le caporal Johnson. Son capitaine, hilare, lui remit ses galons sur le chemin d'un hameau nommé Roxborough, sous les applaudissements de ses frères d'armes francophones.

Denis Marcoux se trouvait à présent dans une impasse et s'en trouvait fort satisfait. Il ne visait pas autre chose en venant et la présence à découvert de son homologue canadien démontrait la compréhension qu'avait celui-ci de la situation. Personne n'allait tirer pour l'instant, la présence de chaque officier comme une cible potentielle étant une garantie provisoire de paix. À l'heure actuelle, le sang avait déjà beaucoup coulé et il répugnait aux deux gradés de lancer l'un contre l'autre des bataillons qui, hier encore, combattaient côte à côte. Sur d'autres sites, beaucoup de soldats n'avaient pas eu la chance d'avoir à leur tête des hommes d'honneur.

Entre North Bay et Sudbury, un véritable carnage avait eu lieu. Après quinze minutes d'inaction à se regarder dans le blanc des yeux, et galvanisés d'un côté comme de l'autre par des officiers craquant sous la pression, quatre mille soldats s'étaient entretués dans un spectacle insoutenable de barbarie. Un résident de Sudbury en panne d'essence filma la bataille sans porter grande attention à la caméra, fixant d'un œil exorbité ce qu'il avait tout d'abord pris pour une manœuvre de nuit se transformer en une boucherie digne des pires cauchemars.

CNN lui offrit pour sa bande plus d'un million de dollars, qu'il utilisa pour déménager sa mère, sa femme et la sœur de celle-ci aux Antilles, d'où il ne revint jamais. À l'heure où le commandant Marcoux alluma la première d'une longue série de cigarettes, moins d'une soixantaine d'hommes étaient toujours en vie sur le champ de bataille. En voyant les images à la télévision, l'Europe et l'Amérique du Nord furent horrifiées. Le reste du monde, lui, connaissait la chanson.

Longland, en face, avait perdu une trentaine d'hommes durant l'opération. Marcoux en avait perdu trois et six autres étaient gravement blessés. Ils espéraient bien que les choses demeurent en l'état, mais ils n'auraient peut-être pas le choix…

« Tout ça pourquoi ? », maugréa Marcoux.

La réponse vint d'elle-même : pour survivre…

10

La partie ne fut pas plus aisée pour les soldats qui avaient franchi la frontière. La plupart avaient pris leur poste, en divers points de la province, vers deux heures du matin. Vers cinq heures, la communication entre les unités devint plus efficace et les rapports se mirent à affluer. Dans son quartier général, Bethleem Jordan comprit que quelque chose n'allait pas. Que quelque chose n'allait même vraiment pas.

Ses hommes disparaissaient.

Petit à petit, de nombreux emplacements clés, auparavant occupés par des soldats, se trouvaient vidés de toute présence. Il restait bien sûr énormément d'hommes de troupe en place pour l'instant, mais Jordan se refusait à croire qu'autant d'hommes aient fait la route jusqu'à Québec ou Montréal pour ensuite déserter. Pourtant, on ne trouvait de corps nulle part, ou si peu…

Alors que les soldats se trouvaient désœuvrés jusqu'au lever du soleil, les hommes unis par le pacte de Lotto Finetti ne chômèrent pas.

Les premiers milliers de soldats du parrain furent dépêchés en avion aux quatre coins de la province, dans les villes où se trouvaient les organisations contactées par Marcus et Benny. À Québec, certains de ses émissaires allèrent trouver le chef d'une bande de motards affiliés aux Desperados, qui mit lui-même le mouvement de résistance en marche. Les choses allaient bon train.

Les deux chefs de gang s'étaient séparés pour la nuit la protection du territoire montréalais. Doublés de l'autre moitié de l'armée de la mafia, les mille cinq cents hommes – un tiers noir, un tiers italien, un tiers latino – s'abattirent dans les rues de Montréal comme une furie. Une furie silencieuse.

Les Desperados de Phillibert Maynard s'occupèrent quant à eux de la Rive-Sud, plus de quatre cents motocyclistes qui avaient tous la rage au ventre et de la famille à l'intérieur des frontières du Québec. Un homme qui habitait près du lieu où ils s'étaient réunis sortit de chez lui au moment où ils démarraient leurs engins pour partir en guerre. Il en dégringola de son palier et les regarda passer, abasourdi, les fesses dans une flaque d'eau. De Longueuil à Brossard, de Sainte-Julie à Saint-Amable en passant par Candiac et Carignan, le plomb fut généreusement distribué.

Les forces de police du Québec, appuyées depuis minuit par la totalité des agents de sécurité du pays, se jetèrent dans la mêlée après avoir brûlé en effigie leur code de déontologie et causé la fermeture temporaire des institutions qui les employaient habituellement. Cette nuit, ils devraient défendre la population par tous les moyens possibles. Cette nuit, il n'y aurait pas de sommation avant les coups de feu.

Pour compléter le tableau, chaque ville vit apparaître les groupes qu'on appellerait plus tard les brigades civiles. Créés sans concertation apparente, ils étaient le plus souvent formés de citoyens armés, qui veillaient à petite échelle sur la sécurité de leur quartier et de leurs familles.

À l'instar de la coalition instaurée par Normandeau, ils attaquaient sans provocation, pour éliminer à la base la menace même de la présence militaire. L'un de ces groupes, baptisé Section 73, tua plus de deux cents soldats. Cette trentaine d'hommes, menés par un professeur de chant, parcoururent les rues de Québec durant ces premières heures d'invasion, et éliminèrent tout ce qui portait un treillis vert. Ils furent fauchés par une mitraillette canadienne un peu avant cinq heures du matin. Aucun ne survécut.

Les trente premières heures d'existence du Québec en tant que pays avaient coûté trois fois plus de vies que les attentats terroristes du 11 septembre 2001. Et les premières heures du 16 juillet allaient propulser ces chiffres dans la stratosphère.

Il y eut plus de meurtres au Québec durant cette période que durant les trente années précédentes réunies.

When the shit hits the fan…

11

Le soldat Frank Peters n'avait pas la conscience tranquille.

Douze heures plus tôt, tout allait pour le mieux. Il prévoyait sortir sa femme dans leur restaurant préféré de Regina où ils habitaient et de l'emmener ensuite danser. Vingt minutes plus tard, il embarquait avec l'essentiel des forces de la base vers une destination inconnue, qu'il supposait naturellement être le Québec. Il avait tout de même eu un choc, en Ontario, en découvrant une grande partie des effectifs du pays réunis en un même lieu. Quelque chose clochait sérieusement dans toute cette histoire ! Même le général Jordan, dans son discours, n'avait su le masquer complètement.

Charrié comme du bétail, il avait franchi la frontière dans un camion surchargé. Il avait aperçu, de loin, les éclaireurs du commandant Marcoux et les avait signalés à son lieutenant. Il fit partie du groupe chargé du maintien de l'ordre dans la région de Trois-Rivières, ce qui en disait long sur l'opinion que les gradés pouvaient avoir de son unité. Trois-Rivières n'était pas considérée comme une ville chaude, malgré l'attentat à l'usine la nuit précédente. C'était non seulement la ville où s'étaient tenues le moins de manifestations, mais aussi celle où le plus bas pourcentage de participation au référendum avait été enregistré.

Effectivement, depuis deux heures, ses camarades et lui s'embêtaient ferme. Ils avaient dû tirer sur un homme armé au début de la nuit, mais rien ne s'était produit depuis. Ils avaient été affectés, une dizaine d'hommes en tout, dans un quartier résidentiel où tout le monde semblait inconscient de leur présence. Ils furent donc ravis de voir arriver la relève vers quatre heures du matin. Un camion identique au leur se gara non loin d'eux. Peters sourit en voyant le conducteur secouer le soldat assis sur le siège du passager, qui paraissait dormir. Ils arrivaient sans doute en droite ligne de l'Ontario.

Une quinzaine de soldats à l'air ensommeillé émergèrent du hayon arrière, tenant négligemment leurs armes. Quelques-uns avaient des thermos, et Frank espéra malgré lui que l'un d'eux lui offre une tasse de café chaud. La plupart des soldats canadiens s'étaient levés et souriaient en pensant à un endroit où prendre un peu de repos. Ils avaient mérité de dormir.

Le sergent qui conduisait sourit à la ronde, tout en relevant son M-16 dans une attitude qui n'avait plus rien de relâché. Ses hommes l'imitèrent au moment où il ouvrait le feu. La tête du soldat canadien le plus près disparut, créant la panique chez ses collègues.

Un soldat se mit à hurler à pleins poumons en regardant son treillis maculé de sang. Avant que son cri ne s'éteigne, le soldat soi-disant endormi qui occupait le siège du passager quelques instants plus tôt lui avait enfoncé son couteau dans le cœur jusqu'à la garde. Un soldat canadien amorça un demi-tour vers son camion et reçut une balle dans le dos. Les agresseurs se déployèrent en éventail et arrosèrent le périmètre à l'arme automatique. Cinq des soldats tentèrent de fuir et furent fauchés par la mitraille avant même de s'être complètement remis sur pied.

Peters était accroupi derrière une jeep, son revolver à la main. Il vit son meilleur ami, Luther Price, ajuster son tir et faire feu. Il entendit nettement le cri du Québécois qui venait d'être atteint au thorax et sourit malgré lui. Il se releva à moitié, visa l'un de ses assaillants et fit feu. La gorge de l'homme disparut dans un éclair rouge. Le voisin de l'infortuné répliqua et Sam Seemour, le troisième anglophone encore en vie, ne le fut plus.

Les deux comparses qui, de leur vie, n'avaient jamais émis la moindre opinion à propos du Québec, se trouvèrent encerclés par les hommes de Lotto Finetti, déguisés en soldats. Le conducteur, un homme qui devait bien avoir la cinquantaine, sortit un Glock 21 équipé d'une visée laser qui ne devait pas figurer sur les listes de l'armée. Trois petits centimètres de la tête de Luther Price dépassèrent du capot de la jeep durant à peine une seconde, le temps qu'il rectifie sa position. Manuello Fresca, qui travaillait pour le parrain depuis plus de trente-cinq ans, ne manqua pas cette occasion, et lui fit sauter le haut de la calotte crânienne. Frank Peters hurla.

Il ne restait que lui. À quoi bon, tout compte fait ?

Il arracha un t-shirt d'un sac qui traînait à proximité et secoua le bout de tissu blanc à l'intention de ses assaillants. Il lança ses armes par-dessus le véhicule et se leva très lentement, avant de se diriger sans geste brusque vers l'acolyte du parrain, dans l'intention évidente de se rendre.

À deux mètres du colosse, alors qu'ils pouvaient lire dans les yeux l'un de l'autre le mépris qu'ils s'inspiraient, Frank Peters fit la seule chose qu'il pouvait faire dans l'immédiat : venger la mort de son ami.

Avec une dextérité que n'aurait pas reniée le SG4, Peters se saisit d'un Smith & Wesson dissimulé dans sa ceinture. Il fit feu à bout portant, en se projetant vers l'avant, et visa avec brio entre les yeux du mafieux. Celui-ci s'écroula sans grâce dans la mare de sang répandue par ses ennemis.

Frank Peters, soldat de deuxième classe qui avait un jour songé à devenir violoniste de concert, n'eut pas le temps d'avoir la moindre pensée avant d'être transpercé de six balles.

Les hommes de Finetti embarquèrent tous les cadavres, en réservant beaucoup plus d'égards aux leurs qu'à ceux des soldats, et disparurent en laissant derrière eux un emplacement complètement vide qui intriguerait beaucoup le haut commandement, sans alarmer inutilement la population, qui en endurait déjà plus qu'elle ne le pouvait.

La pluie se mit à tomber doucement, et même le sang disparut, éliminant la dernière chance des dirigeants militaires de comprendre ce qui avait pu se produire.

Et la nuit n'était pas terminée.

12

16 juillet 2014, 6 h

Le temps était venu d'officialiser les choses.

Jonathan Roof, premier ministre du Canada, regardait d'un œil dubitatif les résumés des appels téléphoniques qu'il avait reçus depuis minuit. Il avait tenté d'éluder la plupart d'entre eux sans grand succès. Il voyait d'ici les pages frontispices des journaux du lendemain. Il s'était peut-être trompé, après tout. Il finirait peut-être en prison…

Il entendait les flashs des photographes qui crépitaient de l'autre côté du rideau de la salle de presse malgré l'heure matinale. Une fois de plus, il se demanda ce qui pouvait bien les intéresser puisqu'il n'était pas là. Cette fois, il était carrément nerveux. Il ne s'agissait plus seulement ici de l'unité du pays. De sa prestation de ce soir allait dépendre l'image qu'il laisserait à la postérité ainsi que sa liberté future, au cas où les choses tourneraient au vinaigre.

L'estomac rongé par l'acidité, il repensa à la déclaration (condamnation, oui !) adressée au gouvernement canadien deux heures plus tôt par le pape. Le pape, ciboire ! « Vieux christ de dégénéré ! », marmonna Roof, qui était devenu subitement agnostique. « Est-ce que j'avais vraiment besoin de ça ? Je pouvais encore *dealer* avec l'opinion de la France, de l'Angleterre et des États-Unis, mais rajouter le pape, maudit calice ! »

Le premier ministre du Canada grimpa sur la tribune pour le discours le plus important de sa vie, ce qu'on lui rabâchait à chacun de ses discours. Étrangement, en ce 16 juillet, personne ne crut bon de le lui rappeler. Ses assistants, constatait-il, en étaient à se demander jusqu'à quel point ils risquaient eux-mêmes la prison. Le seul sur lequel pouvait désormais totalement compter Roof était Bethleem Jordan, commandant en chef de ses armées.

« Brave vieux Jordan, pensa Jonathan avec une certaine tendresse. Il est mieux placé que quiconque pour savoir à quel point j'ai merdé et il reste pourtant en poste. Il ne déteste même pas les Québécois. Il le fait parce qu'il croit qu'il me le doit. »

Roof nota mentalement d'offrir sa gratitude sur un compte des îles Caïmans au sieur Jordan. L'homme d'État avait toujours récompensé la loyauté. Ainsi, la femme de Mark Murphy avait reçu un virement de trois millions de dollars, bien qu'elle ne fût pas encore au courant. L'argent avait été prélevé sur le compte personnel de Roof, qui payait ainsi à la veuve sa funeste erreur. Il aurait pourtant juré que les Québécois se retourneraient contre Normandeau…

Son attaché de presse fit une brève présentation, puis John Roof s'avança sous les feux de la rampe. Il adressa un profil décidé aux caméras et enchaîna le discours qu'il avait répété trois fois depuis son réveil.

— Mesdames et messieurs, bonjour. Nous avons tous, bien sûr, entendu parler des sombres événements qui se sont produits et se produisent toujours au Québec. Non content de mentir effrontément à ses concitoyens en leur affirmant que leur province est dorénavant une entité propre, Georges Normandeau risque la sécurité de résidents canadiens pour une chimère sans avenir. Laissez-moi clarifier ce point une dernière fois: il n'y a pas d'indépendance du Québec! Le Québec est et restera une province canadienne! Pour montrer à quel point le Canada se sent concerné par le sort de ses citoyens, il n'y a pas trente-six moyens en notre possession. Il faut protéger, parfois contre eux-mêmes, les habitants du Québec. C'est la raison pour laquelle la *Loi sur les mesures de guerre* est appliquée depuis deux heures ce matin, heure du Québec. La présence de l'armée canadienne mettra un frein aux attentats et agressions de toutes sortes à l'encontre de citoyens anglophones et d'autres partisans d'un Canada uni. Vous aurez plus de détails au point de presse de midi. Des questions?

Un homme corpulent, le doyen des journalistes présents, demanda d'une voix peu amène:

— Pourriez-vous expliquer, monsieur le premier ministre, pourquoi des soldats canadiens ont ouvert le feu sur des civils désarmés durant la nuit?

— Il s'agit d'incidents isolés au cours desquels les soldats ont dû se défendre contre des groupes hostiles. Je peux vous assurer qu'aucun civil n'a couru de danger cette nuit, au contraire. Les citoyens du Québec ne sont réellement en sécurité que depuis notre arrivée. De nombreux suspects ont été interpellés, et les rares décès survenus durant la nuit sont ceux de contestataires armés.

Une jeune femme, arrivée vingt minutes plus tôt à Ottawa dans un avion affrété par le gouvernement du Québec, se leva pour poser une question ou porter le coup de grâce, selon le point de vue. Quand Elizabeth Converse fut reconnue par ses collègues, le silence se fit dans la salle de presse. Elle avait l'air épuisé et elle repartirait vingt minutes plus tard pour Montréal par le même avion, mais pas avant d'avoir fait des ravages.

— À trois heures ce matin, M. Roof, dix de vos soldats ont ouvert le feu sur une foule de fêtards, sous mes fenêtres. La rue Saint-Denis était jonchée de cadavres. Aucune des victimes n'était armée. Un seul homme parmi eux s'était montré menaçant, et il avançait à main nue contre un peloton armé. Vous pouvez le constater sur cette vidéo, qui sera rendue publique avant la fin du jour. Ce n'est pas, comme vous souhaitez le faire croire, un incident isolé. Je vous laisse débiter le reste de vos mensonges…

Elle sortit dans un silence complet, laissant se terminer la conférence de presse dans un pandémonium indescriptible. Roof ne parvint pas à rattraper le coup ; c'était inscrit sur son visage.

Quoi qu'il advienne durant les jours à venir, il avait d'ores et déjà perdu…

13

Gregory Wilson était assis dans une suite du Sheraton situé près de la station Berri-UQAM. Il regardait distraitement la foule sortir de la bouche du métro en étouffant un bâillement. Il n'avait pu fermer l'œil de la nuit, et son âge se faisait sentir depuis quelques jours. Le Québec était à feu et à sang ; son patron glissait à une vitesse vertigineuse sur la pente descendante et quelqu'un se devait de lui reprendre les commandes avant qu'il n'entraîne le Canada avec lui.

Comme il était le numéro deux du pays, ce quelqu'un ne pouvait être que lui.

Il avait réfléchi toute la nuit. Non tant sur la façon de sortir Roof de la scène politique que sur les décisions qu'il aurait à prendre ensuite pour restaurer l'image du Canada aux yeux du reste du monde. Il venait de parler au nouveau président américain, Murray Stevens, qu'il avait su calmer pour quelques jours au moins. Il n'était pas absolument certain d'y être parvenu, mais de le voir défendre avec acharnement le pays nouvellement formé avait sûrement donné à réfléchir au président. L'agitation au nord devenait un sujet chaud pour les Américains. Pas assez pour inquiéter un pays dans lequel on avait dénombré trente-quatre mille meurtres l'année précédente, mais presque.

Naturellement, il devait aussi décider s'il accorderait bel et bien l'indépendance aux Québécois. Et il devait être sûr de sa décision, car l'homme qu'il allait rencontrer ne pardonnait pas les mensonges et les punissait dans le sang deux fois plutôt qu'une. Il ne pouvait s'en prendre qu'à lui-même, car il avait fortement insisté auprès de Réjean Morin afin qu'il lui organise ce rendez-vous.

Il n'était pas non plus tout à fait impossible qu'on retrouve une heure plus tard son corps sans vie sur la moquette qu'il foulait actuellement et il le gardait à l'esprit.

Deux coups secs furent frappés à la porte par l'un des deux gardes du corps envoyés au vice-premier ministre par le chef de la police du Québec. Il s'agissait de deux frères ayant une vague parenté avec Morin et retraités de la GRC.

La porte s'ouvrit sur Curtis Taylor.

Greg Wilson jeta un bref coup d'œil au revolver que portait le directeur des services secrets à la ceinture. Taylor le vit, et un mince sourire vint adoucir la sévérité de ses traits. Il eut un geste apaisant de la main à l'intention du second de Jonathan Roof.

— Du calme, M. Wilson. Je ne vais quand même pas vous descendre en plein cœur du centre-ville… Pas avant de savoir jusqu'à quel point vous êtes impliqué dans ce merdier, à tout le moins… Entendons-nous bien : je n'ai aucune confiance en vous, car je ne possède que les renseignements minimaux à votre propos. Dans mon métier, ça laisse le choix entre deux options : soit le pigeon mène une vie privée dénuée de tout élément inattendu ou excentrique, soit il sait mieux que nous comment cacher ses penchants…

— Je crains qu'il ne s'agisse, dans mon cas, que de la première possibilité, bien que ce soit assez déprimant de l'entendre énoncer de cette façon…

— Je ferai avec votre désappointement, dit Curtis sans la moindre trace d'humour. Ce qui joue indéniablement en votre faveur, par contre, est votre situation politique actuelle. La première préoccupation de Roof, avant que le référendum ne soit annoncé, était de trouver le moyen de vous mettre à la porte. Le premier ministre ne vous aime pas.

— Il en a sûrement autant à votre service, en ce moment, dit Gregory, pince-sans-rire.

— J'ai appris que vous aviez appelé la Maison-Blanche…

— Ça fait tout juste vingt minutes ! Comment…

— Votre ligne est sur écoute, dit Taylor en souriant. C'est une bonne chose d'entretenir le contact avec eux. Je suis prêt à parier que Roof n'a plus assez de tête pour comprendre qu'il pourrait reprendre le contrôle au Québec avec la seule aide des Américains, s'il la jouait finement.

— D'après ce que m'a dit Stevens, Roof lui a même raccroché au nez …

— C'est quelque chose qu'il pourra mettre dans son curriculum… Quant à nous, si c'est vraiment là votre intention, il nous faudra trouver un terrain d'entente. Pas une solution temporaire ni même un arrangement simplement efficace, mais quelque chose qui calmera aussi la population. Qui la contentera. Je veux une entente qui me fasse vous aimer, M. Wilson, et qui fasse apparaître sur le visage du premier ministre de mon pays un sourire de contentement. Vous n'êtes pas en position de force, je le crains. Des manifestations dénonçant les agissements du Canada à l'égard de mes compatriotes se déroulent en ce moment dans une cinquantaine de pays, le saviez-vous ? Ce n'est pas moi qui vous apprendrai que le Canada va voir sa dette nationale doubler avant l'an prochain, si vous ne faites pas simplement banqueroute…

— Seigneur ! Je sais, oui ! Les poursuites civiles qui seront déposées nous ruineront…

— Vous avez donc tout intérêt à vous attirer les grâces de vos voisins de palier, n'est-ce pas ? Car vous reconnaissez bien le Québec comme un pays distinct, non ? Autrement, vous ne seriez pas venu nous trouver à l'insu de votre patron…

Greg Wilson demeura un long moment silencieux, mais il n'avait plus le choix. Taylor dit d'une voix neutre :

— Monsieur Wilson ?

— Je reconnais l'indépendance du Québec, oui. Si nous parvenons à un accord, je m'arrangerai pour que les détails administratifs passent en douceur. Mais si vous partez avec une part des revenus, vous emportez aussi avec vous une part de la dette actuelle !

— Ce genre de détail sera à discuter avec mon premier ministre et ne me concerne pas. Mon boulot, c'est la sécurité des miens. Comme le disait McQueen dans ce film : mon boulot à moi, c'est le plomb…

— Les miens ! *Jesus-Christ*… fit le vice-premier ministre en roulant des yeux, pensant à tous les Québécois à qui Taylor avait nui depuis le début de sa carrière.

Wilson avait assuré l'intérim quand le ministre de la Justice s'était trouvé dans l'incapacité d'assumer ses fonctions, et il avait pris sa tâche à cœur. Il en connaissait beaucoup plus sur le travail de Taylor depuis son entrée en poste que le directeur du nouveau SG4 québécois n'en savait sur celui de son vis-à-vis.

— Oui, M. Wilson, les miens… J'étais très heureux d'être Canadien, vous savez, avant que votre patron ne perde complètement les pédales. Je jouais parfois contre des Québécois, mais je n'ai jamais ciblé personne. Si vous tendez l'oreille, vous entendrez les fusillades qui continuent dans la rue. Des civils se font tuer, monsieur le vice-premier ministre ! Par vos hommes ! On en entend beaucoup moins, depuis quelques heures... dit Taylor, fier de constater la réussite de leur tactique.

Gregory grimaça légèrement et répondit:

— Je sais, oui... Il y avait une vingtaine d'hommes près du métro cette nuit. J'ai vu de ma fenêtre votre équipe les effacer. Plutôt professionnel, il faut bien le dire. En deux minutes, le carrefour était désert.

— Ce ne sont pas mes hommes, mais plusieurs groupes travaillant de concert sur ce coup, ici et partout à travers les villes importantes du Québec.

— Comment différenciez-vous les villes importantes des autres?

— Les villes où ont lieu les premiers attentats, principalement.

— Mais il y en a eu partout! s'exclama Wilson.

Taylor ouvrit les mains pour souligner l'évidence de ce qu'il venait de démontrer.

— *My point, exactly...*

Personne n'était à l'abri.

Les deux hommes gardèrent le silence un moment, plongés dans leurs pensées. Ils devaient maintenant livrer bataille sur plusieurs fronts. Combats diplomatiques pour l'homme d'État et combats tout court pour Curtis Taylor.

— C'est tout de même ironique, vous ne croyez pas? demanda Greg.

— Quoi donc?

— Que des questions d'une telle importance – je parle ici de l'avenir d'un pays – se règlent entre deux hommes dans une chambre d'hôtel.

— Ces choses se sont toujours réglées en privé. Il ne peut en être autrement et cette réunion sera pour vous la première d'une longue série aujourd'hui. Si le Canada et le Québec n'ont pas trouvé de terrain d'entente ce soir, nous vous reconduirons à la frontière et vous souhaiterons bon vent. Autant le dire franchement : il vaudrait mieux pour vos troupes à l'intérieur de nos frontières qu'un accord ait été conclu quand la nuit tombera. Nous vous appellerons dans une demi-heure, monsieur, dit l'agent secret en se levant.

Alors qu'il avait la main sur la poignée de porte, le vice-premier ministre le fit se figer net lorsqu'il demanda :

— Vous savez quelque chose à propos d'une manifestation monstre qui se tiendrait à Québec aujourd'hui ?

Les yeux de Curtis Taylor s'agrandirent. Il se retourna lentement et braqua son regard dans celui de son interlocuteur.

— Non, sinon que ce serait une mauvaise idée. Une très mauvaise idée…

14

Georges Normandeau jeta un œil au décompte des pertes civiles recensées durant la nuit et dut faire un effort pour ne pas gémir devant Réjean Morin et son adjoint. Montréal avait été la ville la plus touchée avec près de trois cents morts répertoriés, mais Longueuil, Québec et Sherbrooke suivaient de près. De plus, seules des informations fragmentaires leur parvenaient depuis l'application de la loi martiale par les Canadiens, car même les effectifs du renseignement contribuaient au nettoyage concocté conjointement par Taylor, Martel et le chef de la mafia. Martel avait tout d'abord voulu y inclure les Forces armées québécoises, mais elles avaient fort à faire à maintenir l'unité parmi les hommes, les soldats acceptant la souveraineté n'étant pas nécessairement chauds à l'idée de combattre des hommes qu'ils connaissaient depuis des années, avec qui ils avaient traversé les affres de l'entraînement militaire. De plus, les frontières devaient être gardées, fût-ce par des effectifs réduits, et quelqu'un devait continuer à tenir tête au reste des Forces canadiennes n'ayant pu entrer au Québec. Quelqu'un pouvant à la fois tenir un M-16 et prier pour que Roof n'envoie plus de troupes, si possible.

Les règles avaient été énoncées par Roof. Il était désormais interdit de sortir de chez soi après dix heures du soir. Tout citoyen hostile à l'occupation se verrait appréhendé.

La découverte d'une arme en votre demeure vous vaudrait l'arrestation complète de votre famille. Roof avait mis quinze minutes à lire la liste des règles désormais applicables au Québec. La plus étrange concernait les heures d'ouverture des commerces, qu'il avait considérablement réduites. Les boutiques avaient maintenant le même horaire que les banques. Normandeau, qui relisait le discours qu'il allait adresser à la nation, releva brusquement la tête.

— Pourquoi les boutiques ? demanda-t-il à Curtis Taylor, qui se tenait près de lui depuis son retour, quelques minutes auparavant.

— Il cherche à créer la panique. Allez savoir pourquoi, les gens y verront une signification de pénurie, et ils se précipiteront tous en même temps. D'ailleurs, s'ils bloquent nos frontières plus d'une semaine, la pénurie semblera une hypothèse de plus en plus probable.

— Ça ne durera pas une semaine… dirent en même temps Réjean Morin et Normandeau, ce qui arracha à tous un mince sourire.

— Où est votre adjoint ? demanda le premier ministre au directeur du SG4.

— Il est en train de concocter des *spots* pour la télévision ; quelque chose qui mettrait en image l'idéologie du discours que vous allez prononcer.

— Du genre : nous ne vous inciterons certainement pas à la violence, mais si vous pouviez tuer deux ou trois soldats canadiens en rentrant chez vous pour le couvre-feu, ce n'est pas moi qui vous enverrai la police…

Quand les rires se furent calmés, Taylor reprit :

— Un message d'encouragement, en quelque sorte. La fin de ce conflit approche, vous voyez ?

— Sauf votre respect, monsieur, dit Morin, et si c'était faux ?

— L'espoir fait vivre, dit le premier ministre d'un air sombre.

— Beaucoup de vedettes, des mots forts et des certitudes, voilà ce que contiendront ces messages. Nous devons donner dès à présent l'image d'une nation forte.

— Et cela doit transparaître immédiatement dans nos relations avec l'étranger ! dit un homme en ouvrant la porte communiquant avec l'autre chambre. Les Français menacent d'intervenir en notre faveur et les Anglais d'en faire autant pour les Canadiens. Impossible de dire ce que feront les États-Unis. Je doute qu'ils s'en mêlent, mais Murray Stevens a refusé de prendre mon appel ce matin.

Réjean Morin et son adjoint demandèrent d'une seule voix :

— Vous êtes qui, vous ?

La femme du premier ministre passa la même porte et déposa un baiser sur la joue du nouveau venu.

— Lui ? s'exclama le premier ministre. Mais c'est l'amant de ma femme !

Devant l'air interloqué des deux hommes, tout le monde s'esclaffa. Le principal intéressé semblait trouver la chose très amusante, d'autant plus que les rares personnes connaissant ses orientations sexuelles étaient toutes présentes. Quand son rire se calma, Normandeau dit :

— C'est un plaisir de voir à quel point vous vous êtes intéressé à ma carrière, tous les deux. Julien, dit-il à son ami, je vous présente Réjean Morin et son adjoint, Sébastien Hugenault. Messieurs, je vous présente votre vice-premier ministre, Julien Leclerc.

Les deux policiers piquèrent un fard. Morin bafouilla :

— Je suis désolé, M. Leclerc. Je connais votre nom et vos états de service, bien sûr, mais je n'ai pas souvent l'occasion de regarder la télévision.

— Ne vous excusez pas ; on ne m'y voit que très peu.

L'agent secret reprit la parole comme s'il n'avait pas été interrompu.

— Bref, Martel est allé voir s'il ne pouvait pas mettre la main sur Trudeau et Fontaine, pour une ou deux apparitions.

— C'est une excellente idée, approuva Leclerc. Mes correspondants en France et ailleurs me disent qu'ils sont un peu devenus des icônes de la révolution, ce qui prouve bien les conneries que les gens avalent en regardant la télé.

Normandeau émit un grognement.

— On est surtout en train d'en faire des cibles, et je n'aime pas ça.

— Nous sommes tous devenus des cibles, monsieur le premier ministre. Il est temps d'y aller. On enregistre d'avance et on retransmet dans une demi-heure. Il n'y aura pas de journalistes.

— Enfin une bonne nouvelle ! s'écria Normandeau.

En sortant de sa suite, il croisa les directeurs de l'information des deux plus importants réseaux, avec qui il devait mettre les choses au point. Ils se proposaient de retransmettre son discours vers midi, car la nuit avait été chaude en informations macabres. Ils avaient de quoi faire du direct au moins jusqu'à ce moment-là.

— Écoutez-moi bien, mes petits choux, leur dit-il sans même ralentir son allure, ce qui força les deux hommes à se mettre en branle. Vous avez sans doute remarqué qu'aucun représentant de ce qu'on appelait notre télévision d'État n'est ici ce matin. Il n'y a plus de télévision d'État, car nous venons de résilier leur permission de diffuser sur notre territoire, en anglais comme en français. En fait, leur immeuble a été évacué ce matin à la suite d'une alerte à la bombe, et ceux qui ont laissé leur manteau dans leur bureau ne sont pas près de les récupérer. Vos patrons se disputeront plus tard à savoir qui récupère quoi, mais vous pouvez d'ores et déjà les informer d'une chose : si je vois autre chose que mon discours sur vos ondes, dans trente minutes, ils verront leurs licences suivre le même chemin, et leurs locaux se vider de la même façon. Compris ?

Le plus âgé des deux directeurs tenta de s'insurger :

— Vous n'avez pas le dr…

— Ta gueule, vieux christ ! le coupa Normandeau. Vous êtes là pour servir le peuple, et mon discours le servira bien mieux que les images de membres amputés et de corps empilés que vous diffusez sans interruption depuis cette nuit. Vous êtes d'autant moins en position de l'ouvrir depuis que j'ai appris que vous aviez annoncé une manif à Québec cet après-midi, alors que ce n'était qu'une hypothèse échafaudée par des étudiants de l'Université Laval sur Facebook ! Vous avez mis des gens en danger, bande de cons, et je ne peux même pas inciter les gens à ne pas y aller parce que j'aurais l'air de reculer, ou pire encore, de me contredire ! Je veux voir ma tête à la télévision dans une demi-heure, et le montage sera déjà fait. Ne vous avisez surtout pas de couper ou de remodeler quoi que ce soit. Vous avez déjà, conjointement, fait sauter près d'un demi-million en pub depuis ce matin, alors vous pouvez apparemment vous permettre de diffuser une demi-heure *non-stop*. Allez informer vos boss, et tâchez d'être convaincants.

Les deux hommes s'éclipsèrent sans un mot, mais ne purent dissimuler leur agacement.

Normandeau entra énergiquement dans le studio d'enregistrement improvisé, suivi par ses gardes du corps et Réjean Morin. Les autres avaient déjà à faire ailleurs, et chacune de leurs actions était susceptible de sauver des vies. Le premier ministre cria au réalisateur :

— On se le fait en une prise, allez !

Le réalisateur fit signe qu'il était prêt et le texte se mit à défiler sur le téléprompteur. Normandeau était suffisamment négligé pour avoir l'air d'avoir passé la nuit debout, comme beaucoup de ceux qui l'écouteraient plus tard. Il adressa un salut silencieux à sa femme qui se tenait derrière la vitre de la régie.

— Mesdames et messieurs, je peux difficilement vous souhaiter le bonjour ce matin. Ce serait ridicule. Le Québec traverse des jours noirs, agressé de toutes parts par un Canada qui se refuse à voir la réalité en face. Vous avez tous vu ce qui ce passe à l'extérieur de vos maisons, dans vos rues… L'armée canadienne occupe notre territoire illégalement, en invoquant une loi qui n'a cours, à l'intérieur de nos frontières, que si j'en prends la décision ! Le Canada n'a le pouvoir de mettre en application la loi martiale qu'à l'intérieur de son territoire, et le Québec n'en fait plus partie !

Normandeau se ménagea une pause, comme l'indiquait son texte.

— Ils ont tué des civils ! Par milliers, les corps d'innocents remplissent nos morgues ! Ils tuent nos compatriotes, notre famille, nos amis ! De quel droit Jonathan Roof pense-t-il pouvoir nous imposer la moindre restriction ? Un couvre-feu ? Et puis quoi encore ? Limiter le commerce au Québec ? Hein ? Un mandat d'arrêt a été émis à l'encontre de M. Roof par le chef de la police du pays, M. Réjean Morin. Qu'il vienne au Québec, nous dicter notre conduite ! Ses actes, de même que ceux de Bethleem Jordan, ont déjà coûté des milliers de vies humaines, et il est impensable de les laisser faire sans combattre. Je ne vous dis pas de monter aux barricades, bien sûr ! Trop de vies ont déjà été inutilement sacrifiées, mais je vous dis simplement que la liste d'interdictions de Roof, qui est, en passant, plus longue que mon discours, ne me concerne en rien. Je suis citoyen québécois, et le gouvernement du Québec me permet de sortir boire un pot quand ça me chante et de magasiner à un autre moment que durant mon heure de dîner. Mon gouvernement me permet aussi de me réunir avec plus de cinq personnes sans me prendre nécessairement pour un poseur de bombes. Des bombes qui, jusqu'ici, ont été placées par ses hommes à lui, calvaire ! Les Québécois sont des gens braves et fiers. Le règne de terreur que le Canada tente d'instaurer va se cogner le nez contre une porte, parce que personne ici ne se laissera traiter comme un criminel par le gouvernement d'un pays voisin qui nous a toujours méprisés !

Georges Normandeau, député d'Anjou, continua son discours à la nation durant de longues minutes, et les médias du monde entier retransmirent presque intégralement les dernières phrases de son allocution :

— Je m'adresse en terminant au premier ministre du Canada et au chef de ses armées. Pour chacun de nos hommes qui tombera, il y aura des conséquences. Si vous vous en prenez aux nôtres, nous répondrons coup sur coup. Nous faisons le décompte de nos morts, général Jordan. Faites un peu le vôtre et vous constaterez que le Québec n'est plus le petit chien docile de personne. Nous répliquerons à chaque agression, et des tas de familles canadiennes pleurent en ce moment la perte d'un être cher par votre faute. Retirez vos troupes avant demain, midi, ou regardez-les mourir…

Il adressa à la caméra un dernier regard décidé et remit son veston.

— Et autant pour la diplomatie, marmonna-t-il en quittant le studio.

15

Marcus Fontaine et Benny Trudeau sortirent du studio d'enregistrement, situé à Brossard. Ils venaient de passer une heure à participer aux annonces concoctées en partie par Erik Martel, bien qu'ils doutent tous les deux de leur efficacité. La situation avait dégénéré bien au-delà de ce qu'ils auraient pu imaginer. Sept heures plus tôt, pendant que Marcus assistait, impuissant, au massacre des civils de la rue Saint-Denis, Benny était la proie d'un hallali organisé par l'armée. Assis tous les deux sur le capot de leur voiture, ils croyaient à peine aux histoires qu'ils se racontaient.

— Je te le dis, mon gars, j'ai eu la peur de ma vie ! dit Benny en frissonnant à ce souvenir. Je suis vraiment passé très près, cette fois. J'avais beau courir comme un fou, je sentais toujours leur souffle dans mon dos. Je le sens encore… Une fois, dans un bar d'Acapulco, un homme a tiré vers un autre gars et j'ai senti la balle me frôler la tête. Ça se rapprochait de ça, cette nuit. Si Julie ne s'était pas réveillée et si elle n'avait pas eu la présence d'esprit d'appeler Martel, je ne serais pas ici ce matin…

Il garda le silence un moment, puis, comme Marcus ne disait rien, il murmura :

— Je suis content qu'on soit maintenant un pays, mais à quoi ça va me servir si on me tue avant même que l'armée canadienne ne soit repartie ?

Marcus, qui se relevait doucement du traumatisme qu'il avait lui aussi subi avant l'aurore, lui posa simplement la main sur l'épaule.

— J'ai vu le premier ministre il y a quelques heures…

— Bon, fit Benny en souriant, encore du *name-dropping*… Tu peux faire ton frais, Fontaine; moi, j'ai une BMW…

Marcus éclata de rire.

— J'en ai une aussi, alors… Tu as des plans pour aujourd'hui, à part éviter de te faire tuer?

— Oui! s'exclama Trudeau. Il paraît qu'il va y avoir une manif monstre sur les plaines, et je vais m'y rendre. Julie tient à y aller. On parle de ça partout! Tous les postes de télé, Facebook, Twitter… Il manque juste un crieur public avec un porte-voix!

— Qu'est-ce que Martel en pense?

— J'ai pas de permission à demander à personne. Et toi?

— Beth va sûrement vouloir la couvrir, alors j'en suis. On pourrait même monter à quatre si on peut aller chercher la Grande Journaliste avant de partir.

— D'accord. Julie aime beaucoup ta blonde, alors ça va lui faire plaisir.

— Sincèrement, je ne sais pas encore si on peut parler de ma blonde, même si j'adorerais ça. On se connaît depuis quatre jours, et on les a passés à courir, le plus souvent chacun de notre côté. Je ne vois vraiment pas comment je pourrais avoir droit à une femme aussi parfaite. Je serai fixé avant longtemps… Julie tient le coup?

— Elle est incroyable, vieux! À croire que son corps fonctionne à la volonté… Elle est brillante, Marcus, drôlement plus intelligente que moi. Elle a des nerfs d'acier! J'en viendrai à l'aimer, j'en suis persuadé, et je crois qu'elle m'aime bien aussi. On verra…

— On est le 16 juillet, dit Marcus d'une voix atone. Il y a un mois, exactement, tu faisais quoi ?

Benny haussa les sourcils, puis sembla chercher durant longtemps ce qu'il faisait à la fin du mois de juin.

— Viârge ! On dirait que ça fait un an… dit-il en souriant à son ami. Je suis allé voir mon cousin sur le pouce, à Saint-Hyacinthe. Il fait pousser du pot et je suis allé l'aider à entretenir ses plants. C'était une période où je buvais beaucoup… Je ne me souviens même pas du trajet du retour ; c'est te dire…

— Moi, j'étais au cimetière. Je m'en souviens parce que c'est le lendemain de l'anniversaire de ma mère. Je suis allé fleurir la tombe de mes amis et de mon ex, après avoir fait ma journée de marde à l'entrepôt. Ce con de Poirier m'avait cherché toute la journée, et je m'étais retenu de justesse de lui en sacrer une.

— Poirier ?

— Mon ancien patron. Quand je pense que le SG4 m'offre six fois ce que je faisais par semaine à travailler pour cet enfoiré…

— Je sais ! Je fais plus d'argent que mon père ! Ha ! Ha !

Erik Martel sortit du bâtiment à son allure habituelle : en trombe. En ouvrant la portière de sa Porsche, il leur demanda par-dessus son épaule :

— Vous faites quelque chose ?

— On va aller chercher nos blondes et peut-être faire un tour. Tâter le terrain pour voir jusqu'à quel point on est dans la marde, quoi !

Martel eut un petit rire.

— Ne vous fatiguez pas. Je peux vous le dire tout de suite : on est *vraiment* dans la marde, Benny. Je vous appelle dans quelques heures, histoire de confirmer que personne ne vous a tiré dessus.

— Ça c'est gentil, comme attention, dit Marcus. Surtout après avoir évité qu'on troue cette nuit la peau de ce clodo malodorant. Merci, M. Martel.

Benny lui flanqua un coup de coude.

— Il n'y a pas de quoi, répondit l'agent secret en s'engouffrant dans sa voiture. Vous avez fait beaucoup plus pour nous que vous ne sauriez l'imaginer. Et une dernière chose…

— Oui ? demandèrent en chœur les deux colocataires.

— Cessez de m'appeler monsieur, s'il vous plaît !

Les deux hommes sourirent en regardant partir leur fée marraine. Benny sortit de la poche de sa veste deux bouteilles de bière et en tendit une à son ami.

— Benny, y'est pas encore dix heures !

— J'm'en crisse, répondit Trudeau avec un grand sourire. J'ai le droit de boire avant midi quand on m'a tiré dessus la nuit précédente.

Marcus fit mine de réfléchir, puis haussa les épaules et déboucha sa propre bouteille.

— Ouais, ça se tient… Au moins, je sais pourquoi tu portes un manteau même s'il fait déjà vingt-cinq degrés.

— Je l'ai même acheté pour ça, dans le temps. Je peux y mettre six bouteilles et ne rien casser, du moment que je ne trébuche pas…

Voyant que Marcus n'avait écouté sa blague que d'une oreille, Benny lui adressa un regard interrogateur. Il commençait à connaître assez bien son nouvel ami pour savoir quand il était troublé. Marcus hésita encore un moment, puis demanda :

— Tu crois que tout ça fera de toi quelqu'un de plus violent ?

Benny sembla surpris par la question, et il ne répondit pas tout de suite. Finalement, il dit :

— Sans doute, oui. Écoute, ça peut pas se passer autrement. Juste notre tournée, à discuter stratégies, embuscades et traquenards avec ces étranges personnes qu'on nous a présentées... En définitive, on parle de meurtre. Quand on joue dans la zone grise, où le meurtre de masse est planifié, comment ne pas voisiner avec la violence ? Je ne te dirai pas que j'aime ça, où que c'est ainsi que je voyais ma participation dans notre grande campagne de liberté, mais Taylor a raison : il faut que quelqu'un le fasse, et ce n'est pas nous qui avons hérité du pire boulot de tous. Pense juste aux équipes de nettoyage...

— Parlant de notre tournée... Le *biker* que tu as rencontré à Saint-Hyacinthe, ce ne serait pas Michel Morin ?

— Mike Morin, oui.

— Il est mort cette nuit. J'ai entendu ça aux nouvelles, tantôt.

— Mort ? fit Benny, éberlué. Merde ! Il était en plei... Attends donc, toi... Les nouvelles ont rapporté la mort d'un "particulier" ? Ils ont encore le temps de faire ça ?

— Particulier, c'est le mot. Une douzaine de soldats ont tiré sur une brigade de rue qui assurait la sécurité du quartier des bars, à la fermeture, pour éviter qu'un poseur de bombes se pointe. Leur chef, le mieux équipé du lot, avait une barre de fer à la main. Les soldats, au moment où ils se sont mis à tirer ont vu arriver Morin et un de ses hommes, qui lui n'était même pas encore *full patch*. Ils sont morts tous les deux, mais ils sont restés debout jusqu'à ce que le dernier soldat tombe. Aucun des membres de la brigade civile n'a été blessé. Je veux qu'on note le nom de ces hommes, et de tous ceux qui sont tombés depuis deux jours en sauvant d'autres personnes, criminels ou non. Je veux qu'ils aient des médailles, ciboire !

— Tu as prévenu Martel ?

— Oui, mais ce n'est pas ce que je voulais dire, tout à l'heure. Je parlais du niveau de violence général. Je parle des brigades, justement, qui prennent un rôle drôlement plus offensif depuis cinq heures du matin. Je ne regrette pas d'avoir aidé à les mettre en place, mais je ne m'imaginais pas que je me sentirais responsable de leurs actes, nécessité ou non. Après la SQ, le SG4 et le consortium de Finetti, ce sont nos plus grands alliés. J'ai peur que le Québec, en tant que nation, ne garde une forte empreinte de cette violence.

— Depuis le départ de Martial, comment va la Sûreté ? dit Benny, que le sujet mettait mal à l'aise.

— Il paraît que l'homme de Taylor fait un boulot colossal. Leurs effectifs ont été distribués dans toutes les villes pour renforcer la police. Après tout, que pourrait-on en faire d'autre ? On ne peut quand même pas les mêler au nettoyage, non ?

Benny se leva, s'étira longuement et déclara d'un ton docte, en balançant sa bouteille :

— Va savoir combien de millions d'années d'évolution pour en arriver là…

16

16 juillet, 11 h

Phillibert Maynard fut le dernier à passer la porte. Il enleva tout d'abord sa vareuse de l'armée canadienne d'un geste élégant qui fut proprement annulé par le hurlement barbare qu'il poussa en la lançant à travers la pièce. Aucun des autres participants présents n'émit le moindre commentaire, car ils ne savaient que trop bien comment se sentait le géant blond. Tous avaient dirigés des raids contre l'ennemi, durant la nuit. Tous avaient tué à outrance, plus qu'ils ne l'avaient fait de leur vie entière de criminels.

Leurs équipes réunies avaient tué plus de trois mille soldats canadiens durant la nuit, un nombre qui n'avait encore pénétré dans l'esprit de personne, tant son énormité frappait. Certains de leurs hommes, partout à travers le nouveau pays, étaient encore à l'œuvre. Maynard, à lui seul, avait tué plus de cinquante hommes et il tenait à peine sur ses jambes. Les deux chefs de gang, qui avaient la responsabilité de l'île de Montréal, avaient eu moins de distance à parcourir et plus de soldats à descendre, pour des résultats qui défiaient l'imagination. Plus d'hommes étaient morts à Montréal que partout ailleurs au Québec. Les deux Hispano-Canadiens étaient à bout de nerfs eux aussi. Seul le parrain semblait parfaitement se contrôler.

En le regardant attentivement, Maynard aperçut des traces de sang sur le costume du chef de la mafia.

— Non ! s'exclama-t-il en se redressant. Vous n'allez pas me dire que vous êtes monté au front cette nuit ? Vous n'avez tout de même pas participé aux raids, à votre â... ?

Il se tut en se rappelant à qui il parlait.

Lotto Finetti lui lança un regard mi-amusé, mi-méprisant.

— Des femmes et des enfants meurent, mon garçon... Et je n'ai que quatre-vingt-neuf ans, à la fin ! Et puis, je n'ai accompagné mes petits-enfants que deux ou trois heures, pour avoir une idée... J'ai bien peur que nous ayons un peu piétiné votre juridiction en sortant de la ville, dit-il aux deux chefs de gang.

L'un des deux sourit, malgré la fatigue.

— Il m'avait bien semblé, aussi... Nous avons éliminé trois équipes sur le boulevard Lacordaire seulement, entre le métropolitain et le McDonald's, mais une fois arrivés à Saint-Léonard, les rues étaient complètement vides.

— Nous avons nettoyé notre quartier avant de partir. Combien avons-nous dépensé en transport, cette nuit, Domenico ? demanda le parrain en s'adressant à l'agent du SG4 que Taylor avait assigné à suivre son grand-père durant la nuit.

— Uniquement en avions privés, plus de deux millions. Le budget inclut aussi les hommes du SG4 que nous avons transportés quand ils allaient aux mêmes endroits que les nôtres, ce qui se produisait le plus souvent.

— Continuez de réserver tout ce que vous pourrez... Achète-les, si tu ne peux faire autrement. Il faudra envoyer beaucoup des nôtres à Québec, aujourd'hui. Beaucoup des vôtres aussi, si vous pensez pouvoir vous en passer, dit-il aux gangsters réunis dans la pièce.

Les deux Latinos le regardèrent sans comprendre. Le plus âgé des deux demanda :

— Qu'est-ce qui se passe à Québec, M. Finetti ?

— Laissez tomber le monsieur ; je m'appelle Lotto. Ce qui va se passer à Québec ? Une monumentale connerie ! Une quelconque fraternité de l'Université Laval a lancé sur Internet l'idée d'une manifestation sur les plaines d'Abraham, en fin d'après-midi. Je ne suis même pas certain que c'était sérieux, mais une station de radio de Québec a répandu la nouvelle, et ce l'est devenu. Résultat ? Les stations de télévision ont repris l'information, d'abord à Québec, puis à Montréal. Il va y avoir des milliers de personnes. Plus de cent mille, peut-être. Allez savoir comment cette violence gratuite aura galvanisé jusqu'à celui qui n'a jamais mis les pieds dans une manif. Regardez seulement ces deux types de Longueuil qui sont parvenus à attirer un quart de million de personnes sur la Rive-Sud, alors que tout allait encore pour le mieux. Fasse le ciel que les gens soient terrifiés et qu'ils restent tous chez eux.

— Ils viendront, dit Domenico Santori. Ils viendront en grand nombre…

— Je sais, répondit son grand-père. Et les soldats canadiens viendront eux aussi.

Le silence se fit alors qu'ils imaginaient tous les cinq les scénarios découlant d'une telle situation.

17

Mathieu Sinclair demanda à la stagiaire avec qui il discutait :

— Vous voulez bien m'excuser un instant, Catherine ?

— Sûr, M. Sinclair, sûr…

— Merci.

Sinclair hâta le pas vers sa loge, car il l'avait senti monter d'un coup, sans avertissement, alors qu'il croyait tenir le coup encore quelques secondes plus tôt. Il ouvrit la porte à la volée, la referma derrière lui juste à temps et hurla.

— Aaaaaaaaaaaarg, tabarnac !

Il balança son poing dans le miroir, le réduisit en miettes et envoya voler son fauteuil d'un coup de pied énergique.

— Tabarnac de ciboire de calice ! Aaaaaaaaarg !

Ses assistants, derrière la porte, lâchèrent à l'unisson un soupir de soulagement. Sinclair était le seul membre de l'équipe qui n'avait pas encore craqué depuis leur arrivée à cinq heures du matin, et ils avaient craint que cela ne se produise en ondes. Tout le monde aurait compris, de toute façon. La présentatrice d'une chaîne concurrente avait éclaté en sanglots pendant une entrevue avec le vice-premier ministre québécois.

Tout de même, à l'*Information*, on était soulagé de voir que les dégâts se limiteraient à l'antre du présentateur. Il devait nécessairement craquer. Impossible de faire autrement, après six heures d'affilée en ondes, non pas à supporter, mais à *raconter* les horreurs qui semblaient sortir d'un roman de Ludlum ou de Tom Clancy. Tout le monde finissait par perdre les pédales, à l'intérieur comme à l'extérieur de la station.

Un anglophone rendu fou de rage par le meurtre de sa femme s'était rendu dans un parc de Laval armé d'un fusil mitrailleur Uzi. De nombreuses mères, qui avaient souhaité éloigner leurs enfants de la télévision et de ce qu'elle présentait ce matin-là, s'y trouvaient. Il avait ouvert le feu sans la moindre sommation et fauché seize personnes, dont douze enfants. L'intervention d'un vendeur de drogues, qui rentrait chez lui après une terrifiante nuit de travail (il avait dû zigzaguer entre les patrouilles de l'armée jusqu'à quatre heures du matin, quand la plupart avait subitement disparu) empêcha qu'il n'y eut plus de victimes encore. Il sortit son couteau à cran d'arrêt, s'approcha à grande vitesse derrière le déséquilibré et lui trancha la gorge sans effort. Il recevrait quelques mois plus tard une médaille pour son geste, la première récompense de toute sa vie.

Malheureusement, cela ne rendit pas la vie à ces seize personnes dont Sinclair dut annoncer la mort.

Une femme prise de folie avait assassiné à coups de fusil son mari et ses trois enfants, pour leur éviter les abus qui allaient inévitablement de pair, dans son esprit dérangé, avec l'occupation. Lorsqu'elle avait voulu, à son tour, mettre fin à ses jours, elle s'était retrouvée à court de munitions.

À Varennes, les habitants d'un quartier de la ville avaient uni leurs efforts. Ensemble, ils avaient établi leur plan durant la nuit. Ensemble, ils avaient acheté ce qu'il leur fallait pour le mettre en œuvre. Ensemble, ils déjeunèrent en ce matin du 16 juillet, dans la cour de l'un d'eux. Ensemble, ensuite, ils emprisonnèrent la seule famille anglophone de leur quartier dans le sous-sol de leur résidence avant d'y mettre le feu. Ensemble, ils écoutèrent les cris d'agonie de leurs six victimes en savourant leur victoire contre l'envahisseur. Quand la section 22 du 6e bataillon d'infanterie de l'armée canadienne vint sur place et s'aperçut de la cause du tumulte, ils arrosèrent abondamment la trentaine de civils à l'aide d'une mitrailleuse Gatling. Ils moururent tous. Plus ou moins ensemble…

Un policier anglophone avait ouvert le feu et tué sept de ses collègues à Sherbrooke.

Un dément en chemise à carreaux mit le feu à une synagogue emplie à ras bord en ce matin de crise. Quand le policier qui lui mit la main au collet lui expliqua qu'il avait mis le feu à un lieu de prière où la plupart des fidèles parlaient couramment le français, et non l'anglais, il fondit en larmes. Il se pendit dans sa cellule – pourtant pleine à craquer, apparemment de gens respectueux de la vie privée des autres, ou du choix des autres de mettre fin à leur vie, privée ou non. Bilan : soixante-quatre morts, dément inclus.

Un célèbre auteur anglophone mit fin à ses jours en sautant du toit de son condo après avoir reçu une cinquantaine de courriels de menace de mort en vingt-quatre heures. Plusieurs suggérèrent qu'une ou plusieurs personnes l'avaient aidé à sauter, et pas nécessairement en lui faisant la courte échelle pour atteindre le garde-fou

Une des histoires de l'occupation qui demeura le plus longtemps dans la mémoire collective des Québécois fut celle du petit Mathew. Elle frappa l'imagination collective, car elle se distinguait par son horreur, alors que tout autour était déjà horrible. Trois gamins d'une dizaine d'années, enflammés par les discours parentaux sur le patriotisme et les maudits Anglais, avaient poignardé à d'innombrables reprises Mathew Lester, un petit anglophone de huit ans qui avait eu la mauvaise idée d'aller jouer seul dans la cour de l'école située devant chez lui. Seul son nom, sur l'étiquette de son chandail, permit aux autorités d'identifier les restes de l'enfant. C'est la mort de Mathew Lester qui avait été la goutte d'eau, pour Sinclair. Comment faire autrement, lorsque l'on appartient à l'espèce humaine, ce qui n'était manifestement pas le cas de tout le monde ?

Des histoires de ce genre tombaient toutes les trois minutes, et Sinclair les présentait depuis six heures. Il *devait* faire sortir la tension.

Sinclair sortit rapidement de sa loge, dépassa ses collaborateurs et lança par-dessus son épaule.

— La pause finit dans quinze secondes. Haut les cœurs, on y retourne ! Et si vous devez passer vos nerfs sur quelqu'un ou quelque chose, c'est maintenant !

Sinclair parvint même à sourire en entendant son directeur des infos grogner à voix basse :

— Va ben falloir qu'on s'arrête à un moment donné, non ?

18

— J'y retourne !

— Non ! Tu m'as bien entendu ? Je te dis non, non et non, merde ! hurla Lisa Andersen à la tête de son mari, sans se soucier de la présence de sa mère, de Jackson ou de Paul Fiersen qui était venus directement les rejoindre après avoir tué le capitaine sur le pas de sa porte. Tu ne vas pas repartir et nous laisser seuls ici !

— Mais vous ne risquez rien, ici ! Tu as bien vu les dispositifs de sûreté aux frontières ! On a failli ne pas pouvoir sortir du Québec ! Je suis policier, Lisa, et des tas de gens qui n'ont pas pu sortir de là se font agresser uniquement parce qu'ils parlent anglais ! Les policiers francophones ne les protégeront pas et tous n'ont pas la même chance que…

— De la chance ? cria sa femme si fort que de nombreuses têtes apparurent dans les fenêtres du voisinage. Notre fille est morte !

— Ce n'est pas de ça que je parlais et tu le sais très bien ! cria en retour William, qui se mettait pourtant rarement en colère contre elle. Cesse de faire l'enfant ! Marianne est morte, et j'en crève uniquement de prononcer ces mots, mais d'autres enfants vont mourir si personne ne les tire de là, si personne ne s'oppose à eux !

— Mais…

— Je serai de retour avant longtemps, dit-il en embrassant sa femme fougueusement et en la serrant dans ses bras. Prends soin de ta mère, dit-il tout bas à son fils, en l'embrassant également.

Au moment où Paul Fiersen lui emboîtait le pas, William lui dit :

— Tu restes ici toi aussi en attendant la fin de la crise. Tu n'as aucune raison d'y retourner.

Fiersen ouvrit grand les yeux d'étonnement. Il repoussa la main de son ami.

— Laisse-moi réfléchir à ça un instant, veux-tu ? N'y pense même pas.

Paul examina une dernière fois la brûlure à la joue de Lisa et lui chuchota :

— Ça ne laissera pas de marque. Une fois cicatrisé, ça paraîtra à peine…

Les deux hommes reprirent la route dans la direction opposée, et restèrent silencieux durant les premiers kilomètres. Finalement, Fiersen glissa au conducteur :

— Je ne voudrais pas me mêler de tes affaires, mais on va où, exactement ? Ils n'ont pas diffusé d'avis et je doute fort qu'on te recherche, mais tu as tué deux personnes depuis hier dans les environs de Montréal, alors je me disais que…

— Oublie Montréal ! Je n'y remettrai jamais les pieds, même avec une arme sur la tempe. Tu as écouté les nouvelles, juste avant que nous ne parvenions chez ma belle-mère ?

— Nous les avons écoutées en boucle, alors de quoi…

— Il va y avoir une manif monstre sur les plaines d'Abraham. Si la merde doit pleuvoir, c'est là que ça va se produire, et j'y serai. Mais rien ne t'oblige à m'accompagner, Paul. Tu as été bon pour nous, comme médecin et récemment comme ami. C'est uniquement grâce à toi que je ne suis pas en prison à l'heure actuelle. Je n'ai pas tellement envie de te mêler à tout ça. Je m'en vais me battre, et j'ignore même contre qui…

— Ouais… Il est là, le problème, mon bon… Tu t'en vas à Québec faire ton boulot de policier ou tu y vas pour prêter main-forte aux anglophones ? Et si tu les aides, tu te bats pour les civils ou tu te ramasses à faire le même boulot que l'armée, à en tuer encore plus ?

— *Shut up*, Paul… Tu m'étourdis.

— Tu m'excuseras, l'ami, mais si tu tiens à te rendre sur les plaines, tu devras auparavant assimiler une vérité essentielle : il y aura effectivement combat entre les bons et les méchants, mais *nous* serons les méchants. Tu es policier, William, et tu devras comprendre qu'il n'existe que deux camps : un où l'on parle anglais, où l'armée massacre des civils, et un où la majorité est francophone, et qui tombera sous les balles. Il n'y a pas de camp représentant les assassins de Marianne, tu comprends ? Je viens avec toi parce que tu m'as sauvé la vie, mais si tu te joins aux troupes canadiennes pour disperser les manifestants, je devrai te regarder faire de loin. Trop de gens sont morts. Beaucoup trop. Je suis médecin, *geez* !

William continua de fixer la route, mais il hocha la tête pour signifier au chef du défunt Conseil de Westmount qu'il avait bien entendu. Quelle connerie, tout de même, de s'être placé au premier plan avec le Conseil ! Il aurait bien accepté de ne parler que le français pour le restant de ses jours s'il avait pu revoir Marianne vivante cinq minutes ! Tout le monde avait eu tort, dans cette histoire…

Il repensa aux deux hommes qu'il avait tués depuis la veille. Il ne ressentait pas de remords, même si une petite voix lui disait qu'il avait agi prématurément dans le cas du gros imbécile qu'il soupçonnait d'avoir incendié sa maison.

Il haussa les épaules. Dans le doute, sors ton arme… Pour ce qui était du mercenaire de la GRC, il ressentait même une certaine satisfaction. Il était parti de chez lui à temps, se dit-il. Une journée de plus et le même homme serait sans doute venu s'occuper de lui. D'ailleurs, combien de membres du Conseil étaient encore en vie, à l'heure actuelle ? Aucun moyen de le savoir, mais Andersen était prêt à parier que peu d'entre eux verraient se lever le soleil du lendemain.

Pourtant, il savait que Fiersen avait raison. Il ne serait pas question de langue, à Québec. Uniquement la liberté contre l'oppression injustifiée d'un gouvernement qui s'enfonçait à la vitesse grand V. Il ne pouvait décemment se battre au côté des anglophones. Cela ne l'enchantait pas, mais il était policier, et il se devait de le rester dans un moment pareil. Pour sa fille.

Étrangement, les deux hommes eurent simultanément la même pensée. Ils avaient tous les deux tué pour la première fois cette semaine. Pourquoi avaient-ils l'impression qu'ils devraient repasser par là ?

Le silence dura un long moment dans la voiture, durant lequel les deux hommes envisagèrent presque sereinement l'éventualité qu'ils vivaient peut-être les dernières heures de leur vie.

19

Bethleem Jordan, assis dans un luxueux appartement de Greenfield Park, réalisait enfin pleinement l'étendue du désastre. Il avait bien saisi l'allusion durant le discours de Normandeau et savait que ses troupes avaient rencontré pendant la nuit une hostilité certaine, mais à ce point ? Il secoua la feuille qu'il avait à la main et demanda au lieutenant qui la lui avait apportée :

— C'est fiable, ça ? Voyons donc ! *It doesn't make any sense*…

Le lieutenant grimaça en pensant à tous ses amis dont les noms se trouvaient sur la liste des disparus que le général chiffonnait entre ses mains.

— C'est fiable, *sir*… J'aimerais tellement vous dire le contraire, mais c'est la liste exacte de ceux dont on n'a plus la moindre nouvelle à travers la province, dit-il sans parvenir à masquer une certaine rancœur que Jordan perçut très bien.

— Je peux vous aider, lieutenant ?

— Non monsieur, dit Earl Boughtner en tournant les talons.

Puis, se ravisant, il se retourna vers son supérieur et cria littéralement :

— C'était un plan idiot ! C'était idiot et mal organisé de croire qu'ils se laisseraient faire ! Ce n'était même pas votre idée ! Je travaille avec vous depuis quinze ans, général, et vous avez l'esprit autrement plus aiguisé que cela, en matière de stratégie militaire ! C'était l'idée de ce malade de Roof, et nous tuons des gens qui ne nous ont rien fait parce qu'il est fou à enfermer ! Réveillez-vous ! Allez-vous le suivre jusqu'à ce que vous tombiez aussi ?

Jordan ne releva même pas l'insubordination flagrante, et c'est ce qui fit le plus peur à son subordonné. Il se contenta de grommeler :

— Reprenez-vous, Boughtner ! Si on craque, ce sera pire encore…

— Vous m'excuserez, mon général, mais j'ai passé la matinée à compter les rares dépouilles qu'ils nous ont laissées… C'est ce qui me tue, dans cette histoire : pourquoi emmènent-ils nos gars après les avoir tués ?

— J'y ai pensé, sais-tu ? Une bonne partie de la nuit… J'ignore de qui est l'idée, mais il faut avouer que c'est loin d'être con. Si la situation se tassait, comment tu arriverais à prouver qu'ils ont tué tes amis ? Ils pourraient tout aussi bien être au Costa Rica… En laissant un cadavre sur quinze, personne ne t'accusera d'avoir fait disparaître les preuves. Si on se fiait aux corps qu'on a récupérés, nous avons même tué plus de civils qu'ils ne nous ont pris d'hommes de troupe ! Les civils, par contre, tu peux être sûr qu'ils demeurent étendus sur le macadam jusqu'à ce que quelqu'un ait pris leur photo !

Earl afficha une mine dégoûtée et laissa seul son supérieur, avant même que celui-ci ne lui signifie son congé. Le lieutenant serait mort avant l'heure suivante, mais il l'ignorait encore.

Étrangement, Jordan songeait moins aux siens tombés durant la nuit qu'aux civils qui avaient subi le même sort. Il pouvait accepter qu'un soldat se prenne une balle dans le ventre, mais une femme enceinte ? Un petit garçon ? Il avait cru, à l'instar de son premier ministre, que les Québécois se seraient rendus rapidement s'ils avaient eu l'intention de le faire. Ils avaient déjà largement dépassé les délais et ne pouvaient que s'enfoncer davantage. Il avait eu tort de ne pas écouter Mark Murphy, de ne pas avoir tout stoppé quand il en avait l'occasion pour remettre le tout entre les mains de ce moraliste de Wilson, le vice-premier ministre.

« Les Québécois savaient fort bien ce qui allait leur tomber dessus », pensa-t-il. Ils avaient été informés. Il n'y avait qu'à regarder comment l'armée du Québec s'était trouvée exactement aux bons endroits pour bloquer l'arrière-garde de son armée. Sur chaque foutu point de passage, il y avait eu au moins quelques hommes pour les tenir sous un feu d'avertissement. Il repensa à ce petit fonctionnaire qui avait soi-disant volé un dossier du ministère de l'Agriculture, selon Roof. Qui donc l'avait interrogé ? Ce qu'ils avaient été cons…

« C'est la prise de position de leur armée contre la nôtre qui a galvanisé la population… » Des citoyens osaient maintenant s'en prendre à ses hommes ! Il venait de diriger une grande partie de ses troupes disposées à Montréal et en Montérégie vers Québec où ça allait chauffer, selon les membres de son état-major qu'il avait envoyés en reconnaissance. Il aurait pu s'épargner la reconnaissance en ouvrant le premier ordinateur venu. L'annonce du rassemblement se trouvait sur les profils de dizaines de milliers de personnes, uniquement sur Facebook ! Il savait ce que son geste allait provoquer comme catastrophe, mais il ne voyait pas comment faire autrement.

L'argument selon lequel les Québécois avaient eux-mêmes déclenché les problèmes masquait de moins en moins, dans son esprit, le dégoût qu'il s'inspirait lui-même. Il se rendait compte qu'il était maintenant un vieil homme, et que s'il aimait toujours autant l'action, il répugnait dorénavant à la violence. C'était louable, certes, mais pas chez le commandant d'une armée de soixante mille hommes dont le dixième avait disparu durant la nuit. Il n'aimait toujours pas ces Québécois obtus, mais il devait leur reconnaître un courage incroyable…

Saurait-il jamais qui, exactement, s'était attaqué à ses troupes ? Et comment ils avaient pu préparer une telle défense alors qu'il ignorait lui-même, trois semaines auparavant, qu'il allait peut-être devoir faire appliquer la *Loi sur les mesures de guerre* ? Il était comme les autres tombé dans le piège de la stupidité apparente de Normandeau. Droit dans le panneau !

Avant une semaine, la communauté internationale interviendrait et cela pourrait salement dégénérer. Si la France et l'Angleterre, même de façon purement symbolique, envoyaient des troupes, qui pouvait dire comment une telle situation évoluerait ? Les relations n'étaient déjà pas au beau fixe entre ces deux nations…

S'il contrecarrait les plans de son premier ministre, il était fini. Il était déjà condamné par le Québec, qui ne pourrait guère y voir que des circonstances atténuantes, et il serait déclaré *persona non grata* dans le reste du Canada, sans parler de ce qu'on ferait subir à sa femme, qu'il avait dû installer dans une résidence protégée depuis trois jours, avec l'épouse de Mark Murphy. On pouvait compter sur Roof pour mettre sur les épaules du chef de ses armées la responsabilité de l'échec de toute l'opération, et il serait arrêté. Il lui arriverait forcément un accident dans sa cellule, une fois condamné. On pouvait aussi compter sur la salope qui avait remplacé Murphy à la GRC pour ça… Cette putain était aussi impitoyable que son nouveau patron, qu'elle espérait séduire depuis trente ans…

Bref, il était dans une impasse, et celle-ci menait au massacre d'innocents, à la prison ou à la mort, sans exclure la combinaison des trois. Planqué dans un condo d'une ville où il n'avait jamais mis les pieds, il pensa à sa femme, qu'il avait très peu de chances de revoir. Il se revit dans le bureau privé du premier ministre, s'extasiant sur la simplicité du plan de son patron. Merci Roof, espèce de débile !

Il eut aussi une pensée pour Mark Murphy, qui avait vu clair et essayé de le prévenir avant qu'il ne soit trop tard. « Et moi qui l'ai rabroué comme un chien », pensa Bethleem, dépité. Il n'avait jamais été l'ami du directeur de la GRC, mais il l'avait à maintes reprises admiré. D'avoir réussi à soudoyer le directeur de la SQ, ça, c'était un coup fumant ! Il revoyait encore la gueule de Murphy quand il leur avait fièrement annoncé la nouvelle, et son propre étonnement devant ce coup d'éclat. Murphy savait ce qu'il faisait…

Jordan entendit un choc sourd de l'autre côté de la porte, comme si l'un de ses hommes avait renversé un meuble. Sa porte s'ouvrit lentement, sans que personne n'ait frappé. Il ne saisit pas son arme, mais posa la main dessus. Le commandant en chef des Forces armées canadiennes ne fut pas autrement surpris de voir apparaître l'homme avec qui il avait eu tellement d'entretiens sur la sécurité intérieure et extérieure du pays, depuis des années. Amusé, il remarqua que la porte, qui grinçait chaque fois que l'un de ses assistants l'ouvrait, n'avait pas émis le moindre son quand l'ancien directeur du SG4 l'avait poussée. Il dit simplement :

— Taylor.

Curtis fit un quart de tour à une vitesse vertigineuse, telle que Jordan se demanda s'il aurait vraiment eu le temps de lever le bras pour le descendre, alors qu'il était lui aussi assez bon à ce petit jeu. L'arme braquée à bout de bras, Taylor se retrouva devant celui qu'il était venu tuer. Voyant que Bethleem était toujours assis, la main sur son pistolet, il abaissa tranquillement la sienne.

— Je vous avais pourtant averti, Bethleem…

— Je sais. Je ne pouvais pas faire autrement. Comment l'aurais-je pu ?

— Je sais… dit Taylor en secouant la tête, car il avait compris le dilemme dans lequel se trouvait son ancien collaborateur. Vous pouvez encore tout arrêter, pour Québec.

— Non. J'ai déjà donné mes ordres, et je sais que Roof soudoie directement certains officiers. S'il entend que les troupes ne font que ralentir, il donnera le commandement à quelqu'un d'autre.

— Il va devoir donner le commandement à quelqu'un d'autre de toute façon, et je crois que vous l'avez déjà compris… dit le directeur du SG4 d'une voix froide.

— J'ai encore mon arme à la main, Curtis…

— Vous ne devez ces quelques minutes de vie supplémentaires qu'au respect que j'ai déjà éprouvé pour vous, général, mais si vous faites mine de vouloir ne serait-ce que resserrer votre poigne sur la crosse, vous mourrez.

— Votre âme damnée n'est pas avec vous ?

— Martel ? Non… Il est allé s'occuper de votre bras droit, qui se terre dans un hôtel tout près d'ici, si j'ai été bien informé. Il faudra ensuite s'occuper de la garce que Roof a placée à la tête de la GRC. Elle pourrait faire encore plus de dommages que le PM lui-même, si on lui laisse le temps de s'acclimater. Faut qu'il soit complètement malade pour ne pas réaliser à quel point elle est folle ! J'ai des dossiers ça d'épais, sur elle ! Elle a coulé des compagnies uniquement par vengeance, et c'est le genre à torturer des animaux…

Jordan éclata de rire, malgré la tension ambiante.

— Ah, ça ! Elle est folle braque, y a pas à dire… Le pays ne se portera pas plus mal sans elle. Vous savez que Roof a promis une prime presque indécente pour la capture de votre ami, qui l'a bien baisé ?

— Non, je l'ignorais, dit le directeur du SG4 en sortant son téléphone, sans quitter le général des yeux.

Il devait prévenir Martel. Avant même d'entendre la sonnerie, il comprit que son adjoint n'avait rien à craindre. Il sentit plus qu'il ne vit Jordan resserrer l'étreinte sur son arme et relever le bras, concentré qu'il était sur ce qu'il devrait dire à Erik pour être compris en un nombre minimal de mots, ce qui était une vieille habitude quand ils n'étaient pas assurés de la sécurité de leur ligne téléphonique. La vitesse du vieux soldat le surprit néanmoins.

Il releva son arme sans hésitation et fit feu. Sa balle alla se loger au-dessus du sourcil gauche du général. Bethleem demeura presque dans la même position lorsque son corps s'affaissa.

Taylor fut tout de même un peu étonné de sentir au même instant une balle lui perforer le poumon. Il recula de plusieurs mètres sous l'impact. Il avait vu Jordan tirer en même temps que lui, mais il lui semblait que des secondes s'étaient écoulées entre ce moment et celui où il avait été atteint. Son dos heurta le mur et il s'effondra contre celui-ci. Il y avait bien longtemps qu'on ne lui avait pas tiré dessus…

Quand Erik Martel répondit au téléphone, alors qu'il contemplait le corps du colonel qu'il venait de tuer, il eut du mal à comprendre ce qu'on lui disait, mais il saisit très rapidement que son interlocuteur n'en avait pas pour longtemps si personne ne lui venait en aide. Il pensa tout d'abord aux deux jeunes de Longueuil, puis à l'un de ses hommes, avant de s'apercevoir avec effarement qu'il s'agissait de son seul ami.

— Curtis ! Réponds, ciboire ! Curtis !

Mais Curtis Taylor s'était évanoui.

20

Elizabeth Converse regarda autour d'elle, dans la salle de rédaction du journal, avant d'allumer une cigarette. Plusieurs journalistes en faisaient autant (en temps de guerre, au diable la loi sur le tabac dans les espaces publics), mais personne n'avait jamais vu fumer Miss Perfection et le spectacle était curieux. Même ceux qui lui avaient fait la vie dure, à son arrivée, la traitaient maintenant avec respect. Une téléphoniste supplémentaire avait dû être engagée uniquement pour répondre aux questions concernant les articles de Beth et aux demandes d'entrevue d'une bonne centaine de quotidiens sur la surface du globe.

Elle avait cessé d'en donner pour le moment, considérant que ses priorités passaient dorénavant par sa survie, celle de l'homme qu'elle croyait aimer et celle du journal qui l'employait – dans cet ordre.

Allez savoir où les gens trouvaient le temps, mais le *Provincial* ne s'était jamais aussi bien vendu. Le journal avait même remis en vogue la vague des crieurs publics qui vendaient les journaux dans la rue. En vérité, ils n'avaient guère le choix, puisque la majeure partie de leurs points de vente étaient fermés, et quelques-uns, détruits. Un de leurs crieurs avait été atteint d'une balle perdue durant la matinée. Elizabeth le connaissait un peu. C'était le jeune homme qui faisait le café, au journal, et qu'on avait reconverti pour quelques jours. Doté d'une généreuse augmentation de salaire pour faire taire ses scrupules devant un travail si peu flatteur, le stagiaire s'était exécuté en maugréant. Il était mort à cent mètres des portes du *Provincial*, vers lequel il essayait vraisemblablement de revenir.

Elizabeth aurait aimé pouvoir pleurer. Pour cet adolescent sympathique ou pour les victimes de la nuit qu'elle avait vu agoniser en rejoignant la voiture de Marcus pour aller voir son oncle. À plusieurs reprises, au cours de ses pérégrinations de la matinée, elle avait vu des morts dans la rue. Ces scènes de carnage, qui provenaient normalement en droite ligne de Beyrouth, transposées dans le cadre du métro de la Place-des-Arts, l'avaient terrorisée. Une brigade de civils y avait été décimée par trois soldats qui étaient parvenus à fuir les attaques des chefs de gang, au cours de la nuit. Les sept autres membres de leur unité avaient été massacrés et ils n'avaient plus toute leur tête. Ils furent abattus par les hommes de Réjean Morin.

Converse envisageait d'écrire un article, quand tout serait terminé, sur l'admirable efficacité des services de Morin. Elle en avait discuté la nuit précédente avec son oncle, qui en était presque étonné lui-même. On aurait pu s'attendre, vu les relations qu'entretenaient les agences de sécurité avec la police, à voir leur intégration au sein de celle-ci se passer de façon pour le moins houleuse, mais cela n'avait pas été le cas, grâce à l'idée de jumeler chaque agent de sécurité à un policier. Il y avait bien eu quelques incidents isolés, mais il y avait beaucoup trop à faire, pour chaque équipe, pour laisser le temps aux contrariétés de refaire surface.

Plusieurs agents de police avaient dû abattre des civils depuis quarante-huit heures. Des anglophones armés, bien sûr, mais beaucoup plus encore de mésadaptés parfaitement francophones qui profitaient des désordres ambiants pour laisser libre cours à leurs démons intérieurs. La violence devenait monnaie courante et de nombreux cas de viol avaient été rapportés. Certains soldats canadiens, en réalisant qu'ils étaient chassés et que leur nombre diminuait, choisirent cet odieux mode de remboursement avant de disparaître. Certains furent surpris les pantalons sur les chevilles et moururent de la même façon quelques secondes plus tard. L'un des policiers de Morin tua même, sans le vouloir, la victime en même temps que son agresseur. La guerre civile n'augmentait malheureusement pas le quotient intellectuel du policier moyen…

Elizabeth regarda sa montre et commença à ranger ses affaires. Elle n'apprendrait rien de plus à rester au *Provincial* et elle avait une envie folle de revoir Marcus. Elle avait accepté de se rendre à la manifestation de Québec quand Marcus l'avait appelée quelques minutes plus tôt, mais ce dernier avait remarqué son manque d'empressement.

— Écoute, Elizabeth… Si tu as du travail ou si ça ne te dit pas de faire le trajet à quatre dans ma voiture, je…

— Sans blague Marcus… J'ai envie de te voir, et envie de me taper l'autoroute 20 bouchée de Montréal à Québec avec toi, mais est-ce qu'un seul d'entre vous a pensé que ça va sûrement dégénérer en émeute, cette connerie ?

Il y eut un silence sur la ligne.

— Marcus ?

— Passe la tête par la fenêtre, Mlle Converse… Les émeutes éclatent à chaque coin de rue… Je ne vais pas me planquer, la tête entre les fesses, en attendant de voir jusqu'à quel point ils vont nous écraser ! Mon meilleur ami a failli être tué, cette nuit, et il y a une prime pour ma tête, alors tu vois… dit Fontaine sans aucune animosité.

— J'ai pas dit que j'irais pas, monsieur Je-tire-mes-conclusions-en-quatrième-vitesse, lui répondit-elle avec un sourire dans la voix.

— Tu as quand même raison. Je ne pensais qu'au plaisir que j'aurais à être avec toi, admit Marcus. Il n'y a pas de raison de te faire risquer ta vie.

— Je viens, point final. Tu sais à quoi je pensais, il y a une heure ?

— Aucune idée.

— Si jamais tu étais nul en politique… Tu ne t'attends pas à ce que je t'épargne dans mes articles parce qu'on se connaît, non ?

— Et puis quoi encore ? fit son amoureux en riant.

— J'ai réécouté toutes les entrevues que tu as données depuis deux semaines et les discours que tu as faits durant les manifs. Si tu évites de te faire tuer, la question de savoir si tu accéderas au pouvoir ne se posera même pas. La question sera de savoir quand. Tu te débrouilles…

Et elle raccrocha.

Lorsqu'elle poussa les portes du journal, une demi-heure plus tard, elle aperçut Julie Galipeau qui l'attendait contre un lampadaire. Elle avait un drapeau du Québec plié sous le bras.

— Allô ! Les gars ne trouvaient pas de stationnement alors ils m'ont laissée ici. Ils sont au coin, là-bas.

— Salut ! Pourquoi le drapeau ?

— Sais pas… fit la blonde de Benny en haussant les épaules. Ça m'a semblé approprié.

— Tu es allée voir ton père ?

— Oui, je suis allée l'embrasser pendant une pause. Il paraît qu'il a complètement démoli sa loge, dit-elle en souriant. On l'a regardé ce matin. Il est fort.

— Ah, ça… C'est un des grands…

— Prête à l'action ?

— Il va bien falloir, dit Converse sans enthousiasme en rejoignant la BMW noire. C'est celle de Benny ou celle de Marcus ?

— Ils ne l'avoueront pas, mais je ne suis pas sûre qu'ils le sachent eux-mêmes, répondit Julie en riant.

Les deux femmes pénétrèrent dans la luxueuse voiture et le quatuor se mit en route pour Québec.

Malheureusement.

21

Erik Martel prouva aux habitants de Brossard qu'il était possible de conduire à deux cents kilomètres à l'heure d'une main tout en maniant un téléphone cellulaire de l'autre. Alors qu'il tournait à angle droit une rue que l'on n'aurait pu qualifier de large, son interlocuteur décrocha enfin son téléphone.

— Mueller ! hurla le nouveau directeur du SG4 au nouveau directeur de la SQ, anciennement sous ses ordres. Le patron a des ennuis !

Martin Mueller, qui avait déjà sauvé la vie de Curtis Taylor une semaine plus tôt, réagit au quart de tour :

— Vous êtes où ?

— Brossard !

— Je vous envoie mes hommes où ?

— Ceux qui peuvent arriver en dix minutes, vous les expédiez au 2321, Masson. Qu'ils fassent attention ; il y aura peut-être une patrouille canadienne. S'ils arrivent avant moi, en tout cas !

Martel faisait peur à voir. Un rictus haineux déformait ses traits, alors qu'il roulait à toute vitesse sur le boulevard Taschereau en dépassant tous ceux qui lui barraient la route. Il vérifia, d'une seule main et sans le moindrement ralentir, les chargeurs de ses armes. Alors qu'il aurait pu aisément passer pour monsieur Tout-le-monde quand il le souhaitait, il apparaissait en ce moment tel qu'il était vraiment : une machine de mort.

Il ne s'attardait guère sur les souvenirs de sa vie antérieure depuis quelques années. Ce travail, inévitablement, finit par vous changer, et la mort devenait votre pain quotidien. Il en avait enduré, durant ces années, mais ils étaient allés trop loin ! Curtis était tout ce qu'il avait, et il devait arriver à temps !

Il s'arrêta dans un crissement de freins devant l'immeuble, où rien ne bougeait. Un homme arriva sur les lieux en même temps que lui et montra sa plaque à l'agent, qui avait relevé son arme. Ils virent au même moment le camion bâché qui pénétrait dans l'aire de stationnement et s'engouffrèrent dans l'immeuble avant de se faire remarquer. Alors qu'ils grimpaient les marches quatre à quatre, Martel demanda :

— Vous êtes ?

— Pierre Séguin, monsieur. Sûreté du Québec. Le directeur m'a dit qu'il s'agissait d'un code rouge et que je ne devais pas m'arrêter même si je voyais des civils se faire tirer dessus. Qu'est-ce qui se passe ?

— L'homme que l'on va sauver, s'il peut encore l'être, a empêché qu'il y ait deux fois plus de victimes civiles qu'il y en a actuellement. S'il meurt, vous pouvez dire adieu à un règlement rapide de ce conflit. Et vous pouvez aussi compter sur un tas de cadavres de plus !

— Vous êtes du SG4, n'est-ce pas ?

— Oui, et c'est le grand chef qui appelle à l'aide, dit l'agent en enfonçant la porte de la suite du général Jordan, pointant son arme dans toutes les directions à la recherche d'un assaillant, de même que son comparse. Il vit tout de suite Taylor, inconscient, couché sur le plancher. Il se pencha sur lui pour examiner la blessure.

— Ça fait longtemps ? demanda Séguin.

— Moins de dix minutes.

— On a encore une chance : il respire ! dit le policier en prenant Curtis Taylor dans ses bras sans le moindre effort.

Martel s'aperçut alors avec surprise que son nouvel allié avait une bonne tête de plus que lui, alors qu'il dépassait lui-même la plupart des gens. Séguin était bâti comme un mur. Un grand mur.

— On ne peut sortir par derrière, parce qu'aucun de nous n'a été assez brillant pour s'y stationner. Il va falloir affronter l'armée.

Ils échangèrent un regard qui en disait long.

Une fois le rez-de-chaussée atteint, ils laissèrent Taylor derrière l'escalier pour avoir les mains libres. Martel n'aurait qu'une courte distance à parcourir pour revenir le chercher, quand ils auraient le champ libre, s'ils l'avaient jamais... Ils se collèrent au mur et observèrent les nouveaux arrivants qui attendaient devant l'immeuble que Jordan ou un de ses assistants leur ouvre la porte, ce qu'ils auraient été bien en peine de faire. Martel compta seize soldats. Séguin remarqua avant lui le plus important. Il murmura :

— *Jackpot*...

— Quoi ?

— Regardez les galons ! dit l'agent de la SQ, tout excité. Le moins gradé est lieutenant ! Ou je me trompe fort, ou nous avons là l'état-major de Jordan, ou à tout le moins celui qui s'occupe de Montréal et de ses banlieues ! Vous avez quoi comme arme ?

— Deux Sig Sauer, un Beretta 9 mm et le Colt 45 de Curtis.

— Calvaire ! Vous sortez d'une armurerie ? J'ai un Beretta et un Smith & Wesson 45. On charge ?

— Au point où on en est, fit Martel en haussant les épaules. Vous savez, Séguin, rien ne vous oblige à...

— Laissez tomber, l'agent secret ! Je ne vais quand même pas vous laisser attaquer seul, non ?

Le seul témoin de ce combat fut Emmet Thibodeau, un nonagénaire qui se déplaçait en fauteuil roulant, mais qui, à l'instar de Lotto Finetti, ne portait toujours pas de verres correcteurs à cet âge vénérable. Il s'était installé à sa fenêtre en voyant arriver le camion de l'armée, car il s'ennuyait ferme, ce matin-là. Pour lui, tout cela se passait à la télévision, et il n'avait pas quitté son immeuble depuis plus de trois mois, puisque tous les services y étaient offerts. Emmet avait cependant la vue un peu plus claire que les idées, et il avait eu beaucoup de difficulté à assimiler la réalité des choses, jusqu'à ce moment.

Martel et Séguin clarifièrent les choses en grand pour Thibodeau, ce matin-là.

Martel passa la porte comme un simple quidam, suivi à quatre pas derrière par l'homme de la SQ. Un colonel, qui y vit enfin un moyen de pénétrer dans l'édifice, s'avança imprudemment. Jordan ne répondait plus à ses appels et il n'y avait aucun signe de vie non plus au quartier général. Il ne porta pas la moindre attention à Erik, qui lui enfonça son couteau dans le cœur avant même que le gradé n'ait porté les yeux sur lui. Le corps du mort cachait encore à ses collègues ce qui venait de se passer. Leur colonel semblait simplement avoir percuté un civil qui sortait, et pas très fort encore.

Les quinze Canadiens étaient toujours à l'extérieur de l'immeuble, mais ils étaient regroupés, et cela jouait indéniablement en faveur des deux Québécois. Toutefois, il n'y avait aucun recoin où s'abriter, et c'était pour eux comme pour leurs ennemis. Séguin et Martel évaluaient intérieurement leurs chances de survie à dix pour cent. Celles de Taylor, peut-être à cinq. Voire moins…

Avant que le colonel ne s'effondre, Séguin avait rejoint l'agent et sorti ses armes. Il repoussa avec violence la porte d'entrée en verre, la fissurant contre la tête d'un jeune lieutenant qui s'apprêtait à entrer à son tour. L'homme tomba sur le dos, assommé. Martel passa son avant-bras et son arme par la porte, et abattit deux hommes tout en projetant son corps massif contre le groupe de soldats, en tirant toujours. Cinq hommes avaient reçu des balles avant que Séguin ne tire simplement à travers la porte pour ne pas avoir à la pousser. Il sentit une balle, tirée par un major canadien qui n'avait pas paniqué, tracer un sillon sur son bras droit, mais cela ne l'arrêta pas. Il leva son arme et un troisième œil s'ouvrit dans le front de son assaillant.

Les soldats n'osaient trop tirer sur Martel, qui se tenait au milieu d'eux, tout à son œuvre de destruction, de peur de tuer un des leurs, ce qui était exactement le but visé par l'agent en se précipitant parmi eux. Moins d'une dizaine de soldats étaient encore debout, mais ils se dispersaient rapidement, donnant beaucoup plus de fil à retordre aux deux hommes. Martel entendit siffler une balle à son oreille, tout comme le cri du soldat, derrière lui, qui la reçut à la base du cou.

Le regard d'Erik croisa celui de Pierre et tous deux savaient ce que pensait l'autre : ils ne s'en tireraient pas. Pour que l'attaque soit efficace, ils auraient dû tuer les trois quarts de leurs attaquants avant qu'ils ne comprennent ce qui leur arrivait. Il restait encore sept hommes debout, et tous étaient aussi bien outillés qu'eux, sinon mieux. Martel se préparait à un ultime assaut, et voyait son comparse faire de même, lorsqu'ils entendirent la voix de Domenico Santori – quelle musique ! – amplifiée par un mégaphone :

— À TERRE, PATRON !

Martel ne se le fit pas dire deux fois. Il se précipita sur Séguin, le clouant au sol avant qu'une pluie de balles ne passe au-dessus de leurs têtes. En regardant derrière lui, il vit une dizaine d'hommes, tous noirs à l'exception de l'Italien, arroser le périmètre à l'arme automatique. Plusieurs Canadiens furent fauchés sur le coup, mais quatre d'entre eux coururent sous le feu pour tenter une sortie, pendant qu'un cinquième, sans doute le plus intelligent, entra en courant dans l'édifice et disparut dans la nature par la porte de derrière. Le reste de son unité prouva ensuite qu'il était humainement impossible de courir plus vite qu'une balle.

Santori s'avança vers son mentor, un mince sourire aux lèvres.

— Si j'avais été formé par quelqu'un de moins bon, je ne serais peut-être pas arrivé à temps…

— Comme quoi le professionnalisme paie, dit Séguin en se relevant, encore sous le choc.

Avant ce jour, il n'avait jamais eu à se servir de son arme, en service. Il venait d'abattre quatre hommes et s'était déjà senti mieux.

— Qui sont ces hommes à qui je vouerai éternellement toute ma reconnaissance ? demanda-t-il d'une voix sans timbre en désignant la milice noire qui s'avançait derrière l'homme qui faisait à la fois partie de la mafia et du SG4.

— Je vous présente M'boka Séraphin et sa bande de joyeux lurons, dit Santori, déclenchant un éclat de rire général. Martel les connaît bien, n'est-ce pas, patron ?

— Ouais. M'boka est un allié de longue date. Il nous a déjà aidés. Alors, bronzé, tu vends toujours de la drogue ? demanda-t-il en souriant au Noir qui avait à peu de chose près la carrure de Séguin.

— Seulement quand on ne tente pas de me tuer, blancbec, dit M'boka en tapotant amicalement la tête de l'agent secret comme s'il était un enfant.

— Amène-toi, vieux… Taylor est dans les vapes, derrière. Il faut lui retirer une balle qu'il s'est prise dans le poumon.

Séguin eut la surprise de voir un des guérilléros tendre à son chef une mallette noire, du type de celles des médecins. M'boka n'affichait plus la moindre trace d'humour. Il demanda d'une voix où perçait l'urgence :

— Combien de temps ?

— Près de quinze minutes depuis l'appel.

— Merde ! Allons-y !

Ils passèrent à travers la porte dépourvue de vitre et M'boka s'agenouilla dans les débris de verre sans y faire attention. Il observa le directeur des services secrets d'un œil critique. Il devait sauver Curtis Taylor ! Il avait joui d'une vie agréable, en toute liberté, parce que l'homme qui perdait son sang à ses pieds le lui avait permis. Taylor avait de quoi faire tomber Séraphin pour au moins vingt ans et s'était pourtant toujours conduit envers lui comme s'il était son obligé lorsqu'il lui demandait un service. Quand il ne traitait pas directement avec lui, Martel était toujours très aimable lui aussi. Il cria en créole à ses hommes :

— Une nappe propre ! De l'eau et des serviettes ! Défoncez le premier appart' et ramenez-moi tout ça ! Je les veux hier !

M'boka jaugea Séguin, appuyé contre le mur, et dit à son bras droit, en lui tendant du fil et des aiguilles, de même qu'une petite bouteille d'alcool :

— Va recoudre le policier, René. Il a le temps de s'évanouir avant que j'en aie fini avec celui-ci. Et vérifie l'autre clown aussi, chuchota-t-il en souriant avec un mouvement de tête vers Martel. Il serait foutu de ne pas me dire qu'il a une balle dans le cul pour sauver sa fierté.

— On ne peut pas rester ici, dans le hall, dit Martel. Il va en venir d'autres, pour voir pourquoi personne ne répond au quartier général.

— Je sais, répondit Séraphin en faisant signe à son assistant qui tenait les jambes de Taylor entre ses bras, alors qu'il le tenait lui-même sous les bras. Go !

Ils transférèrent Taylor sur la nappe pliée et trois hommes se placèrent de chaque côté pour soulever la civière de fortune. Ils s'éloignèrent tous de la porte d'entrée, jusqu'à ce qu'ils tombent sur une porte d'un condo demeurée ouverte. Ils entrèrent. M'boka lança un regard lourd de sens aux hommes qui l'entouraient et dit :

— Sous peu, l'endroit grouillera de soldats. À partir de maintenant, pas un mot plus haut que l'autre…

22

Lotto Finetti était assez fier de lui quand il s'arrêtait à y penser. Qui aurait cru qu'un vieil escroc dans son genre serait parvenu à sauver des vies, hein ? Il était arrivé, en moins de trois semaines, à créer une coalition entre certains des individus les plus dangereux et les moins altruistes de leur époque, et ça fonctionnait ! Il y avait, grâce à eux, beaucoup moins de soldats dans les rues, à l'heure actuelle, et ceux qui restaient encore commençaient à comprendre ce qui se produisait et étaient beaucoup moins enclins à ouvrir le feu, même contre les menaces réelles.

Ceux qui avaient l'instinct de survie le plus aiguisé avaient en effet remarqué que les patrouilles qui se contentaient d'être présentes sans faire de zèle étaient celles qui comptaient le moins de morts en leur sein. Plusieurs étaient aussi assez lucides pour savoir que leur tour viendrait et ils déguerpissaient avec armes et matériel sans demander leur reste, quitte à devoir affronter une cour martiale plus tard. Un grand nombre, toutefois, ne pliait pas sous la menace et demeurait en place. Le parrain réservait à ces irréductibles une surprise de taille quand viendrait la nuit, à supposer qu'ils en aient besoin.

— Je vais garer la voiture, grand-père, dit Joseph par la fenêtre de la limousine en passant près de lui. Le gros et Marco sont partis contrôler la maison.

Finetti fit un geste distrait de la main pour signifier à son petit-fils qu'il l'avait entendu. Il n'avait pas reçu l'appel de Curtis Taylor qui devait le tenir informé de l'élimination de Bethleem Jordan, de même que de celle de la garce qui avait remplacé Mark Murphy à la tête de la GRC. Il n'obtenait aucune réponse sur son téléphone, et moins encore sur celui de son adjoint, ce qui l'inquiétait profondément. Il appela Réjean Morin.

— Finetti à l'appareil, monsieur. C'est une urgence. Vous a-t-on signalé quelque chose de particulier sur Masson, à Greenfield Park ?

— Attendez que je vérifie, M. Finetti.

Le temps sembla étonnamment long au parrain de la mafia montréalaise. En cette période troublée, certains incidents n'étaient même plus rapportés, alors il n'avait guère d'espoir. Morin revint finalement en ligne.

— Oui, monsieur. Un vieux schno… une personne âgée et un peu confuse nous a appelés pour dire qu'un groupe de soldats s'en prenait à deux hommes. Quand mes agents sont arrivés là-bas, les militaires ont refusé de les laisser passer, mais ils ont eu le temps de voir tout un tas de cadavres, tous canadiens. Il semble peu probable que deux…

— Vous avez demandé à votre témoin de décrire ces hommes ?

— Oui. Ils sont parvenus à entrer par une fenêtre du rez-de-chaussée. Le témoin avait de la difficulté à se rappeler, mais il nous a indiqué dans quelles voitures ils étaient arrivés. Ensuite, un soldat qui faisait le tour des appartements a découvert mon enquêteur et l'a foutu dehors cul par-dessus tête.

— Et les voitures ?

— Ça, c'est plus étrange… L'une appartient à un agent de la SQ. Les deux autres n'existent nulle part dans les registres… Leurs numéros de plaque n'aboutissent à rien. Un écran vide.

Finetti se massa les tempes de la main qui ne tenait pas son téléphone. Il demanda d'une voix lasse :

— L'une de ces deux voitures serait-t-elle une Porsche noire ?

Un silence accueillit sa question. Morin comprenait qu'un des leurs était dans une sale position. Finetti soupira.

— Martel. Le vieux n'a rien ajouté d'autre ? Par où ils étaient partis, par exemple ?

— Il ne les a pas vus ressortir.

— Combien d'hommes vous pouvez envoyer sur place ?

— Une trentaine. Je viens de recevoir un appel du directeur de la SQ. Martel l'aurait appelé il y a quinze minutes. Ils envoient des hommes aussi. Nous devons les sortir de là !

— Vous allez trop vite, M. Morin. C'est normal, car vous avez tellement à faire, mais vous passez à l'attaque sans remarquer le plus important.

— Quoi, ça ? fit le chef de la police, un peu dérouté.

— Un agent de sécurité et un policier sont parvenus à entrer dans cet immeuble. Pourquoi est-ce que la fine fleur du contre-espionnage du pays n'en est toujours par ressortie ?

Il y eut un second silence au bout du fil.

— *Anyway*, reprit le parrain, ça ne fera pas de mal de faire place nette de ces trous du cul en uniforme…

— Sentez-vous libre de me dire de me mêler de mes affaires, monsieur, mais votre petit-fils est-il avec vous ?

— Oui, Joseph est tout près. Oh ! Vous voulez parler de la brebis galeuse ? dit le parrain en riant. Non. Il m'a quitté ce matin en arrivant en ville, après notre réunion. Pourquoi ? demanda Finetti, soudainement inquiet.

— Rien n'est moins sûr, monsieur, mais un de mes hommes, avant que l'armée ne s'amène en masse, a vu pénétrer plusieurs personnes dans cet immeuble.

— Alors il y avait deux témoins…

— Non. Il a bien entendu les derniers coups de feu, mais ils étaient morts quand il est arrivé en vue du 2321. Il était assez loin, et la tête de Martel ne lui aurait rien évoqué, mais il a travaillé un moment à la SQ avec Domenico, et il est pratiquement sûr qu'il faisait partie du groupe.

— Merde !

— Je suis désolé. Dès que le périmètre sera nettoyé, nous vous le ramènerons. L'affaire d'une demi-heure…

— Vous avez décrit Curtis Taylor à votre homme ?

— Oui. C'est d'ailleurs l'un des seuls points sur lesquels il est formel : il n'y avait pas un seul chauve parmi la douzaine d'hommes qui sont entrés dans l'édifice. D'ailleurs, il n'y avait que trois Blancs, dont votre petit-fils.

— Ah bon ? Des Noirs ?

— Oui, monsieur.

— Faites de votre mieux. Sortez-les de là.

— On fait ce qu'on peut, dit Morin en raccrochant, conscient de ce qu'ils devaient tous à Finetti, mais ne prisant guère de recevoir des ordres d'un mafieux.

— Joseph ! Ton cousin a des ennuis ! cria Finetti sans être sûr d'avoir été entendu par son petit-fils.

Lotto Finetti s'avança dans l'allée boisée qui menait à son garage. Il distingua bien un mouvement, mais pas à temps. De plus, il n'était pas armé, étant habituellement entouré d'au moins trois hommes qui l'étaient. L'homme qui avait régné sur le monde interlope canadien depuis plus de soixante ans songea qu'il suffisait de relâcher son attention trente secondes…

Il eut encore le temps d'apercevoir trois hommes, pistolet mitrailleur au poing, avant d'être fauché par les rafales de leurs armes. Son corps frêle vola dans les airs sous l'impact et acheva sa course contre un arbre, alors que le parrain était déjà mort.

Les trois assassins montèrent dans une voiture puissante et démarrèrent pendant que Joseph déboulait dans le sentier en poussant un hurlement de souffrance qui glaça d'effroi ceux qui l'entendirent.

Susan Sterling, directrice de la Gendarmerie royale canadienne, entrait en fonction.

23

Georges Normandeau buvait en silence un café aux côtés de sa femme. Ils jouissaient de leur premier moment d'intimité depuis trois jours, mais ils constataient tous les deux qu'être seuls ne leur apportait aucun réconfort. Des gens mouraient partout à travers la province. De moins en moins, mais c'était le calme avant la tempête des plaines d'Abraham. Le premier ministre s'éclaircit la gorge.

— C'est moi qui ai déclenché tout ça. Tu pourras me gifler tant que tu veux, mais c'est moi qui ai parti le bal.

— …

— Qu'est-ce que doit penser notre fils, aujourd'hui…

— Il aurait accepté qu'il y ait deux fois plus de morts pour ce que nous avons obtenu cette semaine.

— Tu n'as pas encore compris, Louise ? Ce soir, c'est exactement ce qu'il va y avoir : deux fois plus de morts !

— Tu as envoyé tout ce que tu pouvais, comme troupes ?

— Oui.

— Tu as dirigé tout ce que vous aviez d'alliés vers Québec ?

— Oui.

— Tu as fait au mieux ?

— Oui, je crois.

— Alors ne me fais pas chier, Georges ! Tu te bats et te tiens debout là ou tout le monde se serait écrasé. Roof doit être neutralisé politiquement, et c'est à ça que tu dois t'atteler. Ce n'est pas le temps de te plaindre et si tu es responsable, je le suis aussi, et nous n'y pouvons rien.

— Ouais, bon, ça va, hein ? fit son mari avec humeur. C'est moi qu'on va accuser, et de quoi je vais avoir l'air en disant que je voulais bien faire ?

— Je ne te dis pas de ne pas t'inquiéter, non plus. Je te dis que ce n'est pas le moment. Tu es sûr que c'était une bonne idée d'envoyer Julien Leclerc aux États-Unis ?

— Ils ont bien répondu à ses appels, et si quelqu'un doit désamorcer une menace de ce côté-là, c'est lui. Et puis, si quelqu'un me tire dessus…

— … il restera un homme public apprécié pour prendre les rênes du pays. S'il reste ici, un journaliste pourrait l'écharper. C'est ce que tu penses ?

— Ils commencent déjà à lancer des pointes, entre deux articles rapportant des histoires d'horreur.

— On aurait peut-être dû attendre que Gregory Wilson devienne premier ministre…

— Wilson ne serait même plus vice-premier ministre si je n'avais pas annoncé un référendum. Il était trop sensé pour Roof. Un petit peu trop honnête, aussi...

Louise Normandeau regarda autour d'elle pour s'assurer qu'ils étaient seuls et qu'aucune porte n'était restée ouverte avant de demander :

— Roof… As-tu envisagé l'idée de… Ce n'est pas que j'adhère à ce genre de pratique, mais…

Normandeau eut un regard surpris pour sa femme.

— Tu parles de le faire… ?

— Je ne te dis pas d'aller remettre le revolver toi-même au tireur, mais le SG4…

Normandeau fit une tête d'enterrement.

— Je ne voulais pas t'inquiéter avec ça, mais je n'ai plus de nouvelles du SG4.

— Hein ?

— J'ai essayé de joindre Taylor, Martel et Santori. Aucune réponse, sur aucun de leurs téléphones.

— Tu crois qu'ils se sont joués de nous ?

— Non. J'ai plus confiance en Curtis Taylor qu'en la plupart de mes ministres.

— J'ai essayé de joindre Elizabeth pour lui conseiller de ne pas se rendre à Québec, dit Louise Normandeau. Pas de réponse chez elle. Tu crois qu'elle est chez ce Fontaine ?

— Non. Je crois qu'elle est quelque part sur la 20, et tu peux parier qu'elle y est uniquement parce que les deux *kids kodak* et la fille de Mathieu Sinclair y sont aussi. Tu la connais… Elle n'allait certainement pas se dégonfler devant son amoureux et deux de ses amis. Et puis, elle est journaliste, et elle pourrait faire ce boulot encore trente ans sans voir quelque chose d'aussi gros que ce qui va se passer à Québec dans peu de temps.

— C'est bien beau tout ça, mais qu'est-ce que je vais dire à ta sœur s'il lui arrive quelque chose ?

— Elle est majeure, vaccinée et plus intelligente que moi. Elle a ses chances…

Georges Normandeau arrêta un moment d'arpenter la pièce et se tourna vers son épouse.

— Je vais devoir aller à Québec.

— Oui, mon cher, mais pas aujourd'hui, et pas à moins d'un kilomètre des plaines.

— Je pars dans deux heures. Je dois y rencontrer Taylor. Si ma présence peut éviter un bain de sang, je devrai aller sur les plaines.

— Si tu y vas, tu seras mort avant la nuit. Et tu sais aussi bien que moi que rien n'évitera ce bain de sang.

Le premier ministre lui tourna le dos, s'appuyant un instant contre la fenêtre de leur chambre d'hôtel pour reprendre son souffle. Il vieillissait à vue d'œil depuis trois jours.

Le numéro quatre du SG4, qui se situait immédiatement après Domenico Santori dans l'ordre de succession, entra après avoir frappé un coup contre la porte. Le visage défait, à bout de souffle, il regarda tout de même l'homme d'État dans les yeux. Louise Normandeau s'avança à côté de son mari et demanda :

— Oui, M. Andrews ?

— Je crains d'avoir de très mauvaises nouvelles, monsieur le premier ministre. Je suis actuellement le plus haut gradé du SG4 dont on ne soit pas sans nouvelles, et j'ai Joseph Finetti au téléphone. Le parrain vient d'être exécuté devant chez lui.

Georges Normandeau se demanda si ça s'arrêterait jamais.

24

— Vérifie les fenêtres ! dit Erik Martel à Domenico Santori en barricadant la porte d'entrée.

— Oui, boss !

— Vos gueules, ciboire ! leur cria Séraphin à mi-voix. N'importe qui peut se trouver dans le couloir ! Pour ce qu'on en sait, le locataire peut revenir dans cinq minutes et se mettre à hurler.

Un des hommes de M'boka alla sans un mot se placer près de la porte pour parer à cette éventualité, même si une commode en bloquait l'accès.

— Je peux faire quelque chose ? demanda le directeur adjoint à l'homme qui lui avait sauvé la mise.

— Oui, éclairez-moi mieux que ça, et déchirez complètement sa chemise. Cherchez le trou et le bout de tissu correspondant. Il faut savoir s'il est dans la plaie, parce qu'une infection, à ce stade, et vous lui dites adieu. Il semble perdre un peu moins de sang…

— Bon ou mauvais signe ? demanda Domenico.

— Allez savoir… dit un petit Noir en enjambant la fenêtre pour revenir à l'intérieur. On a de la visite, conclut-il en fermant les rideaux.

— Du genre ?

— Du genre nombreux, M. Martel.

— On aura le temps d'opérer, dit M'boka. On a bien assez d'armes pour couvrir la porte et la fenêtre au besoin.

L'air qui s'afficha sur le visage de ses hommes disait assez clairement ce qu'ils pensaient de l'enthousiasme de leur chef, qui ajouta :

— Après tout, pourquoi nous chercheraient-ils à l'intérieur ?

Santori se souvint d'avoir vu la voiture personnelle du directeur adjoint dans le stationnement. Sa propre voiture s'y trouvait également, sans parler de celle de Taylor. Il dit d'une voix lasse :

— Une simple vérification des plaques dans le stationnement et ils fouilleront l'immeuble pièce par pièce…

Séraphin déposa le scalpel ensanglanté et s'empara d'une fine pince, avant de se remettre au travail avec tout l'art dont il disposait.

— Martel ! De la lumière, j't'ai dit !

— Tu sais, M'boka, dit Martel en approchant la torche, on ne dirait vraiment pas que tu m'es tributaire quand tu hurles comme ça.

L'ancien médecin lui lança un regard lourd de sens.

— OK ! C't'une *joke*… Opère, qu'on s'en aille !

— J'ouvre pas une livre de bœuf, et j'ai pas opéré depuis trois ans. J'ai besoin de silence !

Santori s'adressa à mi-voix à René, qui finissait de recoudre Séguin :

— Tu es du coin, René ?

— Ouais.

— T'as des problèmes avec ton téléphone cellulaire ?

— Tout le temps, répondit laconiquement l'homme que tous les services de police de la province recherchaient depuis dix ans, à l'instar de son patron.

Martel, qui tentait de joindre le premier ministre, remit son téléphone dans sa poche en jurant.

— Bienvenue à Brossard, dit René en appliquant un pansement sur le bras de l'agent de la SQ.

— Banlieue de marde, maugréa Martel.

— T'es pas de Trois-Rivières, toi ? dit le grand Noir sans relever les yeux de Taylor.

— Opère donc, finfin…

— Merci pour les encouragements, bwana, mais c'est… terminé ! fit M'boka en joignant le geste à la parole, retirant le projectile d'un geste expert.

— Pas de tissu dans la plaie ? demanda René.

— Non, j'ai le morceau manquant ici. On va pouvoir le déplacer ?

— Tout dépend du temps que tu souhaites le garder en vie.

— M'boka…

— Il n'est pas en état de faire du slalom entre les balles, même sur une civière, si c'est ce que tu veux dire. Lentement, ça peut se faire.

Martel chercha du regard le petit Noir envoyé plus tôt en éclaireur. Il le trouva dans un coin, assis sur le bras d'un fauteuil.

— Je n'ai pas saisi ton nom…

— Winston, m'sieur.

— Combien de soldats devant le bâtiment, Winston ?

— J'ai vu arriver trois camions couverts. Depuis hier, on a eu le temps d'apprendre qu'une vingtaine d'hommes pouvaient tenir dans un camion, du moment qu'on ne le fait pas exploser…

Des rires méchants s'élevèrent du côté des miliciens.

— Ces salopards ont violé des femmes !

— Des Noires ? demanda Santori.

— Qu'est-ce que ça peut foutre, Noires ou Blanches, merde ? Des femmes ! En plus, on a rencontré une de vos équipes durant la nuit, alors la morale, hein ?

— Soixante hommes, Winston ?

— Plus ou moins, m'sieur. Ça dépend de l'équipement qu'ils transportent.

— C'est mauvais…

— Vous croyez ? fit Winston ironiquement.

Domenico Santori vit son patron vérifier ses chargeurs. Il s'écria :

— Oh ! Tu me niaises, là !

Sans lui prêter attention, Martel s'adressa au géant noir qui relevait une couverture sur le corps de Taylor :

— M'boka… Tu sais que jamais je ne te demanderais de sacrifier un seul de tes hommes pour moi. Tu m'as bien assez répété que je ne comprenais rien à votre combat. Par contre, là, maintenant, j'aurais besoin de plusieurs de vos armes.

M'boka regarda l'agent pour voir s'il était sérieux. Il l'était, et ça embêtait sacrément l'homme qui avait prolongé la vie du directeur du SG4. Il jonglait avec la vie d'amis, des pères de famille pour la plupart. Avant de prendre une décision, il demanda à Santori :

— Et toi ?

— S'il y va, j'y vais, répondit simplement l'homme de la mafia.

Chacun courait ses risques, et M'boka dit à sa milice, en désignant Martel :

— J'ai vu ce gars-là tuer six hommes avant même que je ne puisse sortir mon arme. Il des couilles plus grosses que qui que ce soit ici, et il est complètement dément. À part ça, c'est le meilleur que je connaisse, et celui qui l'accompagne est à peine moins bon, si ce que j'entends est vrai. Nous sommes nous-mêmes assez forts. Je n'oblige absolument personne à me suivre, il faut d'ailleurs quelqu'un pour veiller le directeur, mais moi j'y vais.

Avant même que leur chef ait terminé sa phrase, tous les membres de la milice étaient debout, l'arme au poing.

— Qui va rester ? demanda leur chef.

Pas une voix ne s'éleva.

— Parfait. Le policier est déjà blessé. Il s'occupera de Taylor.

— Minute ! dit Séguin en tentant de se relever.

— C'est déjà entendu, désolé. Ceux qui seront encore debout reviendront vous chercher.

— Du bruit dans le couloir ! cria l'homme en position près de la porte. Je ne crois pas qu'ils fouillent les appartements, mais ils ont l'air parti pour prendre racine.

M'boka prit la suite des opérations en main. Il attrapa son lieutenant par un bras et lui murmura :

— Installez Taylor dans le bain, sur et sous des couvertures. Laisse ton fusil à pompe au gars de la SQ. Il risque d'avoir à affronter ceux-là tout seul. Si on se les fait en premier, tout l'immeuble sera au courant.

— Ça devient un sale boulot… conclut René sans autre commentaire.

Les hommes de la milice laissaient Martel et Santori entre eux et n'osaient guère les approcher. Le parrain avait enseigné à son petit-fils les subtilités de l'existence, de même que les failles exploitables de la société, mais c'est le directeur adjoint qui avait rompu le jeune homme à la violence, au combat et au meurtre. Ils opéraient de la même façon, et alors qu'ils se conditionnaient pour ce qu'ils avaient à accomplir, ils devenaient terrifiants, pratiquement méconnaissables pour ceux qui avaient passé la dernière heure avec eux. Santori était loin d'avoir accumulé le palmarès de son mentor, mais il tuait avec talent, sans état d'âme.

Un téléphone cellulaire se fit entendre dans la pièce, et tous sursautèrent.

— Alléluia ! s'écria Erik Martel en constatant qu'il s'agissait du sien. Ouais ? Répétez, j'entends très mal ! Oh ! Monsieur le premier ministre ! Morin vous a appelé ? En route ? Merci, monsieur, je... QUOI ?

Tous les occupants de la pièce, qui rechargeaient et vérifiaient leurs armes, relevèrent la tête. Ceux qui venaient d'installer Curtis Taylor dans la salle de bain sortirent en trombe pour savoir de quoi il s'agissait. Santori se trouvait derrière son patron et fut donc le dernier à constater qu'il s'agissait d'une mauvaise nouvelle.

— Domenico, viens avec moi, dit Martel en l'entraînant dans un coin du salon.

— Qu'est-ce qui se passe ? Ils sont dans le couloir, Taylor est à bout de souffle et nous devons attaquer, alors quoi encore ?

La pitié qu'il venait de lire dans les yeux de son supérieur l'inquiétait au plus haut point.

— Je ne devrais pas te l'annoncer maintenant, Dom, mais tu as le droit de savoir. C'est moche, vieux... Ils ont abattu ton grand-père.

Santori chancela sous le choc, se rattrapant au bras d'Erik.

— Qui ?

— Ils n'en sont pas encore...

— JE VEUX SAVOIR QUI !

— Joseph a vu une voiture banalisée se tirer. La GRC, probablement...

Domenico Santori, numéro trois des services secrets du Québec, se tourna vers Séraphin et sa milice. Son chagrin s'était mué en une rage meurtrière.

— Ceux-là vont payer pour tout le reste.

Winston ouvrit la fenêtre sans un mot et ils partirent au combat.

Un soleil de plomb les accueillit à l'extérieur.

Bientôt, il n'y aurait que le plomb.

25

John Roof buvait un café, les yeux dans le vague. Il n'avait pas quitté le sous-sol de sa résidence de la rue Sussex depuis son discours et ne voyait guère de raison de le faire. Il n'était pas encore pestiféré, mais il n'était pas assez débranché de la réalité pour ne pas constater le peu d'appels entrant, lui qui croulait habituellement sous la pression. D'avoir menacé tous ses collaborateurs pour avoir les coudées franches n'avait pas que du bon.

Le premier ministre du Canada venait de recevoir les dernières estimations concernant les pertes civiles, et elles étaient catastrophiques. Plus de cinq mille personnes avaient perdu la vie sur le territoire québécois depuis cinq jours, en comptant les attentats et la mise en application de la *Loi sur les mesures de guerre*. Il savait que ses hommes n'en étaient pas complètement responsables, mais même les morts résultant de règlements de compte entre civils lui seraient imputées. Il devrait quitter le pays, de préférence vers un endroit sans traité d'extradition.

Susan Sterling, qui avait franchi sans difficulté le cordon d'une soixantaine d'hommes de la GRC entourant la maison, poussa la porte de la pièce avec tant de force que la poignée alla s'incruster dans le mur.

— Mais tu es complètement fou ! Espèce de réactionnaire sans cervelle de mes deux ! Tu as envoyé des troupes à Québec, sans m'avertir ? Tu as vraiment envie de te faire tuer, ma parole !

Roof répondit d'une voix calme :

— Ça dépasse peut-être ta compréhension des choses, ma belle, mais je suis encore le premier ministre de ce pays. Quand ils éliront Susan Sterling, je te ferai signe…

— Je te conseille de ne pas le prendre sur ce ton avec moi, crétin de fasciste ! Si tu n'haïssais pas autant les Québécois, on n'en serait jamais arrivé là ! Je n'aurais pas eu non plus à mettre ma vie en danger pour faire assassiner le parrain le plus puissant que ce pays ait connu ! Tu ES Québécois, Jonathan !

Roof ne répondit rien.

— Tu peux encore rappeler l'armée ? La sortir de Québec ? Éviter le bain de sang ?

— Non, je ne crois pas. Pas à temps. C'est ce que ce traître de Jordan demande ?

Susan Sterling eut un regard de profond mépris pour son ancien amant.

— Ce traître de Jordan, comme tu l'appelles, a été assassiné à Brossard il y a une heure, en obéissant à tes ordres de dément. Et son état-major avec lui, pour la différence que cela peut faire…

Roof ferma les yeux et prit une profonde inspiration, mais Sterling ne comptait pas le laisser souffler.

— Comme Mark Murphy, Roland Martial et des milliers de Canadiens ! Des milliers de Québécois aussi, mais ça, tu t'en fous…

— Tu m'étourdis, Susan ! Tu me prends pour un ogre ? Tu crois que ça m'amuse, ces conneries ? J'ai pris le pari et j'ai perdu !

— Parce que tu croyais vraiment qu'ils reviendraient sur leur décision après les attentats ? Tu le pensais vraiment ?

— Pourquoi pas ? Ça a autant de sens que de décider en trois semaines de l'avenir d'une province de cette importance…

— C'est un pays, John, et pas une province ! Plus vite tu vas intégrer cette réalité, plus tu auras de chances de survie. Qu'est-ce que tu es con… Si tu m'avais nommée à ce poste un mois plus tôt, j'aurais pu te dire à quel point tu te trompais !

— Murphy a essayé, vers la fin…

— Avant ou après que tu as envoyé le dixième de nos forces armées se faire tuer ?

— Avant…

— Alors tu n'as même pas d'excuse…

Susan Sterling s'arrêta subitement d'arpenter la pièce, et un début de panique apparut dans son regard lorsqu'elle le fixa dans celui de son patron.

— Je t'en prie : dis-moi que tu n'as pas demandé plus d'effectifs encore…

— Non. Je pourrais, bien sûr, et ce n'est pas Marcoux et ses troupes qui m'empêcheraient de pénétrer au Québec, mais il faudrait tuer encore des milliers de personnes pour leur permettre d'aller se faire tuer ensuite. Je ne peux pas faire ça.

— Arrête, tu vas me faire pleurer…

— Qu'est-ce qui te prend, toi, aujourd'hui ?

Sterling, qui lui avait tourné le dos pour aller se servir un verre, se retourna d'un bloc.

— Ce qui me prend ? demanda la directrice, éberluée. Ce qui me prend ? Je vais finir par croire que tu es aussi stupide que tu en as l'air ! Je viens de faire assassiner Lotto Finetti ! Lotto Finetti, *dumb ass* ! À ton avis, ça me laisse quoi comme chance de survie ?

— Ça pourrait être n'importe qui…

— *Jesus!* Laisse tomber, Jonathan… Après tout, tu as laissé un ami de longue date se faire tuer dans son bureau, alors une ancienne maîtresse, hein ?

— Je ne vois pas le…

— *Shut up!* Je suis simplement venue te dire que le moment approche. Prépare-toi un sac avec quelques vêtements et n'oublie pas le numéro de tes comptes aux Caïmans et en Suisse. Arrange-toi pour que je n'aie pas à te le dire deux fois, tu m'entends ?

— Quoi ?

— Si tu es encore au pays dans trois jours, je ne donne pas cher de ta peau de sans-cœur…

La directrice de la Gendarmerie royale du Canada sortit du bureau de son supérieur sans plus de cérémonie.

26

Marcus Fontaine fut le premier à rompre le silence. Il avait les yeux ronds comme des soucoupes et serrait si fort la main de sa blonde que ses jointures en blanchissaient. Elizabeth ne s'en apercevait même pas.

— Non, mais dites-moi que je rêve !

— C'est incroyable, murmura Benny Trudeau.

— Il doit bien y avoir une capacité maximale prévue par les lois de la physique, non ? demanda Beth.

— Ouais, dit Julie Galipeau. Quand les gens commenceront à tomber dans le fleuve, tu sauras qu'on l'a dépassée.

Le spectacle était effectivement incroyable.

L'immensité des plaines d'Abraham était couverte de gens, à tel point que la seule verdure que les quatre arrivants étaient en mesure de voir provenait du haut des arbres. Au coude à coude, du haut du belvédère jusqu'aux limites des plaines, les gens s'agglutinaient pour protester contre la violence gratuite déployée par l'armée contre la population. Serrés comme des sardines, accrochés aux arbres, débordant les limites des plaines de tous les côtés, ils scandaient divers slogans, tentaient d'agiter leurs pancartes sans assommer leurs voisins et se battaient même entre eux dans certains cas. La plupart, limités dans leurs mouvements, se contentaient d'être là. Ils semblaient tous attendre quelque chose.

— Combien, à ton avis ? demanda Marcus à son ami.

L'ancien chochard se passa la main dans les cheveux, plutôt embêté.

— Écoute... Tu peux te faire une idée de la foule qu'on est parvenu à attirer à Saint-Lambert ?

— Oui.

— Trois experts sont arrivés plus ou moins aux mêmes conclusions. Entre cent vingt-cinq et cent cinquante mille personnes. Maintenant, regarde devant toi.

Fontaine siffla entre ses dents.

— J'y étais, à votre manif, dit Beth, et je dirais qu'il y en a au moins deux ou trois fois plus. Quatre cent mille, mais ce n'est pas possible, non ? Sans parler qu'il y en a presque autant dans les rues qui tentent de nous rejoindre !

Ils reportèrent leur attention vers la foule. Déjà, ils étaient entourés et ils n'avaient pas avançé d'un pas. Heureusement, ils étaient arrivés du côté de la tour, car l'entrée qui menait au grand escalier était impraticable. Des milliers de gens qui avaient pensé se rendre sur les lieux par la terrasse Dufferin durent rebrousser chemin et se battre contre ceux qui les suivaient pour ne pas être piétinés. Plusieurs personnes furent écrasées contre la rampe qui courait le long de la terrasse, et certaines tombèrent de l'autre côté. L'une d'elles roula le long de la pente et traversa le puits de lumière d'une maison de la Basse-Ville. Elle s'en tira miraculeusement indemne, et l'histoire aurait pu être drôle si elle n'avait tué la propriétaire des lieux qui déjeunait en dessous.

— C'est logique, au fond, dit Benny d'une voix songeuse. Combien de personnes de votre connaissance ont été blessées ou tuées depuis trois jours ?

— Un tas, dit Elizabeth d'une voix où perçait la rage.

— Des milliers de personnes sont mortes, compléta Marcus, que des centaines de milliers d'autres connaissaient et aimaient.

— Et la plupart sont ici, conclut Galipeau.

Julie avait l'air au désespoir, ce que personne ne semblait remarquer.

Les deux hommes, qui avaient pris des leçons d'Erik Martel, en vinrent à la même conclusion, à peu de chose près au même moment, mais ce fut Benny qui l'exprima :

— En tout cas, on est assez nombreux pour nous défendre.

Marcus hocha la tête, puis remarqua enfin l'état de Julie, dont les yeux lançaient des éclairs. Beth lui jeta un regard interrogateur et elle explosa, bien assez fort pour que des dizaines de personnes l'entendent.

— Vous n'avez toujours pas compris, hein ? Assez nombreux pour nous défendre ? Vous ne voyez donc pas que si une seule personne meurt aujourd'hui, ce sera déjà trop ? Ce n'était pas censé arriver ! L'indépendance, ce n'était pas ÇA ! fit-elle avec un large geste du bras qui accrocha plusieurs personnes.

— Julie… dit Benny.

— Non ! Ce n'est pas pour nous battre qu'on était supposé se mobiliser ! Regardez-les ! Ils attendent comme des agneaux dans un…

Les sanglots l'empêchèrent de terminer sa phrase.

— Regarde le peu de soldats, Julie, dit Marcus pour la réconforter.

— Bien sûr, cracha cette dernière avec rage, sans la diriger contre son ami. Ils ne vont pas venir se foutre au beau milieu d'une telle masse, et ils attendent d'être tous réunis avant de charger. Ça avance lentement, une colonne de blindés, et la circulation est dense ! À ton avis, combien je pourrais tuer de personnes avec une mitraillette avant de crouler sous le nombre ? Et avec mille de mes amis fascistes armés de la même façon, combien je pourrais en massacrer ? Mille ? Dix mille ? Ça vaut la balade !

Autour d'eux, des dizaines de personnes se regardaient entre elles, mal à l'aise de ne rien pouvoir opposer à la logique de cette inconnue. Ses trois amis eux-mêmes durent admettre qu'ils étaient secoués, eux qui s'étaient imaginés durant quelques courtes secondes que les opprimés avaient peut-être une chance de renverser la vapeur. Plusieurs personnes tentèrent même de rebrousser chemin et furent abasourdies de constater que des milliers de gens leur barraient désormais le chemin sur plus de cent mètres. Au loin, des klaxons rageurs témoignaient que les rues et les boulevards du Vieux-Québec étaient devenus piétonniers. Il n'y avait simplement plus moyen de pénétrer sur les plaines, aussi incroyable que cela soit. La foule descendait désormais jusqu'à la rue Cartier, et les gens continuaient d'arriver. Malgré un silence impressionnant de la part d'une telle multitude, les milliers de bribes de conversation empêchaient toute pensée cohérente :

— S'ils pensent qu'on va se laisser…

— L'armée n'osera jam…

— Martin ? Calice ! Je vois plus Mart…

— Oh ! Attention ! Tu me marches dess…

— Lui, je suis à la veille de lui mettre mon pied au…

— Merde ! J'ai oublié d'éteindre le four avant de par…

Marcus secoua la tête pour s'éclaircir les idées et fit signe à ses amis de se tenir les uns aux autres, pour éviter d'être séparés par la foule qui les poussait de tous les côtés.

— Vous avez remarqué ? leur demanda-t-il en désignant plusieurs personnes du doigt.

Ils regardèrent dans la direction indiquée, mais il était ardu de comprendre qui Fontaine pointait, parmi les milliers de personnes qui se trouvaient devant eux. Le soleil se refléta soudain sur quelque chose de métallique, devant

Julie. Elle aperçut le même phénomène se reproduire plusieurs fois.

— Ils sont armés. C'est ce que tu montrais ?

— Oui.

— Merde ! jura Benny. S'ils essaient de s'en servir ici, ils vont tuer plus de civils que de soldats.

— C'est presque heureux que nos soldats à nous soient retenus ailleurs. Va-t'en voir la différence entre un treillis canadien et un québécois ! La foule les aurait bouffés tout crus.

— C'est toi qui avais raison, concéda Marcus à la jeune femme. Jamais nous n'aurions dû venir ici. C'était une très mauvaise idée.

— Ouais, approuva Trudeau. Désolé, Beth. Faut qu'on s'en aille d'ici au plus sacrant. Julie, tu veux partir ?

— Si tu veux. Ça m'est égal. Ils s'imaginent qu'ils vont changer quelque chose et j'ai honte d'avoir pensé ça aussi. Le pire, c'est qu'ils ne s'aperçoivent toujours pas de ce qui va arriver.

Ils entendirent un coup de feu dans la foule, puis un cri de douleur.

— Certains le savent très bien, dit Marcus. Il y a plusieurs brigades civiles tout autour, vous voyez ? Certains sont venus uniquement pour se battre.

— Si ma mère était morte, je serais venu ici avec un Uzi en priant le ciel d'avoir la chance de descendre un Canadien, dit Converse, alors ce n'est pas moi qui vais leur jeter la première pierre. Ça ne m'oblige pas non plus à demeurer dans leur ligne de tir.

— Effectivement.

Benny semblait de plus en plus nerveux. Il était midi pile, en ce 17 juillet, et tous avaient l'impression qu'un bon mois était passé depuis le référendum. Marcus et Julie virent au même moment Benny glisser la main vers sa ceinture, en direction de son arme. Marcus lui demanda :

— Eh, Ben ! Qu'est-ce qui ne va pas, vieux ?

Avant que leur ami ne réponde, Beth, Marcus et Julie savaient ce qui se passait

Ils arrivaient.

— Christ ! jura Marcus. Il faut s'en aller !

Julie Galipeau tourna vers lui des yeux hantés par la peur.

— Trop tard…

27

— Elle venait d'apprendre à écrire, dit subitement William Andersen.

Le médecin, qui s'était légèrement assoupi, redressa la tête subitement.

— Ouais. Elle a emmené son cahier d'écriture à son dernier rendez-vous, pour me le montrer. Je lui avais donné une petite voiture. J'aurais aimé lui donner un truc de petite fille, mais il faut que je renouvelle mon inventaire de jouets.

Le policier esquissa un sourire à ce souvenir.

— Elle était très contente, Paul. Elle l'a échangé à son frère contre deux corvées de vaisselle. Il en fait collection, mais ne va surtout pas suggérer qu'il s'amuse avec... dit le policier en essuyant ses larmes.

Paul rit un peu, avant de demander :

— Tu crois que les indépendantistes considèrent toujours que ça valait le coup ?

— Je n'en sais rien. Peut-être pas, mais tu peux être sûr, par contre, qu'ils préféreraient maintenant mourir que de revenir sur leur décision. Ce serait comme d'aller pisser sur la tombe de leurs proches.

— Ah, ça…

Ils firent silence durant quelques minutes, qui fut rompu lorsque William se rendit compte que son ami affichait un rictus moqueur.

— Quoi ?

— Je viens seulement de réaliser que je n'aurai plus jamais à travailler.

— Ah, bon ?

— Ouais. Je vais poursuivre le gouvernement pour le tort qu'il a causé au Conseil, ainsi que pour avoir essayé de me tuer ensuite... Je crois que j'ai des chances, fit le médecin d'un air malicieux.

William éclata de rire pour la première fois depuis la mort de Marianne, mais ce fut de courte durée. Ils savaient bien tous les deux que leurs visages étaient connus et détestés des francophones. Le *Provincial* mis à part, aucun journal n'avait pris la peine de souligner le ridicule des rumeurs qui liaient le Conseil aux premiers attentats à la bombe. Jamais Paul Fiersen n'y serait venu s'il n'avait eu peur de laisser son ami y aller sans quelqu'un pour surveiller ses arrières. William venait, après tout, de lui sauver la peau – deux fois.

Les deux hommes étaient à Québec depuis trente minutes, mais ils n'avaient pas bougé depuis ce temps. Aucune des portes habituelles menant au Vieux-Québec n'était praticable et même une motocyclette n'aurait pu circuler dans aucune des rues menant aux plaines, dans un rayon de cinq kilomètres. Une fois coincés par les automobiles de ceux arrivés après eux, la plupart des gens avaient tout bonnement abandonné leur voiture en pleine rue. Un gigantesque capharnaüm en avait résulté, dans lequel se trouvaient les deux membres du Conseil venus porter secours à tant de gens qui auraient aimé leur faire la peau.

— Porte ça au bras, dit le médecin en tendant à son ami un brassard de la Croix-Rouge. Les gens hésitent à tirer sur un docteur, de peur d'en avoir besoin ensuite... En voilà un second. Ça ne sera pas de trop...

Le policier se retourna sur son siège, le temps de voir passer lentement deux divisions canadiennes qui allaient au travail. Il préféra ne pas calculer ses chances de survie, à se battre pour des gens qui le détestaient contre des types censés le protéger et qui le prendraient pour cible. Sombre dimanche…

— Fiersen ?

— Oui ?

— On ne peut plus reculer avec la voiture, mais rien ne t'empêche de t'en aller très loin. Il n'y a aucune raison valable à ta présence, et tu vas te faire tuer.

— Je resterai derrière l'armée et me contenterai de soigner les blessés. Je te conseille de faire de même…

— Pour ce qui est de rester derrière, dit Andersen en désignant l'armée qui montait vers les plaines, nous n'avons guère le choix. Je n'aurais jamais été me fourrer là-dedans sans savoir où ils allaient se positionner, de toute façon. Ce serait du suicide.

— Tu crois qu'ils vont ouvrir le feu ?

Mark mit un bon moment avant de répondre, pesant le pour et le contre.

— Pas en groupe, non. *Geez !* De quoi ils auraient l'air ? Ils vont tout de même descendre les deux ou trois cents personnes qui sont venues armées et blesser tout ceux qui auront eu la malchance d'être à leurs côtés, mais à moins d'une panique générale dans les rangs, ils ne pourront pas tirer dans le tas. Les gens sont beaucoup trop nombreux. Il y a tellement de monde ! Tu peux être sûr qu'ils vont matraquer à tout va, par contre…

— Justement, je me disais… Ils sont tellement… Tu ne crois pas qu'ils pourraient décider d'attaquer ? De maîtriser l'armée ?

— Je ne pense qu'à ça depuis notre arrivée, et que Dieu leur vienne en aide s'ils tentent le coup. S'ils sentent qu'ils ont une chance d'être renversés, les soldats transformeront les plaines en un champ de tir au pigeon.

Ils virent au même moment deux milices civiles emboîter le pas des divisions canadiennes, leurs armes bien en vue, après leur avoir laissé cinq minutes d'avance. Tous les miliciens souriaient sauvagement, savourant à l'avance leur revanche. Beaucoup avaient eu la même idée.

Fiersen ouvrit sa veste et poussa le cran de sûreté de son pistolet. Il s'étonna du naturel avec lequel il avait accompli ce geste.

— Si on doit en venir là, ils verront qu'ils ont affaire à des pigeons armés.

— Exact, confirma Andersen. Armés, et situés dans leur dos.

28

M'boka Séraphin et Erik Martel furent les premiers à atteindre l'angle du bâtiment, et ils firent halte en attendant que leur singulière escouade soit réunie. Ils étaient tous lourdement armés, au point où Martel se demanda si cela ne gênerait pas leurs mouvements. Ils possédaient même une mitrailleuse Gatling, fauchée dans le camion de l'état-major qu'ils avaient attaqué une heure plus tôt. Le petit Winston cherchait des yeux un promontoire où l'installer. Martel et son débiteur n'entretenaient guère d'espoir sur leurs chances de réussite, car l'effet de surprise ne durerait pas longtemps. Pas devant soixante soldats en mal de vengeance. Maintenant que l'immeuble et le terrain étaient encerclés, ils ne pouvaient se permettre ni d'attendre les secours ni d'essayer de fuir en douce. Certains points du périmètre étaient moins bien gardés, certes, mais uniquement parce que le responsable des troupes canadiennes n'était pas un imbécile ; ils devraient fatalement revenir à leur moyen de transport, s'ils étaient toujours dans le bâtiment.

— Derrière nous ! souffla Winston. Deux hommes. Les haies ne nous cacheront plus très longtemps.

Le plus vieil homme de la milice de Séraphin déposa sans un mot son arme et sortit son couteau. René fit de même et extirpa un garrot d'un sac qu'il portait à la taille.

Les deux hommes se déplacèrent rapidement, pliés en deux. L'un des trois soldats avait bifurqué et pénétré dans l'édifice par la porte de secours. Les deux hommes de la milice entendirent clairement l'un d'eux râler, juste avant qu'ils ne dépassent la haie de cèdres et se retrouvent à leur portée :

— *Do you believe that ? These bastards killed Jordan !*

— *Yeah ! And the rest of the…*

Le caporal qui avait répondu perdit toute envie de terminer sa phrase lorsque Paul Samson se releva et lui enfonça son couteau dans la gorge, une façon comme une autre de fêter son cinquantième anniversaire. Avant que son collègue ne soit revenu de sa frayeur, René avait lancé son garrot au-dessus de sa tête et l'avait proprement étranglé.

— On se débrouille plutôt bien, pour des vieux…

— Parle pour toi, Samson, dit René en souriant. J'ai tout juste quarante ans. Allons-y… Ils vont donner l'assaut.

— Génial… À douze contre soixante…

— Cinquante-huit, maintenant.

Comme Martel allait donner l'ordre d'attaquer, ils entendirent de nombreuses voitures arriver et des coups de feu éclater. Les secours qu'ils n'avaient pas osé espérer ! À temps ! La haie qui entourait le terrain ne lui permettait qu'un angle de vue restreint s'il tenait à garder sa tête en place, mais Martel aperçut plusieurs voitures de la SQ qui arrivaient en trombe, et plusieurs autres sans gyrophares, probablement envoyées par le parrain avant sa mort, songea l'agent secret. « Dieu bénisse ce vieil escroc ! »

Le bruit des voitures fut couvert par la pétarade qui commença. L'arrivée des leurs (ou de ce qui s'en rapprochait le plus, pensa M'boka) galvanisa leur petit groupe. Martel s'élança en hurlant :

— Pas de quartiers, messieurs ! Si vous voulez revenir chez vous en vie ce soir, tuez-les tous ! Tuez-les tous !

La vingtaine de soldats occupant l'espace entre le stationnement et le bâtiment lui-même se retrouvèrent littéralement pris entre deux feux. Ils étaient à la recherche de quelques personnes probablement déjà disparues dans la nature, et ne s'attendaient absolument pas à voir débarquer une quarantaine d'hommes armés et prêts à en découdre. Une quinzaine des leurs fouillaient l'édifice, et bon nombre des trente autres troufions se tenaient près de leurs véhicules, surveillant l'armement ou attendant simplement les instructions. Quelques-uns dormaient, après une nuit particulièrement éprouvante. Ils connurent un dur réveil.

Le quotient intellectuel du fantassin moyen n'était certes pas très élevé, mais pas au point de croire que des voitures de la SQ venaient leur porter secours. En voyant la cavalerie pointer le bout du nez, les hommes de garde se jetèrent sur leurs armes et arrosèrent le périmètre avant même l'arrêt de la première auto. Joseph Finetti en descendit, sans le moindre indice de la rage meurtrière qui l'avait animé moins d'une heure plus tôt, du moins en surface. Avant même d'avoir posé son second pied sur le béton, il avait descendu d'une rafale de mitraillette deux soldats se trouvant à proximité de son véhicule alors que ceux-ci relevaient à peine le canon de la leur pour le mettre en joue.

Cinq voitures semblables à la sienne s'arrêtèrent à proximité, sous le feu nourri des Canadiens, et la garde rapprochée du nouveau parrain en sortit à toute allure. Joseph Finetti, qui devait plus tard aller à l'encontre des souhaits de son grand-père et devenir le plus puissant parrain d'Amérique, venait chercher son cousin, et gare à celui qui se placerait en travers de son chemin. Ensuite, il irait rendre visite aux exécuteurs de son grand-père. Grâce à un contact à la GRC, il avait déjà les noms en poche.

Son nouveau conseiller lui désigna le côté du bâtiment, d'où émergeaient en hurlant la troupe de Martel. Domenico !

Au même moment, Domenico Santori fut atteint à la hanche par une balle, alors qu'il abattait presque à bout portant un caporal paniqué par les événements qui s'étaient produits en l'espace de cinq secondes. Il partit à la renverse et tomba dans les bras de René, qui s'affala sous le poids. Santori continuait à tirer. La balle avait peut-être touché le rein, et ce petit rital teigneux continuait à tirer ! René sourit en se levant et le jeta par-dessus son épaule sans tenir compte des cris d'indignation de Santori.

— Je peux marcher, René ! Calice, pose-moi par terre ! Je peux marcher !

— Tu comprends rien, macaroni ! Je sais que tu peux marcher ; je me sers de toi comme bouclier, dit René en riant, sans cesser de balayer le périmètre de son arme.

Santori éclata de rire, malgré la douleur, qui était loin du stade qu'elle allait atteindre dans les prochaines heures, les terminaisons nerveuses sectionnées laissant toujours quelques moments de répit à la victime.

« Est-ce que Taylor est encore en vie ? » eut le temps de se demander Erik Martel en sentant une balle creuser un léger sillon sur sa cuisse en la frôlant. Combien de marques similaires sur son corps, il n'aurait su le dire, mais il y en avait beaucoup. Sans parler des balles qui l'avaient carrément atteint. « J'en ai assez de me battre… pensa-t-il encore en tuant un autre soldat. Assez… »

Une gigantesque explosion secoua le sol du stationnement. Un des camions militaires n'était plus qu'une boule de feu entourée d'un panache de fumée noire qui s'élevait rapidement. Une dizaine de soldats qui se trouvaient à proximité et trois autres qui s'étaient réfugiés dessous furent blessés à divers degrés par l'explosion. Un homme de la SQ fut tué par une balle qui explosa dans le feu et plusieurs hommes du parrain se jetèrent derrière leur voiture pour éviter le feu d'artifice qui suivit, lorsque les réserves de munitions explosèrent à leur tour.

— Wow ! fit M'boka. Ils ont tiré à quoi ?

— Joseph a toujours une grenade cachée dans sa voiture, fit Santori, juché sur le dos de René. Depuis le temps qu'il attend de s'en servir…

— En tout cas, dit Winston en s'emparant de la Gatling pour la déplacer, il l'a balancée directement dans ce qui leur restait de munitions.

La fusillade, fort nourrie au départ, se calma presque complètement. Le tout avait duré moins de trois minutes. De nombreux soldats canadiens, regardant autour d'eux et constatant combien peu de leurs amis étaient encore debout, lancèrent leurs armes par terre. Deux tentèrent de s'enfuir et furent abattus, de même qu'un des soldats qui fouillaient les appartements et qui ne comprit pas à temps que la victoire de son camp n'était pas à l'origine du silence qui planait de nouveau. Il sortit en vainqueur par la porte principale, son M-16 à la main, et fut descendu par Winston avant même de comprendre ce qui avait bien pu lui arriver.

Deux des hommes de Finetti étaient morts, de même que six agents de la Sûreté du Québec. Un des hommes de M'boka ne survivrait pas non plus à la demi-heure qui allait suivre, ayant reçu deux balles dans le ventre. M'boka lui-même ne tenait plus sur ses pieds, car un projectile lui avait traversé le tibia, le brisant sur le coup. Winston fut le plus chanceux du lot, une balle lui ayant arraché le lobe de l'oreille droite avec une précision presque chirurgicale. Plusieurs autres subirent des blessures mineures qui ne nécessiteraient pas d'intervention. Cinq soldats canadiens étaient encore debout, contemplant le massacre de leurs camarades avec des yeux incrédules. Ils étaient morts pour vrai !

Pendant que M'boka tentait de réconforter son ami mourant, Joseph Finetti s'avança vers Martel et son cousin, qui était couché dans l'herbe, la chemise de l'agent secret en guise d'oreiller.

— Comment il va ? demanda le parrain à Martel.

Santori releva la tête pour s'adresser à lui :

— C'est Winston qui s'est pris une balle dans l'oreille… Moi j'entends très bien.

— J'entends aussi très bien ! s'exclama Winston.

Il y eut quelques rires, surtout causés par la tension qui commençait à diminuer.

— J'ai une balle dans la hanche, dit sobrement Domenico. Ce n'est pas si mal. Cinq centimètres plus bas et cinq plus à gauche et là, ça aurait pu poser problème…

— Pourquoi ? demanda affectueusement son cousin. Tu as des couilles, toi ?

— Va te faire… commença l'homme du SG4, avant de s'évanouir.

Au loin, la sirène des ambulances se fit entendre.

Le *consigliere* de Joseph Finetti s'avança derrière lui et demanda :

— J'en fais quoi, de ces trous du cul ?

Il désignait les cinq soldats canadiens encore en vie, qui crevaient de peur, entourés qu'ils étaient par une bonne quinzaine d'hommes. Ils n'étaient pas assez paniqués pour ne pas remarquer qu'il y avait bien autant d'inconnus que de policiers parmi ceux qui les avaient vaincus, et qu'ils pouvaient toujours se brosser s'ils espéraient une chaîne de commandement pour réfréner la fureur de ces hommes. Ils avaient le commandement devant les yeux.

— Tu les abats, dit calmement Joseph.

Des cris s'élevèrent du petit noyau des rescapés.

— Hé ho ! s'écria Martel. En plein combat, ça passe encore, mais…

— Écoute, Martel, dit Finetti avec patience. Je ne te connais pratiquement pas, mais mon grand-père avait le plus grand respect pour toi et ton patron, sans parler de la loyauté stupide de mon cousin à votre égard, alors voilà : tout ce que la SQ a d'effectifs libres converge sur Québec, et c'est valable pour la moitié des agents qui se trouvent ici. Toi, tu dois t'occuper d'amener ton patron, mon cousin, M'boka et le type à l'oreille à l'hôpital. Moi et mes hommes sommes attendus à Ottawa avant l'heure du souper, et personne n'a le temps d'embarquer ces connards. Et je te jure que je ne les remettrai pas en circulation pour les recroiser armés dans douze heures, alors…

— Qu'est-ce que vous allez faire à Ottawa ?

— Finir ce que ton patron avait commencé. C'est la directrice de la Gendarmerie royale canadienne qui a fait assassiner mon grand-père, et il serait toujours en vie si Taylor avait pu régler ses problèmes ici et prendre l'avion. Les trois exécutants sont déjà morts, à l'heure qu'il est.

— En fait, c'est moi qui devais…

— Personne ne vous reproche rien, M. Martel, mais la pitié n'a pas sa place ici. Prenez quelques hommes et allez chercher votre boss.

Ne voulant pas discuter davantage et s'aliéner un précieux allié, Erik Martel repartit vers l'appartement qui leur avait sauvé la vie à tous. Six hommes l'accompagnaient pour transporter le directeur du SG4 et aider Séguin. Comme le premier d'entre eux enjambait la fenêtre pour y pénétrer, ils entendirent de nouveau des coups de feu.

Cinq.

29

Jonathan Roof n'était sans doute pas le plus équilibré des salopards à avoir résidé rue Sussex, mais on pouvait dire une chose pour sa défense : il savait se reconnaître battu. Un peu après midi, alors que les plaines d'Abraham et la majeure partie de la superficie du Vieux-Québec se couvraient de manifestants, et même de combattants, il reconnaissait intérieurement qu'il avait merdé. Et pas qu'un peu.

Pour le moment, il se souciait comme d'une guigne des victimes, innocentes ou non. Cela ne lui venait même pas à l'esprit. Après tout, il avait perdu sa femme et vu deux de ses amis se faire tuer, depuis une semaine, alors à chacun sa petite croix, comme l'a écrit Beckett. Par contre, il s'était toujours dévoué corps et âme pour son pays, à tous les postes qu'il avait occupés, et il comprenait enfin le coup fatal qu'il lui avait porté, maintenant que sa rage ne l'aveuglait plus.

Roof était seul à son bureau et avait demandé à ne pas être dérangé. Il devait impérativement nommer un nouveau chef des armées, mais il avait repoussé cette tâche au lendemain, car il ne voulait pas qu'un nouvel élu, plus zélé que Jordan, n'empire les choses à Québec. Il ne l'avait pas avoué à Susan, mais vu le bordel ambiant, il n'était même pas sûr qu'il aurait pu faire évacuer les troupes de Québec. Il n'arrivait pas à joindre un seul de ses gradés !

— Ils ne reviendront pas sur leur décision et je refuse de faire plus de victimes, alors j'ai perdu... dit-il à voix basse au bureau désert.

Le premier ministre lisait les journaux internationaux qu'il recevait chaque jour et les grands titres avaient fini de l'achever :

New York Times : « Les émeutes s'intensifient au Québec. L'armée canadienne responsable de centaines de morts » *Paris Herald Tribune* : « Indépendance : la population du Québec attaquée par l'armée canadienne » *London News :* « Rien ne va plus : Jonathan Roof ordonne l'invasion du Québec »

Et ça continuait ainsi dans les journaux de la plupart des grandes capitales européennes. Peu d'éditoriaux n'attaquaient pas Roof personnellement. Le *Guardian* allait jusqu'à le traiter de boucher. Les journaux du Québec étaient demeurés polis dans leurs attaques. Les charges suffisaient amplement pour le dépeindre sous son vrai jour. Le premier ministre se versa son premier scotch de la journée.

Susan Sterling entra sans frapper, en coup de vent. Elle n'avait pas dormi depuis quarante-huit heures, se savait recherchée, mais restait pourtant maîtresse d'elle-même. Roof n'eut aucun mal à comprendre pourquoi il l'avait tant désirée. D'un geste, il lui indiqua la bouteille. Après avoir refusé d'un signe de tête, la directrice de la GRC changea d'avis et alla se servir. Avant même de s'être retournée, en reposant la bouteille, elle dit simplement :

— C'est terminé, John.

Jonathan Roof resta silencieux un long moment, avant de murmurer :

— Je sais.

— Tu es prêt à partir ?

— Je ne sais pas, Susan... Tu ne crois pas que...

— Non. C'est le temps de te faire quitter le pays. On ne sait plus quoi faire des menaces de mort que tu reçois, tellement il y en a, et nous avons arrêté trois hommes qui voulaient vraisemblablement te faire la peau et qui se trouvaient à moins de cent mètres de ta chambre à coucher. Armés.

— Bah… Un groupe d'illuminés…

— Ils ne se connaissaient pas, John…

— Ah… Vu comme ça…

Sterling eut un mouvement d'épaules qui signifiait « qu'est-ce que tu veux, c'est comme ça et tu ne diras pas que je ne t'avais pas averti », ce qui eut le don d'agacer le premier ministre.

— Tu dois être contente de te débarrasser de moi. Moins de boulot…

— Bien sûr, John, espèce de con ! Tu oublies peut-être qui est à mes trousses ?

Roof se mordit la langue. Il avait effectivement oublié que son ancienne maîtresse avait fait assassiner le parrain de la mafia pour lui sauver la mise.

— Tu peux venir avec moi, Susan. Tu le mérites.

Sterling eut d'abord l'air sidéré de se le voir proposer, et elle se radoucit un peu.

— C'est gentil, Jonathan, mais j'ai ma fille et mon mari… S'ils ne me mettent pas la main dessus, ou si je ne les arrête pas, ils s'en prendront à eux.

— Tu ne voulais pas de ce poste, hein ?

Elle lui lança un regard perçant.

— Non, je n'en voulais pas, mais personne n'en aurait voulu. Il fallait que quelqu'un surveille tes arrières.

— Je suis désolé, Susan. Je…

— Laisse tomber. N'emporte rien avec toi ; ça serait suspect si on te voyait. J'imagine que tu as les moyens de te racheter une garde-robe.

Roof rit un peu, ce qui le rajeunit de dix ans.

— Et je ne serai pas le seul, dit-il en lui tendant un petit bout de papier.

— Qu'est-ce que c'est ?

— Grand Cayman. Cinq millions.

Sterling le regarda d'un air dubitatif.

— Tu blagues ?

— Non. La loyauté se paie. On va directement à l'aéroport ?

— Non. Il nous reste un arrêt à faire avant ta retraite.

Susan Sterling passa dans le couloir, mais Jonathan Roof se figea sur place.

— Oh merde, Susan ! Tu ne voudrais quand même pas que…

— Ta gueule, monsieur le premier ministre, dit Susan avec une certaine tendresse dans la voix.

— Je m'en passerais…

— Tu possèdes près de cent millions de dollars et tu t'apprêtes à aller passer vingt ans dans un paradis ensoleillé. Tu ne me feras pas pleurer. Même Maggie finira par aller te voir là-bas, alors accomplis au moins ton dernier devoir de politicien : remettre les pouvoirs au vice-premier ministre…

— Il s'empressera de leur accorder la souveraineté !

— Effectivement, et c'est ce que tu aurais dû faire toi aussi. Tes amis seraient encore en vie.

Elle sourit néanmoins en entendant son ancien amant grommeler :

— Encore heureux que j'aie épousé Maggie…

30

Mathieu Sinclair ferma les yeux quelques instants avant de les reporter vers le sol. Il n'avait pas la berlue. Cette foule incroyable était réelle ! Survolant les plaines d'Abraham dans l'hélicoptère de la chaîne, il se dirigeait vers un immeuble qui avait une plate-forme d'atterrissage sur son toit, celui d'un de leurs concurrents. Le pilote siffla entre ses dents, les yeux ronds comme des soucoupes. Le lecteur de nouvelles se serait bien passé de ce spectacle, lui qui pensait retrouver sa fille et la sortir de là… Il vit une ombre sur le tableau de bord, avisa l'autre hélico en une fraction de seconde et hurla au pilote :

— Attention ! Descends, sacrament d'imbécile !

Le pilote s'arc-bouta sur le manche et leur appareil descendit à une quarantaine de mètres du sol, ce qui fit remonter l'estomac, heureusement vide, de Sinclair.

— Désolé, monsieur ! gueula le pilote par-dessus le bruit des moteurs. J'ai regardé la foule une seconde de trop…

— Lui aussi ! Allez ! On voit l'immeuble d'ici ! Pose-nous au plus sacrant ! Il y a trop d'hélicos pour un si petit espace aérien… On n'a pas le droit d'être ici, de toute façon. Tu pourrais perdre ton permis.

— Vous n'allez quand même pas vous jeter dans cette marée humaine, non ? Regardez l'armée qui les encercle !

— Encercle… C'est vite dit ! Regarde le nombre de soldats ! Ils ne sont pas si nombreux…

— Quelques milliers, M. Sinclair. Mais ils sont tous armés, eux. Et ils n'ont pas amené leurs enfants, eux !

— Personne n'a amené ses enfants, franchement ! Il faudrait être stupide !

— Sur quelques centaines de milliers de personnes, il y a nécessairement des imbéciles. Regardez en dessous.

Et Sinclair vit effectivement quelques enfants juchés sur les épaules de leurs parents, ou tentant de suivre ceux-ci à pied dans cette mer de protestataires, et risquant à chaque instant d'y être engloutis. Quels crétins !

Ils posèrent l'hélicoptère et, du bord du toit, Mathieu risqua un coup d'œil. La rue était complètement bouchée par la marée humaine. À moins de camper dans l'immeuble de leur concurrent, il devrait affronter la foule. Arriverait-il pour autant jusqu'aux plaines ? Rien n'était moins sûr, mais puisqu'il ne devait pas se trouver ici, de toute façon…

Deux heures plus tôt, Sinclair était en train de décrire l'immense foule qui envahissait Québec, derrière le bureau où il avait officié tant de fois, lorsqu'il avait pris pleinement conscience que sa fille, sa petite Julie, se trouvait dans cet incubateur de violence. Son professionnalisme avait pris le dessus sur sa panique, mais uniquement jusqu'à la pause commerciale suivante. Il avait alors bondi comme un ressort et avait accroché le premier stagiaire sur lequel son regard était tombé.

— Daniel ! Tu ambitionnes de devenir un grand journaliste, non ?

— Comme tout le monde ici, y compris le type qui fait les pâtisseries à la cantine…

— Ça commence maintenant, avait dit Sinclair d'un ton péremptoire en l'asseyant sur le siège qu'il venait de quitter.

Quelqu'un va nécessairement venir te remplacer, mais tu assures le prochain segment, mon grand !

— Ah ? Euh...

— C'est tout décidé. Bonne chance.

Avisant le directeur de l'information, il lui avait dit :

— J'ai besoin de l'hélico !

— Il est en vol...

— Je le sais, abruti ! Si je te dis que j'en ai besoin, c'est que je veux que tu me le ramènes !

— Ils ont vraiment trop de trucs à couvrir... Mike me disait justement que...

— Rien à crisser de ce que Mike a dit ! Je le veux ici dans quinze minutes au plus tard ! Et dis-lui de faire le plein !

Deux heures plus tard, il descendait quatre à quatre les escaliers vers la marée humaine qui bloquait maintenant complètement les rues du Vieux-Québec. Il avait une chance sur un million de retrouver sa fille, mais elle était débrouillarde comme pas une et plutôt bien entourée. La nièce du premier ministre se serait sûrement opposée à ce qu'ils aillent se mettre en danger au cœur du tumulte.

Il vit un groupe de soldats canadiens avancer tant bien que mal vers leur objectif. Ceux-ci faisaient à l'origine partie d'une division de blindés, mais il était tout bonnement impensable de faire avancer une Smart parmi les manifestants tant ils étaient nombreux, alors un tank...

Ils n'étaient qu'une quinzaine et peinaient à se frayer un chemin sous les injures qu'ils ne comprenaient pas et les crachats qui, eux, avaient le mérite d'atteindre leur but malgré la barrière linguistique. Leurs compagnons d'armes les plus proches devaient se trouver à trois cents mètres de là, et ils le savaient fort bien. Comment se pouvait-il que leurs supérieurs n'aient pas pensé à cette éventualité ? Les groupes qui accompagnaient les cinq autres blindés se trouvaient dans la même position.

Sinclair se surprit à sourire férocement en attendant l'inévitable, qui se produisit rapidement. Un homme, plus par provocation qu'autre chose, crut bon d'agripper par le collet le caporal qui fermait la marche de la division. Ce dernier réagit un peu trop vivement en se retournant, et le canon de son arme alla s'écraser contre les dents d'une jeune adolescente qui tentait de s'éloigner du grabuge. Un cri de rage monta de la foule lorsque le sang gicla, et l'homme qui avait parti le bal descendit le caporal d'un coup de poing au menton.

Une milice de Sherbrooke, qui devait compter près de trente hommes et qui encerclait la division blindée depuis qu'ils avaient abandonné leur char d'assaut, leur tomba dessus comme la misère sur le pauvre monde. Le lieutenant canadien, qui avait pris la décision de continuer à pied, eut le temps de tirer trois balles, qui atteignirent toutes des badauds, mais il fut le seul à faire usage de son arme. Ses hommes furent assommés pour la forme.

Alors que Mathieu Sinclair se demandait ce que la milice comptait faire des soldats désormais ligotés, la foule les engloutit et leur régla leur compte. Ce qu'une milice armée s'était refusée à faire, un groupe de gens ordinaires, poussés à la folie, allait l'accomplir comme s'il s'agissait de leurs emplettes du dimanche ! À coups de pied, de poing et de pancarte, ces gens que rien ne distinguait hier de leurs congénères massacrèrent quinze soldats qui n'étaient plus en état de se défendre. Le lecteur de nouvelles vit luire sous le soleil la lame de quelques couteaux qui plongeaient et ressortaient rouges de sang. Il avait peine à croire à une telle barbarie.

— C'est drôle, dit le pilote d'une voix qui trahissait son dégoût. J'avais l'impression de vivre dans une société civilisée.

— Bienvenue dans le monde réel, répondit Mathieu. Moi, je raconte la vie de ces cinglés depuis une éternité…

Ils s'étaient arrêtés au dixième étage pour reprendre leur souffle et avaient assisté à la scène d'un point de vue unique. Alors qu'ils se remettaient en marche, Sinclair aperçut Gilles Sicotte, le directeur de la station. Sicotte était l'homme qui lui avait permis d'entrer dans le métier, à l'époque de Mathusalem.

— Sicotte ! T'es encore ici ?

— Oh ! Salut, Sinclair ! J'ai entendu dire que tu avais demandé la permission de te servir du toit. Qu'est-ce que tu fais ici ?

— Julie est sur les plaines.

— Aïe…

— Comme tu dis ! Je ne vois pas comment je pourrais la retrouver, mais je ne peux pas non plus rester les bras croisés à attendre.

Gilles Sicotte déboutonna son veston et en retira un petit browning calibre 22.

— Prends ça. Si tu vas là-bas, ce ne sera pas de trop.

— Merci, Gilles. Tu n'as pas l'impression qu'il y a trois fois plus d'armes en circulation que la semaine dernière ?

Son ancien patron eut un petit rire en s'en allant. Se tournant vers le pilote, Sinclair lui demanda :

— Combien de personnes tu peux transporter avec ton truc ?

— Pour ça, on a de la chance. L'hélico appartenant à la chaîne pouvait prendre deux personnes. Avec celui que j'ai en ce moment, nous pouvons en prendre trois de plus.

— Six, tu pourrais ?

— Sur une courte distance, j'imagine que oui, mais pas plus de quelques kilomètres…

— Je peux vivre avec ça. Tu vas remonter chercher l'appareil ; tu ne peux pas le laisser sur le toit. Si je les retrouve, je les amènerai à l'Université Laval. Il y a assez de place derrière les pavillons pour que tu puisses t'y poser. Vois si tu peux simplement t'y installer et nous attendre. S'il y a trop d'excités et que ce n'est pas possible, reviens à trois heures, puis à cinq heures. Si nous n'y sommes toujours pas, tu pourras retourner à Montréal et avertir le chef de pupitre de l'*Information*. Tu sais qui c'est ?

— Moreau ? Oui, je l'ai transporté quelques fois. Vous ne préféreriez pas que je revienne aussi à sept heures ?

— Non. Si nous ne sommes pas là dans quatre heures, nous n'y serons jamais.

Quelques minutes plus tard, du bord du toit, le pilote vit Sinclair jaillir de l'entrée principale de la station et jouer du coude pour avancer dans la cohue.

— Bonne chance… murmura le jeune homme en remontant à bord de son appareil.

Il était une heure tapant de l'après-midi, en ce 16 juillet.

La bataille des plaines d'Abraham allait commencer.

31

Curtis Taylor, l'agent clandestin le plus respecté de l'histoire des services secrets canadiens, reprit conscience dans une baignoire, enveloppé dans un couvre-lit à l'effigie de Winnie l'ourson.

Il se réveilla si brusquement que Pierre Séguin, l'agent de la Sûreté du Québec que M'boka avait laissé pour le protéger, laissa échapper un cri. Il était assis sur le rebord du bain et faillit bien tomber carrément sur l'homme qu'il avait pour tâche de garder en vie, tout en tendant l'oreille vers le couloir à l'affût du moindre bruit, ce qui n'était pas une tâche aisée depuis que Martel et sa nouvelle équipe avait parti le bal.

Ils devaient affronter un grand nombre de soldats canadiens, car une fusillade aussi nourrie ne pouvait provenir de la vingtaine d'armes que M'boka et ses hommes avaient sur eux lors de leur arrivée. Il priait volontiers pour leur succès, car sa propre survie, de même que celle de Taylor, en dépendait. Même bandé, son bras lui faisait mal et il avait bien l'impression que la balle avait atteint un muscle, finalement. Naturellement, il fallait que ce soit le bras dont il se servait pour tirer…

L'instant d'avant, Taylor reposait dans la baignoire sur des couvertures, sa respiration laissant entendre un léger sifflement, ce qui n'avait rien d'étonnant pour un homme à qui on avait retiré une balle d'un poumon moins d'une demi-heure auparavant. L'instant d'après, sa main s'agrippait avec une force surprenante à l'épaule du policier, le tétanisant d'effroi. Taylor esquissa même un pauvre sourire en voyant la tête de Séguin.

— Vous êtes qui, vous ?

— Pierre Séguin, SQ. J'ai répondu à un appel de détresse lancé d'ici et…

— Je n'ai pas lancé d'appel de…

— Vous n'étiez plus en état de le faire. Votre adjoint s'en est chargé.

— Martel ? Je dois lui parler ! Où est-il ?

— Vous vous imaginez que c'est la tourterelle qui pousse la chansonnette, là, dehors ?

— Merde ! Aidez-moi à me relever !

— Vous n'y pensez pas ? Vous venez de vous faire tirer dessus, monsieur, et si j'en crois M. Martel, vous êtes un des derniers remparts qu'il nous reste. Lotto Finetti est mort ce soir…

Curtis Taylor retomba lourdement dans la baignoire. Martel devait avoir envoyé toutes leurs ressources disponibles à Québec. Il espérait que Finetti en ait fait autant avant de mourir, et que leurs alliés avaient été prévenus à temps, responsabilité qui revenait à Trudeau et Fontaine, qui avaient probablement déjà fait le nécessaire. Il était triste pour le vieil homme, à qui il avait trouvé beaucoup de cœur et de classe. Pour la première fois, dans les brumes provoquées par la douleur, il se demanda qui avait réellement lancé l'idée de la manifestation sur les plaines. Il n'avait jamais remis en question l'affirmation concernant les étudiants de l'Université Laval, mais il était tout aussi possible qu'un homme de Roof s'en soit chargé. La vitesse avec laquelle la nouvelle était parvenue aux médias sociaux aurait dû lui mettre la puce à l'oreille. Le salopard !

Taylor avait du mal à respirer, mais il semblait parfaitement lucide. M'boka était un chirurgien de fortune dont Séguin allait retenir le nom. En entendant l'explosion provoquée par la grenade de Joseph Finetti, Taylor murmura :

— Cette fois, c'est vraiment trop…

— Je vous demande pardon, monsieur ?

— Je n'attendrai pas un mois, ni une semaine, ni même une heure… Sitôt ce merdier réglé, je disparais dans la nature.

— C'est une idée…

— Combien de soldats dehors ?

— Une soixantaine…

— Et vous avez laissé mon adjoint y aller seul ? cria presque Taylor en se relevant cette fois complètement, ce qui lui arracha un cri de douleur, mais ne le ralentit pas pour autant. Une arme, vite !

— Calmez-vous ! lui intima l'homme de la Sûreté en le repoussant gentiment dans la baignoire, sur son matelas improvisé. Il n'est pas seul. Vous trouvez que j'ai une tête à vous retirer une balle d'un poumon ?

Curtis Taylor abaissa le col du chandail en laine que René lui avait trouvé dans les tiroirs du locataire de l'appartement. Il sembla étonné de se voir ainsi emmailloté.

— Je me suis pris une balle ?

— Oui. Un grand Noir est arrivé ensuite, après que votre ami a liquidé la moitié de l'état-major présent dans la région, et il vous a opéré.

— Il a une cicatrice le long de la gorge, ce Noir ?

— Ouais…

— M'boka… murmura le directeur du SG4, en songeant à toutes les fois où ils auraient pu le boucler et où il avait préféré le laisser en liberté, se doutant qu'il lui serait un jour utile.

— Il avait une dizaine d'hommes avec lui.

— C'est encore trop peu.

— Je sais, oui, dit Séguin.

Toute l'attention du policier de la SQ se porta vers l'extérieur de la pièce. Ce n'était pas la fin de la fusillade, au dehors, qui l'avait alerté, mais le silence complet qui régnait dans l'appartement.

— Vous êtes de la SQ depuis combien de temps, Séguin ?

Un caporal de l'armée canadienne, qui faisait sa ronde derrière l'immeuble et qui avait vu par la fenêtre ouverte un pistolet laissé sur la table du salon, fit irruption dans la salle de bain, l'arme au poing. Il vit immédiatement le fusil à pompe posé sur le mur, mais pas le 45 que le policier tenait à la main, et il commit l'erreur de faire une sommation :

— *Don't move* ! *Dont make a f...*

Sans même relever le bras, Pierre Séguin tira une balle qui traversa le menton de son adversaire selon un arc ascendant. En contemplant le corps du soldat mort affalé dans le couloir, Séguin répondit :

— Trop longtemps, M. Taylor...

Alors qu'il se remettait de sa surprise et songeait que Séguin pourrait être un jour utile à Domenico Santori après sa propre retraite, Taylor entendit une voix qu'il connaissait trop bien en provenance du salon :

— Je peux pas te laisser seul cinq minutes sans que tu tues quelqu'un, patron ?

32

« Seigneur ! », s'exclama Louise Normandeau en apercevant la foule qui débordait jusqu'au Capitole, et bien au-delà.

Ils commençaient à avoir la plus grande difficulté à avancer, même à petite vitesse, malgré le gyrophare de police posé sur le tableau de bord. Le premier ministre et sa femme étaient assis à l'arrière du véhicule aux vitres teintées. Les sièges avant étaient occupés par deux des plus gros gardes du corps que Normandeau ait jamais vus de toute sa carrière. À elles seules, leurs épaules bloquaient presque entièrement la vue, mais la voiture fut vite entourée, et Georges en vit bientôt plus qu'il ne l'aurait souhaité. S'il y avait une émeute, dans une foule aussi compacte…

Normandeau avait lourdement insisté auprès de sa femme pour qu'elle demeure à Montréal, et Louise l'avait étonné en acceptant de bonne grâce. Il avait compris pourquoi en la retrouvant assise dans la voiture au moment du départ, refusant catégoriquement d'obéir aux ordres des hommes du SG4 qui tentaient de l'en faire descendre. De guerre lasse, Normandeau avait fait signe à ses gorilles de monter à l'avant.

Le trajet jusqu'à Québec avait été épouvantable. Jamais de sa vie le premier ministre n'avait vu l'autoroute Jean-

Lesage dans un tel état. Il avait cessé de compter les accidents avant même d'avoir atteint Sainte-Julie, et la circulation était bloquée à de nombreux endroits. Sur plusieurs kilomètres, l'homme du SG4 avait carrément emprunté le terre-plein, au grand inconfort de ses passagers. Leur pire crainte, celle de voir le pont de Québec bloqué par les embouteillages, se vit confirmée plusieurs kilomètres avant d'y parvenir. Normandeau demanda au chauffeur de s'arrêter à la sortie suivante et fit venir un hélicoptère. En attendant ce dernier, le premier ministre vit plusieurs automobilistes abandonner leur véhicule et continuer à pied vers Québec. Ils durent abandonner les deux agents par manque de place, mais ceux-ci s'assuraient déjà que deux de leurs collègues les attendraient avec une voiture dans le stationnement d'un centre commercial, à l'entrée de la ville. Le pilote était un agent du SG4.

L'entrée de Québec s'embouteillait déjà rapidement et l'aéroport de la ville avait été fermé, mais les dommages étaient faits. L'hélicoptère ne volait pas bien haut et le spectacle des manifestants se dirigeant vers le Vieux-Québec était ahurissant. Même à cette distance, Normandeau aperçut plusieurs armes et ne put s'empêcher de se demander combien d'entre eux étaient cinglés et venaient simplement tirer dans le tas.

Une fois dans la voiture du SG4, le premier ministre sentit le désespoir l'envahir. Suivant le fil de sa pensée, comme elle l'avait fait toute sa vie, sa femme murmura :

— Tu ne pourras rien faire, mon chéri…

— Combien de temps pour me rendre jusqu'aux plaines, messieurs ?

L'agent qui occupait le siège du conducteur détacha sa ceinture et se retourna pour bien faire face à l'homme d'État.

— Nous vous amenons au Château Frontenac, mais vous n'irez pas sur les plaines, monsieur.

— Vous vous imaginez que vous allez me dicter ma conduite, mon garçon ?

— En l'occurrence, oui. J'ai reçu des ordres de M. Taylor à ce propos, au cas où il ne serait pas ici lui-même. Je ne peux vous permettre d'aller risquer votre vie, d'autant plus que vous ne pouvez rien faire. Vous aurez une vue sur les événements et des rapports détaillés, mais c'est tout ce que je peux vous promettre. Vous pourrez aussi, si vous avez des proches sur les lieux, les faire venir. Nos hommes au rez-de-chaussée les laisseront passer.

— Tu crois qu'Elizabeth est ici ? lui demanda sa femme avec empressement.

— Elle est ici ; j'en jurerais… Baptême ! Elle est entêtée comme pas une !

— C'est pas le moment, Georges. J'ai beau chercher, monsieur, dit Louise Normandeau au mastodonte, je ne vois vraiment pas comment nous pourrions parvenir jusqu'au Château… À cent mètres d'ici, on dirait qu'ils n'arrivent même plus à bouger, alors marcher…

— Alors là, ça va vous plaire, je crois, dit l'agent en souriant.

Un manifestant, allez savoir pourquoi, avait allumé un feu près de la porte Saint-Jean. Sans cet illuminé, le premier ministre, son épouse et leur escorte auraient peut-être eu à marcher, mais les gens s'éloignant naturellement du feu, un petit couloir permit à l'agent Metzki d'avancer encore d'une vingtaine de mètres jusqu'à un bâtiment abritant une boucherie et une boutique de souvenirs. Metzki laissa tout juste assez d'espace entre la voiture et l'édifice pour ouvrir la portière et il coupa le moteur.

— Oh ! s'exclama le premier ministre. Qu'est-ce que vous faites ?

— Vous voyez la porte bleue, à votre gauche ?

Entre l'entrée des deux commerces, une porte bleue tout à fait banale se trouvait exactement à la hauteur du premier ministre.

— Oui…

— Vous ouvrez votre portière. Vous ne lâchez pas la main de votre femme. Vous ouvrez la porte bleue et vous vous élancez dans l'escalier avec madame.

— Je veux bien, fit le premier ministre d'un air dubitatif, mais pourquoi est-ce qu'on…

— Vos questions auront trouvé une réponse dans deux minutes, mais on ne peut pas trop se permettre de discuter ici et d'attirer l'attention. Les vitres sont teintées, mais pas complètement.

Comme pour illustrer son propos, le collègue de Metzki ouvrit violemment sa portière pour assommer un manifestant qui avait collé son nez sur la vitre pour voir qui se trouvait dans le véhicule. Normandeau ouvrit sa portière à la volée, prit Louise par la main et la tira sèchement derrière lui, au point qu'elle émit un petit cri de surprise auquel son mari ne porta pas attention. La porte bleue s'ouvrit de l'intérieur et un agent qui paraissait malingre en comparaison de ses collègues leur fit signe de descendre rapidement la dizaine de marches menant au sous-sol. L'escalier était éclairé par une faible ampoule. Sans s'occuper de ses deux collègues, il descendit les marches quatre à quatre derrière eux. En jetant un coup d'œil derrière lui, le premier ministre s'aperçut que les deux armoires à glace n'avaient pas suivi le mouvement.

— Les deux autres ?

— Ils ne viendront pas, répondit laconiquement l'agent qui était à peine plus grand que le premier ministre.

Louise Normandeau fut la première à perdre son calme.

— Vous allez nous dire ce qu'ont fait ici, oui ?

L'agent les fit pénétrer dans un appartement à la limite de la salubrité. De la vaisselle sale traînait sur le comptoir de la cuisine et des vêtements recouvraient les rares meubles apparents. Une porte fermée devait donner sur une chambre, car aucun lit n'était visible. Le papier peint donna instantanément la migraine à Normandeau, dont la patience n'avait jamais été la plus grande qualité.

— Je te conseille de répondre à la question de ma femme, le grand, parce que je suis sur le point de retourner à la voiture.

Le petit homme des services secrets sourit discrètement.

— Ma foi, vous le pouvez si vous le souhaitez… La voiture n'est plus là, mais les gens vous aiment bien, et je suis persuadé que vous pourriez faire le chemin jusqu'au fleuve en faisant du *bodysurfing*. Par contre, si vous m'accordez cinq minutes, vous vous rendrez compte que c'est beaucoup plus simple par ici. Au fait, je m'appelle Jedrick Hull, monsieur le premier ministre.

Georges Normandeau, qui allait poser une autre question, regarda plus attentivement l'homme du SG4.

— Jedrick Hull ? Vous ne seriez pas le fils de Lewis Hull, le juge de la Cour suprême ?

L'agent Hull eut l'air sincèrement surpris.

— Oui.

— J'ai bien connu votre père. C'était un type formidable. Pas beaucoup d'humour, si j'ai bonne mémoire, mais très sympathique.

— Non, il ne riait pas souvent, en effet. Merci, M. Normandeau.

— Et allez-vous nous dire ce que nous attendons dans un taudis pareil, M. Hull ?

— Je pourrais être décrit à l'agence comme le responsable des évasions miracles. Je suis né avec une mémoire plutôt performante et une boussole dans la tête. Des archives de l'agence, j'ai fini par être délégué aux passages, après avoir reçu ma formation. Dans ce cas précis, je dois avouer que mon travail est mâché d'avance. On m'a envoyé uniquement pour jouer le guide...

Le couple Normandeau tentait de suivre les explications de l'agent, mais il leur semblait qu'elles ne mèneraient pas à une réponse à leur question dans l'immédiat. Dans l'expectative, mieux valait le laisser continuer. Jedrick Hull se dirigea vers la porte fermée en demandant à Normandeau :

— Du 14 au 24 août 1944, vous souvenez-vous, monsieur le premier ministre, de ce qui s'est passé à Québec ?

— Le sommet anglo-américain. C'est ce que vous voulez dire ?

— Oui, monsieur. Churchill, Roosevelt et Mackenzie King se sont réunis à la Citadelle de Québec ou, du moins, c'est ce que les services secrets ont laissé entendre aux rares médias de l'époque.

— Ce n'était pas le cas ? demanda Louise qui avait un diplôme en histoire. Churchill a été filmé à son arrivée à la Citadelle.

— Exact, mais je peux vous garantir que vous n'en trouverez jamais un qui vous le montre en train d'en sortir, dit Hull en souriant. Chacun a fait une entrée en grande pompe pour les photographes, mais aucune réunion ne s'est jamais tenue à la Citadelle. Trop risqué... En pleine guerre mondiale, un attentat contre Churchill ou Roosevelt aurait été une aubaine pour bien des gens.

— Roosevelt était à moitié mort, *anyway*... dit Louise à son mari.

— Tout de même... reprit Hull. L'important, c'était le message envoyé par la mort d'un chef d'État, et je ne vous dis pas le nombre de tentatives que nos prédécesseurs ont déjouées. C'est pratiquement un miracle qu'ils soient tous les deux repartis vivants du Canada…

— Et King ? demanda Normandeau.

— Qui aurait voulu tirer sur Mackenzie King ? demanda Hull. On ne bute pas le maître d'hôtel…

— Ouais… Tant qu'à ça…

Hull ouvrit la porte. Celle-ci parut anormalement lourde au premier ministre lorsqu'il la poussa. Louise regardait le cadre de porte qui semblait tout, sauf normal. Sous les lattes peintes affleurait le reflet terne de l'acier.

— Cette porte… voulut demander la femme du premier ministre.

— Électromagnétique. Il vous serait moins long de démolir le mur autour de la porte que d'essayer de l'ouvrir une fois verrouillée. C'est une mesure de sécurité additionnelle, mais un peu excessive à mon avis. Après tout, le bâtiment nous appartient et les deux magasins adjacents sont des couvertures. Vous pouvez entrer. Je dois verrouiller cette porte avant d'ouvrir l'autre.

La pièce dans laquelle ils venaient de pénétrer était entièrement vide. Sa nudité attirait d'autant plus l'attention vers une porte similaire située en face de la première.

— Un passage secret ? demanda Normandeau avec dans la voix un peu du merveilleux qui avait peuplé l'imaginaire de son enfance. Un tunnel ?

— Oui, monsieur, dit l'agent Hull avec une indéniable fierté. Durant les années 1950 et 1960, absolument personne ne l'a emprunté. Tous les passages sont notés dans un registre, au siège social. Bourassa l'a utilisé une ou deux fois, mais je dirais qu'il y a bien quinze ans qu'il a servi, et que moins d'une vingtaine de personnes y ont pénétré depuis trente ans. En ce moment, moins de dix personnes connaissent son existence, et vos trois prédécesseurs n'en ont jamais rien su… Je suis le roi de la statistique, dit Hull en souriant. Je vous l'avais dit.

— Incroyable, murmura Normandeau qui en oublia durant quelques instants la tragédie qui se jouait et contre laquelle il ne pouvait rien faire. Vous disiez être délégué aux passages. Il y en a beaucoup ?

— Si vous saviez… fit l'agent avec un geste de la main, en se dirigeant vers l'entrée du passage. Il y en a partout. Je dois avouer que celui-ci est un des plus impressionnants et des plus longs, mais chaque ville a les siens. Le hasard m'a fait tomber sur les plans de la plupart de ces raccourcis il y a quinze ans, et je n'en suis pas vraiment ressorti depuis. Pour être franc, celui-ci est mon préféré, et je regrette presque de ne pas avoir plus d'occasions de l'utiliser. Je n'y suis pas venu depuis dix ans, mais j'ai envoyé deux hommes ouvrir le chemin et enlever le plus de toiles d'araignée possible. C'est un chemin pratique, mais pas spécialement hygiénique.

— On va quand même pas ramper jusqu'au Château, non ? demanda Louise Normandeau.

Hull éclata de rire.

— Non, madame. Vous pourrez y marcher sans même vous pencher. Le sol est en planches. Voyez vous-même.

Hull ouvrit la porte du souterrain, dévoilant un long couloir sombre et étroit, mais haut de plafond. Ils voyaient de la lumière un peu plus loin, ce que remarqua l'homme du SG4.

— J'ai donné quelques lampes à mes balayeurs pour qu'ils les sèment en cours de route, mais nous aurons chacun une puissante lampe de poche. Les voici, d'ailleurs. Le temps file… Il faut se mettre en route, monsieur le premier ministre. Vous me permettrez d'enfreindre une courtoisie élémentaire en passant devant vous, madame, mais il vaut mieux que j'ouvre le chemin.

Georges Normandeau sentit une pointe de claustrophobie s'insinuer en lui lorsque sa femme referma la porte derrière elle, sur les instructions de l'agent. Il faisait tout à coup beaucoup plus noir. Il sentit la main de Louise se glisser dans la sienne.

— Ça passe après un moment… dit Hull comme s'il lisait en eux. La première fois que je suis venu l'explorer seul, j'ai bien cru qu'il ne finirait jamais, ce tunnel… À chacun de mes passages, j'ai tenté durant une bonne partie du trajet de concevoir le travail que ça a dû être de le creuser, mais je n'y parviens toujours pas.

— Ça n'a pas dû être évident, certes, mais avec la machinerie appropriée, c'est l'affaire d'un mois ou deux, dit Louise en tentant de percer l'obscurité de sa lampe de poche.

— Sauf que la machinerie appropriée, il y a cent dix ans, ça se résumait à une pelle, et ce passage fait plus de deux kilomètres !

— Mais vous nous avez dit… commença le premier ministre.

— … que Churchill, Roosevelt et King l'avaient emprunté. Vous imaginez-vous vraiment qu'on aurait mis un tel chantier en œuvre uniquement pour eux ? Le passage s'est révélé pratique du point de vue sécurité, je ne le nie pas, mais à ce point…

— Ça date de la bataille des plaines ?

— Non. La construction de la Citadelle s'est amorcée près de quarante ans après la bataille des plaines. Une bataille qui, comme vous le savez, n'a duré que trente minutes.

— Qui s'est tout de même déroulée après un siège de Québec de trois mois…

— Oui, je sais bien, mais la construction aurait requis un peu de préparation, d'intelligence et de *guts*, ce qui a carrément manqué aux Français en ce fameux 13 septembre. Nous ne possédons que les plans de 1892, indiquant l'annexion de six cents mètres supplémentaires de passage allant de la Citadelle au Château qui se bâtissait à ce moment-là, ce qui tendrait à indiquer que le reste du tunnel devait déjà dater. Ce qui me tue, c'est que je ne saurai jamais pourquoi il a été creusé, ni par qui. Ce n'était pas un projet militaire, j'en mettrais ma main au feu. Les services secrets ont découvert son existence quelques années après la Première Guerre mondiale, par le plus grand des hasards.

— C'est quelque chose… dit le premier ministre. Combien de temps jusqu'au Château ?

— Dix minutes. Quinze, tout au plus…

— Comment vos prédécesseurs ont-ils eu connaissance de ce passage ? demanda l'épouse de Normandeau. Autant nous distraire en chemin parce que le paysage manque franchement de charme.

— Tu préférerais être à l'étage au-dessus ? lui demanda son mari à mi-voix, avec ironie.

Normandeau posa le pied sur une planche moisie qui s'enfonça sous son poids. Il se tordit un peu la cheville, mais n'émit pas un son.

— Ouais, ça, c'est le problème. Il faudrait refaire toutes les planches qui ont moisi depuis soixante ans. C'était du solide, mais ça commence à dater… Toutefois, ce serait difficile de ne pas attirer l'attention en entrant de quoi refaire deux kilomètres de passerelle dans un trois et demi, dit l'agent en souriant.

— J'imagine, oui…

— Pour répondre à votre question, madame, dit l'agent en réglant sa lampe à pleine capacité, c'est un dénommé Kelly qui a porté ce tunnel à l'attention du directeur des services de l'époque. Comme j'ai souvent vu son nom au bas de mes propres archives, j'imagine qu'il s'est trouvé pris dans l'engrenage de la même façon que moi et qu'on l'a délégué aux souterrains. L'ancien propriétaire de l'immeuble s'est fait coincer pour avoir volé un chargement de patates.

— Pardon ? demandèrent en chœur Georges et sa femme.

— C'est authentique, dit Hull en riant. Après la guerre, j'imagine que voler une charrette de pommes de terre et son attelage devait valoir le coup.

— Il les avait cachées ici ?

— Aucune idée. L'histoire ne dit pas ce qu'il advint des patates, mais ils ont découvert ce passage en perquisitionnant l'immeuble du suspect, qui n'utilisait d'ailleurs pas le sous-sol. La seule autre pièce trouvée à ce propos est l'acte de vente signé par notre voleur, à un prix bien au-dessus du marché de l'époque, ce qui laisse penser que les acheteurs étaient conscients du potentiel de cette acquisition.

— Je ne comprends pas... dit Louise Normandeau. Quelqu'un au Château doit bien connaître la porte qui s'ouvre à l'autre bout du tunnel !

— Les propriétaires, puis les directeurs, depuis 1919, ont toujours été les seuls à en posséder la clé, et ils ont tous été très bien rémunérés pour leur silence. Je suis persuadé que le proprio de l'époque aurait pu nous raconter l'histoire de ce passage, mais peut-être que quelqu'un, dans les années suivantes, a jugé plus sage de faire disparaître ses confessions. Et puis, l'hôtel a de la classe et ne change pas ses employés sans raison. Le premier à qui j'ai eu affaire personnellement ne voulait rien savoir de l'argent. Il était fier d'avoir la confiance de son gouvernement. Les temps ont bien changé...

— Entre autres parce qu'on ne peut plus ni faire confiance ni être fier de votre gouvernement, dit Louise sur un ton acide.

— Sans doute… dit Hull sans animosité.

Louise Normandeau fut gênée de ses propos. L'homme risquait sa carrière pour les aider et elle lui tombait dessus. En pointant sa lampe vers son mari, elle lui découvrit un air mi-désapprobateur, mi-amusé.

— Je suis désolée, agent Hull. Vraiment. Vous prenez beaucoup de risques, ce soir. Nous n'avons pas dormi depuis un certain temps.

— Je vous en prie, madame… Tout sera bientôt fini…

— Vous le croyez réellement ? demanda le premier ministre.

— Oui, monsieur. Dans un sens ou dans l'autre, on approche de la fin…

Au détour du chemin, ils aperçurent une porte.

33

Marcus Fontaine n'avait jamais été si près de céder à la panique.

Ils étaient réellement coincés.

Devant une telle situation, l'esprit conservait encore une dernière barrière de sécurité, celle de se dire qu'au besoin, il suffirait de frapper dans le tas pour se frayer un chemin, mais cette dernière illusion s'évanouissait en constatant combien il leur était difficile de demeurer seulement réunis. Un homme avait écrasé les orteils d'Elizabeth qui boitait légèrement. Il s'était confondu en excuses, mais les mouvements de la foule l'avaient vite éloigné d'eux. Benny songeait de plus en plus sérieusement à sortir son arme pour inciter les gens à dégager le passage, mais l'idée lui faisait horreur. Il y avait bien assez de tous ces uniformes verts qui avaient surgi quelques minutes auparavant dans toutes les directions. Ils devaient être quatre mille, bien qu'il soit difficile d'en juger. Presque autant que de croire, d'ailleurs, que le premier ministre n'ait pas envoyé plus d'hommes que cela. Et ils étaient sûrement moins nombreux que ce qu'il imaginait avoir envoyé.

Selon ce que lui avait expliqué Martel, beaucoup de bases n'avaient reçu aucun ordre quant aux événements du Québec et poursuivaient leurs activités normales en se demandant pourquoi elles avaient bien pu tomber en disgrâce. Fort-Beauséjour, au Nouveau-Brunswick, se trouvait à huit heures de route de Québec et hébergeait trois mille hommes qui en ce moment suivaient les émeutes à la télévision. Bethleem Jordan avait songé à les envoyer en renfort, quelques minutes avant que Curtis Taylor ne pénètre dans son bureau, mais cette idée était morte avec lui.

Julie Galipeau, qui n'avait pas ouvert la bouche depuis sa crise de nerfs, s'agrippait à Benny quand les manifestants se mettaient à se pousser les uns les autres pour fuir l'armée et trouver un point de passage vers une relative sécurité. Soudainement, des milliers de gens s'apercevaient que venir se poser en cible pour les tireurs de l'armée n'était sans doute pas une idée de génie.

— Les salopards ! s'indigna Elizabeth en pointant du doigt quelque chose au loin.

Benny fut le premier à voir ce qui avait fait sursauter son amie.

— C'est pas bon, Marcus ! Ils font déguerpir les caméramans. Ils ont brisé le matériel de la chaîne de l'État, tu te rends compte ?

— Autant dire qu'ils pourraient bien tirer sur les chaînes concurrentes, remarqua Julie Galipeau. Surtout que personne n'a dû dire à ceux-là qu'ils n'ont désormais ni emploi ni bureaux où retourner.

Elle enleva la casquette que Benny lui avait achetée la veille en revenant d'une entrevue, et la posa sur la tête de Beth. Elle l'enfonça profondément, ce qui donna un petit air arriéré à la madone et fit sourire son amoureux. Julie expliqua :

— Tu as une tête un peu trop connue, ma cocotte. Quelqu'un pourrait penser que ce serait bien de te la faire sauter des épaules. Ça vaut pour vous deux aussi, mes chéris, mais tout ce que j'ai à vous offrir, c'est mes encouragements.

Benny éclata de rire malgré la tension. Il reconnaissait sa Julie. Il la serra contre lui et l'embrassa.

— Tout le monde panique, remarqua Marcus, mais les soldats ne bougent pas, si on fait exception de nos partisans de la presse libre, là-bas.

— Ouais, dit Benny, et encore… Ils ont peut-être un uniforme de l'armée, mais ça sent les services spéciaux de la GRC à plein nez. En civil, ils auraient été lynchés.

Benny crut apercevoir dans la foule, l'espace d'un instant, un visage qu'il connaissait. Qu'il avait vu récemment. Il regarda attentivement, mais ne vit personne de sa connaissance.

— … es ici ? demanda la journaliste.

— Hein, quoi ? Excuse-moi, je n'ai pas entendu.

— Pas écouté, plutôt… le reprit Beth. Je demandais qui savait que vous êtes ici ?

Marcus et Benny échangèrent un regard. Marcus lui demanda :

— Martel est au courant ?

— Pas si tu ne l'as pas prévenu, non. Tu l'as fait ?

— Non. Personne ne le sait, conclut-il en se tournant vers Elizabeth.

— Génial…

— De toute façon, reprit Benny, comment voudrais-tu que quelqu'un nous…

Il l'avait revu ! Une seconde, tout au plus, mais qui avait été suffisante pour l'identifier. Il revit une chambre de motel, dans l'est de la ville, et se rappela soudainement le nom du motard qui dirigeait les Desperados qu'ils avaient dû s'allier. Maynard ! Phillibert Maynard !

Il hurla de toutes ses forces :

— Maynard !

— Aaaaah ! cria Elizabeth, qui fit un bond de trois mètres sous le coup de la surprise. T'es pas malade, non ?

— Phillibert Maynard !

Il vit une tête se retourner, puis plusieurs autres qui entouraient leur chef. Aucun des gardes du corps du motard ne semblait particulièrement bien disposé. Benny vit plusieurs mains se diriger rapidement vers l'intérieur des vestes en cuir portées malgré la chaleur qui devenait écrasante. Marcus dit :

— Oh, Benny ! C'est qui, cet homme ? Si tu le connais, ce serait bien qu'il s'en rappelle avant que ses amis nous tirent dessus, tu ne crois pas ?

Julie dit à Elizabeth, à mi-voix :

— C'est trop con... J'ai vu des gens céder à Benny leur place dans la file d'attente d'un restaurant, mais personne ne dégagerait un passage sur dix mètres pour le laisser rejoindre le grand, là...

— En foule, les gens sont cons ; c'est connu. Il y a eu une alerte au feu à l'université durant ma première année. Pas de flammes ni de fumée, mais la sirène rend les gens tellement idiots qu'un gars m'a jetée par terre dans sa course et qu'un autre m'a brisé la main en marchant dessus. Sans parler du gros sans-dessein qui m'a mis le pied en charpie tout à l'heure. Il devait bien faire deux cent cinquante livres !

Pendant ce temps, Marcus s'était frayé un passage en entraînant son petit groupe à sa suite. Un des hommes de Maynard empoigna sèchement Marcus et lui fit faire demi-tour pour le fouiller. Les motards étaient d'une sale humeur, car ils avaient dû abandonner leurs motos dans un coin on ne peut moins sûr, bloqués d'un seul coup par la foule et la circulation d'une autre rue qui avait été détournée. N'importe qui avec un peu de bon sens, en voyant les emblèmes peints sur les réservoirs, ne s'approcherait pas à moins d'un mètre de leurs bécanes, mais il n'y avait pas que des gens sensés à Québec aujourd'hui. Loin s'en faut.

Maynard jaugea Benny Trudeau un instant, le temps qu'un des motards assomme un manifestant un peu trop enthousiaste qui lui était entré dedans, et un sourire apparut fugitivement sur son visage.

— Le gars de la télévision, hein ? *Man*, j'ai l'impression que ça fait un an qu'on s'est rencontrés dans ce motel. C'était quand ?

— Ça fait neuf jours, je dirais… Qu'est-ce que vous foutez ici ?

Maynard regarda le bout de ses bottes.

— À vrai dire, j'en sais rien. Il n'y a pratiquement plus de soldats en ville, et ceux qui restent sont dans leurs petits souliers. Tout le monde semblait converger vers Québec, alors j'ai pensé qu'on pourrait être utile, ce qui semble parfaitement ridicule quand on regarde autour de nous. On l'a fait pour le vieux, surtout.

— C'était tout de même une pensée généreuse, dit Julie Galipeau, ce qui fit rougir le chef des motards.

— *Anyway*, pas moyen de travailler… Ceux qui n'ont pas été arrêtés par l'armée se sont fait descendre ou travaillent à nous débarrasser de cette vermine. Et puis, faut bien le dire, je me fiais surtout à Finetti pour ce qui était du schéma d'ensemble…

— Qu'est-ce qu'il prévoit pour la suite ? demanda Benny qui comprit, au regard de ces hommes, avant même d'obtenir une réponse, qu'il n'y aurait pas de suite pour Lotto Finetti.

— Les hosties… grogna Fontaine en serrant les poings, se rappelant du respect avec lequel le vieil homme l'avait traité. Il est mort comment ?

— Joseph Finetti m'a dit qu'ils l'avaient abattu devant chez lui, dans son entrée de garage. La GRC, probablement...

— Tu m'étonnes ! dit Converse avec un sourire amer. En attendant, ils n'ont rien gagné ; Joseph Finetti n'est pas de la même trempe que son grand-père, mais c'est un psychopathe. On a un dossier ça d'épais sur lui au journal. C'est ce qui arrive quand tu remplaces un homme de terrain par une fonctionnaire à la tête d'une agence de renseignement.

— Si moi je sais qu'elle l'a fait tuer et que vous le savez aussi, c'est que la dame est sur le point de connaître un sale moment, croyez-moi.

Avisant la foule qui continuait d'arriver, s'obstinant à nier le fait on ne peut plus évident qu'il n'y avait plus de place, Marcus sentit la nervosité le reprendre.

— Écoutez, Maynard... Je crois que vous savez comme moi qu'on ne peut rester ici. On est tous venus avec les meilleures intentions, mais nous sommes assis sur de la dynamite en ce moment.

Un coup de feu suivi d'un hurlement atroce se fit entendre.

— Et la mèche est vraiment courte... compléta la journaliste du *Provincial*. Vous croyez qu'à nous tous, on peut s'ouvrir un chemin ?

L'homme qui semblait être le bras droit de Maynard, ou à tout le moins un de ses proches lieutenants, laissa échapper un rire qui ressemblait un peu à un grognement.

— Vous voulez parier ? demanda-t-il en souriant.

34

— Je te remercie d'être venue me rejoindre, chérie, dit Gregory Wilson en débarrassant sa femme de son manteau et en le déposant sur le fauteuil capitonné qui trônait inévitablement dans le coin de chacune des chambres d'hôtel qu'il avait occupées depuis son entretien avec Curtis Taylor. Il en avait changé trois fois depuis, mais Domenico Santori l'avait finalement renvoyé attendre de leurs nouvelles à Ottawa, parce qu'il craignait pour la sécurité du vice-premier ministre. Le règlement du conflit passait en partie par lui, et le SG4 n'était pas le seul à être parvenu à cette conclusion.

— Tu sais, chéri, nous avons une maison de fonction à cinq cents mètres d'ici…

— C'est la raison pour laquelle ils m'ont installé ici, j'imagine… Personne de sensé ne viendrait m'y chercher.

— Je n'ai pas rencontré beaucoup de gens sensés, ces derniers temps…

— Ah, ça…

Ils s'installèrent devant un déjeuner apporté par un de leurs gardes du corps. La femme de Gregory regarda attentivement son assiette.

— Il manque un bout d'une de mes rôties et d'un de mes œufs… s'étonna-t-elle finalement.

— Ils goûtent nos plats, à cause du poison…

— Sérieusement ? s'affola sa femme.

— Bien sûr que non ! J'étais dans la lune et j'ai commencé à manger dans ton assiette…

Kathy Wilson éclata de rire, même si la tension mit fin rapidement à sa bonne humeur. C'était toujours ça de gagné…

— Regrettes-tu que Roof ne t'ait pas indiqué la porte quand il en avait encore l'occasion ?

Wilson prit la peine d'y réfléchir attentivement. Après la guerre, il n'aurait jamais cru pouvoir retrouver une vie normale, même après son arrivée au Canada. Quand l'organisateur politique de son district était venu le voir, six ans après son entrée au Barreau, il en était tombé sur le dos. Il avait été touché que quelqu'un le juge digne de représenter le parti et ses adhérents.

À l'instar de Normandeau, Wilson n'aurait jamais pensé qu'on lui offrirait un jour une charge ministérielle, même si celle-ci s'était présentée beaucoup plus rapidement que pour son homologue du Québec. Deux premiers ministres successifs avaient eu une grande estime pour ses capacités et lui avaient offert beaucoup de pouvoir. Roof se l'était adjoint pour d'autres raisons. Les maths électorales lui prouvaient clairement qu'il avait besoin de Gregory, mais il avait fait l'erreur de le croire beaucoup plus malléable qu'il ne l'était en réalité, d'où leurs nombreux désaccords, qui avaient mené le vice-premier ministre sur une voie de garage.

— Non, je ne le regrette pas. Si Normandeau avait annoncé son référendum en août, Thompson aurait été à mon poste et c'est un réactionnaire. Il aurait appuyé Jonathan, et sans aucun remords.

— Et tu peux être sûr que Normandeau le savait…

Wilson, qui se préparait un café, se tourna lentement vers sa femme.

— Tu crois que c'était prévu ? Qu'ils s'attendaient à ce que je prenne la place de Roof ?

— Ils s'attendaient à ce que tu le freines, au moins… Je ne crois pas qu'ils aient su à quel point Roof se méfie de toi…

— Disons qu'il ne risque pas de rebondir ici ce matin pour me demander conseil, acquiesça en riant l'homme politique.

Son garde du corps s'approcha derrière lui et murmura :

— Monsieur ?

— Wô ! fit Wilson en sursautant. Agent Burns, vous pourriez éviter de vous approcher sans bruit, comme ça ?

Un mince sourire vint adoucir les traits de l'homme du SG4.

— Je tâcherai, M. Wilson. En attendant, *il* est dans le lobby, et demande à vous voir.

— *Il* ? demanda Kathy Wilson en haussant un sourcil.

— Le premier ministre, ma chérie, dit-il en se retournant vers elle, un air inquiet remplaçant toute jovialité sur son visage. Combien d'hommes avec lui ? demanda le vice-premier ministre, qui n'était même pas ministre, à l'agent qui, techniquement, travaillait pour une agence qui n'existait plus.

— C'est que…

— Oui ?

— Il n'y a pas d'hommes avec lui. Seulement une femme.

— La sienne ? demanda Kathy, qui avait toujours eu de bons rapports avec Maggie Roof et n'avait jamais compris ce qu'elle faisait avec un homme pareil.

— Non, m'dame. C'est Susan Sterling.

Wilson eut un mouvement de recul.

— Elle n'entre pas dans cette pièce !

— Qui c'est ? murmura sa femme.

— T'occupe ! lui répondit-il un peu plus brusquement qu'il ne l'aurait souhaité. Elle n'entre pas ici !

— Je lui ai déjà dit ça, mais elle voudrait vous voir aussi.

— Vous la fouillerez vous-même, Burns. Tant que vous ne l'aurez pas vue à poil et fouillé ses vêtements, elle n'entre pas ici, cette salope !

— Greg ! s'exclama Kathy.

— Vous m'avez bien compris, Burns ? demanda le vice-premier ministre, ignorant superbement sa femme.

— Parfaitement, monsieur.

Après la sortie de l'agent, Gregory vit à l'air de sa femme qu'il ne couperait pas à une explication.

— Ouvre grand les yeux et les oreilles, ma puce… La femme que tu vas voir va te sembler parfaitement ordinaire. Pourtant, elle est tout, sauf limpide. Dans sa partie, elle est tout aussi folle que l'homme qui l'accompagne ce matin…

— Mais encore ?…

— Elle s'est mariée, a fondé une famille, mais elle est toujours restée proche de Roof. Il a probablement eu des relations avec elle durant de nombreuses années. Elle dirigeait alors trois compagnies de finances à elle seule, et des multinationales encore, pas des petites entreprises…

— Ça fait d'elle une dinde, pas une dingue…

— Elle a tué un de ses amants dans les années 1980, un peu avant de se marier. Un truc vraiment sordide. Roof était ministre de la Justice et il l'a couverte. D'un seul mémo sans signature et daté de dix ans, je suis remonté à la famille de la victime, et c'est ainsi que j'ai découvert Sterling. Elle ferait n'importe quoi pour sauver son amant, mais sinon, ce n'était pas une si mauvaise idée de lui donner le poste de Murphy. En temps de paix, elle aurait peut-être même eu de sacrés résultats. Je suis persuadé qu'elle est à l'origine du meurtre de Lotto Finetti ce matin. Trop occupée à sauver la peau de Roof pour voir ce qu'elle allait déclencher en le faisant passer…

— Génial...

Deux coups furent frappés à la porte, que Gregory alla ouvrir. Jonathan Roof entra d'un pas lent et Wilson fut frappé par son apparence physique. Il ne l'avait pas remarqué à l'écran, mais il avait vu le PM une semaine auparavant et celui-ci semblait avoir vieilli de dix ans entre-temps. Il avait les yeux cernés et la tête de quelqu'un n'ayant pas pris une nuit de sommeil complète depuis deux semaines, ce qui s'avérait être le cas. Même son costume impeccable n'effaçait pas complètement la déchéance de l'homme. Wilson, qui cherchait depuis deux jours un moyen d'éloigner son patron de la scène politique pour reprendre le pouvoir, s'inquiétait de plus en plus de ce que Roof pourrait accomplir avant qu'il ne parvienne à son but. Avec une tête pareille, tout était possible…

Susan Sterling entra derrière lui en ajustant son tailleur, les joues en feu. Impossible, en la regardant, de savoir si la rage en était responsable, ou si c'était la honte d'avoir été fouillée de façon approfondie par l'agent qui la suivait.

Les deux politiciens, qui ne s'aimaient pas plus en ce jour qu'ils ne s'étaient aimés jusque-là, se regardèrent sans un mot. Wilson avait de la difficulté à concevoir que se tenait devant lui le responsable de tant de morts, et le décompte n'était pas terminé, contrairement à sa propre carrière en politique, s'il devait se fier à la visite de son patron, qui ne pouvait être venu que pour le saquer. Le vice-premier ministre indiqua du doigt un fauteuil à Roof, qui refusa d'un signe de tête.

— Je suis pressé, Gregory… S'il n'en avait tenu qu'à moi, je vous aurais simplement passé un coup de fil.

« Tu parles, Charles... », pensa l'ancien combattant qui s'étonnait effectivement que le premier ministre ait eu le courage de venir le licencier en personne. La folle devait y être pour quelque chose. Il ne pouvait être au courant de son entretien avec Curtis Taylor, mais il avait nécessairement appris que le nouveau président américain avait accepté ses appels. Roof s'imaginait sûrement qu'il tentait de le renverser, et il n'était pas si loin du compte, non ? L'embêtement était que Wilson aurait bien aimé y parvenir avant que son patron ne le découvre et ne tue encore plus de gens. L'entrée principale devait grouiller de soldats venus l'arrêter...

— Monsieur Wilson, nous sommes... commença Susan Sterling.

— Madame Sterling, l'interrompit Kathy Wilson, je ne crois pas que mon mari vous ait donné la parole.

— Sachez que j'ai le plus profond mépris pour vous, monsieur le premier ministre, dit Wilson calmement. Faites ce que vous voulez ; vous ne pourrez guère descendre plus bas que vous ne l'êtes déjà...

Le premier ministre se tourna vers la directrice de la Gendarmerie royale canadienne avec un air agacé qui signifiait clairement : « Est-ce que je ne te l'avais pas dit ? » Elle haussa les épaules en retour, lui indiquant de continuer, puisqu'il n'avait pas le choix.

La patience de Wilson s'épuisait rapidement. Il ne parvint pas complètement à cacher son irritation lorsqu'il demanda à son patron :

— Qu'est-ce que vous voulez, John ? Vous n'en avez pas encore assez fait ? Pourquoi êtes-vous venu me trouver ?

Questions auxquelles Jonathan Roof donna la dernière réponse qu'aurait pu imaginer son subordonné :

— Je suis venu vous remettre ma démission, monsieur le premier ministre.

35

Erik Martel acceptait difficilement de ne pouvoir se trouver à Québec pour diriger ses hommes. Les diriger autant que possible dans une telle cohue, s'entend... S'il en croyait les images qu'il voyait défiler sur le téléviseur de l'hôpital, le SG4 ne serait pas d'un grand secours aux pauvres gens réunis présentement sur les plaines. Même Domenico, que Martel avait envoyé à l'aéroport de Saint-Hubert prendre un avion, ne pourrait arriver assez tôt pour faire une différence.

L'agent secret n'avait jamais vu une telle foule de sa vie et se demandait si son équipe pourrait demeurer soudée et efficace dans un tel capharnaüm. Les Desperados étaient aussi sur place, de même que cinq cents hommes de la Sûreté du Québec envoyés par Mueller, mais ils n'étaient pas assez nombreux. Et surtout, surtout, ils ne pourraient être utiles, tous, que si la situation dégénérait. L'armée n'avait pas encore tiré un seul coup de feu et on déplorait déjà une bonne dizaine de morts, dont un enfant qui avait été piétiné par la foule paniquée à l'arrivée de l'armée, à laquelle plus de deux mille retardataires s'étaient joints, s'ouvrant un chemin dans la cohue à coups de crosse quand le passage n'était pas dégagé assez rapidement à leur goût.

Blessé et épuisé, Martel n'en trépignait pas moins d'impatience dans cette petite salle d'attente, enragé à l'idée de ne pouvoir rendre coup pour coup à ces salopards qui maltraitaient des civils. Il décida de passer ses nerfs sur le médecin qui avait examiné Curtis et dont il attendait des nouvelles depuis une demi-heure. Il le voyait qui glandait un peu plus loin, un café à la main, et l'expérience de l'agent lui disait que ce qu'il susurrait à l'oreille de l'infirmière n'avait que peu à voir avec la médecine.

Des médecins comme celui-là, Martel n'en avait que trop vus. L'un d'entre eux, l'année précédente, avait regardé mourir sa mère d'un cancer avec ce même air de celui qui n'est pas concerné. Cela ne fit qu'augmenter sa fureur. Le souvenir de sa mère, qu'il avait vénérée toute sa vie, vint s'ajouter à la douleur des événements et le mit en mouvement.

Il s'avança dans le couloir vers l'homme qui avait examiné le directeur du SG4. Malgré l'urgence soulignée par Martel lors de leur arrivée, le médecin fit exactement comme s'il n'y avait pas un gaillard de près de deux mètres à trente centimètres de lui et fit mine de continuer sa conversation avec l'infirmière. Mal lui en prit. L'instant d'après, il planait dans le couloir à un mètre du sol. Il s'écrasa contre un chariot de linge sale, la tête la première, et celle-ci rendit un son creux lorsqu'elle entra en collision avec le support métallique. Le médecin parut enfin se rendre compte de l'état dans lequel se trouvait l'agent, ce qui ne fit rien pour le réconforter. Martel le prit par son sarreau et le plaqua contre le mur, alors que les pieds de l'homme pédalaient furieusement dans le vide, pour hisser le regard du nabot à la hauteur du sien.

— Quand je dis "urgent", docteur, ça signifie que vous devez courir pour venir me faire votre rapport. On s'est bien compris ?

Pour toute réponse, il n'eut droit qu'à un regard ahuri.

— Je sais que vous n'en avez rien à faire, reprit Martel, mais vos patients sont humains. L'homme que vous venez d'examiner a sauvé des milliers de vies, beaucoup plus que vous n'en sauverez vous-même durant votre misérable carrière de crétin ! Et regardez ce gars-là ! dit Martel en pointant un jeune inconnu dont le bras saignait abondamment dans la salle d'attente. Vous attendez qu'il se vide de son sang ou quoi ? Je ne sais pas ce qui me retient de... gronda Erik en repoussant le médecin contre le mur, alors qu'il le tenait toujours à bout de bras. Hostie de cave !

Martel entendit un liquide ruisseler et baissa les yeux. Il réalisa que le médecin venait de se pisser dessus. L'agent soupira, ouvrit le bac à linge sale et y laissa tomber le docteur, qui pleurait d'humiliation. L'infirmière les regardait tous les deux avec de grands yeux, comme si cette petite altercation était le premier acte de violence auquel elle assistait depuis le début de ce que la population et les journaux commençaient déjà à appeler la guerre civile. Quelque chose soufflait à l'homme du SG4 que le médecin n'aurait plus spécialement la cote avec ses infirmières une fois que celle-ci aurait colporté cette histoire.

— Je peux vous aider ? demanda doucement une femme derrière lui. Vous aider sans finir dans un panier destiné à la buanderie, si possible...

Martel se retourna lentement, le temps de laisser sa fureur retomber. Il savait qu'il faisait peur à voir quand il sortait de ses gonds. Le médecin qui se tenait devant lui devait mesurer cinquante centimètres de moins que lui et éclata de rire lorsqu'elle vit Martel hausser les sourcils d'étonnement avant de baisser vivement la tête vers elle en s'apercevant que la voix venait de l'étage inférieur.

— En général, les hommes baissent un peu la tête pour me parler, mais cette fois, la faute est partagée ; on n'a pas idée d'être aussi grand ! dit-elle en souriant. Je suis le Dr Bilodeau. Nadine Bilodeau.

— Salut doc, dit Martel, qui tentait de ne pas la dévorer des yeux, la doctoresse étant ravissante.

— Vous avez eu une discussion avec le Dr Hazard ? demanda Nadine avec un geste de la main vers le panier à linge dans lequel se débattait encore la victime de l'agent.

Elle semblait n'y porter aucune attention, ses yeux fixant intensément le visage de l'agent, comme si elle y cherchait quelque chose.

— Quelques mots, tout au plus. J'ai expliqué le mot urgence à votre confrère…

— Vous êtes venu avec l'homme qui n'a pas de nom ?

— Il en a un, mais vous n'êtes pas autorisée à le connaître ; vous m'en voyez désolé.

— Il m'en faut plus que ça… Je n'ai pas besoin de connaître autre chose que son historique médical pour soigner un patient, et à voir les cicatrices qui marquent le corps de celui-là, je suis heureuse de ne pas avoir eu à le demander. Vous, vous avez un prénom ?

— Erik. Est-ce que vous l'avez examiné ? C'est votre patient ?

— Si on veut. Mais le chirurgien, c'est le type qui a laissé une flaque là-bas. Je suis aux urgences.

— Comment il va ?

Le Dr Bilodeau afficha un air mi-figue mi-raisin.

— Vous comprendrez, Erik, que je sois un peu perplexe. On ne reçoit pas souvent un patient qui a déjà été opéré, surtout sans savoir par qui. Je ne sais pas quoi vous dire. Votre ami est stable, et c'est déjà beaucoup pour une blessure pareille. J'ignore qui s'en est occupé, mais je laisserais ce médecin m'opérer si je me prenais une balle dans le poumon…

— Si vous ne tenez pas à tenter l'expérience, ne sortez pas de l'hôpital…

— Je refuse de me cacher, dit sobrement le Dr Bilodeau. Si je dois mourir, ce sera en plein soleil…

— Ouais… C'est meilleur pour la peau, dit Martel, pince-sans-rire, ce qui fit sourire le médecin, qui lui plaisait beaucoup. Dites, doc, il ne va pas mourir ?

— Non. Il est solide comme un vieux chêne. Dans deux ou trois jours, il pourra sortir.

Elle n'avait pas terminé sa phrase que Martel secouait déjà la tête négativement.

— Quoi ?

— Je vais lui laisser quelques heures pour récupérer, mais une ambulance viendra le chercher avant le début de la soirée.

— Un transport pourrait lui être néfaste.

— Beaucoup moins qu'une balle dans la tête, dit l'agent qui regretta instantanément d'avoir choisi ces mots en voyant la peur se peindre sur les traits de Nadine.

— Qui êtes-vous ? articula-t-elle lentement, comme pour reprendre le contrôle de ses émotions.

— Entre toutes, dit Martel avec douceur, c'est *la* question à ne pas poser.

Le Dr Bilodeau l'entraîna jusqu'au poste des infirmières, où elle lui versa une tasse de café. Après avoir pris une gorgée du sien, elle dit à mi-voix :

— Je sais qui vous êtes, Erik…

L'agent, qui n'était pas spécialement à l'aise, fit mine de porter la tasse à ses lèvres, mais il la renversa carrément lorsqu'elle murmura :

— SG4…

Après avoir respiré profondément, Martel dit d'une voix égale :

— Vous vous aventurez en terrain glissant, doc. J'en resterais là pour l'instant si j'étais vous…

— Je vous en prie ! dit la jeune femme qui était sortie de l'université l'année précédente. Je ne suis pas une enfant !

— Je n'en doute pas, mais…

— Je connais tout du SG4 !

— Jamais je n'ai dit que j'étais du SG4, ou de toute autre agence, d'ailleurs. J'ai une tête de gentil ? Et à supposer que j'en sois réellement, dit Erik en se levant, je ne vois vraiment pas comment vous pourriez connaître un iota du SG4.

— Erik… dit Nadine en s'interrompant brusquement, comme si le prénom avait réveillé quelque souvenir enfoui.

Elle sembla un instant porter plus d'attention à la carrure de l'agent.

— Erik… Oh, mon Dieu !

— Quoi ? demanda Martel qui ne comprenait rien, mais n'aimait pas beaucoup la tournure que prenait la conversation.

— Erik Martel…

L'agent sursauta méchamment. Il détendit le bras rapidement, agrippa son deuxième sarreau en dix minutes et attira près de lui le Dr Bilodeau, qui ne sembla pas avoir peur un instant.

— Vous m'êtes très sympathique, doc, et j'ajouterais que vous êtes en plus très jolie, mais si vous ne m'expliquez pas dans la seconde de quoi il retourne, je vais devoir vous demander de venir avec moi…

— Me faites pas rire… dit Nadine en dégageant les pans de son sarreau.

Martel, qui depuis des années inspirait la peur uniquement en fronçant les sourcils, n'était pas habitué à une telle réaction. Du coup, il ne sut absolument pas quoi faire.

Nadine le repoussa doucement sur sa chaise, en le regardant dans les yeux.

— Vous êtes un héros ; vous ne tuez pas les jeunes femmes.

— Vous pourriez être surprise, dit l'agent.

— Le Grand Martel… dit Nadine avec un air qu'Erik ne put interpréter que comme de la nostalgie. Martel et… oh, mon Dieu ! s'exclama le médecin pour la deuxième fois.

— Quoi encore ? demanda Martel, de plus en plus nerveux. Quoi encore ?

— C'est Taylor, n'est-ce pas ? Il n'y pas énormément de vos hommes qui ont plus de quarante ans, et puisque vous êtes ici… C'est Curtis Taylor ?

L'agent comprit qu'il ne saurait rien de plus s'il perdait son calme et envoyait planer le médecin avec qui il aurait préféré aller dîner. Elle ne semblait même pas avoir peur ! Il dit simplement :

— C'est Curtis Taylor.

— Incroyable, dit Nadine en se penchant pour lui toucher le genou, ce qui fit sursauter Martel. Vous êtes bien réel !

— Aux dernières nouvelles…

— On s'est déjà rencontrés, vous et moi…

Martel avait une prodigieuse mémoire des noms et des visages. Elle était loin d'égaler celle de son patron, mais elle fonctionnait au quart de tour.

— Non, fit-il, catégorique.

— Que si… dit la jeune femme en lui prenant la main, les larmes aux yeux. Pendant un long moment, durant mon enfance, j'ai cru que je vous avais inventé, mais c'était vous… Dès que je vous ai vu dans ce couloir, quelque chose en moi l'a su. C'était vous…

— Mais qu'est-ce que vous racon…

— J'avais l'impression que le monde s'écroulait... Que la peine allait grossir et grossir jusqu'à ce que ma tête éclate. J'étais couverte du sang de mon père... Je me suis levée pour aller boire un verre d'eau, au milieu de la nuit, et cinq minutes plus tard, le monde volait en éclats.

Instantanément, l'homme du SG4 vit une petite fille d'une dizaine d'années, avec de grands yeux bruns, qui s'obstinait à donner un semblant de massage cardiaque à l'un de ses hommes dans le petit salon de leur maison, alors que ce dernier était déjà mort à son arrivée, atteint de plusieurs balles en pleine poitrine. Quelqu'un avait trahi l'agent, et sa couverture avait été mise en pièces un peu avant son propriétaire. Quelqu'un que Martel avait retrouvé et fait souffrir longtemps avant de le tuer, quelques semaines plus tard, si sa mémoire était toujours exacte. La douleur qu'il affichait fit comprendre au Dr Bilodeau qu'il la replaçait enfin.

— C'est vous qui m'avez emmenée. Vous avez fait sauter la porte et j'ai cru que vous veniez me tuer aussi, mais vous m'avez emmenée. Je vous ai regardé enterrer mon père, quelques heures plus tard, dans les bois. Vous avez dit une prière. On est restés trois jours ensemble, sur la route, et vous m'avez amenée chez ma tante, en Saskatchewan.

Martel ouvrit de grands yeux. Il avait enfin fait le lien.

— Et je l'ai engagée...

— Oui, fit Nadine, souriant tendrement au souvenir de sa tante. Evelyn avait tout un caractère ! Quand j'y repense aujourd'hui, je me dis que c'était une candidate idéale pour des gens comme vous. Et c'était la première femme à faire partie du SG4.

— Elle n'aurait pas dû vous parler de tout ça...

— Elle savait que jamais je n'en aurais dit un mot. Qui m'aurait cru ? Mais au lieu des *Trois petits cochons*, j'avais parfois droit à une histoire d'agent secret. Ou de cambrioleur ayant retrouvé le droit chemin, fit Nadine en souriant.

M'boka passa la tête par la porte.

— La chambre est sécurisée, Erik. Aucune entrée sur les registres, et j'ai placé six hommes dans la chambre et six autres dehors. Ma part de marché est maintenant terminée, si tu le permets.

Martel se leva et prit le grand Noir dans ses bras, avant de l'embrasser sur la joue. Il le garda longuement contre lui.

— T'es un chef, Séraphin, et Taylor te doit la vie. C'est le dernier service que tu auras à rendre à qui que ce soit. Sitôt la situation calmée, ton casier et tous les dossiers gouvernementaux te concernant disparaîtront, dans toutes les agences, de même que ceux des hommes qui nous ont aidés ce matin. Si pour une raison ou une autre je n'étais plus en état de le faire, j'ai chargé quelqu'un de s'en occuper. Merci, négro...

— Va te faire foutre, blanc d'œuf, dit M'boka en souriant. Et merci pour la liberté...

— Vous l'avez gagnée.

M'boka reparti, Martel retourna s'asseoir devant le médecin, qui le regardait avec respect. Elle n'avait pas manqué un mot de l'échange des deux hommes.

— Vous êtes vraiment l'homme que m'a décrit Evelyn...

— Elle disait quoi ?

— Quand elle était joyeuse, elle vous décrivait comme un gentleman schizophrène avec beaucoup de classe.

Martel éclata de rire.

— Ça sonne comme Evelyn... dit-il en affichant un sourire qui s'éteignit presque aussi vite quand il se rappela comment était morte la tante de la jeune femme.

— Vous devez me haïr, par moment. N'eût été de moi, vous auriez encore une famille...

— Pas vous personnellement, mais j'ai longtemps haï votre agence après la mort de ma tante. J'ai vieilli et je me suis rappelé de la passion qu'elle avait pour son boulot, elle qui n'avait jamais réellement su quoi faire de sa peau. Je me rappelle que ma mère disait souvent ça d'elle quand j'étais petite. Et puis, la vie est trop courte pour la gâcher par la haine…

Ils se dirigèrent lentement vers la chambre de l'ancien directeur des services secrets, Martel méditant sur ce que venait de dire le médecin. Taylor avait déjà l'air un peu mieux, ses traits s'étant détendus sous l'effet des calmants. Les yeux fermés, le teint pâle, il respirait laborieusement, mais ses constantes étaient stables. Nadine le regardait maintenant avec d'autres yeux, ceux d'une préadolescente qui avait redemandé soir après soir des histoires concernant le grand Curtis Taylor, qu'aucun personnage de roman n'aurait su égaler.

— La licorne des services secrets… murmura-t-elle doucement. Incroyable…

Sans questionner Nadine, sans même ouvrir les yeux, Taylor dit d'une voix claire :

— Je ne te l'avais pas dit, imbécile, que ce surnom ridicule allait me rester ?

36

Marcel Malloy, qui était né d'un père anglophone et d'une mère francophone, se trouvait bien embêté. Il avait vu le jour à Alexandria, en Ontario, et n'avait jamais habité le Québec. Son prénom français, source inépuisable de raillerie tout au long de son cursus scolaire, l'avait ensuite ralenti durant sa carrière, dans un milieu où les francophones, sans être considérés comme des pestiférés, n'avaient jamais été en odeur de sainteté. Secrètement, toutefois, il en était très fier, car sa mère avait été la personne qu'il avait le plus admirée, elle qui avait refusé, une fois le mariage officialisé, de dire un un mot en anglais à son mari tant que celui-ci n'aurait pas appris le français, ce qui avait quelque peu retardé la nuit de noce.

Mais à une heure de l'après-midi, en ce 16 juillet, maman Malloy n'était pas là, et son fiston le regrettait amèrement. Pour ce qu'il en savait, elle aurait été plus efficace que lui, même morte et enterrée depuis dix ans.

Le lieutenant Marcel Malloy regarda autour de lui, tenta de saisir l'humeur de cette foule inhumaine, et ce que ses sens lui rapportèrent fut loin de le rassurer. Chez les badauds, la panique qui s'était répandue comme un feu de broussailles avait cédé la place à la rage de ne pouvoir quitter Québec comme ils l'entendaient. Les premiers rangs des manifestants n'osaient pas encore forcer le passage à travers les soldats, mais c'était une question de minutes avant qu'ils ne s'y essaient. Les armes automatiques n'étaient pas non plus pointées vers eux, mais les six mille soldats qui entouraient maintenant comme ils le pouvaient les plaines étaient tendus comme des cordes de violon ; cela se voyait à l'œil nu. Ils devaient avoir des yeux tout le tour de la tête, car les coups pouvaient pleuvoir de partout, et très rapidement.

Il voyait des armes dans la foule. Les hommes armés qui se trouvaient près des militaires se virent sommés de rendre leur quincaillerie, et la plupart le firent de bonne grâce, ne s'étant pas attendu, vraisemblablement, à rencontrer une telle résistance quand ils avaient pris le chemin de Québec. Si 1837 avait appris quelque chose à ceux pour qui cette date avait encore un sens, c'est qu'un patriote mort n'était pas d'une grande utilité à sa patrie, quoi qu'on en dise. Quelques autres résistèrent et furent assommés d'un coup de crosse. Certains s'enfuirent à travers une foule obligeante qui s'ouvrit pour leur laisser le passage et se referma devant les uniformes.

Au moment même où son regard se portait dans cette direction, Malloy vit un adolescent, qui avait eu la très mauvaise idée de porter une vareuse militaire, se faire poignarder dans le dos, sans que personne autour ne réagisse, sinon pour éviter d'être souillé par son sang. Marcel n'en croyait pas ses yeux. Leur présence volait beaucoup plus de vies qu'elle n'en sauvait...

Malloy n'était pas un partisan de l'indépendance du Québec, loin s'en faut, mais ce n'était pas une fois le cheval volé qu'il fallait fermer l'écurie à clé. Leur présence ici était une agression, et non l'application d'une loi. Il savait que plusieurs de ses camarades la ressentaient ainsi, sans parler de ceux qui n'avaient rien à foutre des Québécois, de leur indépendance ou de leur mode de vie, du moment qu'on les laissait vivre en paix. Certains avaient averti Malloy qu'ils n'ouvriraient pas le feu, même sous la menace d'une cour martiale. D'autres l'avaient assuré qu'ils en descendraient double ration pour compenser pour les lâches. Six mille hommes dont une bonne moitié souhaitait partir et l'autre, rentrer dans le tas. Funeste perspective…

Malloy ne paniquait pas parce que la chaîne de commandement était rompue. Il paniquait parce que s'il en croyait ce qu'il venait d'entendre, il était maintenant responsable de tout ce fiasco !

— Mais enfin, c'est ridicule ! hurla-t-il dans son téléphone cellulaire pour couvrir le bruit de la foule. Je suis dix-neuvième dans l'ordre de succession sur cette mission ! Dix-neuvième !

Son interlocuteur, un général deux étoiles que Curtis Taylor, en tuant Bethleem Jordan, avait officieusement promu au rang de chef des armées, n'était pas loin de perdre lui-même son calme. Il était à deux semaines de sa retraite, n'avait jamais mis les pieds au Québec et n'était pas heureux d'avoir hérité du dossier.

— Mes félicitations, Malloy ! Vous comprenez maintenant pourquoi des tas de gens montent en grade durant une guerre. Vous vous imaginiez que c'était pour acte de bravoure ?

— Morts ? Ils sont tous morts ?

— Même si on devait me mettre une arme sur la tête, je ne saurais expliquer ce qui s'est passé. Jordan avait une réunion avec son état-major ce matin pour discuter de la disparition de nos troupes, la nuit dernière, et…

Marcel ne put contenir sa colère, lui qui avait échappé de justesse à l'une des équipes du SG4 alors que quatre de ses amis n'avaient pas eu cette chance.

— Disparition ? demanda-t-il, éberlué. Disparition ? C'est de meurtre dont il est question, espèce de planqué !

— Je peux comprendre votre situation, lieutenant, mais gardez-vous une petite gêne… Trois camions transportant une unité chacun ont aperçu les cadavres de leurs supérieurs en bas du quartier général et se sont arrêtés. Quinze minutes plus tard, c'est les leurs que l'unité de reconnaissance a trouvés, après avoir été informée d'une fusillade. Quant au grand chef, ils l'ont abattu dans son bureau.

— Je vois…

— Faites au mieux.

Marcel ne put retenir un rire sarcastique.

— Vous avez des consignes ?

— Lieutenant, vous croyez que l'on devrait se retirer, n'est-ce pas ?

— Immédiatement.

— N'en faites rien. Les hommes qui ne vous tireront pas dessus ne vous écouteront pas plus pour autant, et Roof aura votre peau. Pour lui, on perd la face si on recule maintenant…

— On a perdu la face à la minute même où un civil est mort par notre faute…

— Ça ne me plaît pas plus qu'à vous, Malloy, mais sincèrement, qu'est-ce que vous voulez que j'y fasse ? Si je vous ordonne de reculer, il y aura non seulement des combats entre civils et militaires, mais aussi entre militaires, et des civils seront blessés. Il n'y a que le premier ministre pour faire accepter un tel ordre. Roof avait paré à toute éventualité, entre autres celle que Jordan puisse se ramollir avec l'âge. S'il avait donné un ordre contradictoire, une dizaine de gradés, à la tête de leur unité, auraient provoqué assez de morts civiles pour qu'on s'en rappelle durant dix ans !

— Peut-être bien, mais ils sont tous morts, ces gradés ! Et c'est moi qui hérite de ce bordel, *fuck* !

— Vous avez tout compris.

— Y a pas à dire, fit Marcel, on vit dans un beau pays…

Il raccrocha au nez du chef des armées.

37

Lorsque les choses commencèrent à dégénérer, tout alla très vite.

Personne n'admit, durant les années qui suivirent, avoir tiré la balle qui mit le feu aux poudres. La situation était encore relativement calme. Les soldats se contentaient de ne pas se faire engloutir par la foule qui grossissait toujours et qui les entourait maintenant de toutes parts. Soudain, un coup de feu éclata. Un simple soldat, qui se demandait à ce moment précis comment il pourrait se retirer sans attirer l'attention de son supérieur, reçut la balle au beau milieu du front. Il y eut une seconde d'un silence total, où des milliers de personnes regardèrent sans y croire l'homme mort qui tint encore debout quelques secondes, puis qui s'affala sans grâce par terre. Le caporal qui se tenait à ses côtés crut bien un instant avoir repéré le tireur et déchargea son arme dans sa direction. La balle atteignit malheureusement une dame d'un certain âge qui s'était avancée dans la ligne de tir.

Une brigade en provenance de Sherbrooke ouvrit alors le feu. Ils se tenaient derrière l'unité du mort et les hommes qui la composaient n'eurent aucune chance de se retourner. Dix hommes, dont deux avaient risqué leur vie ce matin-là en sauvant trois francophones de l'incendie de leur résidence, furent pratiquement coupés en deux. La foule qui les entourait, rouge de sang, s'éparpilla parmi le reste des manifestants, en proie à une panique qui ne fit rien pour calmer le jeu.

Dix-sept soldats retardataires, dont le camion était resté coincé par la circulation à l'entrée de Québec et qui tentaient de rejoindre les leurs sur les plaines, tombèrent dans une embuscade près du parlement. Le sergent qui les dirigeait eut bien un pressentiment en voyant un espace un peu plus dégagé où faire passer ses hommes, mais il n'eut pas le temps de leur en faire part. Un groupe de neuf hommes – moitié SG4, moitié mafia –, dissimulés par une foule qui s'abstint bien d'intervenir, leur tirèrent dessus sans sommation.

Ils firent leur travail rapidement et aussi proprement que possible, achevant les blessés immédiatement. Fait improbable, aucun civil ne fut touché par la fusillade. Des dix-sept soldats canadiens qui moururent en cet endroit, un seul eut le temps d'utiliser son arme, et la balle qu'il tira vers le ciel en s'effondrant n'inquiéta personne. Les hommes de Taylor et ceux de Finetti, qui hier encore se faisaient la guerre, apprenaient à travailler de concert, et le résultat était celui imaginé par le défunt parrain.

Les manifestants étaient le plus souvent blessés par leurs pairs. Plusieurs personnes avaient chuté et s'étaient fait piétiner par ceux qui les suivaient avant d'avoir pu se relever. Une femme qui avait dépassé les soixante-dix ans mourut lorsque qu'un camionneur obèse lui tomba littéralement sur le dos et lui brisa six côtes dans la foulée. Elle poussa son dernier soupir au bout de plusieurs minutes durant lesquelles personne ne lui porta secours, pas même le camionneur. Plusieurs blessures avaient pour origine les panneaux et pancartes que les manifestants tentaient d'agiter malgré l'espace restreint. Plusieurs bagarres en ayant résulté, les blessés ne furent que plus nombreux. Avec le soleil qui frappait de toute sa force, le thermomètre qui indiquait trente et un degrés à une heure de l'après-midi et le manque flagrant d'endroits où s'abreuver, les cas de déshydratation étaient légion. Ce n'était pas pour autant le meilleur endroit où s'évanouir, loin de là...

Plusieurs arrêts cardiaques, subis par des gens ayant oublié que leurs années de manifestants étaient loin derrière eux, ne purent être soignés malgré la cinquantaine d'ambulances que le premier ministre avait ordonné au maire de Québec de rassembler. Les véhicules n'avaient pu s'approcher qu'à deux kilomètres des plaines, dans le meilleur des cas, mais la foule libérait volontiers le passage aux ambulanciers. Paul Fiersen inclus, il y avait aussi une quinzaine de médecins sur place, et la plupart d'entre eux auraient bien aimé se trouver ailleurs.

La panique n'était pas encore généralisée. La foule était tellement énorme, et répandue autant sur les plaines que dans les rues et les terrains les entourant, qu'un nombre restreint de personnes assistait séparément à ces meurtres, et que les nouvelles mettaient quelques minutes à faire le tour. Une fois rendu rue Cartier, le soldat canadien dont la mort avait déclenché cette première vague d'hostilités avait été décapité. Comme le fit remarquer un des responsables des effectifs de police appelés sur les lieux, c'était peut-être aussi bien, car il y avait encore des gens qui tenaient mordicus à se trouver sur place pour assister au combat qui allait inévitablement éclater. Motivés par la rage ou par la seule envie de pouvoir dire un jour à leurs descendants qu'ils avaient participé à la seconde bataille des plaines, ils tentaient par tous les moyens d'avancer.

Heureusement, certains manifestants fraîchement arrivés ne restaient pas. Les corps des soldats retardataires avaient été traînés et laissés à quelques coins de rue, ce qui incita ceux que la frénésie d'une telle foule n'avait pas encore atteints à y réfléchir à deux fois avant de se jeter au cœur du combat, ce qui leur sauva assurément la vie. Quelques unités canadiennes, qui devaient à l'origine (quand l'estimation de la foule attendue était de trente mille personnes) bloquer les forces de l'ordre locales si elles tendaient à prendre parti contre les militaires, se trouvaient en difficulté. Plusieurs civils les attaquaient directement, mais aucun soldat n'usa de son arme, trop conscient de ce qui lui arriverait s'il tuait un civil au milieu de la foule. Marcel Malloy avait fait passer le mot.

La foule les malmena bien quelque temps, mais comme les militaires ne répliquaient pas, ou presque pas, ils se contentèrent ensuite de les encercler. Ils ne pouvaient aller nulle part, mais prudence est mère de sûreté… Plusieurs de ceux les ayant attaqués en premier lieu répugnaient de plus en plus à faire couler le sang après en avoir tant vu durant les derniers jours.

La présentatrice du journal faisant concurrence à l'*Information* reçut un coup de bâton de baseball derrière la tête alors qu'elle présentait un topo en direct. L'objet avait échappé à un homme qui tentait de s'en servir contre son voisin qui l'avait bousculé. Pour ceux qui la regardaient à l'écran, Lisette Paré continua de sourire alors que le cadrage permettait de voir très clairement le bâton filer vers elle, avant que ses yeux ne deviennent ronds comme des billes et qu'elle ne s'effondre. L'image fit le tour du monde, et cela désola la journaliste presque autant que de s'être réveillée quatre heures après que les incidents des plaines eurent trouvé leur conclusion. Elle épousa néanmoins le caméraman qui l'avait portée sur ses épaules à travers la foule sur des kilomètres, jusqu'à la relative sécurité de leur camion. Quand Dieu ferme une porte...

À 1 h 33, en ce Québec indépendant, voici où les choses en étaient:

Gregory Wilson s'apprêtait à écrire à toute vitesse son premier discours à la nation en tentant de découvrir qui était maintenant responsable de son armée.

Erik Martel et Curtis Taylor, d'une chambre d'hôpital de Montréal, prenaient des mesures à toute vitesse pour faire diffuser en direct un appel au calme sur les plaines.

Mathieu Sinclair, après s'être bagarré deux fois, atteignait enfin les plaines et, ô miracle, apercevait à cent mètres de là sa fille, à qui un étrange cortège ouvrait le chemin.

Paul Fiersen et William Andersen tentaient, à vingt mètres du présentateur, de réanimer une femme qui avait eu une crise cardiaque.

Georges et Louise Normandeau, couverts de toiles d'araignée, étaient escortés jusqu'à une suite du Château Frontenac.

Joseph Finetti sortait de chez lui et partait venger la mort de son grand-père.

Réjean Morin tentait de joindre le premier ministre Normandeau pour lui dire qu'un énorme incendie ravageait Saint-Henri et avait déjà tué plusieurs dizaines de personnes.

Elizabeth, Marcus, Julie et Benny suivaient Phillibert Maynard et ses hommes vers un endroit que tous espéraient un peu plus calme.

Phillibert Maynard et ses hommes frappaient dans le tas.

Jonathan Roof et Susan Sterling partaient pour l'aéroport où un jet privé attendait l'ancien premier ministre du Canada.

L'essentiel des forces du Québec tenaient toujours tête à l'armée canadienne, qui entourait le nouveau pays comme elle le pouvait, avec les soldats qui lui restaient. Les Canadiens ne tenaient plus tant que cela à envahir leurs voisins. Ils avaient appris ce qui arrivait à ceux qui passaient les frontières.

La moitié des effectifs de police de la province attendaient d'entrer en action sur les plaines, et leur présence manquait cruellement dans leur ville respective, où des drames continuaient de survenir.

Comme dans tant d'autres guerres, c'est la bêtise humaine qui déclencha l'enfer dont se souviendraient pour toujours les gens présents sur place.

Elle entra en scène à 13 h 34.

38

François Moreau n'était pas un mauvais bougre. Déséquilibré et désemparé, certes, mais beaucoup moins que les journaux ne le laissèrent entendre après l'enquête qui conclut, entre autres, à sa responsabilité. Célibataire à quarante ans, Moreau donnait plutôt l'impression de quelqu'un que personne n'avait jamais pris le temps d'aider. Pas une épave, ou même un type méchant, mais simplement quelqu'un ne possédant pas la force qu'il lui aurait fallu pour traverser les épreuves que la vie avait placées sur sa route.

De mémoire d'homme, Moreau avait toujours vécu seul. Il parlait à peu de gens, exerçait sans se faire remarquer son boulot de concierge et entretenait une petite maison à Saint-Hubert. Si quelqu'un lui avait demandé si la solitude lui pesait, il aurait haussé les épaules et continué sa route. François faisait partie de ces gens, et ils sont rares, qui se suffisent réellement à eux-mêmes.

Quelques mois auparavant, toutefois, il était tombé amoureux de la fille de ses voisins, âgée de dix-neuf ans. Il n'était pas spécialement chaud à l'idée de s'être amouraché d'une fille aussi jeune, mais puisqu'il n'avait aucune chance et qu'il ne l'avait pas cherché, il s'octroyait au moins le droit de rêver. Il aida la jeune Isabelle à se relever un jour où elle s'était étalée devant chez lui en faisant du patin, et celle-ci prit l'habitude de venir discuter avec lui une ou deux fois par semaine. Elle comprit vite l'effet qu'elle produisait sur son voisin, mais n'en tira pas avantage pour autant. Aussi timide que François pouvait l'être, cela ne lui serait même jamais venu à l'idée et c'est ce qui lui plaisait chez elle.

François Moreau, dont les parents étaient morts le jour de ses six ans, s'attachait à quelqu'un pour la première fois depuis des années. Il passait parfois de longues soirées à s'imaginer sept ou huit ans plus tard, marié à sa jeune épouse, et la politique n'aurait pu être plus loin de ses pensées. Isabelle restait parfois des heures à discuter avec le quadragénaire, chez qui elle trouvait enfin quelqu'un à qui poser les questions qu'elle ne pouvait adresser à ses parents. Elle trouvait François très drôle. Les deux ou trois fois où elle était arrivée à lui faire fumer de l'herbe, le concierge l'avait tant fait rire qu'elle s'en était presque roulée par terre, à bout de souffle. Son propre père était apparu à la fenêtre de la cuisine, cherchant la raison de cette hilarité. Elle aimait bien Moreau, qui n'avait jamais tenté de lui mettre la main aux fesses et qui lui parlait comme à une femme.

Six heures après l'application de la *Loi sur les mesures de guerre*, François Moreau trouva le corps de sa voisine dans une ruelle, à trente mètres de chez lui. Ses parents, affolés de ne pas l'avoir vue de la nuit, s'étaient rendus chez leur voisin. À ce moment précis, le père d'Isabelle Potvin aurait donné n'importe quoi pour la trouver au lit avec le concierge, alors qu'il avait surveillé de près son voisin depuis le début pour éviter qu'une telle chose se produise. Isabelle ne découchait jamais, et Léon Potvin fut atterré lorsqu'il se vit répondre par François qu'il n'avait pas vu Isabelle depuis l'après-midi de la veille. Ils se séparèrent pour faire le tour du voisinage, se conseillant mutuellement d'être prudent à la vue des soldats canadiens qui envahissaient le quartier.

Le père d'Isabelle était à quatre rues du concierge, mais il entendit clairement les hurlements de celui-ci. Lorsqu'il le retrouva agenouillé devant le corps de sa petite fille, Potvin eut l'impression de devenir fou. Elle avait été battue et vraisemblablement violée. À plusieurs reprises. Léon Potvin, les yeux exorbités, courut appeler des secours qui ne pourraient arriver que trop tard. François ne pouvait détacher les yeux de la femme qu'il avait aimée en secret et qui n'aurait jamais plus la chance d'aimer quelqu'un.

— Quels animaux sont capables de faire ça ? demanda dans un murmure le père de la jeune femme, par-dessus son épaule.

— Ils paradent en treillis, à dix mètres derrière vous, dit Moreau d'une voix rauque où perçait la rage. Les tabarnac…

— Vous croyez que des soldats ont fait ça ? demanda Léon en affichant un air horrifié, lui qui avait voté contre la souveraineté.

— Je n'ai pas besoin de chercher plus loin, conclut le concierge.

Il aurait bien aimé que son voisin se taise, le temps qu'il arrive à comprendre qu'il n'épouserait jamais Isabelle ; qu'il n'aurait même plus la chance d'y rêver. Léon, comptable anonyme d'une immense firme de Montréal et déjà vieux à cinquante ans, garda enfin le silence. François ne pouvait accepter qu'Isabelle soit morte dans cette ruelle puante, à cinq mètres à peine d'une rue où vivaient des gens. Lorsqu'il voulut en faire part à l'homme qu'il aurait aimé un jour considérer comme son beau-père, il vit que celui-ci n'était plus derrière lui. Il l'aperçut au moment même où le comptable se jetait sur un soldat et lui envoyait son poing à la mâchoire. Avant que le militaire n'ait compris ce qui se passait, Léon lui avait subtilisé son M-16 et tirait dans la direction de l'unité qui l'entourait. Il eut le temps d'abattre trois hommes, plus par chance qu'autre chose, avant d'être descendu de plusieurs balles. Moreau n'avait même pas eu le temps de bouger.

Longtemps après que les corps de la petite et de son père furent récupérés par les services funéraires appelés par la police, François Moreau était encore assis dans les feuilles mortes de l'année précédente qui jonchaient le sol de la ruelle où était mort son amour. Il se leva ensuite et trouva même la force – avant qu'un policier ne s'en charge, ce qui risquait d'être long, vu le nombre de morts recensés au Québec en deux jours – d'aller expliquer à la mère d'Isabelle qu'elle n'avait plus de famille.

Il lui dit que sa fille était morte d'une balle perdue, car il ne voulait pas qu'elle souffre davantage, s'il pouvait l'éviter, mais ne lui cacha pas les circonstances de la mort de son mari. Il demeura avec elle une heure, lui servit du thé qu'il prépara en mode pilote automatique, et lui demanda finalement :

— Vous pouvez me procurer des explosifs ?

Malheureusement, elle le pouvait.

Jacinthe Potvin travaillait comme architecte sur divers chantiers de construction, et il lui fallut moins d'une heure et deux coups de fil pour obtenir presque un kilo de C-4 volé sur un chantier dans l'est de la ville et destiné à être envoyé dans le Nord pour faire sauter Dieu seul savait quoi. L'homme qui le lui avait apporté fut plus qu'heureux de le leur laisser lorsqu'il apprit pourquoi sa patronne en avait besoin.

L'idée de départ, pour leur défense, n'était pas plus mauvaise qu'une autre, et même assez courageuse si l'on considère qu'elle émanait d'un concierge et d'une architecte, mais le maniement d'explosifs n'étant la spécialité d'aucun d'entre eux, ils auraient sans doute eu intérêt à y repenser à deux fois. Sur un CB qu'il gardait chez lui et qu'il n'avait pas utilisé depuis des années, François capta plusieurs transmissions de l'armée indiquant clairement qu'elle se dirigeait vers Québec. Jacinthe avait quant à elle lu sur Internet les nombreuses annonces d'une manif sur les plaines, et ils décidèrent de s'y rendre. Ils trouveraient le quartier général de l'armée là-bas et, s'il y avait une justice, ils parviendraient bien à le faire sauter.

Malheureusement, ils furent pris au dépourvu par deux choses.

Primo, comme la foule attendue ne devait en aucun cas excéder cinquante mille personnes, l'armée avait situé son point de rassemblement dangereusement près des plaines d'Abraham, à cent mètres à peine de la terrasse Dufferin. Comme la plupart des unités se rendaient directement sur place, Marcel Malloy s'était dit qu'elles n'avaient guère besoin d'arriver sur la pointe des pieds. Si leur présence visible pouvait en décourager certain, tant mieux. Il croyait même avoir une marge de manœuvre en laissant cent mètres entre les installations temporaires de l'armée et les hostilités. L'emplacement du QG était noir de monde au moment où Malloy passa l'inspecter.

Secundo, François Moreau n'avait pas prévu qu'il lui serait à peu près impossible d'aller où il le souhaitait, parce qu'il était entraîné par la foule de plus en plus nombreuse, et que celle-ci faisait un écart marqué pour éviter les bataillons canadiens rassemblés pour l'instant en un seul endroit. S'il avait pensé à se munir d'un treillis militaire, il y serait parvenu sans mal dans la confusion, mais François était concierge, et pas agent secret.

Il se retrouva donc entraîné vers les plaines avec un kilogramme du plus puissant explosif connu glissé dans les poches de poitrine de son manteau. Il tenait à la main le détonateur et il ne savait plus très bien quoi en faire, puisqu'il n'était plus question de le mettre en place. Il tenta de rebrousser chemin vers les militaires, quitte à accomplir une mission suicide, mais fut vite repoussé dans la même direction que tout le monde.

Quand il vit la foule rassemblée sur les plaines, François Moreau sut qu'il était dans le pétrin. Il ne pouvait pas plus se débarrasser de son fardeau qu'il ne pouvait retourner vers l'armée canadienne. De plus, il venait de s'apercevoir qu'il avait perdu Jacinthe en chemin et qu'il ne la voyait nulle part. Moreau tenta néanmoins de trouver une sortie pour s'éloigner de la foule, conscient qu'il était du danger qu'il représentait pour ceux qui l'entouraient. Le C-4 est le moins volatil de tous les explosifs, mais ce n'était pas sain pour autant d'en transporter en de telles conditions. Il tenta jusqu'à la fin de se frayer un chemin, et peut-être, en fin de compte, y réussit-il trop bien. S'il n'était pas parvenu jusqu'aux rangs des soldats qui tentaient d'entourer une partie de la foule, peut-être que la seconde bataille des plaines d'Abraham se serait résumée à quelques dizaines de morts et aurait été vite oubliée. Toutefois, il y parvint.

À 1 h 34, un sergent canadien nommé Morris Thugs perdit son calme. Asticoté depuis près de vingt minutes par un manifestant qui se tenait à cinq mètres de lui et lui criait des noms d'oiseau avec une originalité qui allait causer sa perte, Thugs sortit son pistolet et le braqua sur l'homme. Guère ému et peut-être inconscient de la rage qu'il provoquait chez son vis-à-vis, le quidam continua à l'insulter en agitant frénétiquement une pancarte qui accusait l'armée d'être une « bende de meurtrier ! ». Ces événements furent filmés à bonne distance par un caméraman d'une station locale qui, juché sur le balcon d'un hôtel situé à cent cinquante mètres des plaines, prenait des plans de la foule.

Plusieurs armes apparurent discrètement dans les mains d'hommes entourant le manifestant. Il faisait partie d'une milice venue de Drummondville – la seule d'ailleurs formée à cet endroit. Lorsque cinq hommes du SG4 y avaient débarqué pour s'occuper de la division qui y avait été dépêchée, ils ne trouvèrent que les cadavres des soldats que la milice avait laissés derrière elle. Cela se produisit une heure à peine après que Curtis Taylor et Erik Martel eurent vu la même division entrer en ville. Formée d'anciens motards, elle n'avait ni structure ni but, si ce n'était d'éliminer le danger à la source.

L'un d'entre eux appliqua cette technique à 1 h 34, en tirant une balle dans la poitrine du sergent Thugs. Son caporal tira quant à lui sur le manifestant, trouant la pancarte qu'il continuait d'agiter comme un con. Avisant les armes qui sortaient de leur cachette, ses collègues ouvrirent le feu vers les miliciens et tuèrent plusieurs d'entre eux, de même que quelques civils qui avaient eu le malheur de se trouver là. Plusieurs soldats furent touchés aussi, mais l'adrénaline menant le bal, ils continuèrent à tirer à tout va.

L'un d'entre eux prit François Moreau comme cible alors qu'il s'ouvrait un chemin avec fébrilité pour s'éloigner de la fusillade. La balle, qui visait initialement sa tête, décrivit une trajectoire descendante pour aller se loger directement dans sa poitrine.

Ou, pour être plus précis, directement dans la charge d'explosif qu'il transportait sur lui.

39

Georges Normandeau entra dans sa chambre, au neuvième étage du Château, au moment exact où la déflagration survint. Il se dirigea lentement vers la fenêtre, tétanisé par la tension qui l'habitait. Quoi encore ?

Son garde du corps l'atteignit avant lui. Il ouvrit de grands yeux incrédules, puis se les couvrit carrément de la main en étouffant un gémissement. Georges eut deux secondes de plus pour appréhender la scène qu'il allait contempler, durant lesquelles il eut le temps de penser à toute vitesse que ce devait être vraiment moche si un homme qui gagnait sa vie en tuant son prochain réagissait ainsi.

Louise Normandeau jeta un œil dehors au même moment que lui. Elle s'évanouit sans cérémonie. Le premier ministre dut s'agripper au rebord de la fenêtre pour éviter de suivre le même chemin. Tout tournait au gris dans son champ de vision. Il ressentit une cuisante douleur au creux du coude, qui eut le mérite de le réveiller. Il s'aperçut que l'agent lui pinçait un nerf.

— Désolé, mais on n'a pas le temps pour ça, monsieur… Oui ! cria-t-il dans son téléphone, à l'intention de Martel. Oui, boss, il est encore en vie, mais c'est une boucherie, monsieur !

« En effet… », pensa Georges Normandeau alors qu'il cherchait son souffle, tout en remerciant le ciel de ne pas voir le spectacle plus en détail. Le rouge, répandu presque uniformément autour du point d'explosion, parlait de lui-même. De là où il se trouvait, le premier ministre tremblait à l'idée d'estimer combien de personnes avaient pu se trouver dans l'espace clairement délimité maintenant dans la marée humaine. Cinq cents personnes ? Mille ? Seigneur !

Son garde du corps s'avança derrière lui et lui tendit le téléphone cellulaire, alors que sa femme reprenait conscience. Il fut soulagé d'entendre Curtis Taylor au bout du fil.

— Taylor ! Vous survivez ?

— Pas le temps pour ça… grogna le directeur du SG4. Mille morts ? demanda-t-il au premier ministre sur un ton qui indiquait clairement qu'il espérait que son agent ait pété les plombs.

— Peut-être plus… dit à voix basse Georges Normandeau. Peut-être beaucoup plus…

Il fut interrompu par un hurlement de sa femme, couchée à même le sol, qui lui glaça le sang :

— ELIZABETH !

Le premier ministre eut l'impression de recevoir un direct à l'estomac.

— Tabarnac ! Ô mon Dieu, faites qu'il lui soit rien arrivé ! Ma nièce est là-bas, Taylor ! Elle est sur les plaines !

— Je sais. Comme presque tout mes hommes et ceux de Finetti. Comme les Desperados de Maynard. Comme les milices. C'est leur présence visible et armée, à tous, qui a empêché les soldats de rentrer dans le tas jusqu'ici. Autant que faire se peut, ils entourent les soldats et ceux-ci le savent très bien maintenant. Finetti le savait. Il ne savait pas s'ils passeraient à l'action, mais il voulait une résistance visible et il avait raison. La moitié des gens qui ont réellement compté, depuis que vous avez annoncé l'indépendance, y sont. On ne peut que se dire que l'explosion a fait des ravages, mais sur quelques dizaines de mètres carrés, si j'en crois ce que me dit votre ange gardien. C'est triste à dire, mais la densité de la foule a probablement sauvé la vie de plusieurs personnes.

— Je me passerai de ce genre de considérations, Taylor, dit Normandeau froidement.

— Quoi qu'il en soit, je vais faire passer le message à mes hommes sur place de jeter un coup d'œil pour trouver votre nièce, mais vous devez savoir qu'ils doivent vraiment en avoir plein les bras, en ce moment… Ceux qui sont encore en vie, j'entends…

— Faites au mieux, dit le premier ministre en raccrochant.

Normandeau prit sa femme en pleurs dans ses bras. Il ne se rappelait pas s'être déjà senti aussi fatigué. Il était littéralement vidé, et sa femme n'était guère plus en forme, ayant reçu des coups de pied tout au long des maigres deux heures de sommeil que son mari avait prises la nuit précédente.

— Dis-moi qu'ils vont nous la ramener ! Ils vont la ramener, hein, Georges ?

— Panique pas avant qu'on ait des nouvelles ! Et appelle ma sœur pour lui demander si elle a des nouvelles de sa fille.

— Mais…

— Christ, Louise, laisse-moi me concentrer deux minutes ! J'ai vingt appels à faire en même temps et ils sont tous pour hier ! Désolé, c'est sorti tout seul, chérie…

— T'en fais pas, va…

En classant par priorité les gestes à poser, il regarda de nouveau par la fenêtre la foule au loin qui semblait complètement figée par la tragédie qui s'était produite moins d'une minute auparavant. Il allait s'y mettre lorsque son garde du corps lui tendit de nouveau le téléphone, avec l'air de s'excuser.

— C'est important ?

— Plutôt, répondit laconiquement l'agent.

Normandeau se saisit du combiné. Au bout du fil, une voix qu'il crut être celle d'une assistante, dit :

— Monsieur Normandeau ? Je vous passe le premier ministre…

Avant qu'il ait la chance d'exploser et de promettre les pires horreurs à John Roof, le nouveau premier ministre du Canada lui dit :

— Monsieur le premier ministre, ici Gregory Wilson.

40

— Qui aurait dit que ma carrière politique allait se terminer comme cela ? demanda pensivement Jonathan Roof en descendant de voiture. J'imaginais plutôt un tas de repas guindés pour me dire au revoir et me remercier…

Sterling avait roulé sur le tarmac après avoir montré son badge aux gardes de l'entrée. Un Learjet attendait, moteur en marche, que l'ancien premier ministre monte à bord.

— Il fallait bien que ça se termine un jour ou l'autre, et comme je te connais, tu vas finir par te dire que ça valait mieux comme sortie que de se faire varloper aux prochaines élections. Tu as cent millions ou presque en poche, un jet privé pour l'Amérique du Sud et une conscience qui ne devrait pas te poser trop de problèmes dans les années à venir. J'en connais qui changeraient de place avec toi, dit la directrice de la GRC en souriant. Tu vas me manquer, tête de nœud…

— Tu peux toujours venir avec moi…

— Fallait me dire ça il y a trente ans. J'ai une famille. Si je pars, c'est à eux que Joseph Finetti s'en prendra. Je le savais, mais le prochain pas du parrain était de te faire assassiner cette nuit.

Roof, qui avait empoigné sa mallette et commencé à faire demi-tour, stoppa aussi sec.

— Tu es sérieuse ? Je n'aurais pas pu simplement partir sans que tu te mettes en danger ?

— Non. Lotto Finetti est de la vieille école. Le meurtre de femmes et d'enfants est impardonnable, même si ce n'est pas à dessein. Il t'aurait poursuivi. Son petit-fils essaiera de le venger, lui, mais je doute qu'il mette des hommes à tes trousses. Mon cadavre lui suffira. J'engagerais quand même un garde du corps, si j'étais toi, à ton arrivée là-bas.

— Aucun traité d'extradition ?

— Non. Ils n'ont jamais été spécialement coopératifs, si j'en crois ce que j'ai lu dans nos dossiers. Plus on voulait récupérer quelqu'un, moins ils voulaient nous l'envoyer.

Roof marcha jusqu'à l'escalier amovible qui permettait d'accéder à l'avion et s'y laissa choir lourdement. La première femme à accéder à la direction d'une agence de renseignement canadienne prit place à ses côtés.

— Tu te rappelles la fin de semaine qu'on a passée à Nassau, il y a dix ans ? demanda Roof, les yeux fixant l'horizon.

— Oui. C'était bien. Tu étais ministre de la Justice, à l'époque. Tu savais encore ce que c'était que des vacances.

Roof eut un petit rire.

— Tu vas prendre soin de Maggie ?

— Elle m'a dit hier que tu lui avais fait virer plus de cinq millions ?

— Ouais… Il me semble que je passe mon temps à donner mon argent…

— Il t'en restera toujours assez, va… Il faut que tu y ailles, parce que la piste doit…

La radio de la voiture, alors qu'ils se relevaient tous les deux, annonça un bulletin spécial. Le ton hystérique du commentateur attira leur attention, et ils se rapprochèrent de quelques pas pour mieux entendre.

— … quelques minutes à peine ! Personne n'a encore pu évaluer les pertes, mais une explosion de cette ampleur, dans une foule aussi considérable, n'aura pu que faire des milliers…

— Tu n'as pas osé ! s'exclama Susan Sterling en jetant à son ancien amant un regard incrédule.

— Je te jure que non ! dit Roof qui, en levant les bras au ciel, s'envoya sans le vouloir en pleine figure un coup de sa mallette. J'ai rien à voir avec ça ! Rien de rien !

Quelque chose dans l'air qu'il affichait dut convaincre Susan de sa sincérité, car elle n'insista pas.

— Je te crois, mais ce qui est sûr, c'est que ça va passer sur ton dos, alors embarque immédiatement.

Jonathan Roof prit Susan Sterling dans ses bras, brièvement, et grimpa quatre à quatre les marches menant à sa nouvelle vie. Il eut un dernier regard pour la femme qui lui avait sauvé la vie, lui sourit et ferma la porte de l'avion.

Au moment où son successeur parvenait à joindre Georges Normandeau, l'ancien premier ministre quittait le Canada pour ne jamais y revenir.

41

La dernière chose qu'entendit Benny, avant l'explosion, fut l'avertissement de Fontaine :

— Ils se sont remis à tirer, là-bas ! Ils ne sont pas tout près, mais faites quand même attention aux bal...

Une seconde plus tard, Fontaine, Julie, Beth et lui-même volaient dans les airs, soufflés par une rafale brûlante qui les culbuta les uns sur les autres. Plusieurs centaines de personnes se retrouvèrent dans le même cas, ce qui causa un capharnaüm indescriptible de bras et de jambes entremêlés chez ceux qui avaient eu la chance de se trouver en dehors du périmètre touché par l'explosion. L'onde de choc les laissa assommés durant plusieurs secondes. Le monde devenait gris.

Fontaine constata qu'il avait du sang qui lui coulait jusque dans le cou et sur le visage, mais il ne sentait pourtant aucune autre douleur que celle d'avoir été projeté violemment contre le sol. Il n'entendait plus très bien, mais ne croyait pas avoir été blessé. Il poussa du coude Phillibert Maynard, qui avait atterri sur son dos, et s'aperçut que le motard qui les avait tant aidés durant cette immonde nuit de nettoyage n'était plus. Le colosse avait été frappé par une boucle de ceinture que devait porter une des victimes, qui avait été projetée, à défaut d'être désintégrée. La blessure à la tête était profonde et le projectile y était toujours enfoncé, alors que Maynard lui-même affichait un air songeur jusque dans la mort, réfléchissant peut-être à l'ironie qui l'avait fait survivre à cent fusillades, mais pas à un accessoire vestimentaire au rabais. Alors que ses hommes reprenaient leurs esprits et l'entouraient respectueusement, Marcus grommela d'une voix qu'il entendit à peine :

— Je leur aurai tous des médailles…

Elizabeth ! Sur le coup, incapable de penser clairement, il ne sut absolument plus où il se trouvait. Il essaya de se relever et retomba lourdement. La tête lui tournait. Il fallait qu'il reprenne ses sens ! Il poussa un cri quand une main l'agrippa par le cou, le forçant à se retourner. Converse le regardait avec les yeux grands ouverts, horrifiés, et du sang coulait d'une de ses narines. Fontaine se jeta dans ses bras, trop heureux de la retrouver en un seul morceau. Il essaya de parler, mais l'émotion était trop forte et il n'émit qu'un son étranglé. Quand il put enfin relâcher son étreinte, ils se tournèrent vers le lieu de l'explosion et poussèrent à l'unisson un hurlement d'horreur.

Tout ce sang ! Il fallut bien deux secondes à Marcus pour accepter ce que son œil lui communiquait. Les survivants qui se trouvaient au bord du périmètre désormais nettement délimité étaient couverts de sang. Et de choses *pires* que du sang. Quand Elizabeth comprit que ces derniers avaient été douchés par les restes de ceux qui les avaient précédés, elle remercia le ciel de ne rien avoir mangé depuis la veille. Dans un cercle dont le diamètre mesurait facilement vingt mètres, il n'y avait que du sang, et un cauchemar pour les légistes qui devraient remettre les pièces en place, ou à tout le moins identifier leurs propriétaires.

Plusieurs centaines de personnes que l'explosion n'avait même pas ébranlées s'effondrèrent partout sur les plaines à la vue du carnage, victimes de malaises dont plusieurs seraient fatals. D'autres furent renversés et piétinés par des gens pris de folie à la vue d'un tel massacre. Ceux qui n'avaient pas été touchés tentaient de fuir, craignant raisonnablement que d'autres explosions ne surviennent. Après tout, n'y avait-il pas eu une centaine d'explosions en moins d'une nuit, deux jours plus tôt ? Comme ils se cognaient à ceux qui n'avaient rien vu et qui voulaient voir à tout prix, plusieurs combats éclatèrent, dont certains firent des victimes supplémentaires.

Une milice de Montréal et une unité canadienne, tout aussi ignorantes l'une que l'autre de la cause du tumulte, s'affrontèrent en pleine rue, causant plus de morts parmi les civils qui se trouvèrent pris entre deux feux que chez l'ennemi. Les choses dégénéraient, et pas qu'un peu... Marcus entendit clairement la fusillade et se rappela un truc que lui avait dit Martel, la veille : « Tout combat se résume à des heures de préparation, et cinq minutes d'une folie totale... »

Cette folie, il l'avait sous les yeux. Non contents des pertes que l'explosion avait causées parmi les militaires, plusieurs civils s'attaquaient maintenant aux survivants, oubliant apparemment que la puissance de feu n'était pas de leur côté. Quelques soldats durent avoir recours à leurs armes pour ne pas être tués. L'un d'eux, que personne ne faisait même mine d'attaquer, ouvrit le feu à la mitraillette sur la foule qui se tenait devant son unité, à moins de cent mètres de l'endroit où se tenaient Marcus et Elizabeth. Cette dernière sentit d'ailleurs une balle filer au-dessus de sa tête et essaya de se convaincre qu'il ne s'agissait que de son imagination. Le militaire faucha plus de dix personnes avant qu'un des hommes de Phillibert Maynard ajuste son pistolet et lui loge une balle en pleine tête, avec un tir que n'aurait pas renié un champion olympique, vu la distance et les circonstances.

Fontaine vit un homme foncer sur lui aussi vite que le lui permettait la foule qui se dirigeait en sens contraire. La cinquantaine passée, du sang plein le visage, il semblait avoir perdu le contrôle de lui-même. Marcus chercha son arme, qui avait dû tomber lorsqu'il avait été catapulté cul par-dessus tête, et ne rencontra qu'une poche vide. Lorsque le cinglé cria son prénom, Marcus le reconnut enfin et se rendit compte qu'il n'avait parlé ni à Benny ni à Julie depuis l'explosion.

Mathieu Sinclair saisit les pans de la chemise du jeune homme et le remit sur pied sans ménagement. Il le secoua ensuite comme un prunier.

— Où est Julie ? Où est ma fille, Marcus ? Avant l'explosion, elle était à dix mètres derrière toi, avec Benny, mais je ne vois plus ni l'un ni l'autre ! Oh ! Excuse-moi, dit le présentateur en s'apercevant qu'il brassait encore Fontaine dans tous les sens.

Avant que Marcus ne réponde, Elizabeth cria :

— Benny ! Il est là-bas ! Celui qui est à genoux ! dit-elle en indiquant leur gauche.

— Merde ! cria Marcus en s'élançant dans la cohue, Sinclair et Converse sur les talons. Il a dû être blessé, et s'il reste prostré comme ça, il va se faire piétiner !

— On va t'arranger ça, dit l'homme qui, sauf imprévu, allait remplacer Maynard à la tête des Desperados.

Deux de ses hommes et lui ouvrirent le chemin une fois de plus, mais Marcus et Elizabeth le remarquèrent à peine. Sinclair, lui, n'y porta pas attention, scrutant attentivement les visages, espérant y trouver celui de sa fille qu'il ne voyait pas avec Trudeau. Sachant qu'ils la chercheraient eux aussi dès que Benny serait hors de danger, il parvint à les suivre en s'accrochant au blouson de cuir d'un des motards, qui ne sembla pas s'en offusquer.

Elizabeth fut la première d'entre eux à comprendre pourquoi Benny ne bougeait pas ; pourquoi il se laissait bousculer par tous ceux qui tentaient de fuir sans même sembler y porter attention. Agenouillé, penché vers l'avant comme s'il apprêtait à prier, Benjamin Trudeau protégeait le corps de son amoureuse.

— Oh non ! gémit Beth en éclatant en sanglots. Seigneur, non !

Marcus crut tout d'abord que Benny était mort. Quand la journaliste se déplaça un peu vers la gauche et qu'il vit Julie Galipeau, blanche comme un drap, il comprit qu'elle ne serait pas du voyage de retour. Il se laissa tomber à genoux devant elle, en pleurs, pendant que les Desperados libéraient à coups de crosse un espace aussi intime que possible dans un pareil endroit.

Le cri de désespoir que laissa échapper Mathieu Sinclair en apercevant enfin sa fille leur déchira le cœur à tous. Benny leva la tête, les yeux hagards, et avisa Marcus et le reste de sa bande.

— Julie… dit le présentateur en se laissant choir aux côtés de sa fille. Ma petite Julie…

— Papa ! laissa échapper Julie dans un souffle, en souriant autant qu'elle le pouvait. Je suis contente que tu sois là ! T'es vraiment là ?

Marcus prit Benny par l'épaule et le fit se lever, le temps de laisser à Mathieu Sinclair la chance de dire adieu à sa fille. Il lui demanda :

— Qu'est-ce qui s'est passé ?

— Ça allait encore après l'explosion… dit le jeune homme, manifestement en état de choc. Je crois que c'est venu de devant. Vu l'angle, la balle a dû être tirée de la butte, par un des soldats. Balle perdue. Au fait, comment va ta mère ? demanda Benny à Marcus sur le ton de la conversation, ce qui donna des frissons à son ami.

— Bien, je te remercie. Elle a été opérée et tout est parfait, mais écoute, vieux… Faut lui trouver un médecin…

— J'en ai même deux ! cria triomphalement un des Desperados, derrière eux.

Il traînait derrière lui Paul Fiersen et William Andersen. Le motard leur avait fait plutôt peur, au départ, mais ils l'avaient suivi sans protester en comprenant qu'il ne venait pas les descendre.

— J'ai dans l'idée qu'un des deux ne nous sera pas très utile, dit Fontaine en soutenant le regard d'Andersen, du moins en ce qui concerne la médecine, mais vous pouvez les aider à nous libérer un espace, n'est-ce pas ?

— Sûr… fit Andersen en fixant la pointe de ses souliers.

Fiersen était déjà à genoux près de Julie, et Elizabeth dut presque pousser Sinclair de force pour faire de la place au médecin. Paul grimaça en constatant à quel point la balle était près du cœur, ce qui n'échappa pas à Benny.

— C'est moche ?

— Oui. Très. C'est déjà beaucoup que vous soyez encore consciente, croyez-moi… Profitez-en…

Il s'adressait directement à Julie, en lui caressant doucement le visage.

Marcus dut se détourner pour sécher ses larmes. Il vit le policier le regarder avec sympathie et se souvint soudain que les nouvelles avaient rapporté la mort de sa fille en fin de matinée. Brûlée vive… Jésus ! Après un court examen, Fiersen revint vers Fontaine.

— Je suis désolé… Je ne peux rien faire ici, et un transport la tuerait.

— Et si on y parvenait? demanda le nouveau chef des Desperados.

— Si elle se trouvait actuellement sur une table d'opération, elle aurait peut-être une chance sur cent de survivre, alors je ne vous dis pas…

— Quelle merde! cria Fontaine. Je ne veux pas vous donner de cas de conscience, mais on a vraiment contribué à envenimer les choses, vous et moi… Et je ne vois pas de hasard dans le fait qu'on se retrouve face à face au milieu de centaines de milliers de personnes…

— Peut-être bien… Peut-être aussi qu'on a simplement exercé un droit civique et qu'on nous a couillonnés. Quoi qu'il en soit, je m'en vais. Marianne est morte. J'ai voulu venir en aide aux gens, pas me faire descendre pour une cause dont je me fous éperdument à l'heure actuelle.

— À qui le dites-vous…

Marcus serra la main du médecin et du policier, et leur souhaita bonne route. Que personne ne les ait encore agressés tenait déjà du miracle. Mieux valait ne pas étirer la sauce.

Benny se tenait à la droite de Julie, et Mathieu à sa gauche. Elle tendit faiblement ses mains pour que chacun en tienne une, et sourit d'une façon qui leur brisa tous le cœur.

— Mes hommes… dit-elle d'une voix claire, réunissant le peu d'énergie qui lui restait pour se faire entendre.

— Ne te fatigue pas, dit Benny, se demandant immédiatement pourquoi il sortait de telles âneries à un moment pareil.

— J'ai l'impression de te connaître depuis vingt ans, lui dit-elle en lui serrant la main.

— Je t'aime, Ju. On les aurait passés ensemble, ces vingt ans-là, je te jure…

— J'aurais bien aimé, beau brun. Papa…

— Oui ? dit Mathieu en se penchant vers elle.

— Ça va bien se passer… dit Julie Galipeau, avant de mourir, simplement, au milieu de la cohue générale.

Pendant une seconde, le temps s'arrêta pour ceux qui l'avaient aimée.

Personne ne dit un mot, alors que Benny berçait le corps de son amie contre lui, complètement inconscient du reste du monde. Ses larmes traçaient des sillons dans la poussière qui les recouvrait tous. Le chef des Desperados se pencha finalement et la lui retira des mains, la confiant avec douceur à l'un de ses hommes. Il dit avec déférence à Mathieu Sinclair :

— On va en prendre grand soin, M. Sinclair. Je vais la faire rapatrier avec Phillibert, en première classe. Comme une reine, je vous jure…

Sinclair, qui avait vieilli de vingt ans depuis le matin, hocha la tête avec lassitude et serra le bras du meurtrier comme s'il avait été un vieil ami. Benny l'aida à se relever, puis Marcus prit le relais. Elizabeth fixait encore le corps de Julie en pleurant. Elle dit à Benny :

— On aurait pu être proches. Je l'aimais beaucoup. Si on avait eu plus de temps…

— Ouais, dit Benny en s'essuyant les yeux. Un peu plus de temps…

Marcus fut le premier à revenir à lui.

— On fait quoi, maintenant ?

— On bouge, dit Benny lugubrement. Mais par où ?

— J'ai un hélico qui va venir nous chercher à l'université, si on arrive jusque-là, dit Sinclair sans relever les yeux, peinant simplement à se tenir debout.

— Oubliez ça, M. Sinclair, dit Beth. Je ne crois pas qu'il me reste la force nécessaire pour faire le quart du chemin, alors sans vouloir vous insulter, vous n'irez pas loin.

— Je sais. Allez-y sans moi.

— Hors de question, dit Benny d'un ton catégorique en voyant disparaître définitivement son amour, portée par le motard. On ne va nulle part sans vous. Je ne laisse pas mon beau-père ici après ce qui vient d'arriver, dit-il à ses amis avec résolution.

— Quoi qu'on fasse, faut le faire maintenant, dit Marcus. Ça devient sérieux. Ça a recommencé à tirer par là.

Un homme en complet, pistolet au poing, passa en courant près d'eux. Butch Beaulieu, qui leur ouvrait le chemin à coups de matraque, sortit son arme en le voyant accourir, puis la rangea lorsqu'il évita ses protégés. Il n'était pas exactement venu ici pour servir une fois de plus de garde du corps, mais la mort de Julie Galipeau changeait la donne et Beaulieu ne se sentait pas le cœur à laisser à leur sort de braves gens endeuillés qui avaient travaillé fort à la souveraineté du Québec.

Il surveillait donc leurs arrières de près, comme il devrait le faire aussi longtemps qu'il compterait remplacer Maynard à la tête du gang. En y repensant, toutefois, même la partie qu'il jouait depuis vingt ans allait drôlement changer dans un proche avenir. Pourraient-ils continuer de tirer sur les hommes de Finetti après avoir travaillé en étroite collaboration avec eux ? Et sur ceux des Latinos ? Il comprit qu'ils auraient à discuter bientôt, quand les affaires courantes seraient réglées, ce qui n'était pas encore le cas.

L'homme en complet stoppa net un mètre plus loin et se retourna à toute vitesse. Marcus et Benny se placèrent devant Elizabeth, et Beaulieu ressortit son arme, mais l'homme les contourna pour mieux regarder la journaliste.

— Mademoiselle Converse ?

— Oui ? demanda Beth d'une voix incertaine.

— Ah ! J'y crois pas ! fit l'homme en affichant un sourire radieux et en levant les bras au ciel. Je vous ai trouvée !

— On dirait… dit Elizabeth, dans l'expectative.

L'homme du SG4 sortit un walkie-talkie de sa poche de poitrine et prononça des paroles qui sonnèrent comme de la musique aux oreilles des survivants :

— Monsieur le premier ministre ? Nous avons trouvé votre nièce et ses amis. On vous les ramène aussi vite que possible.

42

Marcel Malloy se tenait sur une estrade rudimentaire, composée principalement de caisses de lait, ce qui lui permettait de jauger la foule lorsque l'explosion se produisit. Il fut soufflé sur une dizaine de mètres, en tournant sur lui-même, et sa tête entra en collision avec celle d'un agent d'assurances qui tentait de fuir depuis une heure sans y parvenir. Le choc fut terrible, et Marcel s'évanouit en remerciant le ciel : dix minutes plus tôt, il se trouvait dans ce qui allait devenir l'épicentre du séisme. L'histoire ne dit pas ce qu'il advint du vendeur d'assurances…

Il reprit ses esprits une minute et demie plus tard, en plein chaos. Du sang lui coulait d'une profonde coupure au front qui lui fit d'abord croire qu'il avait été blessé aux yeux. Il se releva et constata qu'à tout le moins, il n'avait rien de cassé. Il eut tôt fait de retrouver son poste d'observation, mais il fit un pas de trop en y remontant, complètement saisi par la vue de la boucherie. Il se retrouva donc à plat ventre et sur quelqu'un d'autre pour la deuxième fois en deux minutes. C'était nécessairement une bombe, pour faire de tels ravages ! Il se rendit compte alors de la distance qu'il avait parcourue, inconscient. Une bombe, oui…

Il se retourna et contempla, incrédule, un de ses hommes qui tirait sur des gens ayant seulement fait mine d'entourer un petit groupe de soldats dispersés par le tumulte. Plusieurs dizaines de soldats le regardaient, attendant de voir ce que serait son premier mouvement. Il avait la charge de six mille hommes, dont au moins cent venaient de se volatiliser en une bouillie innommable. Sans parler de ceux qui se sauvaient, à la recherche du premier moyen de fuir le Québec, et qui étaient bien dix fois plus nombreux. Il contempla les morts qui jonchaient les plaines et prit sa décision.

Une décision qui lui vaudrait ultérieurement l'Ordre du mérite québécois, mais ça ne lui traversa jamais l'esprit, pas plus que le fait que sa mère aurait pu être en train de se faire tirer dessus, devant lui. C'était mal, tout simplement, et comme officier commandant, il ne pouvait laisser les choses dégénérer plus qu'elles ne l'avaient déjà fait. Qu'il soit responsable prouvait bien à quel point tout avait dégénéré...

Au moment exact où Gregory Wilson rejoignait enfin le général à qui Malloy avait parlé pour lui ordonner de retirer immédiatement toutes ses troupes du Québec, le lieutenant releva son fusil d'assaut et abattit le tireur, pour donner le ton. L'assassin s'écroula au milieu de ses pairs.

Il allait désobéir à un ordre direct de Roof, perdre son boulot et possiblement finir sa vie en prison pour haute trahison, mais que pouvait-il faire d'autre ? Il se saisit d'un porte-voix que lui tendait un caporal et hurla dans l'appareil, en anglais :

— Je suis le lieutenant Malloy, et c'est moi qui dirige ici en attendant qu'un gradé ose pointer le bout de son nez ! Jetez vos armes immédiatement ! Tous ceux qui n'obéiront pas iront en cour martiale. Ouvrez un chemin pour les ambulances et aidez ceux qui peuvent encore être aidés ! Jetez vos armes !

Plusieurs soldats se débarrassèrent immédiatement de leur harnachement et de leurs armes, trop heureux qu'on leur en donne l'ordre, maintenant que ça devenait un peu trop sérieux. Voyant que plusieurs hésitaient à la vue de la foule hostile, Malloy ajouta en français :

— Vous ne voyez pas que c'est assez ? Regardez autour de vous ! Je n'oblige personne à porter secours à personne, mais si vous ne pouvez être utile, je vous en prie, allez-vous-en… Vous voyez bien que tout ça ne pourra se conclure que dans un bain de sang ! Vous n'en avez pas déjà assez vu ?

La plupart des combats avaient cessé, et plusieurs de ceux qui se trouvaient à portée de voix firent passer le message aux autres, dans les rues.

Du côté des militaires, on ne savait plus sur quel pied danser. Peu d'entre eux avaient encore leurs armes, mais ils n'osaient pas pour autant aller porter secours aux gens sur qui ils venaient de tirer. Deux ambulances firent leur apparition, roulant au pas, alors qu'une trentaine de soldats veillaient à ce qu'elles aient la voie libre. Quelques autres se dirigèrent vers les pauvres bougres qui avaient été gravement blessés par l'explosion sans être tués pour autant. La plupart d'entre eux tournaient encore en rond, et Malloy explosa :

— Qu'est-ce que vous attendez, bande d'imbéciles ? Le déluge ? Si vous ne voulez pas aider, dégagez la zone et allez attendre au QG ! Mais je peux vous dire qu'on va retenir le nom de ceux qui ne foutront rien !

Il y eut bel et bien des soldats qui partirent sans porter secours à personne, mais ils représentaient une minorité, et peu d'entre eux atteignirent le quartier général provisoire de l'armée sans encombre. L'un d'eux fut même descendu dans une ruelle par un autre soldat qui vit là une occasion de régler un vieux compte.

Un homme du SG4, qui avait fait ses classes avec Malloy, le héla alors qu'il allait lui-même tenter de porter secours aux blessés :

— Marcel !

— Kingsley ? Qu'est-ce que tu fais ici ?

— Les ordres étaient de vous empêcher de nuire, dit l'agent en souriant.

— Vous ne croyez quand même pas que l'on ait provoqué l'explosion, non ?

— Pas avec cinq cents de nos gars à proximité… Vous êtes cons, mais pas à ce point.

— *Fuck you*, dit le militaire en souriant faiblement.

Son ancien collègue lui donna l'accolade rapidement et lui dit :

— Peu m'importe ce que Roof ou n'importe quelle commission d'enquête déclarera, Marcel… Aujourd'hui, tu as été grand. J'en témoignerai.

Malloy regarda passer un type énorme en veste de cuir qui portait comme un chargement de pierres précieuses le corps d'une jeune femme, morte, recouverte d'un drapeau du Québec. Il fut heureux que ses cheveux dissimulent son visage, mais ils ne cachaient pas la blessure par balle à la poitrine. Pendant un court instant, Julie Galipeau incarna pour lui toutes les personnes innocentes qui avaient perdu la vie aujourd'hui, et il dut se retenir de pleurer. Saleté de travail…

Malloy prit une grande inspiration. Il y avait beaucoup de gens à rediriger et à sauver, et d'autres qui ne méritaient pas de mourir seuls sur ce bout de terre maudit où il ne semblait arriver que des malheurs. Plusieurs de ses amis étaient morts moins de dix minutes auparavant, et jamais il n'aurait dû se retrouver responsable de tels effectifs, mais les choses étant ce qu'elles étaient, il trouva la force de se remettre en mouvement.

C'est peut-être ça, le plus triste.

On trouve toujours la force…

43

Une heure plus tard, sur tous les écrans du pays, apparaissait un homme que beaucoup de gens apprendraient à aimer. La peur et la fatigue avaient creusé son visage, mais la détermination qu'on y lisait compensait les nuits sans sommeil. Il se trouvait devant une tâche titanesque et n'y était absolument pas préparé, mais Gregory Wilson n'avait jamais manqué de courage.

S'il avait cru avoir peur au Vietnam, il savait maintenant qu'il y avait pire en la matière. Ce discours allait faire l'histoire, et il avait eu une heure pour l'écrire. Même en équipe, c'était un délai très court, et il l'avait écrit seul, au risque de se faire tomber dessus par tout le monde. Il n'avait plus le temps de discuter terminologie avec les différents ministères ; il devait éteindre le feu. Autant mettre tout le monde devant le fait accompli. Il aurait à répondre d'avoir laissé filer Roof, de toute façon. D'ailleurs, pourquoi l'avait-il laissé filer ?

« Citoyens canadiens, voisins québécois, c'est un discours que j'aurais préféré ne jamais avoir à prononcer. Laissez-moi d'abord annoncer que Jonathan Roof m'a remis sa démission en présence de la directrice de la Gendarmerie royale du Canada, il y a un peu plus d'une heure. Je représente donc ici le bureau du premier ministre. Depuis, j'ai ordonné une enquête sur les nombreuses irrégularités dans l'application de la loi martiale, de même que sur le bien-fondé d'une telle application. Cette enquête est nécessaire, mais je sais qu'elle semblera futile à plusieurs d'entre vous. Comment résumer les atrocités commises ces derniers jours ? Comment parler de la perte de tant d'êtres de valeur sans être dévasté ? »

Wilson respira profondément, le temps de reprendre son calme.

« J'ai perdu des collaborateurs, ces derniers jours, et même un ami, mais plusieurs d'entre vous ont perdu une mère, une femme, des enfants, et je n'essaierai même pas de vous dire que je comprends votre peine. Certains chagrins sont au-delà des mots. L'indépendance du Québec, qui sera officiellement ratifiée dès que M. Normandeau et moi-même nous serons rencontrés, aura coûté la vie à des milliers de personnes. Je ne me cache pas la tête dans le sable ; les responsabilités des attentats perpétrés depuis trois jours seront attribuées, et plusieurs passeront le reste de leur vie en prison pour expier. Le Canada devra payer pour la naïveté qui a permis à des hommes retors de prendre le pouvoir. Il y aura une justice, je vous l'assure, mais l'heure n'est pas à la vengeance. Des actes horribles se sont produits et d'autres sont venus en réponse. Nous sommes passés dangereusement près de la guerre civile, entre deux nations qui hier encore s'entraidaient, et je suis persuadé que, comme moi, jamais vous ne voudrez repasser par là. L'indépendance du Québec n'empêche en rien de bonnes relations avec le Canada, maintenant que des gens de bonne volonté ont pris les commandes. »

Il fit une pause, le temps de se demander une fois de plus s'il aurait dû rayer cette petite flèche dirigée contre son ancien patron. Au vu de ce qui allait suivre, il dut admettre que ça n'y changeait rien.

« Nous avons tous une idée assez précise des responsables des odieuses agressions dont plusieurs d'entre vous ont souffert ou ont été victimes depuis le début du tumulte. Vous aussi, probablement. Toutefois, ne jugez pas une nation à l'aune des agissements d'un groupe de personnes mal intentionnées, qui ont choisi la politique de choc, voire le terrorisme, pour accélérer les choses, au détriment de la vie humaine. Aujourd'hui, tout particulièrement, j'ai honte d'être canadien, mais je sais que je ne suis pas responsable personnellement. En tant que citoyen, je ne peux qu'offrir mon aide. Je travaillerai en étroite collaboration avec le premier ministre Normandeau pour connaître les besoins immédiats de nos nouveaux voisins. »

Plusieurs journalistes qui couvraient différents fiascos à travers le Québec continuaient d'arriver, mais ils demeuraient peu nombreux. Aucun d'entre eux ne s'était attendu à la fuite de Roof et personne ne s'intéressait alors spécialement à Gregory, même en un pareil moment. Martel et Taylor avait retracé, de leur chambre d'hôpital, les journalistes les plus importants et leur avait annoncé la nouvelle. Les principales chaînes de télévision, qui avaient jugé trop risqué de garder leur équipe sur les plaines après avoir vu leur collègue de la télévision d'État se faire molester, avaient quelques hommes disponibles à mettre sur le coup, ce qui permit à toute la population d'avoir des images en direct.

« En ce moment même, les troupes canadiennes et québécoises qui se faisaient face à divers endroits le long de la frontière lèvent le camp et retournent à la maison. Jamais plus, nous l'espérons, se retrouveront-elles face à face, et puissent ces deux armées, nées d'une seule, s'appuyer à l'avenir en cas de coup dur. Et si possible, collaborer autrement qu'en période de guerre. C'est pourquoi j'annonce que le Canada fera parvenir trois cents millions de dollars à M. Normandeau destinés à rebâtir toutes les infrastructures, civiles ou gouvernementales, ayant subi des dommages ces derniers jours. Il y aura d'autres ententes, mais je voulais dès à présent vous annoncer celle-ci. Parce que ce sera le travail des mois et des années à venir : rebâtir non seulement le matériel, mais la confiance entre des gens que tout sépare, et qui devront pourtant comprendre qu'il ne peut y avoir d'autre voie que celle de l'entente, en tant que pays distincts. Il ne peut en être autrement ! »

La partie risquée du discours était à venir, mais le nouveau premier ministre n'avait pu se résoudre à la couper. Il fallait dire les choses comme elles étaient. Il y avait encore énormément de soldats à l'intérieur des limites du Québec, de même qu'une population entière qui s'était convaincue que l'explosion des plaines était le fait de l'armée. Tant de gens des deux camps ne seraient jamais punis pour leurs lâches agressions survenues en ces heures de noirceur que Gregory Wilson ne pouvait se taire. Le nombre de civils ayant profité de la crise pour régler des chicanes de voisinage à coups de fusil était ahurissant. Réjean Morin, un peu par provocation, avait envoyé à cet effet au bureau du PM un court mémo qui avait eu le don d'abasourdir le remplaçant de l'homme qu'il voulait narguer. Paradoxalement, c'est cette sortie qui parut lui valoir le respect des Québécois autant que de son propre peuple.

« Vous avez agi comme des animaux. Ni plus ni moins, et sans distinction entre Canadiens et Québécois. Vous auriez dû vous aider ! En trois jours, et jusqu'aux limites de l'Ontario, le nombre de meurtres sans rapport avec le problème actuel a quadruplé ! Certains ont profité de ces malheureux événements pour venger leur orgueil dans le sang ! Certains ont fait des profits sur le malheur des autres, et les petits malfrats habituels ont volé pour plus d'un milliard de marchandises depuis que les policiers ont dû abandonner les devoirs de leur charge pour venir vous séparer, parce que vous vous battez entre vous ! Et entre compatriotes, le plus souvent ! Vous n'avez pas assuré, et moi non plus puisque des gens sont morts, mais la seule bonne nouvelle de la journée, la voici : il est toujours temps d'agir pour le mieux, et personne ne se résume à ce qu'il a fait de pire. Mesdames et messieurs… au travail ! »

Le sentiment que Gregory Wilson laissa aux millions de personnes qui le regardaient d'un océan à l'autre fut exactement celui qu'il avait escompté :

C'était enfin fini.

ÉPILOGUE

Mais, vrai, j'ai trop pleuré !
Les Aubes sont navrantes.

RIMBAUD,
Le bateau ivre

1

Les événements ayant mené à l'indépendance du Québec coûtèrent la vie à plus de huit mille Québécois cet été-là. Des milliers de procès pour meurtre furent instruits, partout à travers le pays, et certains meurtriers furent même punis pour leurs agissements, comme quoi il y avait de l'espoir…

Plus de cinq mille soldats trouvèrent la mort dans l'application d'une loi qui visait à sauver des vies, et les conditions dans lesquelles la loi martiale pouvait être appliquée furent revues, afin que plus jamais un pays ne se trouve à la merci d'un seul homme en pareille occasion, si cela se représentait jamais. Au mois de juillet de l'année suivante, le taux de criminalité au Québec avait même chuté. Le nouveau ministre de la Justice du Québec avait abattu un travail colossal. Il fit d'ailleurs la couverture de plusieurs magazines américains. Réjean Morin creva l'écran à *Sixty minutes*…

François Moreau n'ayant pas de famille, personne ne dut porter le poids de son erreur et la participation de la mère de sa jeune amie fut tenue secrète, après mûre réflexion. Elle eut le choix entre s'expatrier ou rejoindre les rangs du SG4. Lorsqu'elle entra dans leurs locaux, elle s'imaginait encore qu'elle y travaillerait comme architecte…

Le cadavre de Susan Sterling fut retrouvé près de sa résidence quelques heures après les incidents des plaines. Elle avait apparemment arrêté sa voiture près d'une fausse zone de travaux routiers et ses exécuteurs avaient alors surgi. L'enquête révéla qu'elle avait été atteinte par quarante-huit balles. Le détective confia à son patron qu'au vu du nombre d'impacts sur la carrosserie, c'était un miracle que personne n'ait atteint le réservoir d'essence. Susan Sterling eut droit à un enterrement en grande pompe, au frais d'une administration qui ne pouvait décemment admettre que dix personnes au plus avaient rencontré la directrice de la GRC, de son embauche à son assassinat. Ses assassins ne furent jamais retrouvés.

Georges Normandeau demeura à la tête du Québec durant huit mois de plus, le temps de régler la majeure partie du dédale administratif que l'indépendance avait créé, puis céda la place à Julien Leclerc, à qui les Québécois accorderaient leur confiance pendant près de dix ans. Normandeau avait failli perdre sa nièce et avait vu mourir de nombreux amis, sans parler de tous ces braves agents qui avaient assuré sa protection et qui étaient morts dans l'explosion après avoir été envoyés sur les plaines. Il avait été menacé, s'était presque ruiné la santé et était parvenu à offrir à un peuple une réalité dont il n'avait que rêvée jusque-là. Il considérait avoir assez payé de sa personne.

Sa tournée d'adieu fut mémorable et le peuple n'oublia jamais le petit homme qui les avait emmenés jusqu'à la terre promise. Deux heures après l'annonce de sa démission, dix-sept offres de siège à divers conseils d'administration, totalisant plus de deux millions de dollars par an, traînaient déjà sur son bureau. Il chargea son secrétaire de rappeler ces messieurs pour leur dire qu'il prendrait le temps d'y réfléchir. Il avait quelque chose de plus urgent en tête : emmener Louise en Europe, en première classe.

Gregory Wilson garda le pouvoir un peu plus longtemps, mais à peine. Après la naissance d'une improbable amitié entre lui et Normandeau, ils s'étaient attelés à la tâche effrayante de rebâtir des liens entre le Québec et le Canada. Wilson fut décrit par l'histoire comme un incroyable architecte politique et réussit à faire asseoir à la même table des gens que Normandeau n'aurait jamais cru possible de réunir sans assister à un pugilat.

Gregory Wilson ne tenta pas non plus de laisser son successeur régler les sujets épineux. Des centaines de millions de dollars furent payés hors cour et en secret pour régler une bonne partie des procès intentés contre le gouvernement du Canada par les proches de victimes de l'armée qui pouvaient en fournir la preuve. Il parvenait toujours à calmer par sa seule présence les esprits échauffés des gens qui l'entouraient. La plus grande surprise de l'ancien soldat, dans l'année qui suivit le référendum, fut sans doute d'être mis en nomination pour le prix Nobel de la paix, qui fut pourtant remis au président chinois pour son retrait du Tibet. Fallait pas charrier…

Paul Fiersen s'installa dans un petit village du Manitoba où il pratiqua la médecine à l'ancienne mode, à domicile. Le conseil municipal lui proposa plusieurs fois de briguer le poste de maire, mais Paul refusa catégoriquement. Il en avait soupé de la politique et ne mit plus jamais les pieds dans un bureau de vote. Il connut même l'amour sur ses vieux jours et se maria pour la première fois à près de soixante ans. Julie Galipeau fut la dernière victime par balle qu'il soigna de sa vie, qui prit fin le jour même du treizième anniversaire de l'indépendance, lorsqu'il fut frappé par une voiture menant grand train alors qu'il changeait un pneu crevé sur une route peu fréquentée.

Son ami William Andersen, une fois remis de la perte de sa fille, gravit les échelons de la police d'Ottawa. Sa femme Lisa ne s'en remit jamais vraiment. Elle s'enleva la vie quelques jours avant que les patrons d'Andersen ne le nomment préfet. Lorsque son fils quitta la maison pour n'y revenir que rarement, William se jeta à cœur perdu dans son travail. Le jour où il prit sa retraite, à soixante-huit ans, c'est le bureau du directeur de la police qu'il laissa vacant.

Lucien Laverdure, qui avait toujours œuvré anonymement comme fonctionnaire, reçut l'Ordre du mérite québécois pour avoir risqué sa vie afin de prévenir l'opinion publique des informations en sa possession. Normandeau le nomma superviseur de son personnel de secrétaires, ce qui doubla son salaire du jour au lendemain et lui fournit de nombreuses occasions de rencontres. Sur ses vieux jours, il offrit à sa fille Émilie l'acte de propriété d'un journal de province déficitaire qu'il avait racheté avec ses économies.

À l'heure actuelle, Émilie Laverdure est propriétaire de neuf quotidiens à travers le pays, dont les revenus annuels dépassent le demi-milliard de dollars. Elle n'oublie jamais d'en envoyer plusieurs exemplaires à son ancienne colocataire. Elle s'est mariée six fois.

Joseph Finetti fut le parrain le plus craint de la première moitié du XXIe siècle. Il étendit les limites de son territoire, en abattant tous les chefs des familles rivales et en englobant leurs activités, en risquant toujours plus sa propre vie. Il tua lui-même deux parrains new-yorkais et s'en sortit indemne. Quand ses compétiteurs virent qu'il survivait malgré la menace que faisaient planer sur lui ces assassinats, ils surent qu'ils devraient compter avec Finetti.

Malgré la terreur qu'il inspirait, et peut-être parce qu'on racontait entre les branches qu'il aurait joué un rôle dans la protection du Québec durant les troubles de juillet, le public s'était pris d'une curieuse affection pour lui, au point que des attroupements se formèrent devant le poste de police, un jour où il se fit arrêter grâce à un mandat qui fut annulé dès le lendemain par l'un de ses amis. La photo de Joseph que les journaux produisaient le plus souvent, au grand plaisir de leurs lecteurs, faisait pourtant sourire. L'air dubitatif qu'il affichait sur celle-ci valait le coup d'œil. Elle avait été prise le jour de la cérémonie où les gens du *Livre des records Guiness* étaient venus féliciter la *mamma* pour son cent seizième anniversaire. Elle ne marchait plus aussi vite qu'avant, mais elle buvait toujours autant, et même s'il ne l'aurait avoué à personne, Finetti trouvait son arrière-grand-mère franchement inquiétante…

Julie Galipeau eut droit à des funérailles d'État. Des dizaines de milliers de personnes y assistèrent, et plusieurs rues de Montréal furent fermées à la circulation pour permettre le passage du cortège jusqu'à l'église Notre-Dame. Elizabeth écrivit sur Julie, le matin des obsèques, un fabuleux éditorial qui tira les larmes de Sinclair. Galipeau devint aux yeux de beaucoup de gens l'icône même de la victime des événements, et sa mort fut commentée dans la presse malgré l'effroyable nouvelle de l'explosion de Québec, durant un des nombreux marathons d'informations qui suivirent la fin du conflit et la prise de pouvoir de Wilson.

Marcus Fontaine lut l'éloge funèbre dans un silence empreint de respect lorsqu'il vit que Benny n'en aurait pas la force, durant une cérémonie à laquelle assista le premier ministre, qui se tenait aux côtés de Sinclair. Lorsque la dernière pelletée de terre fut jetée, personne ne bougea, ni parmi les proches, ni parmi la foule. Une demi-heure passa avant que l'assemblée, toujours aussi silencieuse, ne se retire dans le calme. Beaucoup pleuraient Julie sans même l'avoir connue.

Elizabeth Converse devint une reporter de réputation mondiale. Un article sur les événements de juillet que lui commanda le *New York Times* lui valut le prix Pulitzer, ce qui ne l'impressionna pas outre mesure, sinon pour la nette augmentation de salaire que cela lui valut. Elle reçut des offres mirobolantes de journaux américains, mais Raoul Gagnon délia chaque fois les cordons de sa bourse et elle ne quitta jamais le *Provincial*, jusqu'à ce que son mari se lance en politique et qu'elle décide de diriger sa campagne. Gagnon, aux dernières nouvelles, avait plus de quatre-vingts ans et tenait toujours solidement les rênes de son journal, bien qu'il faille maintenant crier pour se faire entendre de lui.

Durant les deux premières années de leur mariage, Marcus Fontaine écrivit deux romans ne traitant pas de politique, qui se vendirent assez bien pour lui permettre de vivre de sa plume, ce qu'il eut tout d'abord de la difficulté à croire. Sur l'insistance de l'oncle de sa femme, Fontaine finit par briguer le comté de Taillon, à Longueuil, et l'emporta haut la main. Il fut nommé ministre de la Culture après quelques années comme député et occupa ce poste durant sept ans.

Il prit sa retraite lorsqu'Elizabeth mit au monde Alexandre, leur troisième enfant, et qu'il ressentit le besoin d'être près d'elle et de sa famille. Ils ne s'étaient jamais quittés depuis ce soir où ils s'étaient rencontrés dans ce bar, où ils espéraient tous deux trouver la paix. Six mois après l'enterrement de leur amie, Marcus avait demandé à Elizabeth de l'épouser, et il considérait que c'était la chose la plus intelligente qu'il ait faite de sa vie.

Dans ce lit d'hôpital où ils se serraient l'un contre l'autre, ils attendaient anxieusement qu'on leur amène leur nouveau-né. Marcus sourit tendrement à sa femme lorsqu'une jeune infirmière entra et déposa dans leurs bras celui qui deviendrait trente-neuf ans plus tard leur premier ministre.

2

Jonathan Roof sortit de chez lui et ferma à demi les yeux devant le soleil aveuglant. La demeure qu'il s'était fait bâtir dans la banlieue chic de Sao Paulo avait tout du palace, mais n'avait rien pour attirer l'attention en comparaison des manoirs qui l'entouraient. Le quartier riche était pourtant à moins de deux kilomètres des bidonvilles, mais Jonathan sortait rarement de chez lui pour de grandes balades.

Les premiers mois, il n'en était pas sorti du tout et s'était entouré d'une demi-douzaine de gardes du corps qui le suivaient comme son ombre. Il ne savait toujours pas si on chercherait à le retrouver. Onze mois après qu'il eut quitté le Canada sur un vol privé, il n'avait gardé que son garde du corps préféré, celui qui parlait le mieux l'anglais.

Son ex-femme était venue le visiter avec sa fille et son nouveau mari deux mois plus tôt. Même si Jonathan n'avait que moyennement goûté de voir débarquer le mari, qui avait bien dix ans de moins que lui, il leur avait fait bon accueil parce qu'il s'ennuyait ferme. Il fréquentait deux ou trois femmes, mais n'avait pas d'amis, et n'en avait plus eu depuis que le dernier avait été tué par sa faute, lors de cette maudite semaine de juillet.

Roof ne vivait pas aussi bien qu'il l'aurait cru avec ce qu'il avait fait, et cela le rongeait parfois. Il tentait d'oublier le Canada. Il n'écoutait plus les nouvelles et s'était remis au tennis. Il s'apprêtait à l'appeler pour lui demander s'il lui était possible de changer un peu de décor lorsque sa femme lui apprit que Susan Sterling avait été tuée. Il n'arrivait toujours pas à le concevoir. Il avait beaucoup prié pour elle, mais jamais pour son propre salut.

Roof sirotait le scotch que son garde du corps lui avait apporté, et il se plongea dans la lecture des journaux français sur son portable. On ne parlait presque plus du Québec. Parfait. Il pourrait peut-être dormir, ce soir…

Cent mètres plus loin, dans les fourrés d'un terrain de golf qui passait derrière la nouvelle résidence de l'ancien premier ministre, Mathieu Sinclair tentait d'ajuster la molette de ses jumelles pour voir plus clairement l'homme qui était responsable de la mort de sa fille. Il se déplaça un peu sur sa droite, pour soulager son ventre d'une racine insistante.

— Ne bougez pas… dit patiemment l'homme du SG4 qui se tenait à ses côtés, dans la même position. Il n'y a personne sur le *fairway*, mais il pourrait venir un joueur ou deux. Plus je descends de monde, plus il y en aura pour nous courir après.

— Vous êtes sûr que vous voulez descendre d'abord le gorille ?

— Oui. Je veux que ce trou du cul ait le temps de voir venir sa fin, et il n'a nulle part où courir se cacher dans l'immédiat. Vous, vous êtes sûr de vouloir assister à ça ? Je peux vous laisser plusieurs minutes pour vous en aller avant de…

— J'ai beaucoup couru depuis que j'ai démissionné. Je suis plus en forme qu'il y a dix ans. Je tiendrai le coup s'il faut partir en vitesse, et je veux le voir mourir.

— Comme vous voulez, concéda l'homme, dont le calme effrayait. L'idée ne me paraît pas géniale, mais vous êtes en droit de le souhaiter.

À travers sa lunette, l'agent cadra parfaitement Emilio Perez, le garde du corps de Roof, qui se tenait à dix pas derrière son patron, à l'affût d'un désir à satisfaire. Le tueur inspira profondément et expira doucement, le temps de laisser passer un coup de vent qui aurait pu dévier son tir. Il appuya deux fois sur la détente et vit clairement les deux balles toucher leur cible avant que le corps ne bascule vers l'arrière. Perez ne sut pas ce qui lui arrivait. L'agent n'avait jamais aimé faire souffrir les gens.

Jonathan entendit deux détonations, puis un bruit sourd derrière lui. Il ne perdit pas une seconde à se soucier du mort et tenta de se relever rapidement d'une chaise longue peu adaptée à cet usage particulier. Alors qu'il se donnait l'impulsion nécessaire pour se remettre sur pied, l'homme du SG4 le cueillit d'une balle en pleine poitrine qui repoussa Roof contre le dossier de la chaise. Par précaution, il visa ensuite la tête et pressa de nouveau la gâchette. Jonathan eut un dernier et violent soubresaut, puis sa tête vint s'appuyer sur sa poitrine, et il passa de l'autre côté du miroir.

Mathieu Sinclair, qui était pâle mais n'avait pas bronché une seule fois durant l'opération, se tourna vers l'agent qui avait vengé sa fille et dit simplement :

— On dira ce qu'on voudra, mais ça soulage...

— Je ne vous le fais pas dire, dit Benny Trudeau en démontant son arme.

3

À quelques kilomètres de Nice, un somptueux voilier de soixante pieds battant pavillon panaméen, mais qui en changerait sans doute avant la fin de la semaine, jeta l'ancre.

L'homme chauve, étendu sur une chaise longue, s'amusait à faire tourner les glaçons dans son verre. Celui bâti comme un réfrigérateur, appuyé sur des cordages non loin de lui, le regardait faire avec le sourire. Dur d'imaginer, en les voyant détendus sur le pont d'un tel bateau, qu'ils avaient un jour mis sur pied l'une des agences de renseignement les plus efficaces au monde, mais c'était pourtant le cas. L'homme qui protégeait sa calvitie du soleil par une casquette se tourna vers son voisin avec un sourire :

— Je me sens coupable… dit-il en riant.

— Ça te passera, patron… Comparé au niveau où on jouait avant, c'est comme une partie de Monopoly. Et puis, ce n'est pas comme si c'était pour l'argent, dit en s'esclaffant Martel, qui avait acheté le bateau avec sa part de leur dernier coup. Il n'est pas magnifique, le Monet que je t'ai volé pour ton anniversaire ?

— Quoi ? Tu l'as volé ? fit Taylor en mimant l'horreur. Où donc est passé ton respect de la loi ?

— Mon quoi ?

Taylor éclata de rire en se servant un autre verre.

Environ quatre mois après la victoire des indépendantistes, Curtis Taylor et Erik Martel s'étaient évaporés dans la nature. De son nouveau fauteuil de directeur, Santori les avait bien fait rechercher pour la forme, mais il savait à quoi s'en tenir.

Depuis des mois, chaque fois qu'un de ses subordonnés lui rapportait un vol audacieux dans un musée, l'élève ne parvenait toujours pas à s'empêcher de sourire.

Dix-neuf vols eurent lieu durant les quatre mois qui suivirent leur défection. De Hong Kong à New York, et du British Museum au Louvre, personne ne découvrit jamais le commencement d'une preuve. Deux Picasso, trois Monet, un Rembrandt et un énorme Delacroix ne furent jamais retrouvés, pas plus qu'une statuette de Rodin et plusieurs collections de bijoux estimées à plus de cent millions. À l'exception du Monet qui ornait la chambre de Curtis dans la cale du bateau, toile que Martel avait gardée pour l'offrir à son ami, chaque objet avait trouvé son acheteur dans la semaine.

Le principal souci des deux hommes était de trouver comment dépenser leur argent.

De l'escalier qui menait au pont supérieur du voilier, on entendit la voix d'une femme qui montait :

— Dites donc… vous m'avez l'air trop joyeux pour ne pas être suspects… Quels mauvais plans mets-tu encore dans la tête de mon mari, infâme voleur ? demanda en riant celle que Curtis Taylor avait épousée pour la seconde fois trois mois plus tôt, et qui faisait maintenant route avec eux.

— Je suis pur comme l'agneau qui vient de naître, m'dame. Je ne fais que suivre les ordres, dit Martel en lui adressant son sourire le plus angélique.

— Tu parles d'un agneau… dit le Dr Bilodeau.

Arrivant par derrière, elle versa un verre d'eau rempli de glaçons dans le dos de l'homme qui lui avait un jour sauvé la vie, et de qui elle était maintenant amoureuse.

— J'ai vu des loups plus inoffensifs, mon biquet !

— On n'est pas trop de deux femmes pour surveiller ces deux malhonnêtes-là !

Elles redescendirent à l'étage inférieur chercher des boissons fraîches et Martel, qui regardait au loin par-dessus les flots bleus, dit doucement à son ami :

— Tu sais, je pensais à un truc…

Taylor sourit. Les plans de fous de son ami commençaient le plus souvent ainsi.

— Et à quoi ?

— Les joyaux de la couronne. Je crois que ça peut se faire, patron…

Montréal, 15 juin 2004